CHEZ LE MEME EDITEUR

LES BASES

DE LA

CUISINE

© Jacques LANORE 12, rue Oudinot - 75017 PARIS ISBN: 2-85158-0027

J. SYLVESTRE
LYCÉE TECHNIQUE HOTELIER
DE PARIS
PRIX PROSPER MONTAGNE 1959

J. PLANCHE
LYCÉE TECHNIQUE HOTELIER
DE PARIS

LES BASES

TABLE DES MATIÈRES

DE LA CUISINE

AVERTISSEMENT

Cette édition s'attache à mettre en évidence la nécessité d'être équipé non seulement intellectuellement, mais matériellement pour obtenir des résultats de qualité.

Nous avons entièrement refondu la première édition pour cerner de plus près les MATÉRIELS qui apportent des techniques sûres, offrant des possibilités de supplément de temps pour penser « Cuisine »; ainsi composée cette nouvelle édition conviendra aussi bien aux lecteurs confirmés qu'aux néophytes, déterminera des vocations, affirmera le goût de notre art chez les jeunes engagés dans la profession.

Cette nouvelle édition respecte l'esprit de l'ancienne, les Bases de la Cuisine sont présentées en formules condensées notre souci étant de mettre en valeur les recettes mères mais aussi le marériel qui assure une parfaite réussite des travaux entrepris.

Dans cette nouvelle édition deux nouveaux chapitres ajoutent de l'intérêt à l'ensemble, la présentation des plats et le contrôle et le calcul des coûts.

Ainsi conçue, cette nouvelle édition permet, nous en sommes convaincus d'assimiler aisément les techniques de base sur lesquelles s'édifie l'ensemble complexe de la cuisine française.

Nous pensons avoir traduit avec fidélité la tradition et l'enseignement que nous avons reçus de nos Maîtres, aussi leur dédions-nous ce nouveau livre en témoignage de notre profonde reconnaissance.

LES AUTEURS

LOCAUX

CUISINE ET ANNEXES

• LOCAUX-CUISINE

1. IMPLANTATION

2. INSTALLATION

• ANNEXES CUISINE

GARDE-MANGER

BOUCHERIE

PATISSERIE   1. IMPLANTATION

LÉGUMERIE   2. INSTALLATION

PLONGE

VAISSELLE-ARGENTERIE

• ÉQUIPEMENT DE LA CUISINE ET DE SES ANNEXES

1. MATÉRIELS DE CUISSON

2. INSTALLATIONS ET APPAREILS FRIGORIFIQUES

3. APPAREILS ROBOTS

4. MATÉRIELS NEUTRES ET DE COMPLÉMENT (mobiles et fixes)

5. MATÉRIELS TYPE NÉO-RESTAURATION

CUISINE
ET ANNEXES

LOCAUX-CUISINE

● 1. IMPLANTATION

La CUISINE doit être implantée d'une manière rationnelle pour rendre aisées les relations entre « LE POINT DE FABRICATION ET CEUX DE CONSOMMATION »:

	SITUATION	
	IMPLANTÉE A PROXIMITÉ DES POINTS DE CONSOMMATION	**IMPLANTÉE A UN NIVEAU DIFFÉRENT OU ÉLOIGNÉE DES POINTS DE CONSOMMATION**
AVANTAGES	● Transmission rapide des commandes *. ● Mets chauds servis à température désirée. ● Circuit court entre le point de débarrassage et de nettoyage du matériel de restaurant et de cuisine.	● Peu de bruits perçus dans la salle de restaura ● Odeurs de cuisine inexistantes.
INCONVÉNIENTS	● Perception de bruits si l'insonorisation de la salle est insuffisante. ● Odeurs de cuisine perçues en salle de restaurant.	● Transmission peu rapide des commandes. ● Circuit perturbé entre le point de fabrication celui de consommation. ● Tributaire d'un monte-charge ou d'un pass plats. ● Mets chauds servis à une température p conforme aux souhaits de la clientèle. ● Circuit perturbé entre le point de débarrassa et de nettoyage du matériel sale de restaura et de cuisine.

* La transmission des commandes conditionne le rythme de la fabrication: un circuit court entre la cuisine et le restaurant permet au personnel de salle de se consacrer avec plus d'efficacité au service de la clientèle.

CONCLUSION

Les architectes, les installateurs, les constructeurs, etc., doivent avoir pour objectif d'implanter les cuisines de façon à réduire au minimum les circuits:

ÉCONOMAT
matières d'œuvre

FABRICATION
cuisine

CONSOMMATION
restaurant

MATÉRIEL SALE
restaurant

NETTOYAGE
cuisine

REMARQUE

L'interphone est d'une grande utilité pour assurer une liaison instantanée entre les différents services — transmission des « ordres et commandes ».

SURFACE

- La surface doit être appropriée aux besoins.
- Les aires de circulation doivent être suffisantes entre les différents services:

SURFACE RESTREINTE	**SURFACE TROP VASTE**
• Entretien difficile.	• Dispersion des « plans de travail ».
• Impossibilité de rangement rationnel du matériel et des denrées.	• Surcroît d'efforts pour le personnel.
• Température ambiante élevée — aération difficile.	• Ralentit la production.
• Aires de travail limitées.	• Nécessite, pour fonctionner, un personnel plus important que les besoins réels.

- **NOTA.** Les ANNEXES: garde-manger, pâtisserie, légumerie, plonge, vaisselle, argenterie, doivent s'imbriquer dans la cuisine.

SOL

- Recouvert de matériaux d'un entretien facile: carrelage présentant une surface antidérapante en granit ou en strié ou à petites pastilles.
- En pente douce, pour collecter les eaux de lavage vers des bouches d'évacuation (« regards ») garnies de grilles avec paniers de récupération des déchets.
- Caniveaux inclinés, dallés, recouverts de grilles, disposés sous les appareils de cuisson (friteuses, marmites, sauteuses, etc.) pour faciliter l'évacuation des eaux usées, provenant des cuissons ou des nettoyages.

MURS

- Résistants aux chocs inévitables occasionnés par le passage de chariots, de marmites, de tables déplacées brutalement, etc.
- Angles incurvés — coins de mur — munis de plinthes pour faciliter le nettoyage.
- Angles saillants — arêtes — renforcés par des cornières métallisées (montants d'angles).
- Enduits de peinture laquée ou à l'huile, ou de préférence recouverts de carreaux de faïence vernissée, posés jusqu'à « hauteur d'homme » (d'un entretien aisé).

POSTES D'EAU	Installés en des points précis selon l'importance d'utilisation, à proximité des postes de travail.

- Plonges avec bacs simples ou doubles en acier inoxydable, alimentées en eau chaude et froide, avec ou sans pieds, encastrées ou non dans les tables de travail.
Bacs aménagés d'un tube de trop-plein avec grille de retenue. Certains sont munis d'un système de lavage des légumes.
Egouttoirs placés à gauche ou à droite, ou de chaque côté, avec une légère pente; munis de nervures qui augmentent la rigidité de la structure et favorisent l'écoulement des eaux.

- Points d'eau supplémentaires installés à 1 m environ du sol avec larges grilles d'écoulement, pour rafraîchir, dégorger, laver certaines préparations et denrées, débarrassées dans des bacs mobiles ou dans des récipients trop lourds pour être soulevés ou transportés d'un point à un autre.
Possibilité d'adjoindre à ces robinets, à l'aide d'un embout, un tuyau d'arrosage pour l'entretien.

- Robinets d'eau chaude installés au-dessus des fourneaux (sauf fourneaux fonctionnant à l'électricité) à la disposition des cuisiniers.

ÉCLAIRAGE	Eviter les surfaces et les silhouettes d'ombres projetées sur les plans de travail. Deux sources d'éclairage peuvent être employées:

- Par la lumière du jour (lorsque cela est possible) diffusée par des fenêtres larges et mobiles à glissières, des baies ou des plafonds vitrés.

- Par la lumière électrique assurée par des tubes luminescents ou fluorescents, bien disposés au-dessus des endroits où le travail doit être minutieux: tables de travail, fourneaux, marmites, sauteuses, friteuses, tables chaudes, postes de cuisson divers, etc.

| **VENTILATION** | Différents types d'extracteurs sont offerts selon les installations, la position des postes de cuisson, l'implantation, le volume de la cuisine et de ses annexes.
Ils sont généralement situés en sortie de gaines (d'extraction) dont la section doit être en rapport avec le volume à extraire et la vitesse de circulation de l'air dans ces gaines, afin d'assurer un service efficace avec le minimum de bruit. |
|---|---|

- Conditionnement de l'air assuré par des appareils de ventilation et de collecteurs avec arrêt automatique des turbines, afin d'éviter les turbulences (courants) d'air, ennemies de la santé.

- Installation de « hottes » (pas toujours obligatoire; parfois inélégantes; encombrantes; lourdes; d'un entretien difficile) placées au-dessus de tous les appareils et postes de cuisson, d'une superficie légèrement plus grande que ceux-ci.
Elles sont aménagées à l'intérieur d'extracteurs ou de collecteurs munis de filtres à graisse, pour la captation des fumées, des gaz toxiques (oxyde de carbone), des vapeurs d'eau et graisseuses, afin d'éviter l'encrassage des appareils et des conduits d'évacuation.

- Installation de collecteurs sans hotte, facilement accessibles pour leur entretien.
Placés à environ 1,90 m du sol ou à 2,50 m selon les types, ils sont installés pour fourneaux et postes de cuisson adossés (type mural) ou pour fourneaux et postes de cuisson centraux (type central).
Ces appareils sont généralement fabriqués en aluminium poli ou en inoxydable, ce qui leur permet de résister très bien à la corrosion des vapeurs de gaz et de cuisson.
Les filtres sont en fils d'acier galvanisé tissés, formant labyrinthe à rétention progressive, avec grille de protection en acier galvanisé, facilement démontable pour l'entretien.

● 2. INSTALLATION

Les installations englobent des équipements et des matériels diversifiés.
Elles doivent être adaptées aux types de restauration, pour réaliser une fabrication, dans le but de répondre à des objectifs très précis.

■ A. CLASSIFICATION

TYPES DE RESTAURATION	OBJECTIFS DES INSTALLATIONS			
	FABRICATION MISE EN PLACE	FABRICATION PENDANT LE SERVICE	CONDITIONNE-MENT SERVICE	DISTRIBUTION
RESTAURATION CLASSIQUE staurants « Grande Carte » Restaurants « Fixe » Restaurants d'hôtel Relais gastronomiques Hôtels saisonniers etc.	Importante d'éléments de mise en place	Travail très important	Traditionnels	Au fur et à mesure du déroulement du service
RESTAURATION ÉVOLUTIVE Cafétérias Drugstores Grill-rooms « Pubs » Self-service Snacks etc.	Importante mise en place	Peu importante	Directement sur assiettes — Repas individuels sur plateaux	**Très importante** En ligne Carrousel Scramble Demi-libre service Chariots (chauds-froids)
NÉO-RESTAURATION Centres hospitaliers Cuisines centrales Restaurants collectifs Restauration industrielle Restaurettes etc.	Réalisations parcellaires	Nulle	Repas individuels sur plateaux — Plats surgelés mis en température sur lieu de consommation — Conditionnement sur convoyeur Récipients isothermes	**Très importante** Transport par camionnettes du lieu de fabrication jusqu'aux lieux de consommation — Système self-service — Autonome pour les restaurettes — Chariots chauffants
RESTAURATION DE « MASSE » Centres commerciaux Collectivités Restaurants d'entreprise Restaurants universitaires Villages de vacances etc.	Très importante	Presque inexistante	Directement sur assiettes — Repas individuels sur plateaux	**Importante** Systèmes restauration évolutive et néo-restauration

NOTA. Il est certain que la classification proposés est assez relative en ce qui concerne la restauration évolutive, la néo-restauration, la restauration de masse — ces trois types de restauration pourraient figurer sous la même rubrique — en raison de leur affinité.

■ B. GÉNÉRALITÉS - CHOIX DES MATÉRIELS

Il faut apporter un soin tout particulier dans le choix et la qualité des matériels.
Ne pas oublier pour autant que les meilleurs d'aujourd'hui seront les désuets de demain; le moindre détail a son importance.
Certains critères sont à retenir lors de l'installation des gros matériels fixes:

● Surface et emplacement qui leur sont affectés.

● Le chauffage retenu — il peut être unique, mixte ou varié. Tenir compte des avantages et des inconvénients.

● Le travail exigé.

● Le potentiel de fabrication correspondant le mieux aux besoins du type de restauration.

Le choix étant arrêté, les matériels seront:

— **fabriqués sur mesure**

ou

— **normalisés — construits en série.**

● LES MATÉRIELS SONT FABRIQUÉS SUR MESURE

Ainsi, le constructeur, l'installateur, fait une étude minutieuse de chaque cas et par conséquent fabrique des matériels fonctionnels bien adaptés aux besoins.

● LES MATÉRIELS SONT NORMALISÉS — CONSTRUITS EN SÉRIE (type gastro-norme, modulable)

La variété et les dimensions des types, permettent de répondre aux besoins par une juxtaposition des éléments. Il devient possible de réaliser (d'ajouter progressivement avec prévision éventuelle) des ensembles complets, homogènes, qui peuvent être transformés à souhait.

●

ANNEXES
CUISINE

On entend par **ANNEXES** tous les locaux dépendant directement de la cuisine:

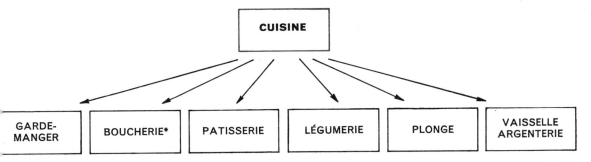

Celles-ci sont **implantées à proximité** de la cuisine, afin de réduire au minimum les circuits de distribution–transmission.

* Certaines grandes cuisines (restauration de masse, néo-restauration, chaînes d'hôtels, cuisines centrales...) sont dotées d'une « boucherie », intégrée dans une partie du garde-manger, ou dans un local aménagé spécialement pour le travail de toutes les viandes. Les viandes de boucherie sont livrées en quartiers, stockés en chambre froide jusqu'à leur transformation.

GARDE-MANGER

● 1. IMPLANTATION

« Partie intégrante de la cuisine », l'implantation du **GARDE-MANGER** est réalisée en dehors de l'espace cuisine — à proximité ou attenant (parfois imbriqué dans celle-ci).
Il doit être implanté d'une manière rationnelle, afin de remplir pleinement son rôle:
Cette partie de la cuisine porte maintenant le nom de « cuisine froide ».

SITUATION	● D'un accès facile: peu éloigné de l'entrée des fournisseurs, du contrôle des marchandises — de préférence à proximité de l'ÉCONOMAT.
SURFACE	● Spacieuse: aires de travail suffisamment importantes afin de permettre au personnel responsable de ce local, d'y travailler sans aucune gêne et de s'y déplacer plus rapidement.
SOL	● Comme en cuisine.
MURS	● Comme en cuisine.
POSTES D'EAU	● Comme en cuisine.

ÉCLAIRAGE	● Comme en cuisine.
VENTILATION	● Quelles que soient la saison et la température ambiante transmise par la cuisine, une température « fraîche » doit y régner en permanence, alimentée par une ventilation judicieusement conçue sans courant d'air, par ventilateur centrifuge double, silencieux (appareil air conditionné), qui assure automatiquement à volonté, l'ambiance souhaitée (+10° à +15° C).

En outre, son implantation doit répondre à **trois impératifs précis, être :**

— un LOCAL DE RÉSERVE ET DE CONTROLE
— un LOCAL DE DISTRIBUTION
— un LOCAL DE TRAVAIL

LOCAL DE RÉSERVE ET DE CONTROLE	● **NOTA.** Selon l'importance de l'établissement, le système d'approvisionnement et de stockage, une partie des denrées (hormis celle utilisée pour le travail journalier) est parfois maintenue en réserve dans des chambres froides, des chambres de grand froid, des congélateurs..., situés hors de l'espace garde-manger, voire même à l'économat. (Voir Ph. Mazzetti et M. L. Francillon, « Technologie de Restaurant » Tome II.) (¹)
	● Après contrôle de l'Econome, entrées (réception) des denrées périssables : ● Stockage en attente de transformation culinaire dans :
	— Viandes de boucherie et triperie fraîches . . . . Chambre froide
	— Viandes de boucherie et triperie congelées . . . . Congélateur
	— Volailles fraîches . . . . Chambre froide
	— Volailles congelées . . . . Congélateur
	— Gibiers (pendant la saison) . . . . . Chambre froide
	— Poissons frais . . . . Bacs spéciaux — bacs armoire frigorifique
	— Poissons congelés — surgelés . . . Congélateur
	— Légumes frais . . . . Chambre froide
	— Légumes surgelés . . . . Congélateur
	● **NOTA.** Le beurre, les œufs, les fromages, les fruits, sont stockés à l'économat en chambre froide ou en armoire frigorifique. Les sorties sont faites au fur et à mesure des besoins journaliers.
LOCAL DE DISTRIBUTION	● « Plaque tournante » pour la distribution rapide des denrées sollicitées par la cuisine (et le restaurant), en vue de leur transformation, de leur cuisson et de leur présentation.

LOCAL DE TRAVAIL	● Contrôle des sorties des aliments.
	● Préparations préliminaires de certaines denrées.
	● Réalisation et dressage des plats froids :
	  — Buffets, lunchs...
	  — Hors-d'œuvre...
	  — Terrines, pâtés, etc.
	● Travail des viandes *

(¹) Edit. J. Lanore Paris 7ᵉ
* Dans certaines chaînes d'hôtel, de restaurants d'entreprise ou universitaires, collectivités, etc., le travail des viandes est réalisé par le service BOUCHERIE.

● 2. INSTALLATION (GROUPE DU FROID)

Celle-ci est caractérisée par l'utilisation générale du **FROID**.
Matériels et aménagements frigorifiques — indispensables à toute conservation des aliments — fonctionnent selon l'importance de ceux-ci à l'aide:

— de compresseurs alternatifs à simple ou à double effet;
— de compresseurs rotatifs à grande vitesse commandés par moteur électrique.

Compresseur et moteur sont enfermés dans un carter étanche:

— installés hors de l'élément frigorifique;
— incorporés à la base ou à la partie supérieure du meuble;
— dans un local aménagé spécialement pour les groupes frigorifiques importants.

● **NOTA.** Toutes ces installations facilement accessibles en cas d'intervention nécessaire (vérification, dépannage).

Le réglage de la température s'opère par thermostat.
Le dégivrage cyclique (automatique) est commandé par thermo-dégivreur (enclenchement 0° C).

PATISSERIE

● 1. IMPLANTATION

La **PATISSERIE** permet d'offrir à la clientèle un choix plus étendu de réalisations: glacées, salées, sucrées.

Très importante dans certains établissements *:

— restauration classique, hôtels (réceptions, buffets, lunchs...);
— néo-restauration;
— restauration évolutive;
— restauration de masse...

Implantée d'une manière rationnelle, elle doit permettre de réduire les circuits de distribution:

● vers la cuisine: préparations et pâtes salées...;
● vers le restaurant: préparations glacées, salées, sucrées...

SITUATION	● A proximité ou attenante à la cuisine (parfois imbriquée dans celle-ci), et de la salle à manger.
SURFACE	● Suffisamment importante en fonction du travail exigé.
SOL	● Comme en cuisine.
MURS	● Comme en cuisine.
POSTES D'EAU	● Comme en cuisine.

* Certains font appel à des maisons spécialisées dans la fabrication des crèmes glacées industrielles et de la pâtisserie L'approvisionnement (livraisons) se fait quotidiennement selon la demande.

ÉCLAIRAGE	● Comme en cuisine, mais en insistant davantage sur les plans de travail.
VENTILATION	● Comme au garde-manger.

LÉGUMERIE

● 1. IMPLANTATION

Comme le garde-manger, la **LÉGUMERIE** est un local qui doit être de préférence situé à proximité de la cuisine.

LOCAL DE RÉSERVE	● Stockage de certains légumes ne pouvant être réservés en chambre froide ou en antichambre: pommes de terre, oignons, aulx, échalotes...
LOCAL DE TRAVAIL	● Préparations préliminaires de tous les légumes: pommes de terre, carottes, salades, oignons... ● Conservation dans l'eau de certains légumes. ● Taillage, etc.
LOCAL D'INSTALLATION DES APPAREILS A LÉGUMES	● Par définition, les appareils employés à l'épluchage, au taillage des légumes, sont installés à la légumerie. ● **NOTA.** Par simple habitude ou pour des raisons d'insuffisance de locaux, certains appareils (coupe-légumes, cutter) sont parfois installés en cuisine ou au garde-manger.

Par définition, la légumerie est une pièce humide:

— grande consommation d'eau;
— évacuation des eaux et déchets;
— maintien continu de certains légumes épluchés dans l'eau...

Il est donc important, lors de son **implantation,** de prendre toutes les précautions sur l'affectation du stockage des légumes et à leurs préparations préliminaires.

SITUATION	● De préférence au niveau de la cuisine, peu éloigné. Circuit court = facilité et gain de temps dans la distribution.
SURFACE	● Spacieuse: aires de travail suffisamment importantes afin de permettre au personnel responsable de ce local, d'y travailler sans aucune gêne et de s'y déplacer plus rapidement.
SOL	● Comme en cuisine. ● Les pentes affectées à l'écoulement des eaux doivent être particulièrement étudiées. ● Les appareils scellés au sol, ou montés éventuellement sur silenblocs.

MURS	● Comme en cuisine.
POSTES D'EAU	● REMARQUE Seule l'eau froide est utilisée. Postes d'eau prévus aux endroits où sont installés les bacs, les machines utilisant l'eau, avec très gros débit pour permettre le remplissage rapide des bacs à laver et de conservation des légumes épluchés.
ÉCLAIRAGE	● Comme en cuisine.
VENTILATION	● Une température fraîche doit y régner en permanence (12 à 15° C environ), alimentée par une ventilation (principalement aux saisons chaudes).
INSTALLATION ÉLECTRIQUE	● Judicieusement élaborée en tenant compte d'impératifs précis: — installation d'une prise de terre sur tous les appareils électriques; — boîtes à bornes étanches; — prises de courant disposées à 1 m environ du sol et des points d'eau; — protection de chaque appareil par un disjoncteur.

● 2. INSTALLATION

■ STOCKAGE DES LÉGUMES

Il est courant de stocker les légumes en chambre froide (entre +5° et +8° C), sauf les tubercules.
Les pommes de terre sont stockées à l'abri de la lumière dans des silos grillagés ou simplement dans un appendice adjacent à la légumerie, les sacs posés sur des caillebotis pour isoler les pommes du sol.

PLONGE « BATTERIE »

● 1. IMPLANTATION

Minutieusement étudiée elle se caractérise par deux points précis:

LOCAL DE TRAVAIL	● Lieu de « réception » et de lavage de tout le matériel mobile sale de cuisine, du garde-manger et d'une partie de celui de la pâtisserie.
LOCAL DE RANGEMENT	● Stockage en attente d'utilisation d'une grande partie du matériel (« batterie ») de cuisine.

17

Fréquemment installée dans « l'espace cuisine » ou contigu, pour réduire au maximum le circuit du débarrassage et du nettoyage.

SITUATION	● De « plain-pied » avec la cuisine, peu éloigné. Circuit court = facilité et gain de temps dans le débarrassage du matériel sale et l'approvisionnement du propre.
SURFACE	● Relativement spacieuse, afin de limiter les déplacements.
SOL	● Comme en cuisine.
MURS	● Comme en cuisine.
POSTES D'EAU	● Poste d'eau chaude et froide au-dessus de la plonge. ● Poste d'eau chaude et froide supplémentaire, fixé au mur à 1 m environ du sol, avec grille d'écoulement de 1 m² environ installée dessous, pour le rinçage ou le lavage des grosses marmites trop lourdes pour être lavées dans la plonge même.
ÉCLAIRAGE	● Comme en cuisine.
VENTILATION	● Evacuation des vapeurs, des buées, ainsi que des odeurs de graisses, par une aération bien conditionnée.

● 2. INSTALLATION ET ÉQUIPEMENT

L'installation consiste **essentiellement :**

— à la « mise en place » de la **plonge :** matériel indispensable qui permet le nettoyage de la « batterie » et autres ustensiles de cuisine.
— à l'installation d'étagères de batterie pour le rangement des ustensiles et autres accessoires divers ; de barres à crochets pour suspendre : russes, sauteuses, plats à sauter... ; de barres unies pour : louches, écumoires... ;
— d'un broyeur à déchets (facultatif). Il peut être aussi installé à la légumerie (voir chapitre).
● **NOTA.** Certaines plonges sont équipées d'une machine à laver les marmites, casseroles, sauteuses, plaques... (voir caractéristiques plus loin).

ÉQUIPEMENT DE LA CUISINE ET DE SES ANNEXES

Inventaire des équipements et des matériels divers appropriés à chaque type de restauration :

- ■ 1. MATÉRIELS DE CUISSON
- ■ 2. INSTALLATIONS ET APPAREILS FRIGORIFIQUES
- ■ 3. APPAREILS ROBOTS
- ■ 4. MATÉRIELS NEUTRES ET DE COMPLÉMENT (mobiles et fixes)
- ■ 5. MATÉRIELS TYPE NÉO-RESTAURATION

● 1. MATÉRIELS DE CUISSON

DÉNOMINATION DES MATÉRIELS	TYPE DE RESTAURATION				LIEU D'INSTAL-LATION	
	DE MASSE	NÉO	ÉVOLUTIVE	CLASSIQUE	CUISINE	PÂTISSERIE
Bain-marie	■	■	■	■	■	
Cuiseur à vapeur	■	■	■		■	
Four à air pulsé	■	■	■		■	
Fourneau coup de feu	■	■	■	■	■	■
Fourneau feux vifs	■	■	■	■	■	■
Fourneau feux vifs d'appoint	■	■	■	■	■	■
Fourneau plaques mijotage	■	■	■	■	■	■
Fours superposés (à pâtisserie)	■	■		■	■	■
Fours superposés (à rôtir)	■	■	■	■	■	
Friteuse à relevage automatique	■	■			■	
Friteuse à zone froide	■	■	■	■	■	
Grillade	■	■	■	■	■	
Grillade pivotante	■	■	■	■	■	
Marmite fixe chauffe directe	■	■	■	■	■	
Marmite fixe autoclave	■	■	■	■	■	
Marmite fixe bain-marie	■	■	■	■	■	
Marmite ronde — chauffage direct	■	■	■	■	■	
Salamandre	■		■	■	■	
Sauteuse basculante	■	■	■	■	■	

■ *BAIN-MARIE FIXE — GAZ OU ÉLECTRICITÉ*

Type modulable

CARACTÉRISTIQUES

COMBUSTIBLE	DIMENSIONS	POIDS NET	VOLUME	PUISSANCE CALORIFIQUE
GAZ	840 × 950 × 860 mm	73 kg	1,10 m³	4700 cal./h
ÉLECTRICITÉ	840 × 950 × 860 mm	70 kg	1,10 m³	4,8 kw/h

- En acier inoxydable poli satiné mat.
- Support tube en acier inoxydable rectangulaire 40 × 70 avec une étagère basse en acier inoxydable 18/10.
- Barre de protection en acier chromé.
- **Châssis** avec éléments et structures entièrement inoxydables.
- **Piétement** tubulaire réglable en hauteur sur 40 mm.
- **Brûleurs** type multigaz à flamme pilote et veilleuse d'allumage.
- **Robinets** à position de ralenti réglable et allures repérées: 0 — veilleuse — maxi — mini.
- **Sécurité** totale par valve thermo-couple sur tous foyers non apparents.
- **Mitre d'évacuation** en acier inoxydable pour alimentation au gaz seulement.
- **Cuve:** en acier inoxydable 18/10 poli satiné mat avec bords relevés et double fond perforé amovible. Dimensions de la cuve: 780 × 670 × 160 mm de profondeur.
- **Alimentation** en eau par col de cygne et robinetterie en bronze chromé.
- **Vidange** sur la cuve par bonde de trop plein amovible.
- **Modèle électrique:** chauffage par résistances blindées immergées réglables par thermostat.
- Alimentation triphasé 380 volts + neutre, ou en 220 volts triphasé.

■ *CUISEUR A VAPEUR AUTOMATIQUE — GAZ OU ÉLECTRICITÉ*

CARACTÉRISTIQUES

- Encombrement hors tout:
  - largeur: 45 cm
  - hauteur: 65 cm
  - profondeur: 75 cm
- Appareil composé d'un compartiment étanche pouvant contenir trois paniers de cuisson de 30 × 50 cm.
- Le corps extérieur est en acier inoxydable poli.
- Les temps de cuisson extrêmement courts sont contrôlés automatiquement par une minuterie électrique graduée de 0 à 60 minutes.
- Un pressostat coupe le chauffage à partir d'une pression de 15 PSI.
- Mise à l'air libre automatique du compartiment dès la fin du cycle de cuisson — commandé par une minuterie.
- Une soupape de sécurité fonctionne si la production de vapeur est trop importante (cuiseur vide ou pressostat venant à ne pas fonctionner).
- Fusible de sécurité sur la porte: à une température donnée, fonction d'une certaine pression, la fusion du fusible de sécurité laisse un trou par lequel la vapeur s'échappe vers l'extérieur.
- Lorsque l'appareil est en pression impossibilité d'ouvrir la porte, la pression intérieure bloquant celle-ci.

UTILISATION

- Employé pour les cuissons à la vapeur = cuisson saine et régulière:
  - — Pommes vapeur
  - — Betteraves rouges
  - — Viandes pochées
  - — Poissons en tranches pochés...

AVANTAGES

- Gain de temps considérable dans la cuisson.
- Economie importante de combustible.
- Permet une meilleure conservation du goût, des vitamines, offre d'autre part l'avantage de garantir une présentation naturelle des légumes.
- N'attache pas les aliments pendant la cuisson.
- Aucun frais d'installation.
- Entretien pratiquement nul.
- Possibilité aussi de cuire en même temps des aliments différents.

AUTRE TYPE

CUISEUR A VAPEUR — ADAPTABLE A TOUS LES GAZ

- De construction robuste et de présentation soignée, cet appareil est étudié pour répondre aux durs services de la collectivité.
- Chaque compartiment réalisé en acier inoxydable, est commandé par un programmateur réglant le temps de cuisson, en fonction des produits à traiter. Ils peuvent fonctionner individuellement ou simultanément: une lampe témoin permet de vérifier le fonctionnement de chaque étage; l'arrêt de cuisson est automatique.
- Il peut être tout automatique ou semi-automatique, et il est équipé d'un dispositif de sécurité totale.
- Equipé d'un surchauffeur individuel et muni de brûleurs en acier inoxydable fournissant la vapeur nécessaire, il peut effectuer toutes les cuissons vapeur.

AVANTAGES

- Il assure un service permanent en évitant l'attente due aux montées de température très longue.
- Il permet d'obtenir une grande rapidité de cuisson ainsi qu'une économie importante de combustible.
- Au point de vue diététique, il limite la destruction des vitamines.
- Il offre l'avantage de garantir une présentation naturelle de l'aliment en évitant toute déshydratation.

■ *FOUR A CONVECTION — AIR PULSÉ*

CARACTÉRISTIQUES

COMBUSTIBLE	DIMENSIONS EXTÉRIEURES	DIMENSIONS INTÉRIEURES CHAMBRE	VOLUME CHAMBRE	CONSOMMATION
GAZ	100 × 106 × 154 cm	71 × 75 × 50 cm	23 dm³	15 000 mth 0,5 kW
ÉLECTRICITÉ	100 × 106 × 154 cm	71 × 75 × 50 cm	23 dm³	15,5 kW

D'une conception nouvelle, cet appareil fait appel aux techniques modernes de « l'air pulsé ».
Il permet de réduire au minimum les temps de cuisson (au four) de toutes les préparations de cuisine et de pâtisserie, grâce à son système rapide de passer d'une basse température à une forte température.

Il permet aussi de porter à une température de consommation :

— les mets précuits ou réfrigérés à une température de +2° à +4° C;

— les mets surgelés précuits conservés à la température de —20° C dans leur emballage de conservation ou de service.

● Structure portante en panneaux d'acier inoxydable.

● Habillage extérieur en acier inoxydable.

● Chambre de cuisson montée sur piétement avec étagère basse en acier inoxydable.

● Piétement tubulaire inox réglable en hauteur.

● Chambre de cuisson « GASTRO NORM » réalisée d'une seule pièce à angles arrondis, en tôle émaillée au four à 850° C; d'entretien facile et particulièrement résistante aux températures élevées (jusqu'à +300° C en moins de 20 minutes).

● Supports de grilles et panneaux du fond de four amovibles pour un entretien périodique.

● Portes à hublots étanches, à double parois en verre trempé de grande dimension.
Les deux portes à axes verticaux sont couplées et actionnées simultanément en agissant sur une seule poignée de porte (gauche).

CHAUFFAGE ÉLECTRIQUE

● Par résistances blindées.
L'air à l'intérieur de la chambre est recyclé continuellement au travers d'une série de résistances logées à l'arrière du panneau de fond, et sort pulsé par un ventilateur centrifuge de manière à intéresser tout le volume de la chambre.

● Régulation de la température THERMOSTATIQUE.

● Organes électriques facilement accessibles de l'intérieur de la chambre pour faciliter toute intervention.

● Boutons de commande et de contrôle placés sur le panneau frontal à droite de l'appareil et comprenant :

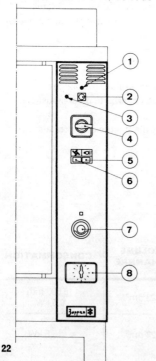

1 — Manette de réglage du volet d'échappement des vapeurs.

2 — Lampe témoin de mise sous tension de l'appareil.

3 — Poussoir de mise en route.

4 — Interrupteur général.

5 — Poussoir éclairage intérieur, permet un contrôle efficace de la cuisson sans ouvrir les portes vitrées.

6 — Poussoir ventilateur.

7 — Thermostat.

8 — Minuterie avec sonnerie sur affichage du temps de cuisson.
A la fin du temps sélectionné elle met en circuit un avertisseur.

● Isolation thermique d'épaisseur appropriée afin d'éviter toute déperdition calorifique.

CHAUFFAGE AU GAZ

- Au moyen de deux brûleurs à gaz à flamme stabilisée situés sous la chambre de cuisson et protégés par un écran coup de feu.
- L'air chaud et les gaz brûlés lèchent toute la surface externe de la chambre de cuisson et s'échappent par un conduit situé à l'arrière de l'appareil.
- Le circuit des gaz brûlés est complètement séparé de la chambre de cuisson de façon à éviter le contact avec les aliments et les influences néfastes du ventilateur sur la combustion.
- L'air chaud de cuisson est recyclé par le ventilateur centrifuge comme dans le modèle électrique.
- Régulation de la température THERMOSTATIQUE.
- Boutons de commande et de contrôle placés sur le panneau frontal à droite de l'appareil et comprenant:

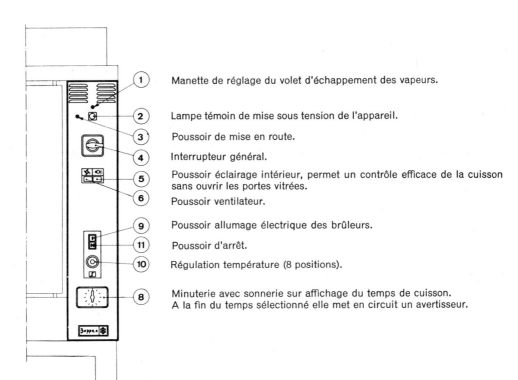

1.   Manette de réglage du volet d'échappement des vapeurs.

2.   Lampe témoin de mise sous tension de l'appareil.

3.   Poussoir de mise en route.

4.   Interrupteur général.

5.   Poussoir éclairage intérieur, permet un contrôle efficace de la cuisson sans ouvrir les portes vitrées.

6.   Poussoir ventilateur.

9.   Poussoir allumage électrique des brûleurs.

11.   Poussoir d'arrêt.

10.   Régulation température (8 positions).

8.   Minuterie avec sonnerie sur affichage du temps de cuisson. A la fin du temps sélectionné elle met en circuit un avertisseur.

ACCESSOIRES

- Grille pour cuisson ou régénération en fil d'acier chromé dimensions « Gastro Norm ».
- Supports de grilles pour cuisson s'accrochant sur les parois latérales de la chambre de cuisson. Il est possible d'introduire dans ces supports un maximum de 11 grilles superposées espacées de 40 mm.
- Châssis porte-grille pour désurgélation en fil d'acier de fort diamètre soudé en une seule pièce et chromé. Il est possible d'introduire dans ce châssis un maximum de 7 grilles superposées espacées de 60 mm. Quatre roulettes fixées à la base facilitent les opérations d'introduction et d'extraction du châssis dans la chambre de cuisson. La sole de la chambre de cuisson comporte deux chemins de roulement prévus à cet effet.
- Chariot pour châssis porte-grilles en tube d'acier chromé avec plan supérieur en acier inoxydable 18/10. Spécialement étudié pour le transport du châssis porte-grilles, avec une hauteur correspondant à la norme des plans de travail. Ce chariot est pourvu de 4 roulettes caoutchoutées et d'un dispositif de blocage sur la chambre de cuisson, afin de constituer avec la sole de la chambre un même plan de travail.

UTILISATION

- Le four à convection peut-être utilisé pour de multiples applications: toutes les cuissons obtenues dans les fours traditionnels: rôtis (bœuf, gigots, veau, porc, poulets...), pâtés, gratins...; toutes sortes de pâtisserie: tartes, friands, croustades, barquettes...
- Selon les modèles, certains appareils peuvent cuire à la fois entre 800 et 1000 rations.

AVANTAGES

- La circulation de l'air chaud supprime la nécessité de retourner et d'arroser les préparations.
- Economie de matière grasse.
- Echanges calorifiques excellents.
- Régularité des cuissons.
- Economie de combustible appréciable.
- Montée de température ultra-rapide.
- Réduction des pertes à la cuisson (+ de 10 % de gain sur le poids des viandes).
- Cuisson réalisée en profondeur sans dessèchement; les viandes conservent leur jus et leur saveur.

▓ *FOURNEAU COUP DE FEU - GAZ*

Type modulaire

CARACTÉRISTIQUES

DIMENSIONS	POIDS NET	VOLUME	PUISSANCE CALORIFIQUE
840 × 950 × 860 mm	233 kg	1,10 m³	17 600 cal./h

- En acier inoxydable poli satiné mat.
- Panneaux d'habillage démontables sur les quatre faces sans visserie apparente.
- Barre de protection en acier chromé.
- **Châssis** avec éléments et structures entièrement inoxydables.
- **Piètement** tubulaire réglable en hauteur sur 40 mm.
- **Brûleurs** type multigaz à flamme pilote et veilleuse d'allumage.
- **Robinets** à position de ralenti réglable et allures repérées: 0 — veilleuse — maxi — mini.
- **Sécurité** totale par valve thermo-couple sur tous les foyers non apparents.
- **Mitre d'évacuation** en acier inoxydable.
- **Plan de cuisson:** encadrement indéformable en acier au nickel chrome inoxydable 18/10.
- Plaque coup de feu fonte lisse de 800 × 630 mm, en deux parties avec jeu de rondelles et nervures assurant une conduction parfaite de la chaleur.

- Isolation de la chambre de combustion de la plaque coup de feu assurée par revêtement inox à fort pouvoir réfléchissant.
- Porte d'accès au brûleur à fermeture magnétique et poignée de manœuvre isolante.
- Tiroir de propreté sous l'ensemble du plan de cuisson.
- **Façade :** porte indéformable affleurante avec dispositif d'équilibrage et double paroi calorifugée. Poignée de manœuvre chromée sur toute la longueur de la porte.
- **Four :** caisson étanche de 600 × 300 × 700 mm en tôle d'acier émaillée à 850° C.
- Sole en fonte poncée nervurée.
- Joues en fonte nervurée permettant le réglage à différents niveaux de la grille intérieure en acier chromé.
- Double enveloppe inoxydable protégeant, le calorifugeage du four en laine de roche fortement tassée, imputrescible et chimiquement neutre pour éviter toute corrosion.

▓ *FOURNEAU FEUX VIFS - GAZ*

Type modulaire

CARACTÉRISTIQUES

DIMENSIONS	POIDS NET	VOLUME	PUISSANCE CALORIFIQUE
840 × 950 × 860 mm	191 kg	1,10 m³	21 000 cal./h

- En acier inoxydable poli satiné mat.
- Panneaux d'habillage démontables sur les quatre faces sans visserie apparente.
- Barre de protection en acier chromé.
- **Châssis** avec éléments et structures inoxydables.
- **Piètement** tubulaire réglable en hauteur sur 40 mm.
- **Brûleurs** type multigaz à flamme pilote et veilleuse d'allumage.
- **Robinets** à position de ralenti réglable et allures repérées: 0 — veilleuse — maxi — mini.
- **Sécurité** totale par valve thermo-couple sur tous foyers non apparents.
- **Mitre d'évacuation** en acier inoxydable.
- **Plan de cuisson :** encadrement indéformable en acier au nickel chrome inoxydable 18/10.
- Quatre brûleurs indépendants du type horizontal à haut rendement et à flamme stabilisée placés sous 4 grilles en fonte émaillée de 400 × 300 mm.
- Dimensions totales du plan de cuisson: 810 × 650 mm.
- Protection des brûleurs contre les projections.
- Tiroir de propreté sous l'ensemble du plan de cuisson.
- **Façade :** porte indéformable affleurante avec dispositif d'équilibrage et double paroi calorifugée. Poignée de manœuvre chromée sur toute la longueur de la porte.
- **Four :** caisson étanche de 600 × 300 × 700 m en tôle d'acier émaillée à 850° C.
- Sole en fonte poncée nervurée.
- Joues en fonte nervurée permettant le réglage à différents niveaux de la grille intérieure en acier chromé.
- Double enveloppe inoxydable protégeant, le calorifugeage du four en laine de roche fortement tassée, imputrescible et chimiquement neutre pour éviter toute corrosion.

■ FOURNEAU FEUX VIFS D'APPOINT - GAZ
FOURNEAU PLAQUE MIJOTAGE D'APPOINT - GAZ

Type modulaire

CARACTÉRISTIQUES

TYPE	DIMENSIONS	POIDS NET	VOLUME	PUISSANCE CALORIFIQUE
FEUX VIFS	420 × 950 × 860 mm	53 kg	0,65 m³	7100 cal./h
PLAQUES MIJOTAGE	420 × 950 × 860 mm	59 kg	0,65 m³	4600 cal./h

- En acier inoxydable poli satiné mat.
- Support tube en acier inoxydable rectangulaire 40 × 80 mm avec une étagère basse en acier inoxydable 18/10.
- Barre de protection en acier chromé.
- **Châssis** avec éléments et structures entièrement inoxydables.
- **Piètement** tubulaire réglable en hauteur sur 40 mm.
- **Brûleurs** type multigaz à flamme pilote et veilleuse d'allumage.
- **Robinets** à position de ralenti réglable et allures repérées: 0 — veilleuse — maxi — mini.
- **Plan de cuisson :** encadrement indéformable en acier inoxydable 18/10.
- Deux brûleur indépendants du type horizontal à haut rendement et à flamme stabilisée placés sous deux grilles en fonte émaillée de 400 × 300 mm, ou une plaque de mijotage en fonte lisse de 405 × 650 mm.
- Dimensions totales du plan de cuisson 405 × 650 mm.
- Protection des brûleurs contre les projections.
- Tiroir de propreté sous l'ensemble du plan de cuisson.

■ FOURNEAU PLAQUES MIJOTAGE - ÉLECTRICITÉ

Type modulaire

CARACTÉRISTIQUES

DIMENSIONS	POIDS NET	VOLUME	PUISSANCE CALORIFIQUE
840 × 950 × 860 mm	212 kg	1,10 m³	17,5 kW/h

- En acier inoxydable poli satiné mat.
- Panneaux d'habillage démontables sur les quatre faces sans visserie apparente.
- Barre de protection en acier chromé.
- **Châssis** avec éléments et structures entièrement inoxydables.
- **Piètement** tubulaire réglable en hauteur sur 40 mm.
- **Chauffage** assuré par des résistances blindées incorporées et interchangeables, placées sur la voûte et la sole du four.
- **Régulation** par commutateurs à quatre positions pour les plaques. Par thermostat pour le four.
- **Plan de cuisson :** encadrement indéformable en acier au nickel chrome inoxydable 18/10, équipé de 4 plaques chauffantes en fonte spéciale interchangeables avec raccordement de broches; chaque plaque a une puissance unitaire de 3 kW. L'ensemble du plan de cuisson a une puissance de 12 kW.
- Tiroir de propreté à la partie inférieure du plan de cuisson.
- **Four :** caisson étanche de 600 × 308 × 700 mm en tôle d'acier émaillée à 850 ° C.
- Puissance 5,5 kW.

- Sole en fonte poncée nervurée.
- Chambre émaillée avec joues en fonte nervurée permettant le réglage à différents niveaux de la grille intérieure en acier chromé.
- Double enveloppe inox protégeant le calorifugeage du four en laine de roche fortement tassée, imputrescible et chimiquement neutre pour éviter toute corrosion.
- Façade: porte indéformable affleurante avec dispositif d'équilibrage et double paroi calorifugée.
  Poignée de manœuvre chromée sur toute la longueur de la porte.

■ *FOURS SUPERPOSÉS A PATISSERIE - ÉLECTRICITÉ*

CARACTÉRISTIQUES

DIMENSIONS	POIDS NET	VOLUME	PUISSANCE CALORIFIQUE
950 × 950 × 1700 mm	477 kg	2,70 m³	14,3 kW/h

- En acier inoxydable poli satiné mat.
- Panneaux d'habillage facilement démontables sur les 4 faces.
- **Châssis** en profilés d'acier soudés avec socle en retrait.
- **Fours:** 2 caissons étanches en tôle d'acier émaillée à 850° C :
  — supérieur de 600 × 240 × 800 mm,
  — inférieur de 600 × 160 × 800 mm.
  Sole en fonte poncée nervurée.
  Double enveloppe inoxydable protégeant le calorifugeage du four en laine de roche fortement tassée imputrescible et chimiquement neutre pour éviter toute corrosion.
- **Façade:** 2 portes indéformables affleurantes avec dispositif d'équilibrage et double paroi calorifugée.
  Poignée de manœuvre chromée sur toute la longueur de la porte. Hublot en partie centrale, en verre traité pour résister à haute température.
- **Armoire chaude** pour fermentation des pâtes, fermeture par système à jalousies en aluminium se déplaçant latéralement. A l'intérieur parois et étagère en tôle émaillée à 850° C.
- **Chauffage** des fours et de l'armoire par résistances blindées au nickel chrome placées sous la voûte et la sole du four avec commandes séparées.
- **Régulation** de la température par commutateur à 3 positions plus une pour l'arrêt.
- **Contrôle** de température par pyromètre pour chaque four avec échelle graduée en degrés centigrades appliqués sur le montant droit de l'appareil.
- **Eclairage** intérieur des chambres commandé par interrupteur.
- **Lampes témoins** de contrôle extérieur pour chaque commutateur.
- **Evacuation** des fumées placée à la partie arrière et supérieure de l'appareil.
- **Alimentation** électrique en 380 volts triphasé + neutre ou en 220 volts triphasé.

■ *FOURS SUPERPOSÉS A ROTIR - GAZ OU ÉLECTRICITÉ*

CARACTÉRISTIQUES

COMBUSTIBLES	DIMENSIONS	POIDS NET	VOLUME	PUISSANCE CALORIFIQUE
GAZ	840 × 800 × 1680 mm	295 kg	2,10 m³	14.000 cal./h
ÉLECTRICITÉ	840 × 800 × 1680 mm	300 kg	2,10 m³	11 kw/h

- En acier inoxydable poli satiné mat.
- Panneaux d'habillage démontables sur les quatre faces sans visserie apparente.
- Support tube en acier inoxydable rectangulaire 40 × 80 mm avec étagère basse en acier inoxydable 18/10.
- Barre de protection en acier chromé.
- **Châssis** avec éléments et structure entièrement inoxydables.
- **Piètement** tubulaire réglable en hauteur sur 40 mm.
- **Brûleurs** type multigaz à flamme pilote et veilleuse d'allumage.
- **Robinets** à position de ralenti et allures repérées: 0 — veilleuse — maxi — mini.
- **Sécurité** totale par valve thermo-couple sur tous foyers non apparents.
- **Four** à 2 caissons étanches de 600 ×.300 × 700 mm en tôle d'acier émaillée à 850° C.
- Sole en fonte poncée nervurée.
- Chambre émaillée avec joue en fonte nervurée permettant le réglage à différents niveaux de la grille intérieure en acier chromé.
- Double enveloppe inoxydable protégeant le calorifugeage du four en laine de roche fortement tassée, imputrescible et chimiquement neutre pour éviter toute corrosion.
- **Façade:** porte indéformable affleurante avec dispositif d'équilibrage et double paroi calorifugée. Poignée de manœuvre chromée sur toute la longueur de la porte.
- Evacuation des gaz brûlés par un conduit incorporé placé sur la face postérieure.
- **Modèle électrique:** chauffage par résistances blindées placées sur la voûte et la sole du four. Réglage de la température par thermostat.
- Alimentation triphasé 380 volts + neutre, ou en 220 volts triphasé.

■ FOURS SUPERPOSÉS A ROTIR - ÉLECTRICITÉ OU GAZ

CARACTÉRISTIQUES

TYPE	HAUTEUR	POIDS
FOUR A 2 ÉTAGES + ÉTUVE	1,780 m	510 kg
FOUR A 2 ÉTAGES SUR PIEDS	1,530 m	420 kg

- Bâti soudé indéformable en acier inoxydable.
- Accessibilité totale par la façade de tous les éléments de chauffage et de contrôle.
- Compartiment de contrôle et de régulation isolé et ventilé.
- Glissières supports de plaques amovibles.
- Grille coulissante réglable en hauteur maintenue par guide.
- Calorifugeage assuré par panneaux rigides de laine minérale, fixée entre les parois.
- Porte et contre-porte en acier inoxydable, calorifugées, montées sur palier à billes et équilibrées par contre-poids indéréglable.

MODÈLE ÉLECTRIQUE:

- Chauffage par résistances blindées spéciales, assurant une excellente répartition de chauffe.
- Alimentation en triphasé 380 volts, ou triphasé 220 volts ou diphasé 220 volts.
- Commutateur voûte et sole par voyants lumineux.
- Régulatioh thermostatique.

MODÈLE GAZ :

● Chauffage assuré par rampes de brûleurs à flammes bleues stabilisées, commandées par thermostat.

UTILISATION

● Employé indifféremment pour la pâtisserie et la cuisine.

■ *FRITEUSE A RELEVAGE AUTOMATIQUE*

CARACTÉRISTIQUES

● Ensemble composé de 4 friteuses de 54 litres chacune.
● Chacune des friteuses est équipée d'un panier qui coulisses et vient se déverser automatiquement dans un silo — situé entre les 2 friteuses juxtaposées.
● **Paniers :** En fil étamé suspendus dans des chariots montés sur roulement à billes, circulent au-dessus de l'ensemble.
  — Le mouvement du levier solidaire du chariot assure la descente du panier ou sa remontée.
  — La position haute est maintenue par un cran d'arrêt.
  — Le déplacement latéral du chariot vers le silo ouvre automatiquement le fond du panier afin de laisser tomber les frites. Au retour il se referme automatiquement.
● La zone d'égouttage, juxtaposée aux cuves, reçoit les bacs, également destinés à la récupération des huiles lors des vidanges.
● Les frites égouttées sont emmagasinées dans des bacs de stockage amovibles placés sur un chariot formant ainsi le silo.

UTILISATION

● Système particulièrement intéressant pour les cuisines à grand débit.

AVANTAGES

● Supprime en grande partie la manutention — facilite le travail du personnel.
● Diminue la fatigue et les risques de brûlures toujours possibles avec une manipulation manuelle des paniers.

■ *FRITEUSE A ZONE FROIDE - GAZ OU ÉLECTRICITÉ*

Type modulaire

CARACTÉRISTIQUES

COMBUSTIBLES	DIMENSIONS	POIDS NET	VOLUME	PUISSANCE CALORIFIQUE
GAZ	840 × 950 × 860 mm	144 kg	1,20 m³	26 000 cal./h
ÉLECTRICITÉ	840 × 950 × 860 mm	154 kg	1,20 m³	24 kW/h

- En acier inoxydable poli satiné mat.
- Panneaux d'habillage démontables sur les quatre faces sans visserie apparente.
- Barre de protection en acier chromé.
- **Châssis** avec éléments et structures inoxydables.
- **Piètement** tubulaire réglable en hauteur sur 40 mm.
- **Brûleurs** type multigaz à flamme pilote et veilleuse d'allumage.
- **Robinets** à 3 positions repérées: 0 — veilleuse — marche.
- **Sécurité** totale par valve thermo-couple sur le modèle gaz.
- **Mitre d'évacuation** en acier inoxydable pour la version gaz seulement.
- **Cuves:** deux cuves rectangulaires à fond tronconique en tôle d'acier de 20/10.
  Dimensions de chaque cuve: 315 × 560 mm.
  Capacité utile: 25 litres chacune.
- Encadrement supérieur et couvercle en acier au nickel chrome inoxydable 18/10.
- Chauffage par tubes immergés dans les cuves.
- Température de l'huile contrôlée par thermostat.
- Fermeture de la partie avant par double porte à battant avec poignées de manœuvre.
- **Modèle électrique:** chauffage par résistances blindées placées à l'intérieur des cuves, amovibles pour faciliter le nettoyage.
  Deux interrupteurs tripolaires.
  Contrôle de la température de l'huile par thermostat.
- Alimentation triphasé 380 volts + neutre, ou en 220 volts triphasé.

NOTA. Chaque cuve est munie d'un robinet permettant la récupération de l'huile, la vidange intégrale et l'évacuation des déchets.

Un matériel accessoire complète l'ensemble:
— deux cuves de récupération des huiles
— deux paniers à friture en fil d'acier chromé avec poignées hautes et crochets pour fixation sur la barre d'égouttage
— deux grilles à poissons en fil d'acier chromé.

UTILISATION

- Employée pour toutes les préparations, cuissons..., réalisées à grande friture (voir chapitre « TECHNIQUES DE CUISSON DES ALIMENTS — FRIRE »).

AVANTAGES

- Remplace avantageusement la bassine à friture traditionnelle.
- Permet une meilleure utilisation de la friture, grâce au système thermostatique dont est pourvu l'appareil.
- Décantage de l'huile à friture facilité par la cuve à zone froide.

▓ GRILLADES

CARACTÉRISTIQUES GÉNÉRALES

- La technique moderne a mis au point des appareils qui répondent aux exigences toujours accrues d'une clientèle « axée » de plus en plus vers une nourriture simple, d'une préparation rapide.
- Plusieurs modèles sont proposés:
  — à côté des appareils anciens (qui gardent toujours la faveur dans la restauration traditionnelle) dont la source de chaleur — « foyer calorifique » — est la « braise » ou le petit charbon de bois *, parfois les

---

* Résidu provoqué par la carbonisation du bois (combustible dur qui s'enflamme et brûle rapidement.
Son pouvoir calorifique est de l'ordre de 8000 calories; il ne fait pas de fumée; donne une braise excessivement chaude et conserve pendant un certain temps une température élevée.

sarments de vigne (qui procurent un arôme particulièrement apprécié), se trouvent des appareils à combustibles variés: électricité; gaz de ville et naturel; propane; air propané.

- De conception diverse, ces appareils se présentent généralement:
  - en acier inoxydable poli extérieurement;
  - grille en fonte spéciale nervurée (nervures espacées différemment selon les types, légèrement inclinée vers l'avant, fixe ou à glissière, ou pivotante autour d'un axe à rotule;
  - à l'avant une saucière mobile ou lèche frite (bac de récupération des matières grasses, issues des aliments ou de celles employées pour la cuisson);
  - une mitre située au-dessus du capot, permet l'évacuation des gaz brûlés (selon le chauffage employé) et de la fumée provoquée par les aliments mis en cuisson;
  - un tablier à glissière permet de fermer entièrement l'appareil sur certains modèles.
- Près de ces appareils, nous pouvons citer ceux à infrarouges, munis de résistances blindées avec thermostat de sécurité:
  - ce mode de chauffage apporte une nouvelle méthode dans l'art des grillades, grâce à la technique de rayonnement, qui permet aux deux plaques l'irradiation simultanée de la viande ou des poissons sur les deux faces.
    Ce type de grillade réduit grandement le temps de cuisson (presque de moitié), sans perdre pour cela toutes les caractéristiques des pièces traitées, et leur apporte une présentation régulière du « quadrillage ».
    Appareils recherchés dans la restauration évolutive, restaurants d'entreprise...

▓ GRILLADE - GAZ OU ÉLECTRICITÉ

Type modulaire

CARACTÉRISTIQUES

COMBUSTIBLES	DIMENSIONS	POIDS NET	VOLUME	PUISSANCE CALORIFIQUE
GAZ	840 × 950 × 860 mm	125 kg	1,10 m³	7400 cal./h
	420 × 950 × 860 mm	78 kg	0,65 m³	3700 cal./h
ÉLECTRICITÉ	840 × 950 × 860 mm	130 kg	1,10 m³	9 kW/h
	420 × 950 × 860 mm	78 kg	0,65 m³	4,5 kW/h

- En acier inoxydable poli satiné mat.
- Support tube acier inoxydable rectangulaire 40 × 80 avec une étagère basse en acier inox 18/10.
- Barre de protection en acier chromé.
- **Châssis** avec éléments et structures inoxydables.
- **Piètement** tubulaire réglable en hauteur sur 40 mm.
- **Plan de cuisson:** encadrement indéformable en acier au nickel chrome inoxydable 18/10.
  - 2 plaques de cuisson en fonte lisse de 335× 585 mm ou nervurée pour modèle au gaz;
    ou
  - 1 plaque de cuisson en fonte lisse ou nervurée de 330 × 580 mm, ou fonte lisse seulement de 730 × 585 mm.

Parois latérales (et de séparation pour 2 plaques) en acier inoxydables évitant les projections de graisse. Rigoles d'écoulement des graisses et déchets convergeant vers un récipient de récupération accessible par une porte à fermeture magnétique et poignée de manœuvre isolante à l'avant de l'appareil.

MODÈLE A GAZ

● **Brûleurs** type multigaz à flamme pilote et veilleuse d'allumage.
● **Robinets** à position de ralenti réglable et allures repérées: 0 — veilleuse — maxi — mini.
● **Sécurité** totale par valve thermo-couple sur tous foyers non apparents.
● **Mitre d'évacuation** en acier inoxydable.

MODÈLE ÉLECTRIQUE

● Chauffage pourvu de thermostat.
● Toutes les parties électriques sont protégées afin d'éviter les contacts accidentels.
● Alimentation triphasé 380 volts + neutre, ou en 220 volts triphasé.

UTILISATION

● Les grillades à plaque lisse sont utilisées généralement pour la cuisson des steaks hachés — hamburgers.

AVANTAGES

● Les grillades à deux plaques présentent l'avantage d'obtenir deux températures différentes:
  — cuisson rapide — saisissement,
  — cuisson lente.
● Les appareils à deux plaques permettent aussi de griller sur la première les poissons, sur la deuxième les viandes.

■ *GRILLADE PIVOTANTE - GAZ*

CARACTÉRISTIQUES

DIMENSIONS EXTÉRIEURES	DIMENSIONS UTILES		POIDS
	GRIL	PLAQUE	
900 × 930 × 850 mm	390 × 490 mm	795 × 355 mm	210 kg

● En acier inoxydable poli mat.
● **Dessus:**
  — A l'avant, deux plaques de grillade en fonte, d'une épaisseur de 7 mm, pivotantes à double face nervurée: nervures espacées de 10 mm sur une face et de 20 mm sur la face opposée.
  — A l'arrière, une plaque chauffante récupère une partie de la chaleur des gaz de combustion, ce qui permet de maintenir au chaud diverses préparations.
● Un bac amovible permet la récupération des graisses et jus.
● **Mitre d'évacuation** en acier inoxydable.
● **Brûleurs** en fonte, à multiples rangées de flammes, à simple alimentation, sont adaptables aux divers gaz par simple changement d'injecteur et réglage d'air primaire.
  La grande surface de chauffe des brûleurs assure une répartition parfaitement uniforme de la chaleur sur toute la surface des plaques.
  Chaque brûleur est commandé par un robinet étanche à trois positions: fermé — pleindébit — ralenti.
● **Commandes** situées sur le bandeau de façade.
● **Dégagement** important sous le gril, facilite le rangement d'ustensiles divers.

UTILISATION

- Chaque plaque pivote autour d'un axe articulé par une rotule. Pour retourner la plaque il suffit de la soulever à l'aide de la poignée et de pivoter d'un demi-tour à droite ou à gauche.
- Les plaques reversibles permettent des cuissons successives de grillades diverses.

AVANTAGES

- Rentabilité de travail = gain de temps.
- Peu d'entretien pendant le « service » = 4 faces d'utilisation.

■ *MARMITES FIXES*	*CHAUFFE DIRECTE*	*GAZ*
	AUTOCLAVE	*OU*
	BAIN-MARIE	*ÉLECTRICITÉ*

Type modulaire

CARACTÉRISTIQUES

MODE DE CHAUFFAGE	COMBUSTIBLES	CAPACITÉ	POIDS NET	VOLUME	PUISSANCE CALORIFIQUE
CHAUFFE DIRECTE	GAZ	100 l	154 kg	1,20 m³	18.600 cal./h
		150 l	157 kg		
	ÉLECTRICITÉ	100 l	146 kg	1,20 m³	9,9 kW/h
		150 l	152 kg		13,5 kW/h
AUTOCLAVE	GAZ	100 l	156 kg	1,20 m³	18.600 cal./h
		150 l	159 kg		
	ÉLECTRICITÉ	100 l	166 kg	1,20 m³	9,9 kW/h
		150 l	174 kg		13,5 kW/h
BAIN-MARIE	GAZ	75 l	156 kg	1,20 m³	18.600 cal./h
		100 l	164 kg		
	ÉLECTRICITÉ	75 l	130 kg	1,20 m³	12 kW/h
		100 l	140 kg		

- En acier inoxydable poli satiné mat.
- Panneaux d'habillage démontables sur les quatre faces sans visserie apparente.
- **Châssis** avec éléments et structures inoxydables.
- **Piétement** tubulaire réglable en hauteur sur 40 mm.
- **Dessus** avec encadrement indéformable en acier au nickel chromé inoxydable 18/10.
- Cuve et panache monobloc en acier inoxydable 18/10 faisant corps avec l'encadrement.
  Couvercle en acier inoxydable équilibré par une charnière avec poignée de manœuvre isolante.
- **Alimentation** en eau chaude et froide par colonne orientable et robinet mélangeur.
- **Cuve** cylindrique en acier inoxydable 18/10 à fond arrondi, double enveloppe inoxydable protégeant le calorifugeage en laine de roche fortement tassée, imputrescible et chimiquement neutre pour éviter toute corrosion.
  Chicanes de répartition de chaleur sur l'ensemble du corps de la marmite.
  Crépine de filtrage dans la cuve.
- **Façade :** robinet de vidange en bronze chromé à passage intégral avec poignée de manœuvre escamotable et verrouillage de sécurité.
- **Dispositifs** de contrôle et de régulation protégés par une porte à la partie inférieure de l'appareil — pour les modèles au gaz.

AUTOCLAVE — GAZ ET ÉLECTRICITÉ

- Avec couvercle sur charnières contre-balancé fermant hermétiquement au moyen d'étriers et joint caoutchouc.
- Pression de cuisson : 1/20ᵉ d'atmosphère contrôlée par valve de sécurité.

BAIN-MARIE — GAZ ET ÉLECTRICITÉ

- Réalisé par une double enveloppe inox équipée d'un groupe de sécurité régulateur de pression comprenant : purgeur, soupape, manomètre, bouche d'alimentation et vidange pour eau distillée.

MODÈLES AU GAZ

- **Brûleurs** type multigaz à flamme pilote et veilleuse d'allumage.
- **Robinets** à position de ralenti réglable et allures repérées : 0 — veilleuse — maxi — mini.
- **Sécurité** totale par valve thermo-couple sur tous les foyers non apparents.
- **Mitre d'évacuation** en acier inoxydable.

MODÈLES ÉLECTRIQUES

- **Chauffage** par des résistances blindées au nickel chromé incorporées et interchangeables.
- Alimentation triphasé 380 volts + neutre, ou en 220 volts triphasé.

UTILISATION

- Employées dans toutes les cuisines à grand rendement : collectivités, restaurants d'entreprise...
- Utilisées pour la cuisson : des potages, des pâtes, du riz, de tous les légumes à l'anglaise...

AVANTAGES

- Grâce aux types « autoclaves » et « bain-marie », ces marmites permettent toutes les cuissons délicates (en grande quantité) : riz, lait...

■ *MARMITE RONDE - CHAUFFAGE DIRECT - VAPEUR*

CARACTÉRISTIQUES

- En acier inoxydable poli satiné mat.
- **Châssis** de forme cylindrique en profilés d'acier soudés.
- **Piétement** tubulaire réglable en hauteur sur 40 mm.
- **Cuve et panache** monobloc en acier inoxydable 18/10.
  Cuve à fond arrondi. Double enveloppe inoxydable protégeant le calorifugeage en laine de roche fortement tassée imputrescible et chimiquement neutre pour éviter toute corrosion.
  Crépine de filtrage dans la cuve.
- **Façade** avec robinets de vidange en bronze chromé à passage intégral avec poignée de manœuvre escamotable et verrouillage de sécurité.
- **Couvercle** en acier inoxydable équilibré par charnière avec poignée de manœuvre isolante — bavette de récupération des eaux de condensation.
- **Alimentation** en eau chaude et froide par colonne orientable et robinet mélangeur.

MODÈLE AU GAZ

- **Brûleurs** circulaires en tube d'acier.
- **Sécurité** totale par valve thermo-couple avec veilleuse d'allumage.
- **Chicanes** de répartition de la chaleur sur l'ensemble du corps de la marmite.
- **Porte d'inspection** en façade pour le contrôle du fonctionnement des brûleurs et leur allumage.
- **Mitre** d'évacuation des gaz brûlés en acier inoxydable.

MODÈLE ÉLECTRIQUE

- Système de chauffage par résistances blindées au nickel chromé.

MODÈLE A LA VAPEUR

- **Cuve** comportant une double enveloppe étanche où circule la vapeur.
- **Groupe de sécurité** comprenant manomètre, valve de sécurité et valve de dépression.
- Pression vapeur de 0,3 à 0,5 atmosphère.
- **Capacité :** 100, 200, 300, 400 litres.

■ *SALAMANDRE - GAZ OU ÉLECTRICITÉ*

CARACTÉRISTIQUES

- Corps en tôle d'acier inoxydable poli.
- Grille en fer forgé avec barreaux en fer rond.
- Glissières intérieures à niveau.

MODÈLE AU GAZ

- Plafond rayonnant en dalles réfractaires d'une grande robustesse, à pointes de diamant portées à l'incandescence.
- Commande par robinets en bronze d'une grande douceur et d'une grande robustesse, grâce au Téflon incorporé.

MODÈLE ÉLECTRIQUE

- Plafond rayonnant: résistance blindées inoxydables.
- Commande pratique par boutons poussoirs.

UTILISATION

- Utilisée pour:
  — glacer — filets de poisson...
  — gratiner — gratins divers...
  — caraméliser — beignets de pommes...
  la surface de certaines préparations culinaires et de pâtisserie.

■ *SAUTEUSE BASCULANTE - GAZ OU ÉLECTRICITÉ*

Type modulaire

CARACTÉRISTIQUES

COMBUSTIBLES	DIMENSIONS	POIDS NET	VOLUME	PUISSANCE CALORIFIQUE
GAZ	1260 × 950 × 860 mm	202 kg	1,70 m³	12.000 cal./h
ÉLECTRICITÉ	1260 × 950 × 860 mm	198 kg	1,70 m³	12 kW/h

- En acier inoxydable poli satiné mat, sans visserie apparente.
- Supports latéraux de la cuve en profilé d'acier inoxydable.
- **Piètement** tubulaire réglable en hauteur sur 40 mm.
- **Brûleurs** type multigaz à flamme pilote et veilleuse d'allumage.
- **Robinets** à position de ralenti réglable et allures repérées: 0 — veilleuse — maxi — mini.
- **Sécurité** totale par valve thermo-couple.
- **Cuve** rectangulaire en fonte lisse avec bec verseur.
  Dimensions de la cuve: 72 × 70 × 18 mm (surface 0,50 m²).
- **Couvercle** équilibré en acier inoxydable articulé sur les colonnes.
- **Basculement** de la cuve par système à pignon et vis tangente irréversible actionné par un volant à poignée tournante.
- **Modèle électrique:** chauffage par résistance blindées en contact avec le fond de la cuve et réglé par trois commutateurs à quatre positions.
- Alimentation triphasé 380 volts + neutre, ou en 220 volts triphasé.

■ *SAUTEUSE BASCULANTE - GAZ OU ÉLECTRICITÉ*

CARACTÉRISTIQUES

- **Hausse** pentagonale avec bec verseur permettant la vidange progressive de la cuve.
- **Cuve** de 0,5 m² de surface, en acier inoxydable 20/10 avec fond en acier doux 100/10, ou bimétal pour certain modèle.

- **Couvercle** en acier inoxydable avec profil antiruissellement armature soudé au couvercle; montage sur paliers à billes; équilibrage par ressort de compensation; poignée de manœuvre isolante.
- **Basculement** par réducteur irréversible monté sur paliers à billes, maintenant la cuve dans toute position. Manœuvre exécutée par une manivelle (ou par un volant).
- **Chambre** de combustion en acier inoxydable, calorifugée par panneaux rigides de laine minérale de 50 mm d'épaisseur fixés entre les parois.
- **Brûleurs** multirampes à flamme bleue stabilisée, commandés par robinets à verrouillage avec veilleuse incorporée, alimentation par flexible métallique.
- **Sécurité** positive par thermo-couple.
- **Parements** extérieurs en acier inoxydable 18/10; épaisseur 12/10.
- Alimentation eau chaude et eau froide par mélangeur à bec fixe en acier inoxydable.

MODÈLE ÉLECTRIQUE

- **Chauffage** par résistance enrobées dans des baguettes en fonte commandé par simmerstat avec contacteur relais et lampe témoin.

UTILISATION

- Utilisée dans les cuisines à grand rendement: collectivités, restaurants d'entreprise, hôpitaux, cuisine centrale, etc.
- Elle permet toutes les cuissons « à la poêle » — couvercle ouvert — « à la cocotte » — couvercle fermé — sans que les aliments attachent.

• 2. INSTALLATIONS ET APPAREILS FRIGORIFIQUES

DÉNOMINATIONS DES APPAREILS ET DES INSTALLATIONS	TYPE DE RESTAURATION				LIEU D'INSTALLATION		
	DE MASSE	NÉO	ÉVOLUTIVE	CLASSIQUE	GARDE-MANGER	PATISSERIE	ÉCONOMAT
TYPE A — Armoire frigorifique démontable	■	■	■	■	■	■	■
TYPE B — Armoire frigorifique neutre	■	■	■	■	■	■	■
TYPE C — Armoire froide à chariots	■	■		■	■	■	■
Bac indépendant pour la conservations des poissons		■		■	■		■
Chambre(s) froide(s) :	■	■	■	■	■		■
A légumes (intérieur)	■	■	■	■			■
A fruits (intérieur)	■	■	■	■			■
A beurre — œufs — fromages (intérieur)	■	■	■	■	■		■
A charcuterie (intérieur)	■	■	■	■	■		■
A viandes (intérieur)	■	■	■	■	■		■
Produits surgelés (intérieur)	■	■		■			■
TYPE A — Congélateur armoire	■	■	■	■	■	■	■
TYPE B — Congélateur coffre	■	■	■	■	■	■	■
Tour réfrigéré		■			■		■

ARMOIRES FRIGORIFIQUES (température +4° à +6° C)

Construites à l'usage professionnel, ces armoires frigorifiques se présentent :

- De toutes formes.
- De tous volumes.
- De tous usages.
- D'une grande autonomie d'utilisation par leur conception de fabrication :

TYPE A : d'éléments démontables, juxtaposés ou superposés, avec revêtement extérieur en chêne verni ou lamifié (stratifié) au polyester.

TYPE B : d'un meuble unique non démontable, en acier inoxydable avec revêtement en peinture émaillée.

TYPE C : d'armoire à chariots avec accès intérieur par rampe articulée sur glissière.

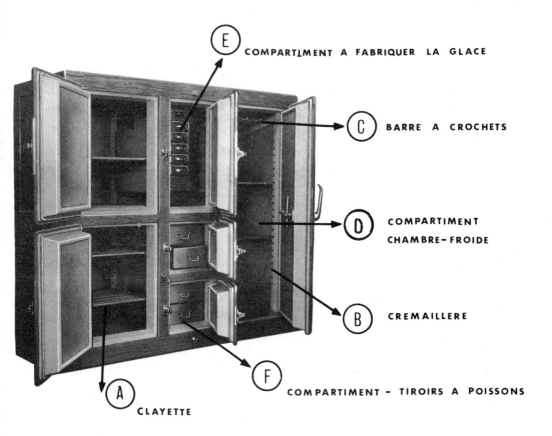

E COMPARTIMENT A FABRIQUER LA GLACE

C BARRE A CROCHETS

D COMPARTIMENT CHAMBRE-FROIDE

B CREMAILLERE

F COMPARTIMENT - TIROIRS A POISSONS

A CLAYETTE

■ *TYPE A - ARMOIRE FRIGORIFIQUE DÉMONTABLE*

CARACTÉRISTIQUES

Ces armoires sont toutes compartimentées et composées:

● De plusieurs placards * indépendants les uns des autres selon l'importance des meubles ou des éléments qui les composent. Une porte à double vitrage (avec éliminateur de buées incorporé) ou pleine, assure une protection hermétique entre l'intérieur et l'extérieur.

REMARQUE. Les portes sont munies de ressorts de rappel pour fermeture et de poignées magnétiques, ainsi que de butées d'arrêt en position ouverte.
L'intérieur est garni de clayettes (ou claies) **A** en bois de hêtre, dont l'espace entre elles est réglé par des crémaillères **B**.

● D'un compartiment (plus grand — en hauteur) pouvant être aménagé de barres à crochets **C**; utilisé en tant que « chambre froide » **D** pour les viandes de boucheries, les volailles, etc.

REMARQUE. Située près des éléments frigorifiques, cette partie est maintenue à une température plus basse que les autres compartiments: $+2°$ à $+4°$ C.

● D'un compartiment pour fabriquer (occasionnellement) la glace **E** par jeux de tiroirs « à cubes ».
● D'un compartiment à coffrage étanche, spécialement réservé pour la conservation des poissons frais sur glace vive **.

* Ces placards (appelés aussi « timbres ») sont parfois réservés à l'usage des chefs de partie, pour y maintenir leur mise en place quotidienne ou pour y ranger la « desserte ».
** Le poisson frais ne peut être conservé quelques jours que dans une « ambiance humide » — condition sine qua non d'une bonne conservation.
Malgré le côté archaïque, une certaine servitude de surveillance et d'entretien du poisson, la glace vive est le seul élément susceptible de présenter cet avantage.
(Voir ci-après: COUPE SCHÉMATIQUE D'UN TIROIR POUR LA CONSERVATION DES POISSONS

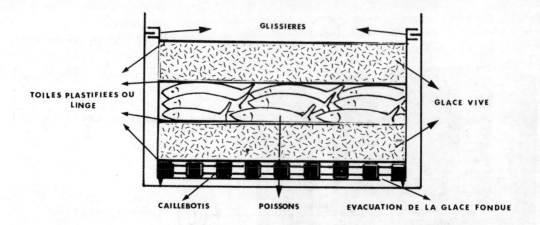

GLISSIERES

TOILES PLASTIFIEES OU LINGE

GLACE VIVE

CAILLEBOTIS POISSONS EVACUATION DE LA GLACE FONDUE

COUPE SCHÉMATIQUE D'UN TIROIR GARNI POUR LA CONSERVATION DES POISSONS

Il est fréquemment aménagé de plusieurs tiroirs **F** ou d'un bac en tôle d'acier galvanisée montés sur glissières.
Chaque tiroir et bac sont garnis d'un caillebotis qui isole les poissons du fond.
L'évacuation de la glace fondue se fait par une vidange pratiquée sur le fond de chaque tiroir.

● D'une évacuation des eaux de dégivrage et d'entretien aménagée au fond des armoires, raccordée à l'extérieur par un écoulement des eaux usées.

■ *ARMOIRE FRIGORIFIQUE DÉMONTABLE*

(autre type)

CARACTÉRISTIQUES

| CAPACITÉ | DIMENSIONS EN MM | | | | | | | PORTILLONS | | |
| | EXTÉRIEURES | | | INTÉRIEURES | | | | REPÈRE | PASSAGE LIBRE EN MM | |
	L	P	H	A	B	C	D		HAUT.	LARG.
1500 l	2000	840	1720	635	1824	1495	975	1-2	680	530
								3-4	680	424
								5	930	530

● Etudiée pour répondre aux exigences les plus sévères.

● Présentation extérieure en stratifié blanc. Entretien facile.

● Groupe frigorifique incorporé, facilement accessible.

● Unité hermétique à condensation par air forcé, facilement accessible, assemblée, éprouvée, étudiée et chargée au R 12 en usine.

● Régulation par thermostat cyclique.

● Cinq portes avec charnières et poignées chromées.

● Intérieur garni de claies en hêtre réglables; jeu de barres à dents ou avec glissières à pâtisserie (pour installation en pâtisserie).

● Un compartiment peut recevoir un coffre à poissons en tôle galvanisée.

● Poids net: 270 kg.

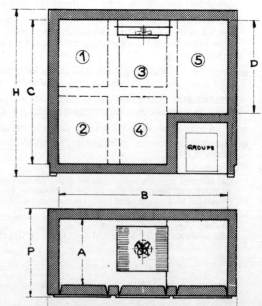

TYPE B - ARMOIRE FRIGORIFIQUE NEUTRE

CARACTÉRISTIQUES

CAPACITÉ	DIMENSIONS EXTÉRIEURES EN MM			ALIMENTATION ÉLECTRIQUE
	LARGEUR	HAUTEUR	PROFONDEUR	
1350 l	1600 mm	2000 mm	805 mm	220 V mono

- L'ensemble « groupe-évaporation-éclairage » monobloc, est placé à la partie supérieure de l'armoire, facilement accessible en cas d'intervention nécessaire sans avoir à déplacer les denrées.
- Le dégivrage est automatique, commandé par thermo-dégivreur, signalé par un voyant lumineux.
- Un tiroir de dégivrage sur glissière est aménagé sous l'armoire.
- Les portes sont munies de ressorts de rappel pour leur fermeture et de butée d'arrêt lorsqu'elles sont en position ouverte.
- Arrêt automatique de la ventilation à l'ouverture des portes.
- L'éclairage intérieur automatique est commandé par interrupteur de porte.
- L'intérieur est équipé de barres à crochets en inox pour la suspension des viandes et des volailles; de clayettes mobiles en acier inoxydable, permettant de réaliser à tout instant le meilleur aménagement en fonction de la variété, de la quantité, de la dimension et du volume des denrées à stocker.
- Les pieds facilement réglables, permettent aisément une mise à niveau parfaite de l'armoire.

TYPE C - ARMOIRE FROIDE A CHARIOTS

CARACTÉRISTIQUES

CAPACITÉ	DIMENSIONS EXTÉRIEURES EN MM			ALIMENTATION ÉLECTRIQUE
	LARGEUR	HAUTEUR	PROFONDEUR	
2500 l	1900 mm	2000 mm	1048 mm	Triphasé 380 + ; 220 V mono

- Armoire spécialement conçue pour la conservation — stockage sur chariots, de préparations froides en attente de dressage ou de consommation.
- L'ensemble « groupe-évaporateur » monobloc, est placé à la partie supérieure de l'armoire, facilement accessible en cas d'intervention nécessaire sans avoir à déplacer les chariots.
- Le dégivrage cyclique est commandé par thermo-dégivreur (enclenchement 0°C). Température positive +4° à +6°C.
- Réévaporation des eaux de dégivrage.
- Les portes (pleines ou vitrées) sont montées avec charnières à pivots réglables. Leur fermeture est assurée par un joint magnétique. Elles sont munies d'un dispositif de limiteur d'ouverture.
- Arrêt automatique de la ventilation à l'ouverture des portes.
- Accès à l'intérieur par rampe articulée sur une glissière fixée à même le fond de cuve.

  NOTA. Certaines armoires sont à double accès (avant et arrière) pour éviter les détours inutiles, les pertes de temps entre la fabrication et la distribution.

- L'éclairage intérieur est automatique, commandé par minirupteur de porte (pour les armoires avec portes pleines), ou commandé par interrupteur unipolaire placé sur la façade de l'appareil (pour les armoires avec portes vitrées).
- Les pieds facilement réglables permettent aisément une mise à niveau parfaite de l'armoire.

Ces armoires sont utilisées dans la:
— restauration évolutive: selfs, cafétérias...
— néo-restauration: centres hospitaliers, cliniques privées...
— restauration classique ayant un service spécial pour réceptions: buffets, lunchs...

Elles sont utilisées en pâtisserie pour la conservation des pâtisseries...

■ BAC INDÉPENDANT POUR LA CONSERVATION DES POISSONS

CARACTÉRISTIQUES

Il est courant dans les établissements spécialisés dans la préparation des poissons, de construire à l'intérieur du garde-manger (parfois en légumerie) un bac de conservation en ciment, avec revêtement intérieur et extérieur en carreaux de faïence, afin d'isoler complètement l'ensemble.
Ce procédé permet une grande souplesse de conservation, d'utilisation et de qualité.

● Le bac est adossé à un mur du garde-manger **A**

● Au fond du bac une canalisation en pente est pratiquée pour l'évacuation de la glace fondue et de l'eau employée pour l'entretien **B**.

● Un couvercle (abattant **C**), en bois muni de deux poignées, fixé par des charnières **D**, ferme hermétiquement le bac.

● Le fond est garni jusqu'au tiers de charbon de bois **E**, qui a pour but d'absorber les odeurs de poisson et d'assainir le milieu ambiant du bac.

NOTA. Le charbon de bois est changé tous les trimestres.

● Les poissons sont placés par affinités entre deux couches de glace vive **F**.

● Entre le charbon de bois, la glace et les poissons, une toile plastifiée percée de trous pour faciliter l'évacuation de la glace fondue (ou d'un linge) est étalée **G**

NOTA. Tous les jours, la toile ou le linge sont rincés. Ils sont changés tous les deux jours.
Un apport de glace concassée est ajouté quotidiennement pour compléter celle qui a fondu.

COUPE SCHÉMATIQUE DU BAC

MUR DU GARDE-MANGER **A**

CHARNIERE **D**

ABATTANT **C**

POISSONS

POIGNEE

GLACE VIVE **F**

TOILES PLASTIFIEES OU LINGE **G**

MUR DU GARDE-MANGER **A**

ECOULEMENT **B**

BAC EN CIMENT   CHARBON DE BOIS   GRILLE D'EVACUATION
E

CHAMBRES FROIDES (température variable —20°C. 0° à +8°C)

Locaux maintenus à basse température selon la variété des denrées à conserver.
De capacité variable selon l'importance du stockage: de 2 m³ à 20 m³ et plus.
Certaines possèdent une « antichambre » * (sorte de « sas » à température ambiante un peu plus élevée que la chambre, +5° à +8°C) utilisée pour la réserve de légumes frais et autres denrées.
Il est courant de trouver, dans les installations frigorifiques importantes, plusieurs chambres froides. Chaque chambre est réservée au stockage d'une seule catégorie de denrées; ce qui permet une meilleure répartition de la température convenant le plus à la conservation des produits, et une non-contamination des odeurs d'une catégorie sur l'autre.

* Cette antichambre permet d'autre part, une meilleure conservation du froid, lorsque la porte de la chambre froide est ouverte — aucun contact direct avec l'extérieur.

TABLEAU DES TEMPÉRATURES DE CONSERVATION

CHAMBRES FROIDES	TEMPÉRATURE CONVENANT LE PLUS A LA CONSERVATION
A LÉGUMES	
A FRUITS	+5° à +8°C
A BEURRE — ŒUFS — FROMAGES	
A CHARCUTERIE	+3° à +5°C
A VIANDES	0°. +1° à +2°C
PRODUITS SURGELÉS	—20°C

INSTALLATION DES CHAMBRES FROIDES

Elles demandent une étude spéciale pour chaque cas, par les installateurs-frigoristes: surface dont ils disposent, capacité de stockage, système de contrôle et de distribution, font, que certaines implantations-installations se réalisent soit au garde-manger, soit à proximité, ou à l'économat *.

* Principe adopté par un grand nombre d'établissements à grand rendement.
Tout le stockage des denrées périssables se fait à l'économat. Les denrées nécessaires à la « mise en place » quotidienne, sont stockées en chambre(s) froide(s) au garde-manger ou à proximité.

CARACTÉRISTIQUES

Ces chambres froides se présentent avec:
- Construction maçonnée, qui permet une étanchéité efficace; isolement des murs par plaques de liège et laine de verre.
- Revêtements intérieurs (principalement) et extérieurs en carreaux de faïence, ce qui facilite pour une grande part l'entretien de ce lieu.
- Sol intérieur avec carrelage (généralement antidérapant), allant en pente douce vers une « bouche » munie d'une grille protectrice avec panier de récupération des déchets, pour l'évacuation des eaux de lavage, de dégivrage et de condensation.

   NOTA. Certaines chambres possèdent un sol de niveau qui permet le stockage de chariots libre-service, pour hors-d'œuvre, plats froids, etc.

L'aménagement intérieur se compose:
- D'un ou deux ventilateurs qui propulsent l'air au travers des éléments réfrigérés, et assurent une parfaite répartition de l'air frais à l'intérieur de la chambre.
- D'une fixation au plafond généralement opposée à la ventilation, de barres mobiles ou fixes à dents ou à crochets en métal inoxydable, pour suspendre les viandes, les volailles, etc.
- D'une installation de clayettes (étagères) mobiles superposées, pour ranger les mets cuits, les plats froids, les préparations diverses, etc.
- Eclairage intérieur commandé par interrupteur à main.
- La fermeture est assurée par porte pleine en bois de chêne vernissé, montée sur grandes charnières en acier inoxydable. Une poignée à serrure de grande dimension assure l'ouverture et la fermeture de la porte.

REMARQUE

A côté des chambres froides maçonnées, l'industrie moderne du froid propose des chambres préfabriquées modulables à volonté, d'un montage rapide, à transformation aisée, de capacité variée.
Elles permettent grâce à leur système de montage, une grande souplesse d'implantation, en fonction des besoins de stockage définis et souhaités.

CONGÉLATEURS (température de —20° à —30°C)

D'une très grande utilité pour la conservation des produits surgelés et congelés.

ÉCONOMIE	● Permet de congeler au moment le plus favorable, certains produits quand ils sont au maximum de leur qualité, et aux meilleurs cours.
	● Aucune perte de marchandise.
PRODUCTIVITÉ	● Stockage intermédiaire entre la chambre de congélation, du fournisseur, et de la fabrication ou de la remise en condition.
	● Utilisation à plein temps de la brigade de cuisine, dans certains établissements.
	● Réduction du travail.
	● Spécialité saisonnière disponible toute l'année.
EFFICACITÉ	● Service « à la carte » à tout moment.
	● Stock toujours disponible.
	● Grande variété de menus.

Ces appareils se présentent sous deux types:

TYPE A: ARMOIRES — congélateurs verticaux, meubles uniques non démontables.
TYPE B: COFFRES — congélateurs horizontaux, meubles uniques non démontables.

■ *TYPE A - CONGÉLATEUR ARMOIRE* — (photo 1)

CARACTÉRISTIQUES

CAPACITÉ	DIMENSIONS EXTÉRIEURES EN MM			ALIMENTATION ÉLECTRIQUE
	LARGEUR	HAUTEUR	PROFONDEUR	
1300 l	1600 mm	2000 mm	805 mm	220 V mono

● La carrosserie extérieure et intérieure est en acier inoxydable.
  Isolation en polyuréthane expansé.
● L'ensemble « groupe-évaporation-éclairage » monobloc, est placé à la partie supérieure de l'armoire, facilement accessible en cas d'intervention nécessaire sans avoir à déplacer les denrées.
● Le dégivrage est automatique, commandé par thermo-dégivreur, signalé par un voyant lumineux.
  Réévaporation automatique des eaux de dégivrage.
● Le contrôle de température est assuré par téléthermomètre fixé à l'extérieur du meuble.
● Les portes sont munies de ressorts de rappel pour leur fermeture, et de butée d'arrêt lorsqu'elles sont en position ouverte. Fermeture à clef.
● Arrêt automatique de la ventilation à l'ouverture des portes.
● L'éclairage intérieur automatique est commandé par interrupteur de porte.

1

2

3

■ *TYPE B - CONGÉLATEUR COFFRE* — (photos 2 et 3)

CARACTÉRISTIQUES

CAPACITÉ	DIMENSIONS EXTÉRIEURES EN MM			ALIMENTATION ÉLECTRIQUE
	LARGEUR	LONGUEUR	PROFONDEUR	
600 l et plus	725 mm	1766 mm	920 mm	220 V mono

- La carrosserie stratifiée, imputrescible, est d'un entretien facile. Isolation en polyuréthane expansé.
- Le groupe compresseur est placé à la partie inférieure du coffre, facilement accessible en cas d'intervention.
- Cuve en tôle d'acier.
- Le couvercle équilibré par des charnières compensées, s'ouvre sans effort et reste dans la position désirée. Fermeture à clefs.
- Un joint linéaire assure une parfaite étanchéité.
- L'éclairage automatique est commandé par un interrupteur à mercure indéréglable.
- Possède un condenseur ventilé.
- Les parois et le fond jouent le rôle d'éléments de congélation.
- Un voyant lumineux **marche,** indique que l'appareil est sous tension.
- Un voyant lumineux **alarme,** indique une élévation anormale de la température.
- Un interrupteur « marche super » pour la mise en congélation rapide.
- L'aménagement est complété par des paniers de rangement.

■ *TOUR RÉFRIGÉRÉ* — (photos 4 et 5)

CARACTÉRISTIQUES

- Meuble de dimensions variables, démontable pour certains modèles, de la hauteur d'une table de travail.
- En bois de hêtre vernissé, ou en tôle inoxydable poli satiné.
- Le plan de travail est recouvert d'une plaque de comblanchien (sorte de calcaire très dur, résistant et poli) de 4 cm d'épaisseur, réfrigérée par convection.
- Le groupe frigorifique peut être selon les types, indépendant ou incorporé au meuble.
- Les portes isoplanes sont à fermeture automatique d'une grande douceur de fonctionnement.
- L'intérieur est constitué d'échelles en cornières galvanisées, pour recevoir des clayettes ou des plaques à pâtisserie standard 40 × 60 cm ou gastro-norme.
- Un compartiment peut être aménagé de tiroirs pour recevoir les pâtes en vrac.

UTILISATION

- Employé pour y conserver des pâtons, de la pâte en vrac ; des pâtisseries, du beurre, des œufs...
- Extrêmement pratique pour le travail des pâtes, spécialement celles à base de beurre (pâte feuilletée...).

4

5

DÉNOMINATION DES APPAREILS ROBOTS	TYPE DE RESTAURATION				LIEU D'INSTALLATION			
	DE MASSE	NÉO	ÉVOLUTIVE	CLASSIQUE	LÉGUMERIE	PATISSERIE	GARDE-MANGER	CUISINE
Accessoires complémentaires pour batteurs mélangeurs — éplucheuses électro-groupes	■	■	■	■	■	■	■	■
Batteur mélangeur	■	■	■	■	□	■	■	■
Coupe-frites — séparateur de déchets	■	■	■	□	■			■
Coupe-légumes	■	■	■	■	■			■
Cutter	■	■	■	■			■	■
Electro-groupe	■	■	■	■			■	■
Eplucheuse	■	■	■	■	■			
Essoreuse à salade	■	■	■	■	■			
Laminoir à pâte	■	■	■	■	■	■		
Machine à émincer les tomates	■	■	■	□	■			■
Machine à hacher les viandes	■	■	■	■			■	■
Machine à laver les légumes	■	■	■	■	■			
Machine à nettoyer les moules (voir éplucheuse)	■	■	■	■	■			
Machine à reconstituer les steaks hachés	■	■	■	■			■	
Passoire à purée à grand débit	■	■	■	■		■		■
Passoire verticale	■	■	■	■		■		■
Scie à viandes	■	■	■	■			■	■
Tranche pain électrique	■	■	■	■		■		■
Trancheur à viande	■	■	■	■			■	■
Turbo-broyeur mélangeur	■	■	■	■				■

■ ACCESSOIRES COMPLÉMENTAIRES
POUR BATTEURS MÉLANGEURS - ÉPLUCHEUSES - ÉLECTRO-GROUPES

CARACTÉRISTIQUES

- Accessoires appelés à être entraînés par les:
  - batteurs-mélangeurs
  - éplucheuses
  - électro-groupes
- Ils rendent des services importants et répétés.
- Leur diversité et la facilité avec laquelle ils s'adaptent sur ces machines motrices font d'elles des groupes à caractère véritablement « universel ».

PASSOIRE A HÉLICE

- S'adapte à la place de la cuve du batteur mélangeur.
- Utilisée pour la préparation très soignée des potages, des pommes mousseline, des purées diverses...

PASSOIRE A HÉLICE AVEC SUPPORT

- S'adapte sur batteur-mélangeur, éplucheuse et électro-groupe.

PRESSE-PURÉE

- Traite toutes les purées de pommes de terre et de légumes secs.

TRANCHEUR — COUPE-LÉGUMES

- Utilisé à trancher, râper, découper les légumes, les fruits...
- Trémie amovible, poussoir articulé.
- Comprend des disques à couper en rondelles d'épaisseur variable (de 1 à 6 mm), ainsi que d'autres disques à usages différents.

SORBETIÈRE

- Type « Américaine » à double mouvement.
- Capacité 8 litres.
- S'adapte sur batteur mélangeur.

COUPE-FRITES

- Adaptable sur le trancheur — coupe-légumes, même carter.
- Permet de débiter rapidement des frites longues et calibrées.
- Equipé d'un jeu de grilles et poussoir pour réaliser des frites de 10 × 10 mm, 13 × 13 mm et 6,35 × 6,35 mm.

COUPE-MACÉDOINE

- S'adapte à toutes les prises de mouvement.
- Ses couteaux rotatifs permettent la coupe en dés (cubes) des pommes de terre, carottes, navets, betteraves, etc.
- Un plateau-support s'adapte aisément au canon porte-accessoires.
  Grâce à ce plateau-support, les récipients destinés à recevoir les produits traités sont toujours placés à la bonne hauteur. Celle-ci est réglable selon la forme du récipient.
- Jeux de grilles, poussoirs et couteaux rotatifs pour coupe en dés variable: 6,35 × 6,35 × 6,35 mm, 10 × 10 × 10 mm, 13 × 13 × 13 mm.

■ *BATTEUR-MÉLANGEUR*

CARACTÉRISTIQUES

- Appareil robuste, stable, d'un poids pouvant accuser jusqu'à 500 kg selon les modèles.
- Peut être scellé ou monté sur une table-socle.
- Fonctionne par mouvement planétaire à l'aide d'un moteur électrique, d'une puissance variable: ½, ¾, 1½, 2, 3, 4 et même 6 CV selon les types.
- Le mécanisme est enfermé dans un carter étanche monobloc, ce qui assure une sécurité efficace.
- La commande et le passage des vitesses s'effectuent de façon très simple: en marche et « en douceur » par un levier unique.
- Selon la conception du moteur, certains appareils sont munis jusqu'à 8 vitesses progressives, ce qui améliore la qualité et la rapidité du travail, donne une plus grande souplesse d'utilisation par la suppression des vitesses positionnées.
- La cuve de mélange, d'une capacité variable: 10 à 150 litres; amovible, généralement en acier inoxydable, ce qui la met à l'abri de toute altération et des chocs.
  Elle se remonte en position de travail avec la plus grande facilité grâce à un mécanisme démultiplié actionné par un levier ou un volant.
- Le verrouillage de la cuve, simple, rapide, se fait par deux poignées (rien à visser, ni dévisser).

  NOTA. Il existe des chariots pour le transport des grandes cuves. La hauteur de leurs roues est telle, que le placement et l'enlèvement de ces cuves peuvent se faire sans soulèvement manuel.

- Quatre outils complètent l'outillage de la cuve. Ils se montent et se démontent avec aisance et rapidité grâce à un système d'accrochage baïonnette:
  — crochet ou pétrin spirale,
  — palette, feuille ou batteur,
  — fouet,
  — crochet à viande.

  REMARQUE. Certains appareils reçoivent, grâce à une prise de mouvement d'entraîner, des accessoires complémentaires: coupe-légumes; coupe-frites; hachoir à viande; passe-purée; râpe à fromage, à légumes; meule à aiguiser; moulin à café.

UTILISATION

- Grâce à la multiplicité de son emploi, cet appareil permet: de battre, malaxer, mélanger, monter, etc. toutes pâtes, appareils de pâtisserie et de cuisine, crèmes, sauces, purées...

AVANTAGES

- Gain de temps — rapidité d'exécution.
- Economie de main-d'œuvre.
- Qualité — homogénéité dans les mélanges et les pétrissages...

■ *AUTRES TYPES DE BATTEURS-MÉLANGEURS*

- Contacteur à protection magnéto-thermique.
- Système de minuterie.
- Possibilité à l'utilisateur de déterminer la durée des travaux jusqu'à 15 minutes.
- Une position neutre permet l'utilisation non minutée.

CARACTÉRISTIQUES PARTICULIÈRES

- Deux prises pour accessoires, pour le hachage et le mélange simultanés des farces, pâtés, etc.

- Equipé d'un brûleur à gaz incorporé dans le socle, alimenté par une commande à bouton avec position veilleuse.
- Machine indispensable en pâtisserie (et en cuisine) pour la préparation des génoises et autres préparations d'appareils et pâtes, dont la réalisation nécessite dessous une certaine température constante.

■ *COUPE-FRITES*
SÉPARATEUR DE DÉCHETS (FRITES)

CARACTÉRISTIQUES

COUPE-FRITES

- Machine montée sur chariot en tubes d'acier; roues caoutchoutées pivotantes.
- Moteur de 0,33 CV à 950 tours/minute.
- Encombrement: longueur: 1,010 m
  largeur: 0,485 m
  hauteur: 0,960 m
  poids: 75 kg
- Train épicycloïdal à bain d'huile, arbre central sur roulements à billes. Pignon moteur en acier trempé.
- Couteaux à lame en acier inoxydable d'une épaisseur 15/10, réunies sur un porte-couteaux. Démontage instantané pour entretien journalier du porte-couteaux.
- Trémie en aluminium d'une contenance de 10 kg.
- Distributeur à tambour rotatif et tambour fixe en bronze.
- Trémie et distributeur rotatif démontables pour nettoyage complet de l'appareil.
- Débit: 500 à 900 kg à l'heure suivant la grosseur des pommes de terre.

SÉPARATEUR DE DÉCHETS

- Appareil monté sur 2 roulettes sur essieu fixe, et une roulette pivotante.
- **Encombrement:** longueur: 1,270 m   poids: 73 kg
  largeur: 0,400 m
  hauteur: 0,560 m

- Moteur de 0,25 CV à 1,450 tours/minute.
- Corps en tôle galvanisée. Flasques latéraux en aluminium.
- Un jeu de 3 rouleaux, légèrement espacés, tournant dans le même sens, laisse tomber les déchets dans un tiroir et achemine les frites vers un point de déversement.
- Commande des rouleaux effectuée par un jeu de poulies et courroies en V.
  Les rouleaux tournent dans des coussinets autolubrifiants. L'espace entre les cylindres, qui gouverne la dimension des déchets évacués, est réglable.

UTILISATION

- L'ensemble est d'un très grand intérêt dans les cuisines de collectivité.
- Dans la machine à séparer les déchets, un dispositif à rouleaux entraîne les fragments dans un tiroir où ils seront récupérés pour les purées et potages.
  Les bâtonnets (frites) sévèrement sélectionnés sont acheminés, d'autre part, vers la sortie de l'appareil d'où ils se déversent dans un réceptacle.
- L'utilisation de grosses pommes est recommandée pour un travail rentable.

AVANTAGES

- Economie d'huile: les pommes de terre étant de forme irrégulière, la production de petits fragments est inévitable lors de leur découpage en frites. Carbonisées pendant la cuisson, ces particules affectent la qualité de l'huile, ce qui implique son renouvellement fréquent.

■ *COUPE-LÉGUMES*

CARACTÉRISTIQUES

- Appareil universel pour la taille des légumes.
- Fonctionne à l'aide d'un moteur électrique d'une puissance variable selon le type d'appareil: 0,65, 1, 1,5, 5 (+ ou —).
- La mise en marche se fait par interrupteur incorporé.
- Certaines machines (puissantes) assurent jusqu'à 800 kg/heure de légumes taillés.
- Le moteur est protégé dans un carter à l'abri de toute humidité.
- L'arbre de transmission, ainsi que la goulotte et la chambre de coupe sont en acier inoxydable — aucune agressivité des acides.
- Arrêt automatique du moteur à l'ouverture de la goulotte — sécurité d'utilisation.
- Différentes grilles et disques trancheurs viennent s'adapter instantanément pour les diverses utilisations. Leur montage est des plus faciles (voir photos ci-contre).

UTILISATION

- Utilisé pour tailler, émincer, tous les légumes; râper le fromage, le pain de mie...

AVANTAGES

- Sa présence est très importante dans les cuisines de collectivité, d'entreprise, etc. grâce à la multiplicité de son utilisation.
- Permet une grande économie de main-d'œuvre.

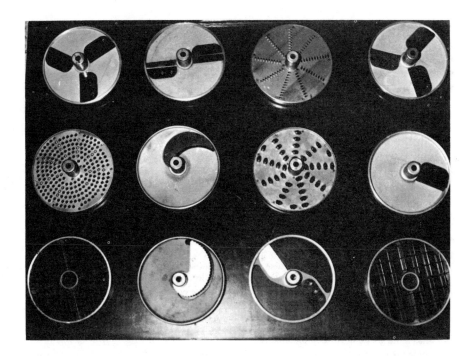

■ *CUTTER*

CARACTÉRISTIQUES

CAPACITÉ DE LA CUVE	MOTEUR		DIMENSIONS EN MM.			POSSIBILITÉS DE TRAVAIL EN 20 SEC.	POIDS
	PUISSANCE	TOUR MN.	LONG.	LARG.	HAUT.		
6 l	2 cv	1500 et 3000	465 mm	312 mm	580 mm	3 kg viande	28 kg
36 l	5,5 c v		740 mm	514 mm	932 mm	17 kg viande	75 kg

- Appareil d'une technique moderne et d'une très grande puissance (variable selon les types et les modèles).
- Moteur protégé par un carter monobloc.
  Muni de deux vitesses.
- Disjoncteur incorporé pour le 36 l.
- Cuve de travail amovible en polypropylène de 5 mm d'épaisseur, ou en alu inoxé.
- Fixation de la cuve sur le socle-moteur par vis.
- Couteau à lame inférieure fond de cuve pour les petites quantités, ou couteau à ailette pour les gros hachages.
- Couvercle de sécurité assurée: lorsque celui-ci est fermé, mise en mouvement du moteur.
- Interrupteur de sécurité pour mise en marche du moteur et changement de vitesse.

UTILISATION

- Très grande utilité dans les petites et grandes cuisines grâce aux différents modèles proposés par les fabricants.
- Utilisé pour hacher, mélanger, émulsionner, pétrir, etc.: persil, échalotes, oignons, beurres composés, farces de poissons et de viandes, etc.

AVANTAGES

- Rapidité d'exécution = gain de temps.
- Economie de main-d'œuvre.
- Régularité de travail.
- Entretien facile de la cuve, des couteaux, du couvercle, tous démontables. Aucun graissage, sauf le joint d'étanchéité fond de cuve, qui doit être régulièrement huilé.

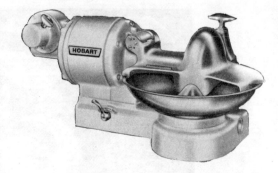

■ *CUTTER* (autre type)

CARACTÉRISTIQUES

- Moteur 1/3 CV, protégé, autoventilé, paliers à roulements à billes.
- Interrupteur à commande manuelle.
- Dispositif de sécurité interdit la mise en mouvement si le couvercle du bol n'est pas abaissé et, inversement, il n'est pas possible de relever le couvercle lorsque l'interrupteur est enclenché.
- Bol de mélange d'un diamètre de 35 cm, en acier inoxydable embouti d'une seule pièce.
  Enlèvement facile pour le nettoyage.
- Le couvercle est ajusté avec précision au rebord supérieur du bol. Relevable, il permet de retirer les produits traités dans le bol.
  Possibilité de l'enlever complètement pour le nettoyage.
- Couteaux en acier inoxydable spécial, fixés sur un moyeu, de telle sorte qu'ils peuvent être enlevés et remis en place sur l'arbre d'entraînement, sans perdre leur réglage d'origine. Le couteau d'attaque est à simple biseau.
  Le deuxième couteau est à double biseau.

UTILISATION

- A usages multiples en cuisine pour mélanger, hacher: persil, oignons, purées, farces à poisson, viande, etc.; en pâtisserie pour les détrempes...

AVANTAGES

- Rapidité d'exécution = rentabilité.
- A tout moment, l'opérateur peut vérifier le degré de finesse de coupe des produits, et ajouter le cas échéant, à l'instant où il le désire, épices, liquides et autres éléments.

■ *ÉLECTRO-GROUPE*

CARACTÉRISTIQUES

- Comporte un moteur d'une puissance de 1 CV blindé et autoventilé.
- Constitué essentiellement par un socle en fonte supportant le moteur électrique et son réducteur de vitesse.
- Dispositif d'entraînement permet à l'appareil de recevoir et d'actionner alternativement divers machines et accessoires complémentaires de cuisine.
- La réduction de vitesse s'obtient par engrenages taillés tournant dans l'huile, ce qui assure un fonctionnement silencieux, exempt de toutes vibrations.

- Encombrement: longueur: 485 mm   poids: 70 kg
  largeur: 350 mm
  hauteur: 440 mm
- De dimensions réduites, très maniable, cette machine se place facilement sur une table. Le moteur porte son interrupteur, l'installation étant ainsi des plus simples.

▪ *ÉPLUCHEUSE*

CARACTÉRISTIQUES

- Appareil robuste, composé d'une cuve cylindrique posée ou non sur une table-socle ou sur un pied incorporé.
- Entraîné par un moteur électrique d'une puissance de 1 CV monté sur roulement à billes, enfermé dans un carter à l'abri de la poussière et des projections d'eau.
- Le cylindre comprend sur le dessus une large ouverture dénommée « trémie », pouvant se retirer facilement pour l'entretien interne de la cuve.
- Un couvercle en plastique adaptable à la cuve, évite toutes projections d'eau pendant l'épluchage.
- La porte d'évacuation des légumes épluchés, est munie d'une poignée à verrouillage instantané, ce qui assure une parfaite étanchéité.
- A l'intérieur du cylindre un plateau (meule) est placé à la base sur un axe (pivot).
- La paroi de la cuve, la porte, ainsi que la surface du plateau sont recouvertes d'une matière abrasive artificielle au carborandum.
- Une arrivée d'eau froide à jet fort, permet le lavage des légumes.
- L'évacuation des eaux usées se fait par une durite placée à la base du cylindre.
- L'épluchage se fait par usure de la peau des légumes, qui se trouvent projetés sur la paroi de la cuve par le mouvement tournant de la meule.

  REMARQUE. Certains appareils reçoivent grâce à une prise de mouvement, d'entraîner des accessoires complémentaires: coupe-légumes; coupe-frites; hachoir à viande; passe-purée; râpe à fromage, à légumes; meule à aiguiser; moulin à café.
  D'autre part, certains modèles peuvent être transformés en GRATTEUSE A MOULES, par simple échange du cylindre-trémie et du plateau, par des éléments identiques, mais en fonte nervurée.

UTILISATION

- Utilisée principalement pour l'épluchage des pommes de terre.
- Employée aussi comme « robot universel », grâce aux divers accessoires complémentaires qui peuvent y être adaptés.

AVANTAGES

- Permet une économie de main-d'œuvre.
- Déchets d'épluchage réduits à 5 %, alors qu'ils atteignent 20 à 25 % dans le travail à la main.
- Epluche jusqu'à 400 kg de pommes de terre (suivant la qualité) à l'heure (avec les grosses éplucheuses).

▪ *ÉPLUCHEUSE* (autre type)

CARACTÉRISTIQUES PARTICULIÈRES

- Entièrement en acier inoxydable.
- Réglage de la goulotte en fonction de la hauteur des bacs de récupération des pommes épluchées.
- Ecran d'eau sans projection.

- Minuterie à 12 graduations de chacune 30 secondes permettant un réglage de la durée de l'opération d'épluchage.
- Décanteur à déchet incorporé avec tiroir filtre.
- Contacteur-disjoncteur.
- Facilité d'entretien: arrivée d'eau par tuyau flexible.
- Débit: de 200 à 600 kg/heure selon le modèle.
- Chargement: 10, 15 et 30 kg suivant le modèle.

■ ESSOREUSE A SALADE

CARACTÉRISTIQUES

- D'une construction simple et robuste, cette machine est composée d'une cuve de 60 dm³, munie à la partie inférieure d'un tube d'écoulement d'eau raccordé à la vidange par du caoutchouc très souple.
- La machine est supportée par un trépied avec fixation au sol.
- L'intérieur est muni d'un panier perforé en matière plastique rigide ou en tôle d'acier inoxydable 18/10, pouvant se retirer aisément de la cuve pour être débarrassé de la salade essorée.
- Fonctionne par un moteur électrique de 1/3 CV avec une vitesse de rotation de 1500 tours/minute. Le moteur est enfermé dans le corps de l'appareil à l'abri des projections d'eau.
- L'entraînement est réalisé par plateau d'embrayage entraîné lui-même par poulies et courroies trapézoïdales.
- La vitesse de rotation du panier est de 400 tours/minute.
- Le démarrage et le freinage de la machine se fait par un levier. Ce système limite les pertes de temps entre les opérations.
- D'autre part grâce à un embrayage à friction, l'entraînement et le freinage très progressifs ne risquent pas de froisser la salade.
- Le rendement est de 50 kg de salade sèche en 10 minutes. L'utilisation d'un deuxième panier permet d'atteindre un débit de 400 kg de salade sèche à l'heure.

UTILISATION

- Cet appareil répond aux besoins des collectivités, restaurants, etc., pour lesquels l'économie d'huile compte.
- Peut aussi être utilisé pour l'essorage des légumes à feuilles autres que la salade: choux, épinards...

AVANTAGES

- L'essorage de la salade réalisé suivant les vieilles méthodes, implique un travail long et minutieux.
  Un assaisonnement satisfaisant est obtenu avec une moindre quantité d'huile lorsque la salade est entièrement débarrassée de son eau de lavage.
  A l'économie s'ajoute une amélioration de la qualité de l'assaisonnement et de la salade servie.

■ LAMINOIR A PATE

CARACTÉRISTIQUES

- Appareil monté sur quatre roulettes pivotantes.
- De chaque côté, une tablette rabattable en acier inoxydable réduit son encombrement au strict minimum lorsque la machine est inutilisée.

Relevées, les tablettes forment un plan rigide, réfractaire à l'échauffement, ce qui favorise le travail des pâtes.

- Le bâti en tôle d'acier épaisse et profilé acier, forme un bloc compact parfaitement stable.
- L'appareil est entraîné par un moteur de 0,66 CV blindé, paliers à roulements à billes, avec ventilation extérieure, large réserve de puissance, fonctionnement silencieux.
- La transmission et la réduction de vitesse sont assurées par courroies trapézoïdales ; tension assurée automatiquement par gravité du berceau support du moteur.
- La mise en route est exécutée par simple manœuvre de la grille de protection, dont le basculement commande le renversement du sens d'entraînement de la pâte, sans risque de fausse manœuvre.
- Sécurité totale assurée par la forme adoptée pour la grille de protection. Un interrupteur général de barrage est prévu.
- Les rouleaux sont en acier rectifié, d'une largeur utile de 50 cm.
- Le réglage de l'écartement est instantané : il s'opère par déplacement d'un levier sur un secteur gradué. Le parallélisme des rouleaux est strictement indéréglable.
- A portée de la main, est placée une boîte à farine pour le travail des pâtes.

UTILISATION

- D'une très grande utilité, principalement en pâtisserie de collectivité, pour « abaisser » les grandes quantités de pâtes fermes : feuilletage, à foncer, pâtes à nouilles...

AVANTAGES

- Permet d'obtenir rapidement des abaisses de l'épaisseur désirée, avec une précision rigoureuse.

■ *MACHINE A ÉMINCER LES TOMATES*

CARACTÉRISTIQUES

- Appareil en acier inoxydable.
- Fonctionne en 220 V mono ou triphasé.
- Coupe en tranches de 5 mm d'épaisseur les tomates de tout calibrage.
- Débit horaire 800 kg.
- Le système de coupe est assuré par un ensemble de lames circulaires, dénommé « train de fraises ».
- Par simple changement d'une butée (accessoire) de finition de tranches par une autre butée qui arrête la coupe à 5 mm de la base du fruit, on obtient une coupe « en éventail » — les tranches sont attenantes entre elles.
  Cette coupe se réalise avec des tomates calibrées.
- Nettoyage facile de la machine : les peignes de retenue de coupe sont prévus en matière anticorrosive rilsan.

UTILISATION

- D'une très grande utilité dans les cuisines de collectivité ; en restauration évolutive, restauration de masse...
- Peut être utilisée pour émincer les champignons de Paris.

AVANTAGES

- Economie de main-d'œuvre.
- Gain de temps.

◼ MACHINE A HACHER LES VIANDES

CARACTÉRISTIQUES

- Appareil très robuste, en acier inoxydable, peu encombrant, de présentation variée selon le type et la marque.
- Fonctionne à l'aide d'un moteur électrique silencieux, d'une puissance allant de 1 à 3 CV.
- Production horaire selon les types: jusqu'à 500 kg et plus pour certains.
- Composé d'un carter, qui assure une protection efficace du moteur contre les acides, la saumure, les jus de viande...
- Le corps du hachoir est muni d'une hélice d'acheminement de la viande, et d'un collier de serrage en acier inoxydable (18/8), pour fixer la grille et le couteau.
- L'entraînement par pignons hélicoïdaux, fonctionne dans un bain d'huile.
- Le dessus de l'appareil muni d'une couverture circulaire d'alimentation, reçoit un plateau de chargement démontable en acier inoxydable.
- Un interrupteur à inverseur assure la marche avant ou arrière de l'hélice.
- La machine à hacher est pourvue d'accessoires interchangeables:
  - grilles de grosseur variée,
  - couteaux simples ou à double coupe,
  - bagues de compensation,
  - pilon pour pousser les viandes à hacher.

UTILISATION

- Figure dans toutes les cuisines, posée sur le coin d'une table ou installée sur un petit meuble-support conçu spécialement pour elle.
- Employée pour hacher toutes les viandes crues destinées à la préparation des steaks hachés, farces diverses (pâtés)...

AVANTAGES

- Hache rapidement, ce qui est important, les viandes crues sans les « échauffer » = hygiène de consommation.
- D'un entretien très facile.

◼ MACHINE A HACHER LES VIANDES (autre type)

CARACTÉRISTIQUES PARTICULIÈRES

- Equipée d'un moteur de 2 CV.
- Débit rapide: 1080 kg/heure à travers des plaques à perforations de 3 mm.
- La rapidité du débit évite l'échauffement de la viande lors de son passage dans le hachoir.
- Ecran de protection antiprojection.

  NOTA. Peut recevoir directement une machine à reconstituer les steaks hachés.

■ MACHINE A LAVER LES LÉGUMES

CARACTÉRISTIQUES

- Machine entièrement construite en acier inoxydable.
- Les commandes automatiques sont rassemblées dans un tableau sous tension (24 V).
- L'appareil est alimenté par un raccordement en eau chaude et froide.
- La capacité de la cuve est variable selon le modèle: de 7 kg à 70 kg en légumes lourds.
- Le temps de lavage est de 2 à 3 minutes environ.
- Une pompe crée dans la cuve de lavage un tourbillon d'eau de puissance réglable selon la fragilité du légume à traiter. Selon l'état de souillure de celui-ci, le temps d'un cycle de lavage est réglé de 0 à 6 minutes par une minuterie.
- Les souillures sont entraînées au travers des perforations de la cuve intérieure vers le fond de la cuve principale, puis vers la vidange avec l'eau d'évacuation.

UTILISATION

- Recommandée aussi bien en restauration à grande et petite consommation: de 100/200 à 2000 rationnaires.

AVANTAGES

- Apporte des avantages certains:
  - gain de « plonges à légumes »,
  - gain de surface au sol,
  - économie d'eau,
  - gain de temps,
  - réduction de la main-d'œuvre; travail moins pénible,
  - hygiène plus poussée.

■ MACHINE A RECONSTITUER LES STEAKS HACHÉS

CARACTÉRISTIQUES

- Elle coupe, mélange et reconstitue différentes quantités de viande.
- La viande, après avoir été coupée et mélangée, est éjectée automatiquement sans aucune manipulation dans un reconstitueur.
- La cuve «cutter», étant entièrement libérée de son contenu, peut recevoir au fur et à mesure du débit la viande à couper.
- Les steaks hachés (hamburgers) sont reconstitués avec différents jeux d'empreintes de 85, 100, 120, 140 g, au choix.

  NOTA. Grâce à l'étagement de deux couteaux, le mélange des viandes (maigre et graisse) est absolument parfait. La conservation de la viande est plus longue qu'avec les hachoirs classiques.

UTILISATION

- D'une très grande utilité, cette machine trouve son juste emploi dans les cuisines: restauration évolutive, néo-restauration, restauration de masse.

■ *MACHINE A RECONSTITUER LES STEAKS* (autre type)

CARACTÉRISTIQUES

- Appareil en aluminium poli et acier inoxydable.
- S'adapte à l'extrémité d'un hachoir électrique.
- La partie électrique comprend: un couteau à guillotine, actionné par un électro-aimant de construction particulièrement robuste, tranche d'un coup la viande et le papier.
  Le déclenchement s'effectue automatiquement dès que les steaks reconstitués sont de la taille désirée.
- L'électro-aimant fonctionne sur le courant monophasé 220 V.
- Le couteau est protégé par un carter spécial. Un interrupteur de sécurité empêche le fonctionnement du couteau si le couvercle est relevé.
- Le carter supérieur est facilement démontable grâce à des clips disposés sur les côtés.
- Le bouton à repère, placé au sommet de l'appareil, permet de régler l'épaisseur des steaks.
  Le bouton cranté, placé sur le côté, permet d'en fixer la longueur.
- L'appareil comporte une seule pièce en mouvement: le couteau.
- Le système porte-couteau s'enlève facilement pour le nettoyage. Il n'y a pas besoin d'affûter la lame.

UTILISATION

- Utilisée dans les cuisines à grand débit.
- La viande hachée sort de l'appareil en bande sur un papier spécial. Cette bande est automatiquement débitée en steaks reconstitués à la taille choisie au préalable par l'opérateur. Le réglage de la longueur et de l'épaisseur est réalisé aisément grâce à deux boutons crantés.
  Les steaks débités ont un poids constant suivant les repères choisis.
- La rapidité de fonctionnement dépend de l'opérateur et du débit du hachoir. La cadence maximale est de 80 steaks à la minute.

■ *PASSOIRE A PURÉE A GRAND DÉBIT*

CARACTÉRISTIQUES

- Appareil fonctionnant avec un moteur de 2 CV.
- Chariot en tubes soudés, de fort diamètre, largement ouvert, permettant l'admission de grands récipients (rondeaux). Montage sur roulettes pivotantes.
- Tamis cylindriques en maillechort, à perforations variables: 2,5 mm, 1,5 mm, 4 mm.
- Démontage instantané. Nettoyage aisé.
- Encombrement: longueur: 1,380 m
  largeur: 0,820 m
  hauteur: 0,964 m
- Poids: 150 kg

UTILISATION

- D'une très grande utilité dans toutes les cuisines de collectivité comportant un nombre de rationnaires relativement élevé.
- Son utilisation est indispensable là où des appareils fixes de cuisson sont en service.
- Mobile, la passoire est utilisée à toucher la marmite où cuisent les aliments à passer.
- Employée pour passer les pommes de terre, les épinards, toutes purées de légumes, les potages, etc.
  Les produits à déchets consistants: pommes, fruits, tomates... sont passés sans être préalablement pelés.
  Les déchets: peaux, pépins, sont évacués automatiquement par un orifice spécial et séparés du produit consommable.

■ *PASSOIRE VERTICALE*

CARACTÉRISTIQUES

- Appareil portatif, d'un poids de 29 kg.
  Hauteur: 70 cm.
  Diamètre: 20 cm.
- Corps cylindrique en tôle d'acier inoxydable 18/8 poli brillant.
- Moteur blindé, étanche, paliers à roulements à billes graissés. Puissance 1 CV.
- Interrupteur rotatif incorporé à portée de l'opérateur. Câble électrique souple d'une longueur de 5 m.
- Dispositif de coupe et de mélange avec rotor à 3 palettes verticales et 3 couteaux horizontaux en acier inoxydable spécial, tournant à 1400 tours/minute à l'intérieur d'un tamis interchangeable.
  2 tamis cylindriques: l'un à perforations carrées pour passer les purées, l'autre à trous ronds de 4 mm pour les potages, les mélanges divers...
- Les tamis réalisés en acier inoxydable sont maintenus en place par un jonc circulaire qui permet un démontage immédiat et un nettoyage particulièrement aisé.
- Un système verrouillable à 12 positions permet de fixer la hauteur de travail en fonction de la capacité des marmites.

UTILISATION

- Utilisation facile:
  L'appareil est plongé au centre de la marmite de cuisson. Par la turbulence créée dans la masse liquide, tous les produits solides sont irrésistiblement attirés par le rotor et soumis à l'action conjuguée des palettes et des couteaux, avant de passer à travers les tamis.
- Permet la préparation des potages, purées, sauces et mélanges directement dans les récipients de cuisson.
- Recommandée pour des capacités de 50 à 200 litres.

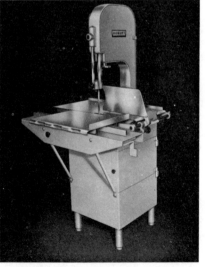

■ *SCIE A VIANDE*

CARACTÉRISTIQUES

- Moteur placé dans un compartiment spécial, étanche, autoventilé.
  Entraînement par courroie en V à haute résistance
  — triphasé 220/380 V/50.
- Commande de mise en route avec interrupteur à bascule, situé dans le compartiment à moteur, manœuvré par un poussoir fixé sur le devant de la machine, à portée de la main.
- Contrôle de tension de la lame par voyant à lecture directe. Un volant de réglage permet de modifier la tension de la scie, même lorsque la machine est adossée au mur.
- Guide-lame et racleurs (supérieur et inférieur) sont facilement démontables à la main.
- Table et chariot facilement démontables. Ce dernier est monté sur roulement à billes, avec un dispositif permettant son déplacement par le corps de l'opérateur.
- Réglage de coupe (épaisseur des tranches) par ajustage rapide et précis par vernier débrayable.
- Poussoir amovible pour coupe des talons.

- Lame protégée en dessus et au-dessous de la zone de coupe à hauteur réglable.
- Plaque d'appui de grandes dimensions pour la protection de l'opérateur.
- Les pieds réglables assurent la mise à niveau de l'appareil.

UTILISATION

- Employée pour le découpage des viandes en quartiers, fraîches et congelées.
- Pour tronçonner les poissons congelés.
- Machine utilisée dans les cuisines de collectivités.

■ TRANCHE-PAIN ÉLECTRIQUE

CARACTÉRISTIQUES

DIMENSIONS EN MM		POIDS NET	PUISSANCE DU MOTEUR
HAUTEUR AVEC MOTEUR	ENCOMBREMENT MAXIMUM		
1140 en monophasé 1080 en triphasé	735 mm	75 kg en monophasé 70 kg en triphasé	1 CV

- Appareil de construction robuste.
- Le moteur, fermé, protégé, étanche, est monté verticalement.
- Interrupteur fixé sur la machine.
- Transmission par engrenages taillés tournant dans un carter à bain d'huile étanche.
- La machine comporte trois magasins (certains types en possèdent quatre) verticaux pour recevoir les pains à couper. Un des côtés de ces magasins est réglable pour limiter, suivant leur grosseur, l'espace dans lequel coulissent les pains.
- Une scie en acier inoxydable à denture spéciale, animée d'un mouvement planétaire, se déplace horizontalement sous les trois magasins.
- Une plaque horizontale où s'appuient les pains se déplace avec la scie dans un mouvement circulaire.
- La hauteur de coupe est réglée par cette plaque au moyen d'un levier se déplaçant sur un secteur gradué.
- Chaque magasin peut recevoir depuis les pains de fantaisie, dits de 2 livres, jusqu'aux pains de 4 livres, dits de ménage. Des pains de différentes formes peuvent être coupés simultanément.
- Le réglage de l'épaisseur s'effectue instantanément par simple manœuvre du levier (variable de 6 mm à 70 mm).
- Elle coupe 180 tranches à la minute (certains modèles jusqu'à 240 tranches).
- Les tranches sont réceptionnées dans un panier que l'on place entre les pieds de la machine.

UTILISATION

- Utilisé en restauration évolutive, collectivités, néo-restauration...

AVANTAGES

- Evite le gaspillage — accumulation des restes inexistante.
- Permet de fractionner la portion individuelle en un nombre de tranches déterminé à volonté.
- Rapidité de coupe au fur et à mesure des besoins.
- Evite les inconvénients du séchage du pain coupé à l'avance.
- Tranches de pain coupées nettes et dépourvues de miettes.

■ *TRANCHEUR A VIANDE*

CARACTÉRISTIQUES

- Machine robuste, stable, de présentation variée, d'un poids moyen de 60 kg (+ ou —).
- Fonctionne à l'aide d'un moteur électrique d'une puissance de 1/3 CV (+ ou — selon le type), à roulements à billes, lubrifié de façon permanente, incorporé dans le bâti du trancheur, ce qui lui assure une protection efficace aux influences des jus de viande, de l'humidité (lors de l'entretien), de la saumure.
- Le couteau est entraîné par des pignons hélicoïdaux à vis sans fin en bronze d'aluminium, ce qui assure un fonctionnement silencieux.
- La vitesse du couteau est de 1400 tours/minute.
- Le chariot est entraîné par le moteur grâce à un jeu de pignons. Il peut être débrayé instantanément que l'appareil soit en marche ou non.
- Le changement de vitesse peut être effectué avec le moteur en marche ou arrêté, par un bouton va-et-vient (lente ou rapide).
- Le couteau, généralement concave, coulé en acier inoxydable massif, est mis en mouvement par le moteur.
- Le plateau de coupe avance automatiquement par le poids des produits à trancher.
- Un poussoir (escamotable) peut être employé pour le maintien des produits à formes irrégulières, grâce à deux griffes réglables.
- Une cloison mobile maintient le morceau de viande et l'empêche de basculer pendant la coupe.
- Une plaque d'appui en glace sécurit ou en acier inoxydable assure un contrôle de coupe rigoureux, jusqu'à des tranches extrêmement fines.
- La mise en route est contrôlée par une lampe témoin au néon située près de l'interrupteur.

    NOTA. Certains appareils sont aménagés:
    - d'un système de refroidissement du moteur assuré par deux ventilateurs placés de chaque côté du rotor, ce qui permet un fonctionnement ininterrompu;
    - d'un compteur de tranches allant jusqu'à 9999;
    - d'un affûteur mobile en acier inoxydable fondu, doté de deux meules (fil-morfil) — permet un affûtage fréquent et précis du fil de la lame;
    - d'une trémie: sorte de dispositif en acier inoxydable qui se pose rapidement sur le chariot, dans lequel on place (en vrac) des tomates, des fruits, des légumes divers ronds, pour être tranchés.
- D'un entretien facile, toutes les pièces principales de ces appareils se démontent aisément en quelques minutes sans aide d'outils.

UTILISATION

- D'une très grande utilité, aussi bien dans les petites que dans les grandes cuisines, les trancheurs à viande figurent en bonne place parmi les appareils électriques du garde-manger (comme en cuisine), pour toutes les coupes de viandes chaudes ou froides, les jambons, les saucissons, les fromages à pâte ferme, le pain de mie...

AVANTAGES

- Gain de temps — grand rendement de débit: 36 et 54 tranches à la minute.
- Economie — uniformité dans l'épaisseur des tranches.
- Qualité — coupe franche, nette, sans oxydation.

■ *TURBO-BROYEUR MÉLANGEUR*

CARACTÉRISTIQUES

- Appareil d'un poids de 90 kg (selon le type).
- Il est composé d'un chariot support sur trois roues pneumatiques (2 fixes à l'avant — 1 pivotante à l'arrière) montées sur roulements à billes, ce qui confère à l'ensemble une grande mobilité de déplacement.

- Actionnée par un moteur puissant et silencieux de 3 CV la turbine polyvalente permet de traiter en quelques minutes, purées et potages.
- La partie supérieure, constituée par le moteur, le col de cygne et la tête plongeante soigneusement équilibrée, pivote librement autour d'un axe comportant un système de verrouillage progressif à levier pour le réglage précis de la hauteur d'utilisation.
- Le col de cygne, tube en acier inoxydable poli, de forme spécialement étudiée pour utilisation dans les récipients de forme et de profondeur variées.
- La tête plongeante, rotor à 3 palettes verticales et 3 couteaux horizontaux en acier inoxydable, tourne à raison de 1400 tours/minute à l'intérieur d'un tamis interchangeable en acier inox.

UTILISATION

- Employé dans les cuisines de collectivités.
- Il permet en quelques minutes la réalisation de 400 kg de purée, velouté d'épinards, de compote de fruits; 500 litres de potage...

AVANTAGES

- Aucun transvasement d'une marmite dans l'autre des préparations culinaires.
- Limite la fatigue au minimum.
- Gain de temps dans l'exécution.
- Entretien de l'appareil et des accessoires presque nul.

■ *RANGEMENT ET ENTRETIEN DES APPAREILS ROBOTS*

1. RANGEMENT

Tous ces appareils robots électriques, selon leur emploi, sont placés judicieusement à portée de la main de l'utilisateur:
— en cuisine,
— au garde-manger,
— en pâtisserie,
— en légumerie.
- Les **gros appareils** sont installés en des points précis, d'un accès facile — posés simplement ou scellés au sol.
- Les **petits appareils** sont accrochés au mur par des griffes-attaches sans difficulté d'encombrement.
- Les **accessoires complémentaires** divers: grilles, couteaux, colliers de serrement, bagues de compensation, etc. sont suspendus à des crochets situés à l'intérieur de placards ou d'armoires de rangement, ou bien sur un panneau fixé au mur (en cuisine, au garde-manger, en pâtisserie, en légumerie), dont l'emplacement aura été soigneusement choisi.
- Les **gros accessoires:** fouet, palette, crochet, etc. sont alignés par affinité dans les placards ou les armoires de rangement.

2. ENTRETIEN

Périodiquement (même certains fréquemment), les moteurs et les pièces principales de tous les appareils sont minutieusement vérifiés:
- Graissage des parties vitales.
- Changement des charbons.
- Vérification des courroies de transmission.
- Affûtage des couteaux.
- Resserrage de certains écrous et vis, qui, par les trépidations de certains appareils, se dévissent.
- Remplacement des pièces usées. Leur substitution se fait normalement, sans aucun problème, ayant toute une référence au catalogue du fabricant.
- Vérification des fils électriques. Protection constante à l'abri de l'humidité.

4. MATÉRIELS NEUTRES ET DE COMPLÉMENT

(mobiles et fixes)

DÉNOMINATION DES MATÉRIELS NEUTRES ET DE COMPLÉMENT (mobiles et fixes)	TYPE DE RESTAURATION				LIEU D'INSTALLATION				
	DE MASSE	NÉO	ÉVOLUTIVE	CLASSIQUE	PLONGE	LÉGUMERIE	PATISSERIE	GARDE-MANGER	CUISINE
Armoire chaude à chariots	■	■	■						■
Armoire de rangement	■	■	■	■			■	■	■
Bacs mobiles à légumes	■	■	■			■			
Balance semi-automatique	■	■	■						■
Casiers à batterie	■	■	■		■				■
Chariot porte-paniers à frites	■	■	■						■
Etal (ou billot) de boucherie	■	■	■					■	
Machine à laver les marmites	■	■	■		■				
Machine à laver les poubelles	■	■	■		■				
Plonge à batterie	■	■	■		■				
Plonge à légumes	■	■	■			■			
Table armoire chauffante Armoire chaude — étuve	■	■	■						■
Table de travail	■	■	■					■	■
Table du chef avec bac	■	■	■						■

■ ARMOIRE CHAUDE A CHARIOTS - ÉLECTRICITÉ

CARACTÉRISTIQUES

CAPACITÉ	DIMENSIONS EXTÉRIEURES EN MM			ALIMENTATION ÉLECTRIQUE
	LARGEUR	HAUTEUR	PROFONDEUR	
2500 l	1900 mm	2000 mm	1048 mm	Triphasé 380 +; 220 V mono

- Système chauffant monobloc avec ventilateur soufflant, avec 2 résistances électriques montées sur sorties ventilateur.
- Température amenée à +60° +70°C.
- Réglage de l'humidité par hygrostat.

- Les portes (pleines ou vitrées) sont montées avec charnières à pivots réglables. Leur fermeture est assurée par un joint magnétique. Elles sont munies d'un dispositif de limiteur d'ouverture.
- Accès à l'intérieur par rampe articulée sur une glissière fixée à même le fond de cuve.

  NOTA. Certaines armoires sont à double accès (avant et arrière) pour éviter les détours inutiles, les pertes de temps entre la fabrication et la distribution.
- L'éclairage intérieur est automatique, commandé par minirupteur de porte (pour les armoires avec portes pleines), ou commandé par interrupteur unipolaire placé sur la façade de l'appareil (pour les armoires avec portes vitrées).
- Les pieds facilement réglables permettent aisément une mise à niveau parfaite de l'armoire.

UTILISATION

- Armoire spécialement conçue pour le stockage sur chariot, de préparations chaudes dressées sur assiettes ou sur plateau, en attente de consommation.
- Utilisée en restauration évolutive: selfs, cafétérias...; néo-restauration: centres hospitaliers, cliniques privées...

◼ *ARMOIRE DE RANGEMENT*

CARACTÉRISTIQUES

- Dimensions: 1900 × 700 × 1600 mm.
- En acier inoxydable poli satiné mat.
- Panneaux d'habillage et portes, démontables sur les 4 faces sans visserie apparente.
- ChÉssis constitué d'éléments standards rigides en fonte et profilés en tôle d'acier inoxydable.
- Piétement tubulaire inoxydable et réglable en hauteur sur 40 mm.
- Dessus en acier inoxydable 18/10.
- Intérieur composé de quatre étagères en tôle d'acier inoxydable.
- Portes coulissantes à doubles parois en acier inoxydable suspendues à des guides par des galets en matière plastique. Butées réglables en fin de course.
- Poignées de manœuvre en acier chromé plastifié.

UTILISATION

- Utilisée pour tout rangement de matériel de cuisine, pâtisserie; rangement de plats, assiettes...
- Pour le stockage au garde-manger et en pâtisserie de produits divers...

◼ *BAC MOBILE A LÉGUMES*

CARACTÉRISTIQUES

- Cuve en aluminium de forte épaisseur à angles rayonnés (ou en acier inoxydable 18/10).
- Montée sur quatre roues indépendantes et pivotantes à bandages pleins.

Les deux roues situées dans l'axe longitudinal présentent une différence de niveau, facilitant ainsi l'accès à toutes les zones de travail.
- Vidange à surverse et crépine amovible en acier inoxydable.
- D'une capacité variable: 150 l à 225 l.

UTILISATION

- D'une très grande utilité dans les cuisines de collectivités, pour le transport des légumes épluchés, de la légumerie jusqu'au lieu de cuisson en cuisine.

AVANTAGES

- Gain de temps dans le transport.
- Evite les transvasements.
- Travail moins pénible.

■ *BALANCE SEMI-AUTOMATIQUE*

CARACTÉRISTIQUES

- Balance à cadran triangulaire gradué.
- Le fléau et le peson sont protégés par un carter monobloc.
- Elle permet d'indiquer le poids de l'élément déposé sur le grand plateau, au moyen d'une aiguille se déplaçant sur le cadran divisé (de 0 à 1000 g).
  L'aiguille s'arrête lorsque le fléau est en équilibre devant le trait de la graduation correspondant au poids mesuré.
- La portée est variable selon les types: 1, 4, 5 et 10 kg maximal.
- Pour des poids supérieurs à 1 kg, il suffit d'ajouter des poids de 1 kg, 2 kg, etc. sur le deuxième plateau, ce qui va équilibrer en partie celui où est placé l'élément à peser. L'évaluation du poids de l'élément se lit par l'indication de l'aiguille plus le ou les poids placés sur le deuxième plateau.

UTILISATION

- D'une très grande utilité pour la « grammation » des portions. Pour certaines préparations culinaires où l'emploi de la balance est nécessaire.
- Utilisée pour toutes les préparations de pâtisserie.

■ *CASIERS A BATTERIE*

CARACTÉRISTIQUES

- Encombrement variable: longueur 1400 mm
                               hauteur 1700 mm
                               avancée   950 mm
- Structure composée de quatre montants en profilés d'acier inoxydable.
- Cinq étagères en acier galvanisé fixées par des boulons inox sur les quatre montants.
- Piétement tubulaire inoxydable, réglable en hauteur sur 40 mm.

UTILISATION

- Employés pour le rangement rationnel de tout le matériel mobile de cuisine « batterie »:
  — matériel de cuisson,
  — matériel de débarrassage,
  — matériel accessoire.

■ *CHARIOT PORTE-PANIERS A FRITES*

CARACTÉRISTIQUES

- Chariot bâti en tôle profilée laquée ou en acier inoxydable.
- Monté sur 4 roues caoutchoutées pivotantes
  — grande facilité de mobilité.
- Poignée de manœuvre tubulaire.
- La partie basse est aménagée d'un plateau ramasse-gouttes amovible.
- Le chariot peut stocker 9 à 10 paniers, certains (cuisine à grand rendement) peuvent porter 20 paniers.

UTILISATION

- Permet le stockage et la manutention des paniers à frites utilisés dans les friteuses, équipant les cuisines des grandes collectivités.
- Remplace la réserve à frites.

AVANTAGES

- Gain de temps et de manutention dans la distribution.

■ *ÉTAL DE BOUCHERIE*

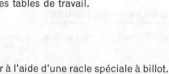

CARACTÉRISTIQUES

- De dimensions variées.
- Le plateau supérieur est renforcé de plusieurs « billes » parallélépipèdes en bois de charme, d'une épaisseur voisine de 180 mm, disposées sur « champ » — debout — de façon à contrarier le sens du bois.
- Les morceaux sont maintenus ensemble à l'intérieur d'un bâti en hêtre, avec aux angles (pour certains étals) des équerres latérales de renfort en acier étiré chromé.
- Piétement épais en hêtre.
- Pourvu d'un dosseret avec une alaise porte-outils et d'une fente pour rangement des couteaux.
- Sous le plateau, un tiroir de rangement en hêtre avec poignée inox.

  NOTA. Certains étals (plateaux seulement) sont scellés à niveau des tables de travail.

UTILISATION

- Pour le travail de toutes les viandes de boucherie, des volailles, etc.

  NOTA. Ne jamais mouiller le bois debout après emploi, mais le racler à l'aide d'une racle spéciale à billot. Le grattage enlève l'excès d'humidité de la viande découpée et conserve ainsi le bois debout en parfait état.
  Ne jamais placer le bois debout près d'une source de chaleur trop forte.

AVANTAGES

- Permet de concasser les plus gros os de boucherie.

■ *MACHINE A LAVER LA BATTERIE*

CARACTÉRISTIQUES

NOTA. Machine utilisée en grandes cuisines pour laver les gros récipients et tous autres accessoires difficiles à nettoyer, et qui demandent une main-d'œuvre importante.

- D'un fonctionnement simple: la porte est fermée au moyen de la poignée prévue à cet effet; le cycle de lavage se déroule automatiquement.
- Toutes les commandes sont en façade.
- La porte à glissière facilement manœuvrable, donne accès à l'intérieur. Les récipients sont placés sur le support tournant prévu à l'intérieur.
  En fermant la porte, une griffe hydraulique maintient fermement les marmites à laver dans la position choisie.
- Le programmateur étant enclenché, le cycle du lavage complet se déroule automatiquement ainsi que le rinçage. En premier, les pièces sont soumises par le haut et par le bas à la projection puissante de l'eau de lavage additionnée de produits lessiviels alcalins, et ce à une température de 50° à 60°C.
  Ensuite, des gicleurs tourbillonnants entrent en action et nettoient tous les angles avec une pression des plus puissantes.
  Pour terminer, une eau propre à 85°C est déversée; elle débarrasse les récipients de toutes traces de résidus et de produits lessiviels.
- La durée d'un cycle de lavage et rinçage est de 3 minutes.

■ *MACHINE A LAVER LES POUBELLES*

CARACTÉRISTIQUES

- De conception nouvelle, ce matériel permet le nettoyage rapide et efficace des poubelles.
- Composé d'un châssis en tube laqué traité anticorrosion, monté sur roulettes ou sur vérins.
- La cuve est en matériau inoxydable (polyester).
- Le lavage et le rinçage sont commandés par deux pédales:
  — La pédale de droite commande le lavage et amène l'eau chaude mélangée à un produit bactéricide; celui-ci est réservé dans un distributeur fixé sur le châssis.
  Le temps de lavage est d'environ 45 secondes selon l'état de propreté de la poubelle à laver.
  — La pédale de gauche commande le rinçage.
- L'appareil est alimenté en eau chaude et froide.
- L'intérieur de la poubelle est lavé par un jet rotatif.
- L'extérieur est lavé par une brosse spéciale qui peut être alimentée en eau chaude avec détergent.

UTILISATION

- D'une très grande utilité en restauration collective.
- Peut être installée à la plonge ou dans le local réservé aux poubelles.

AVANTAGES

- Assure, par son efficacité accrue, une parfaite hygiène et l'élimination des mauvaises odeurs.

■ *PLONGE A BATTERIE*

CARACTÉRISTIQUES

- Certaines possèdent un système de chauffage électrique pour maintenir en température l'eau de lavage.
- La plonge se compose généralement de deux bacs de 700 × 500 × 350 mm (ou + ou —), en acier inoxydable 18/10, dont un bac est réservé au lavage, l'autre destiné spécialement au rinçage.
- Le fond des bacs incliné vers la vidange peut être équipé d'une claie (caillebotis) en bois de hêtre, amortissant les chocs, le bruit, évite les frottements métal sur métal.
- Le plan supérieur est embouti d'une seule pièce. De chaque côté des bacs un égouttoir avec une légère pente muni de nervures, ce qui augmente la rigidité de la structure et favorise l'écoulement des eaux. Bourrelet antiruissellement sur le pourtour de la plonge.
  Dosseret en partie arrière de 70 mm de hauteur.
- Alimentation en eau chaude et froide par robinet mélangeur avec brise-jet et col de cygne orientable, permet le remplissage des bacs.
- Un trop-plein en laiton chromé dans chaque bac, avec extrémité conique pour faciliter l'emboîtement dans l'orifice d'évacuation de la cuve.
  La partie supérieure des trop-pleins est munie d'un anneau pour faciliter l'enlèvement.
- Chaque bac est muni d'un siphon de vidange en laiton.
- La plonge est aménagée d'une étagère basse en acier inoxydable pour le rangement de matériel divers propre au travail de la plonge.

UTILISATION

- Utilisée exclusivement pour le lavage, l'entretien, de tout le matériel de cuisson, de débarrassage et accessoires divers mobiles de cuisine.

■ *PLONGE A LÉGUMES*

CARACTÉRISTIQUES

- Structure portante formée d'éléments standards rigides en profilés d'acier inoxydable.
- Piétement tubulaire réglable en hauteur pour mise à niveau.
- Plan supérieur embouti d'une seule pièce en tôle d'acier au nickel chromé inoxydable 18/10 poli satiné, bourrelet antiruissellement sur le pourtour de la plonge, dosseret monobloc en partie arrière de 70 mm de hauteur.
- Cuves de lavage en acier inoxydable 18/10 obtenues par préemboutissage présentant des angles arrondis réunies au plan supérieur par soudage automatique sous atmosphère d'argon, fond incliné vers la vidange.
- Robinetterie: robinet d'eau froide en laiton chromé, muni d'une tubulure rigide le reliant à une rampe de gicleurs nickelée.
- Trop-plein en laiton chromé, extrémité conique pour faciliter l'emboîtement dans l'orifice d'évacuation des bacs. La partie supérieure des trop-pleins est munie d'un anneau pour en faciliter l'enlèvement
- Un faux fond perforé en acier inoxydable pour retenir le sable ou la terre contenu dans les légumes.
- Siphon de vidange pour chaque bac avec cloche de sortie orientable.
- Un tube de protection cylindrique perforé à placer autour des trop pleins.

UTILISATION

- Installée dans la légumerie pour le lavage des légumes. Plusieurs plonges peuvent être juxtaposées.
- Elles sont installées en pâtisserie, en cuisine et au garde-manger selon les implantations.

■ *TABLE ARMOIRE CHAUFFANTE - GAZ - ÉLECTRICITÉ - VAPEUR*

CARACTÉRISTIQUES

COMBUSTIBLE	DIMENSIONS	CAPACITÉ ASSIETTES	POIDS NET	VOLUME	PUISSANCE CALORIFIQUE
GAZ	2600 × 700 × 860 mm	720	350 kg	2,6 m³	4675 cal./h
ÉLECTRICITÉ	1900 × 700 × 860 mm	480	238 kg	2 m³	2,7 kW/h
VAPEUR	1400 × 700 × 860 mm	320	210 kg	1,5 m³	6 kg/h

- En acier inoxydable poli satiné mat.
- Panneaux d'habillage et portes, démontables sur les quatre faces sans visserie apparente.
- Châssis constitué d'éléments standards rigides en fonte et profilés en tôle inoxydable.
- Piétement tubulaire inoxydable et réglable en hauteur sur 40 mm.
- Plan de travail constitué d'un revêtement en acier inoxydable 18/10 au nickel chrome, plaqué sur acier de 25/10 d'épaisseur.
- Deux étagères intérieures en tôle d'acier inoxydable.
- Portes coulissantes à doubles parois en acier inoxydable suspendues à des guides par des galets en matière plastique. Butées réglables en fin de course.

  NOTA. Les portes peuvent être sur une ou deux faces.
- Poignées de manœuvre en acier chromé et plastifié.

MODÈLE A GAZ

- Chauffage par brûleurs à haut rendement placés à la partie inférieure de l'armoire.
- Sécurité totale par valve thermo-couple.
- Robinet à position de ralenti réglable et allures repérées: 0 - veilleuse - maxi - mini.

MODÈLE ÉLECTRIQUE

- Chauffage par résistances blindées.
- Régulation de la température par thermostat.
- Alimentation triphasé 380 V + neutre, ou en 220 V triphasé ou 220 V monophasé.

MODÈLE A VAPEUR

- Chauffage par serpentins en acier inoxydable disposés à la partie inférieure et sur les côtés de l'armoire.
- Commande par robinet de façade.

UTILISATION

- Toujours installée entre la cuisine proprement dite et l'office, elle est placée au niveau auquel les plats cuisinés chauds sont distribués aux commis de suite de la salle, après avoir été clochés par les soins du chef.
- La face office reçoit les assiettes destinées au service de table, pour leur maintien au chaud.
- La face cuisine est utilisée pour maintenir au chaud les plats prêts, en attente de réclamation par les commis de salle.

■ *TABLES DE TRAVAIL*

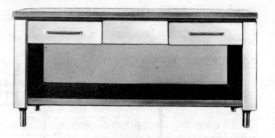

CARACTÉRISTIQUES

- Une ou plusieurs, en bois ou en métal.
- Dimensions variables selon les normes définies par les fabricants et le type retenu:
  - — Longueur: 50 cm à 300 cm
  - — Largeur: 50 cm à 78 cm
  - — Hauteur: 85 cm à 90 cm (réglable)

ENTIÈREMENT EN BOIS

- Dessus renforcé en bois de hêtre de 50 mm d'épaisseur.
- Structure inférieure et piétement en hêtre.
- Rangement sur une étagère basse amovible en bois de hêtre.

EN MÉTAL

- Elles sont présentées en quatre versions:
  - — « sur pieds » — type central avec 4 bords tombés;
  - — « sur flancs » — munies aux deux extrémités de flancs à doubles parois cachant les pieds;
  - — « murales » — avec 3 bords tombés et 1 dosseret lorsque la table est adossée au mur;
  - — « sur armoire » — dessus sur placard de rangement; deux portes coulissantes en acier inoxydable montées sur billes et glissières, permettent un dégagement maximum; intérieur aménagé d'une ou deux étagères.
- Les façades des tiroirs, les faces latérales de la table et les piétements sont habillés d'acier inoxydable poli satiné.
- Les piétements tubulaires sont réglables en hauteur sur 40 à 50 mm.
- Le plan de travail (dessus) à structure indéformable est constitué d'un revêtement en acier inoxydable au nickel chrome — 18/10 - 18/8 — plaqué sur acier.
  Certains modèles sont avec dessus: en hêtre; en marbre.
- Elles possèdent pour le rangement une claie (étagère ou tablette) ou deux basses horizontales, en hêtre ou en acier inoxydable 18/10 ou duralinax.
- D'un ou deux tiroirs (sauf tables sur armoire) à structure en tôle d'acier montés sur glissières télescopiques silencieuses, coulissant sur des galets plastiques amortis.

  NOTA. Certaines tables sont pourvues d'un bac inox (au centre ou à une des extrémités) — **table du chef** — avec robinetterie mélangeuse eau chaude et froide, à col de cygne orientable à l'arrière dans l'axe du bac, avec tube surverse et crépine inox amovible.

UTILISATION

- Plans de travail pour toutes les transformations, exécutions, réalisations, manipulations, découpages, etc.

■ *TABLE DU CHEF AVEC BAC OU TABLE PLONGE*

CARACTÉRISTIQUES

- En acier inoxydable.
- Piétement tubulaire en acier inoxydable.
- Bourrelet antiruissellement sur le pourtour pour table centrale ou dosseret en partie arrière et largeur pour table murale.
- Plonge unique ou double en acier inoxydable placée à une des extrémités.
- Alimentation en eau chaude et froide par robinet mélangeur avec brise-jet et col de cygne orientable, permet le remplissage du ou des bacs.
- Bac muni d'un siphon de vidange.

● 5. MATÉRIELS TYPE NÉO-RESTAURATION *

DÉNOMINATION DES MATÉRIELS TYPE NÉO-RESTAURATION

APPAREILS RÉGÉTHERMIC

ARMOIRES ÉLECTRO-THERMIQUES: Système armoire, Système four

CELLULE DE REFROIDISSEMENT RAPIDE

CHARIOT CLINI-SNACK

ETAGÈRE DE STOCKAGE

COMPTOIR DE DISTRIBUTION — SELF « ROTOPLATE »

ELÉMENT BAIN-MARIE — ÉLECTRIQUE

FOUR MICRO-ONDES

TABLE DE CONDITIONNEMENT A BANDE TRANSPORTEUSE

TABLE DE CONDITIONNEMENT AVEC CHARIOTS
POUR SYSTÈME DE DISTRIBUTION DE REPAS

* Comprend aussi: la RESTAURATION ÉVOLUTIVE et la RESTAURATION DE MASSE.

■ APPAREILS « RÉGÉTHERMIC »

CARACTÉRISTIQUES

Appareils combinés composés:
d'un capot thermique (fixe ou mobile),
et **d'une étagère mobile** à rayonnages
ou **d'un chariot desserte.**

CAPOT THERMIQUE

- Entièrement en acier inoxydable.
- Monté sur pieds tubulaires à hauteur réglable (fixe) ou sur roulettes à pivot (mobile).
- Tableau de commande comprenant:
  - Voyant de mise sous tension.
  - Minuterie sonore avec coupure automatique du courant.
  - Simmerstat avec deux positions: Marche normale - Plats surgelés.
  - Voyant de contrôle de marche.
  - Relais de coupure des 3 phases.
  - Plaques à bornes étoile-triangle permettant de faire les couplages en 380 ou 220 V.
- Intérieur composé d'émetteurs infrarouges protégés par des manchons diffuseurs en tôle inox déployée.

ÉTAGÈRE MOBILE

- Montée sur plateau à roues caoutchoutées.
- Intérieur composé de rayonnages pouvant recevoir indifféremment assiettes rondes ou rectangulaires « Gastro ».

CHARIOT DESSERTE

- Monté sur plateau à roues caoutchoutées.
- Volets de fermeture.
- Intérieur composé de rayonnages pouvant recevoir indifféremment plateaux repas complets ou assiettes rondes ou rectangulaires.

■ ARMOIRES ÉLECTROTHERMIQUES

GÉNÉRALITÉS

- Ces armoires permettent de restituer en un temps très court à la température idéale de consommation ($+60°$ - $+65°$C), tous les mets (sans aucune exception) préalablement cuits et refroidis:
  - sans recuisson,
  - sans dessèchement,
  - sans altération.
- Le degré thermique de consommation est diffusé à partir d'infrarouges obscurs suffisamment puissants.
- Un matériel de vaisselle à usage unique spécialement conçu est employé pour ce système **de restitution calorique.**
- Les aliments traités sont conditionnés:
  - dans des assiettes porcelaine avec couvercle-cloche inox;
  - dans des plats en feuille d'aluminium avec couvercle ou opercule de fermeture.

UTILISATION

- Employées sur les lieux de distribution et le plus près possible de la consommation — restaurants collectifs, centres hospitaliers, etc.

  REMARQUE. Les plats et les plateaux individuels sont entièrement conditionnés dans les cuisines centrales.

AVANTAGES

- Possibilité de conditionner en cuisine centrale.
- Possibilité de préparer plusieurs heures à l'avance, voire plusieurs jours, la conservation en chambre froide à +3°C pouvant être portée dans certains cas à une semaine.
- Souplesse dans les horaires. Approvisionnement des points de consommation à n'importe quelle heure du jour et de la nuit.
- Pas d'heure de pointe, ni de « coup de feu ».
- Etalement du travail en cuisine. Augmentation du rendement des cuisines centrales qui peuvent ainsi travailler à temps complet et tripler au moins leur production.
- Surveillance plus poussée de la diététique, du conditionnement, du calibrage et surtout de la présentation.
- Economie de denrées par un contrôle quantitatif rigoureux.
- Les chariots permettent de servir plusieurs repas en même temps, sur plateaux individuels, dans des lieux ou services différents.
- Restitution rapide des mets à la température de consommation:

TABLEAU INDICATIF de mise en température pour aliments cuits:
- pris à température ambiante (+10° à +15°C) . . . . 12 mn
- sortant du réfrigérateur (+5° à +10°C) . . . . 15 mn
- surgelés (—15°C) . . . . 25 mn

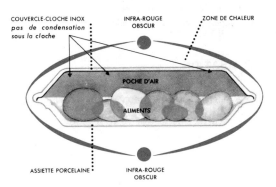

SCHÉMATISATION DU SYSTÈME DE CHAUFFE

- Seule la poche d'air emprisonnée avec les aliments restitue à ceux-ci la température de consommation.

■ SYSTÈME ARMOIRE

CARACTÉRISTIQUES

- En émail vitrifié à 900°C.
- 6 émetteurs infrarouges.
- Puissance: 1800 W.
- Voyant de mise sous tension.
- Minuterie sonore avec coupure automatique du courant.
- Simmerstat avec deux positions: Marche normale — Plats surgelés.

- Voyant de contrôle de marche.
- Interrupteur général à boutons-poussoirs « Marche-Arrêt ».
- Alimentation en monophasé 220 V.
- 5 grilles amovibles.
- Peut être aussi employée comme chauffe-assiettes (10 assiettes en 3 minutes).

■ *SYSTÈME FOUR*

CARACTÉRISTIQUES

- En tôle émaillée vitrifiée à 900°C.
- 3 émetteurs infrarouges.
- Puissance: 1000 W.
- Coupure de courant automatique par système de minuterie audio-visuelle.

- 2 grilles amovibles, formant dessous de plats.
- Voyant de contrôle de marche.
- Alimentation en monophasé 220 V.

■ *CELLULE DE REFROIDISSEMENT RAPIDE*

CARACTÉRISTIQUES

- Même présentation qu'une armoire frigorifique.
- Revêtement intérieur et extérieur stratifié blanc.
- Isolation polystyrène d'une épaisseur de 8 cm.
- Groupe chargé en gaz fréon 12.
- Alimentation électrique: 6 kW — triphasé 220 V ou 380 V.

- Commande par interrupteur temporisé, protégé par fusibles et discontacteur.
- Réglage thermostatique à +2°C.
- Dégivrage automatique.
- D'une capacité totale approximative de 150 kg d'aliments à refroidir.

UTILISATION

- Employée pour refroidir les aliments rapidement après leur cuisson (c'est-à-dire descendre de la température de la cuisson à +5°C à cœur en une heure maximum) pour des raisons bactériologiques.

■ *CHARIOT CLINI-SNACK*

CARACTÉRISTIQUES

- Socle rouleur zingué brillant monté sur 4 roues pivotantes d'un diamètre de 120 mm, avec pare-chocs plastifiés noirs.
- 2 arceaux et joues chromés.
- 1 plateau à la partie supérieure en stratifié avec galerie chromée.
- Etagère à 2 × 8 niveaux, avec un écartement de 120 mm entre.

UTILISATION

- Conçu pour le transport et la distribution de 16 repas aux malades.
- Les plateaux peuvent être préparés en cuisine ou à l'office d'unité de soins.

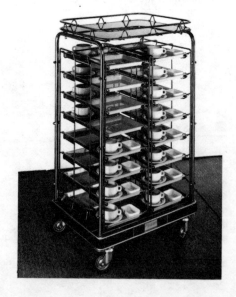

■ *ÉTAGÈRES DE STOCKAGE*

CARACTÉRISTIQUES

- Arceaux en tube chromé, vernis incolore cuit au four.
- 4 roues pivotantes d'un diamètre de 120 mm et pare-chocs annulaires.
- Joues en tôle 10/10, largeur 35 mm, 2 traverses horizontales en fil d'acier zingué brillant passivé et vernis incolore cuit au four.
- Etagère de 18 et 14 niveaux selon écartement entre les niveaux.

UTILISATION

- Ces étagères sont conçues pour recevoir des séries d'accessoires (voir photos).
- Elles permettent le stockage en chambre froide et le transport en cuisine des aliments préparés à l'avance.

■ *COMPTOIR*
DE DISTRIBUTION -
SELF « ROTOPLATE »

CARACTÉRISTIQUES

Cet ensemble comprend 3 parties:

CHAUFFE-ASSIETTES

- Peut contenir: 6 piles de 40 = 240 assiettes
  ou 8 piles de 40 = 320 assiettes
- Chaque pile est posée sur ressort compensateur tournant autour d'un axe fixe (voir schéma ci-dessous).
- Poignée de manœuvre pour la rotation des piles d'assiettes.
- Niveau constant des assiettes (voir schéma ci-dessous).
- Thermostat réglable avec lampe témoin pour doser la température des assiettes.
- Chauffage en continu synchronisé sur le débit.
- Débit de 8 à 10 assiettes/minute en fonction du menu.

BAIN-MARIE A AIR CHAUD ou « BANQUE DE STOCKAGE »

- Cuve inox montée sur piétement en tube carré.
- 5 cases composent l'élément de stockage: chacune reçoit un récipient (grand et petit) embouti en acier inox 18/8, muni d'un couvercle et de poignées fixes.
- La température est maintenue par 2 résistances inoxydables blindées.
- Les bains-marie (récipients) peuvent être placés directement dans la banque de stockage, après remplissage en cuisine, ou être transportés par chariot si la cuisine est éloignée.
- Cette banque de stockage électrothermique, permet de maintenir en température les aliments, pendant la distribution.

TABLE CHAUDE

- Située côté distribution.

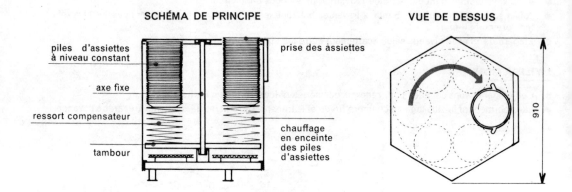

SCHÉMA DE PRINCIPE

piles d'assiettes à niveau constant

axe fixe

ressort compensateur

tambour

prise des assiettes

chauffage en enceinte des piles d'assiettes

VUE DE DESSUS

910

UTILISATION

- Cet ensemble peut constituer à lui seul une unité de distribution, la table chaude faisant office de présentoir.
- Incorporé à un complexe, self en ligne, self-carrousel, super-self..., il s'adapte à toutes les formules et permet avec un minimum de personnel un débit accéléré.

■ *ÉLÉMENT BAIN-MARIE - ÉLECTRIQUE* Self-service

CARACTÉRISTIQUES

DIMENSIONS	NOMBRE DE CONTAINERS DE 28 LITRES	POIDS	VOLUME	PUISSANCE CALORIFIQUE
2100×860×860 mm	5	250 kg	2,5 m³	6,3 kW/h

- Structure portante en tôle d'acier inoxydable à hauteur réglable sur 40 mm.
- Cuve et plan supérieur en tôle d'acier inoxydable 18/10 comportant des containers (avec couvercles et poignées intérieures de manipulation) en acier inoxydable 18/10.
- Armoire chauffante côté service pourvue d'une étagère basse en acier inoxydable.
  Fermeture par deux portes coulissantes à doubles parois, suspendues à un guide en acier inoxydable où elles coulissent sur galets plastiques. Butées caoutchoutées réglables en fin de course.
  2 poignées de manœuvre en acier chromé revêtues de plastique.
- Etagère repose-assiettes située entre le plan supérieur et l'armoire chauffante en acier plastifié.
- Revêtement de façade côté client par panneaux standards plastifiés ou en acier inoxydable poli satiné mat.

- Rampe glisse-plateau nervurée en acier inoxydable 18/10 soutenue sur la longueur de l'élément par des consoles en tube rectangulaire verni noir encastrées dans le revêtement de façade.
- Remplissage de la cuve du bain-marie par robinet incorporé à l'appareil.
- Vidange de la cuve du bain-marie par trop-plein amovible.
- Chauffags électrique assuré par résistances blindées immergées dans le bain-marie et commandées par thermostat réglable de 30°C à 110°C.
- Alimentation en triphasé 380 V + neutre, ou en 220 V triphasé ou 220 V monophasé.

UTILISATION

- Cet élément est conçu afin de maintenir les aliments chauds en température par le principe du bain-marie.
  Le plan supérieur comporte une cuve dans laquelle sont logés des containers de différentes capacités permettant la distribution directe sur assiettes.
- Cet appareil est utilisé en restauration moderne: selfs, snacks, collectivités, etc.

AVANTAGES

- Permet de maintenir en température de consommation les préparations chaudes destinées à la distribution des selfs-service.
- Permet une plus grande rapidité de distribution.
- Choix plus important de mets chauds offerts aux clients.

■ FOUR MICRO-ONDES

CARACTÉRISTIQUES

ALIMENTATION	FRÉQUENCE	DIMENSIONS	
		INTÉRIEUR	EXTÉRIEUR
triphasé 380 V + neutre			
monophasé 220 V	2450 MHz	680 × 540 × 250 mm	850 × 930 × 490 mm
triphasé 200 V			

PRINCIPES GÉNÉRAUX

- L'énergie utilisée pour ce four est un type particulier de vibrations à haute fréquence *, produites par un magnétron **.
- Cette énergie chauffe plus rapidement les aliments que n'importe quel autre procédé. Elle pénètre directement les aliments où elle provoque au sein de la matière la rotation des molécules, d'où dégagement de chaleur.

---

* Pour donner une certaine idée, l'énergie employée pour une station de radio, comprend 550.000 vibrations à la seconde, alors que celle à micro donne 2.450.000.000 vibrations à la seconde — 2.450 mégahertz (MHz).
** Larousse Universel: tube à vide, générateur ou amplificateur de courant de très haute fréquence, dont le flux d'électrons est commandé à la fois par un champ électrique et par un champ magnétique.

D'autre part, lorsque l'**énergie** entre en contact avec une matière, il ne peut se produire que **trois phénomènes :**

PHÉNOMÈNE	CONSÉQUENCE	RÉSULTAT
ELLE EST RÉFLÉCHIE	Ne traverse pas les métaux.	Impossibilité de réchauffer les aliments.
ELLE EST TRANSMISE	Les ondes traversent le verre, la porcelaine, la terre cuite, la matière plastique, le papier, le carton et autres matières non conductrices, sans engendrer de chaleur.	Les ondes pénètrent au cœur des aliments : la montée en température se fait dans la masse.
ELLE EST ABSORBÉE	Les ondes pénètrent les aliments, dans une mesure qui dépend de leur structure. Ils sont portés à la température programmée sans faire chauffer directement les récipients. Ceux-ci peuvent être saisis sans danger « à main nue ».	Plus de croûtes en surface, plus de dessèchement. Aucun changement dans l'aspect. Aucune modification du goût. Conserve sa richesse naturelle.

● Appareil entièrement construit en acier inoxydable 18/8 (amagnétique) comprend **deux parties principales :**

LE FOUR

— le four proprement dit, avec son enceinte de chauffage, — voute en fibre de verre et silicone. Eclairage intérieur ;
— ses magnétrons avec leur système de refroidissement ;
— le tableau de commande et la carrosserie ;
— la porte à double paroi avec hublot central perforé, empêche toute fuite de micro-ondes mais permet la visibilité à l'intérieur du four. Lors de l'émission des micro-ondes, un système électromagnétique assure la fermeture automatique de la porte et empêche son ouverture.

LE COFFRET D'ALIMENTATION

— il comporte deux racks, chacun étant équipé d'une alimentation pour magnétron de 2 kW avec son système de refroidissement et ses connecteurs de raccordement. En plus de ces deux racks, le coffret comporte l'appareillage hydraulique pour le circuit de refroidissement par eau des anodes (électrodes) des magnétrons.

NOTA. L'ensemble peut être monté sur piétement ou mis en place directement sur une table.

SYSTÈME DE REFROIDISSEMENT DES MAGNÉTRONS

● **Anode :** refroidissement par eau.

Dans le coffret d'alimentation sont disposés sur la tuyauterie d'alimentation en eau, une vanne électromagnétique, une vanne de réglage, un contrôleur de débit. Le circuit d'eau est monté en série pour les deux magnétrons.

Débit d'eau pour le refroidissement d'un magnétron : 2 l/mn, soit pour deux magnétrons : 4 l/mn.
La vanne électromagnétique s'ouvre lors de la mise sous tension du four. La vanne de réglage, tarée en usine pour un débit de 4 l/mn et le contrôleur de débit fonctionnant **indépendemment de la pression,** ferme le circuit électrique des sécurités lorsque le débit de 4 l/mn est atteint.
Sur l'anode du magnétron est fixé un thermostat assurant en cas de mauvaise circulation d'eau la coupure du chauffage.

● **Cathode** (électrode) : refroidissement par air.

Un ventilateur centrifuge de 120 m³/h refoule dans une gaine dont la forme permet le refroidissement des radiateurs de cathode, alors qu'une partie de l'air est envoyée dans l'enceinte de chauffage afin de mettre celle-ci en pression pour éviter tout phénomène de condensation.

INSTALLATION ET FONCTIONNEMENT

● L'installation terminée, les produits à traiter étant dans le four placés directement sur la sole, l'appareil est en état de fonctionner (porte fermée).

— Appuyer sur le bouton « marche-arrêt » général, touche lumineuse. Si la circulation d'air et d'eau est correcte, allumage du voyant « air-eau ».
— Mise sous tension (position « on » des discontacteurs) du ou des magnétrons ; le préchauffage des cathodes terminé (3 minutes), les voyants « prêt » s'allument.
— Afficher le temps désiré d'émission de micro-ondes sur la minuterie.
— Appuyer sur bouton marche « micro-ondes ». Verrouillage automatique de la porte par électro-aimant.
— En fin de temporisation, la minuterie coupe les micro-ondes, ainsi que l'alimentation des électro-aimants permettant ainsi l'ouverture de la porte.

SÉCURITÉS

● **Refroidissement :**

Ventilateur protégé par fusible.
Circuit d'eau contrôlé par contrôleur de débit.
Thermostat sur anode magnétron, 96-100°.

CARACTÉRISTIQUES TECHNIQUES

Puissance micro-ondes	4 kW
Puissance absorbée	10,8 kVA (émission 45 A pour alimentation 220 V)
Fréquence micro-ondes	2450 ± 25 MHz
Courant secteur : monophasé	220 V + terre
triphasé	220 V + terre
triphasé	380 V + neutre + terre
Ventilateur de refroidissement magnétron	40 W
Ventilateur de refroidissement alimentation	50 W
Lampe éclairage four	40 W
Electro-aimant fermeture porte	65 VA - 380 VA (appel)
Magnétron type YJ1160 - Philips - 2,5 kW	
Caractéristique d'adaptation pour puissance	2 kW
Tension anode	4750 V
Courant anode	0,75 A
Tension préchauffage cathode	4,8 V
Tension chauffage cathode pendant émission	2 à 3 V maxi
Courant préchauffage cathode 38 A maxi	
Durée préchauffage 3 mn	
Température de coupure	anode 100°
Température de réenclenchement	96°
Débit d'air par radiateur de cathode	40 m³/h
Débit d'air dans l'enceinte	40 m³/h
Température maximum des radiateurs de cathode	180°

UTILISATION

- Assure une décongélation parfaite de tous les plats préparés ainsi que des produits avant préparation.
- Utilisé pour terminer la cuisson de certaines préparations culinaires.

  NOTA. Il est nécessaire de faire revenir, saisir, dorer au préalable toutes les préparations; les micro-ondes ne « dorant » pas les aliments.

- Ces fours sont utilisés dans les: selfs, snacks, établissements pourvus d'un système de distribution automatique — restaurettes, restaurants d'entreprise...
- L'utilisation du four micro-ondes implique obligatoirement l'emploi d'un matériel conçu avec un matériau propre avec ce système: assiettes, plats, barquettes... en verre, porcelaine, terre cuite, matière plastique, papier, carton et autres matières non conductrices.

AVANTAGES

- Permet d'offrir à chaque moment à la clientèle, un plat chaud lorsque la cuisine est fermée.
- Permet de remettre en condition de consommation, toutes préparations préparées à l'avance et congelées.
- Installé dans la salle à la disposition du client, permet à celui-ci de réchauffer lui-même son plat « refroidi ».

■ *TABLE DE CONDITIONNEMENT A BANDE TRANSPORTEUSE*

CARACTÉRISTIQUES

- Entièrement en acier inoxydable poli mat.
- Moto-réducteur 0,5 CV. Triphasé 220/380 V.
- Tambours montés sur roulements à billes étanches.
- Vitesse linéaire 6 m/minute.
- Marche continue par boutons poussoirs (marche-arrêt).
- Marche discontinue avec arrêt automatique de la bande au tiers de la course.
- Remise en marche par pédale.
- Voyant contrôle de marche.

UTILISATION

- Actuellement, pour le conditionnement des plateaux en cuisine, on utilise des tables à bandes transporteuses autour desquelles sont répartis les postes d'approvisionnement (viandes, légumes, régimes, hors-d'œuvre, desserts, etc.) correspondant à la composition des menus.
- La responsabilité du conditionnement d'un plateau pour un repas complet, repose sur plusieurs cuisiniers dispersés à ces différents postes.
- Le chargement des chariots se fait en bout de chaîne.
- Utilisée dans les cuisines centrales — traiteurs (plats garnis) (voir photo ci-contre), ou dans les cuisines centres hospitaliers (plateaux-repas complets).

AVANTAGES

- Cette méthode permet de grouper le personnel responsable du conditionnement des plats garnis ou des plateaux-repas complets.
- Garanties d'hygiène — minimum de manipulations.
- Evite le déplacement des chariots pendant leur chargement.

SCHÉMA DE DIVERSES IMPLANTATIONS DE TABLES DE CONDITIONNEMENT
A BANDE TRANSPORTEUSE*

1 Plateaux,
  coquilles,
  assiettes,
  fiches.

2 Légumes.

3 Viandes.

4 Hors-d'œuvres,
  fromages,
  desserts.

5 Pain,
  vin.

6 Verres,
  couverts,
  couvercles.

7 Diététique.

8 Chariot desserte,
  vers unités de soins.

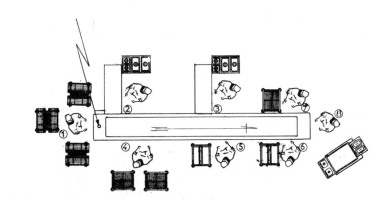

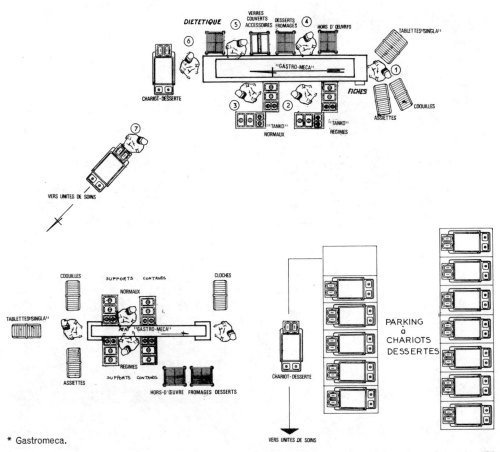

* Gastromeca.

■ TABLE DE CONDITIONNEMENT AVEC CHARIOTS POUR SYSTÈME DE DISTRIBUTION DE REPAS

CARACTÉRISTIQUES

- De part et d'autre de la chaîne de conditionnement sont disposés les élévateurs-distributeurs pour verres, couverts, pain et aliments froids dressés en assiettes.
- Les aliments chauds sont répartis dans des chariots chauffants à bain-marie (gastronorm).
- Les plateaux sont dressés par le personnel placé le long de la chaîne.
- Les chariots et distributeurs polyvalents sont placés autour de la chaîne de conditionnement (voir photo ci-contre).
- Le chariot de stockage muni d'une minuterie permet de mettre en action la totalité de la puissance pendant un temps déterminé; ensuite une partie de la puissance reste en circuit et assure un maintien précis de la température voulue grâce à l'action d'un thermostat.

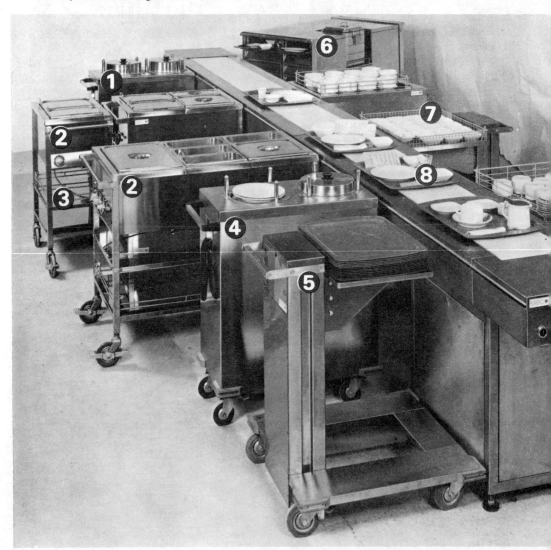

Pendant ces phases, il y a circulation continue d'air chaud. Il est ainsi possible:

— de mettre le chariot en préchauffage avant chargement en chaud ou en froid,
— de réchauffer les assiettes conditionnées froides en quelques minutes,
— de maintenir en température les assiettes chauffées ou remises en température pendant les périodes précédant la distribution.

UTILISATION

● Ce système de distribution est employé pour le conditionnement des repas en milieu hospitalier.

● Les jours normaux, où la cuisine fonctionne avec le personnel au complet, les opérations de conditionnement se font dans les heures qui précèdent le repas, la partie chaude des menus étant maintenue en température dans les chariots.

Les samedi et dimanche, en cas de personnel réduit, les opérations de conditionnement peuvent être faites en très grande partie un ou deux jours auparavant, les chariots effectuant alors la remise en température nécessaire immédiatement avant la distribution.

SYSTÈME DE DISTRIBUTION DE REPAS AVEC REMISE ET MAINTIEN EN TEMPÉRATURE

❶ Distributeurs chauffants (pour cloches)

❷ Chariots chauffants DB
● pour le maintien en température des aliments en récipients gastronorme,
● chauffage thermostatique de chaque cuve.

❸ Accessoires
● tablette et galerie inférieure,
● couvercle (couvrant les cuves) avec rampe de distribution.

❹ Distributeurs chauffe-assiettes

❺ Distributeur de plateaux

❻ Chariot Distref
● Bi-thermique.
Plat chaud servi chaud.
Hors-d'œuvre, desserts, servi frais.
16 - 24 - 30 plateaux.

❼ Distributeur de corbeilles
● pour le stockage de hors-d'œuvre, desserts, salade...
● corbeilles en fil 650 × 530 mm

❽ Plateau

❾ Chaîne de conditionnement
toutes longueurs (à partir de 4 m).
● Vitesse de défilement réglable.
● Arrêt du tapis lorsque le plateau arrive en bout de chaîne.
● Prises de courant le long de la chaîne pour branchement des divers appareils.
● Carrosserie inoxydable, piétement sur vérins.

● ÉTUDE COMPARATIVE D'IMPLANTATIONS DE DIVERSES CUISINES, EN FONCTION D'UN NOMBRE DE COUVERTS DÉTERMINÉ

SURFACES EN FONCTION DU NOMBRE DE COUVERTS

	50 à 150	151 à 300	301 à 500	501 à 750	751 à 1000
Nombre de couverts					
Dimensions souhaitables	9 × 10,50 m	10 × 11,50 m	11 × 12,50 m	13 × 13 m	15 × 14 m
Surfaces	94,50 m²	115 m²	137,50 m²	169 m²	210 m²

ÉQUIPEMENT EN FONCTION DU NOMBRE DE COUVERTS

N° REPÈRE AU PLAN	DÉNOMINATION – DES MATÉRIELS – DES MACHINES	NOMBRE D'ÉLÉMENTS	DIMENSION DES MATÉRIELS	150 couverts	151 à 300 couverts	301 à 500 couverts	501 à 750 couverts	751 à 1000 couverts
MATÉRIEL DE CUISSON								
1	Fourneau 2 feux vifs sous grilles	1						
2	Fourneau coup de feu (1 plaque)							
	Fourneau coup de feu (2 plaques)	1						
	Fourneau coup de feu (2 ou 3 plaques)							
3	Grillade		20 dm²					
			30 dm²					
		1	40 dm²					
			50 dm²					
			60 dm²					
4	Fours	2						
		3						
		4	600 × 800 × 300 mm					
		5						
5	Fours	2	600 × 800 × 300 mm					
		4						
6	Marmite chauffe directe	1	150 l					
		1	200 l					
6 (a)	Marmites chauffe directe	1	150 l					
		1						

Réf.	Désignation	Qté	Capacité
7 (a)	Marmite bain-marie	1	125 l / 75 l / 125 l
7 (b)	Marmite bain-marie	1	150 l / 150 l
8	Friteuses zone froide débit	2 / 3	50 kg/h / 100 kg/h / 170 kg/h / 250 kg/h / 350 kg/h
9	Sauteuses basculantes	1 / 1 / 2 / 3	40 dm² / 50 dm²

MATÉRIEL DE CONSERVATION

Réf.	Désignation	Qté	Capacité
10	Chambre froide démontable	1	5 m³ / 10 m³ / 15 m³ / 20 m³ / 25 m³
11	Armoire frigorifique	1	500 l / 800 l / 1200 l / 1500 l / 2000 l

MATÉRIELS DE LAVAGE

N° REPÈRE AU PLAN	DÉNOMINATION — DES MATÉRIELS — DES MACHINES	NOMBRE D'ÉLÉMENTS	DIMENSION DES MATÉRIELS	ÉQUIPEMENT EN FONCTION DU NOMBRE DE COUVERTS				
				150 couverts	151 à 300 couverts	301 à 500 couverts	501 à 750 couverts	751 à 1000 couverts
12	Bacs — 1 trempage vaisselle — 1 cuisinier	2	400×300×300 mm	■	■	■		■
13	Bac cuisinier	1		■				
	Bacs mobiles	2	150 l		■	■		■
		3					■	■
14	Plonges à légumes	2 bacs	700×600×400 mm	■	■			
		3 bacs				■		■
		4 bacs						■
15	Plonge à batterie	2 bacs	800×600×450 mm	■	■	■		■
16	Machine à laver la vaisselle	1	900 ass/h	■				
			1800 ass/h		■			
			3000 ass/h			■		
			4500 ass/h				■	
			6000 ass/h					■
17	Chauffe-eau	1	150 l	■				
			300 l		■	■		
			500 l				■	■

MACHINES DE CUISINE

				150 couverts	151 à 300 couverts	301 à 500 couverts	501 à 750 couverts	751 à 1000 couverts
			cuves 15 et 30 l	■				
			cuves 20 et 40 l		■			

cuves 50 et 100 l

N°	Désignation		Qté
19	Eplucheuse (débit par opération)	5 kg	1
		10 kg	
		15 kg	
		20 kg	
		30 kg	
20	Essoreuse à salade (débit par opération)	5 kg	1
		10 kg	
21	Coupe-frites sur chariot	300 kg	1
		500 kg	
		750 kg	
		1000 kg	
22	Tranche-pain		1
23	Percolateur à café	35 l	1
		75 l	
		125 l	
		185 l	
		250 l	
24	Trancheur à viande		1

MATÉRIELS ANNEXES

N°	Désignation		Qté
25	Etagère à batterie	1500 × 1800 mm	1
		2000 × 1800 mm	
		2500 × 1800 mm	
26	Table d'épluchage avec trou vide ordures	2000 mm long	1
		3000 mm long	
		4000 mm long	

N° REPÈRE AU PLAN	DÉNOMINATION — DES MATÉRIELS — DES MACHINES	NOMBRE D'ÉLÉMENTS	DIMENSION DES MATÉRIELS	150 couverts	151 à 300 couverts	301 à 500 couverts	501 à 750 couverts	751 à 1000 couverts
27	Table de recette vaisselle sale avec trou vide ordures et abattant	1	1900 mm	■				
		1	2200 mm		■			
		1	3000 mm					■
28	Tables de laverie	1	1500 mm	■				
		2	1500 mm		■			
		2	2000 mm			■		
		2	1 de 1500 mm 1 de 2000 mm				■	
		2	1 de 2500 mm 1 de 2000 mm					■
29	Tables de travail	1	1500 mm	■				
		2	2000 mm		■			
		2	1 de 2000 mm 1 de 2500 mm			■		
		3	1 de 2000 mm 2 de 3000 mm				■	
		1	3000 mm					■
30	Tables placards	1	2000 mm		■			
		2	2000 mm			■		
		2	1 de 2000 mm 1 de 3000 mm				■	
		2	1 de 2000 mm 1 de 2500 mm					■

COMPTOIRS LIBRE-SERVICE

No.	Désignation	Qté	Dimensions
32	Comptoirs réfrigérés pour les hors-d'œuvre	2	1400 mm
			1400 mm
		1	1500 mm
			2000 mm
33	Arrière comptoirs réfrigérés pour hors-d'œuvre	2	1400 mm
		1	2000 mm
34	Etuves tables chaudes		1200 mm
		1	1400 mm
			1500 mm
			2000 mm
35	Comptoir « bain-marie »	2	1400 mm
		1	1400 mm
			1500 mm
			2000 mm
36	Comptoirs réfrigérés pour les fromages, desserts, boissons		1200 mm
		1	1400 mm
			1500 mm
			2000 mm
37	Arrière comptoirs réfrigérés pour fromages, desserts, boissons	2	1400 mm
		1	2000 mm
		2	1400 mm
38	Tablettes « contrôle »	1	700 mm
		2	
39	Rampes à plateaux	1	
		2	
40	Guide-file	1	
		2	

IMPLANTATION. ÉQUIPEMENT A, 150 CONVIVES

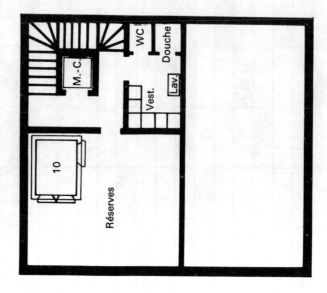

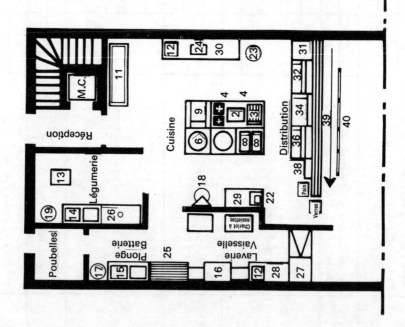

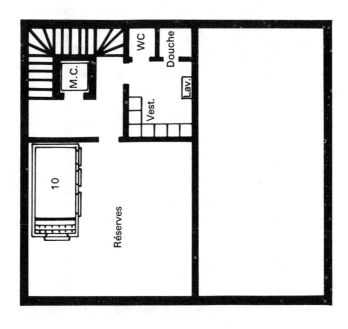

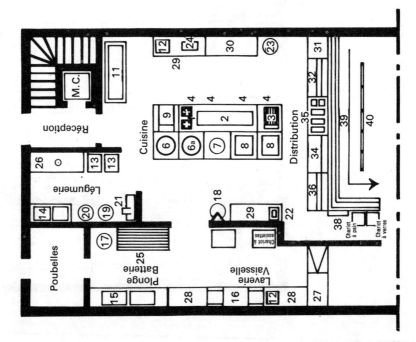

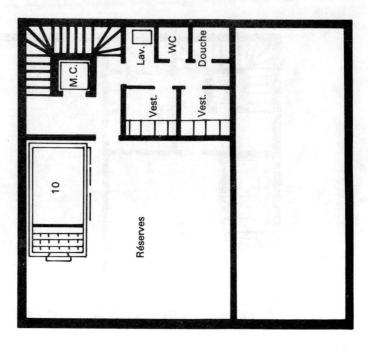

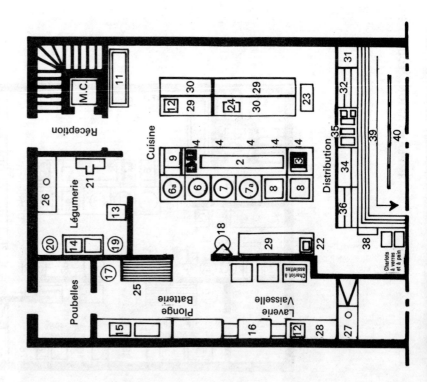

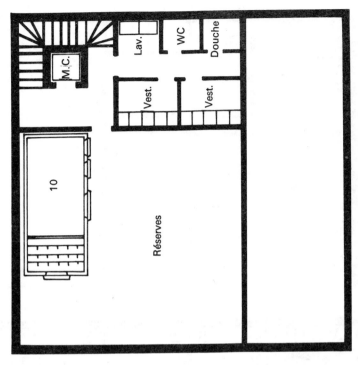

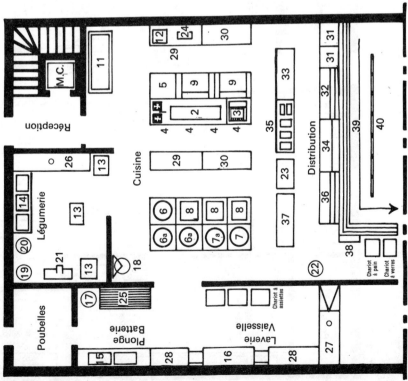

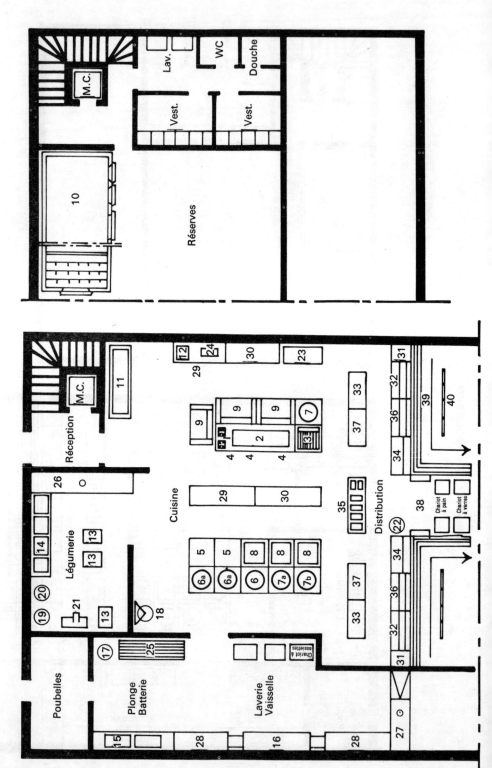

BATTERIE DE CUISINE

- La BATTERIE DE CUISINE comprend tout le matériel mobile nécessaire à la préparation et à la cuisson des aliments.
- La conception du matériel doit rendre aisées les différentes opérations culinaires.
- Le matériel mobile d'une grande cuisine est un véritable outillage. Appelé à un travail intense, il doit être réalisé avec des MATÉRIAUX très résistants.

1. PRINCIPAUX MATÉRIAUX EMPLOYÉS

- GÉNÉRALITÉS:

PROPRIÉTÉS THERMIQUES

Les récipients de cuisson doivent « absorber », voire « emmagasiner », la chaleur provenant d'une source calorifique pour la transmettre uniformément sans point de surchauffe dans la « masse ».
Ainsi, les cuissons sont régulières, sans baisse notoire de la température au moment de la cuisson des aliments.
Selon leur nature les matériaux réagissent différemment.
Avant de fixer son choix il faut tenir compte:

- de l'épaisseur du matériau
- de la surface des fonds qui doit être parfaitement plane
- du mode de chauffage de l'établissement utilisateur

PROPRIÉTÉS PHYSIQUES

Il faut aussi tenir compte de la nature des métaux et de la composition chimique des aliments traités.
Ce qui n'exclut pas:

- que le lait attache plus facilement
- que les sels calcaires de l'eau se fixent sur les parois
- que les cuissons changent d'aspect

NOTA. Ces caractéristiques visent surtout le matériel de cuisson.

● 2. CLASSIFICATION

MATÉRIEL PROFESSIONNEL	■ A. MATÉRIEL EN ACIER INOXYDABLE ■ B. MATÉRIEL EN ALUMINIUM AVEC REVÊTEMENTS ANTI-ADHÉ-SIFS ■ C. MATÉRIEL EN ALUMINIUM LISSE, MARTELÉ ET MARTELÉ DEMI-FORT ■ D. MATÉRIEL EN CUIVRE ROUGE LISSE ET MARTELÉ ■ E. MATÉRIEL EN FER ÉTAMÉ OU FER BLANC — EN FER BATTU — EN TOLE D'ACIER ÉTAMÉE ET EN TOLE D'ACIER NOIRE
MATÉRIEL MÉNAGER	■ F. MATÉRIEL EN FONTE ÉMAILLÉE ■ G. MATÉRIEL EN TERRE A FEU ■ H. MATÉRIEL EN VERRE A FEU

I. MATÉRIEL PROFESSIONNEL

■ *A. MATÉRIEL EN ACIER INOXYDABLE*

● CARACTÉRISTIQUES:

Matériel fabriqué avec un alliage fer-carbone et une forte proportion de chrome (au moins 13 %), ce qui le rend inoxydable.

A cet alliage, vient s'ajouter selon les conditions nécessaires de mise en œuvre et d'utilisation, d'autres éléments, ainsi, certains aciers que l'on appelle « nuances » de 18/8 et 18/10, contiennent 18 % de chrome et 8 à 10 % de nickel. Ces éléments sont intimement alliés à l'acier dès son élaboration au four électrique.

D'autre part, les aciers employés dans la fabrication du matériel de cuisson, sont caractérisés par leur épaisseur qui peut varier entre 8 et 20 dixièmes de millimètre.

Aussi, l'industrie moderne cherche-t-elle à offrir des articles de cuisson comportant des dispositifs efficaces de diffusion de la chaleur avec fond thermo-diffuseur, basés sur l'alliance avec un matériau meilleur conducteur que l'acier: cuivre ou aluminium.

Grâce à ce mariage d'une haute conductibilité thermique, la chaleur se trouve rapidement et uniformément répartie d'une manière égale sur toute la surface de chauffe de l'ustensile, quel que soit le mode de chauffage utilisé. L'épaisseur du métal conducteur joue cependant un rôle important, et il convient de se rappeler que la conductibilité du cuivre est approximativement le double de celle de l'aluminium.

Divers procédés de dispositifs de diffusion de la chaleur sont appliqués. Chacun tentant de plus en plus à améliorer la conductibilité du matériel de cuisson:
— Dispositif d'application d'une fine couche de cuivre à l'extérieur du fond et à la base de la paroi, ce qui améliore sensiblement la conductibilité, mais donne des fonds susceptibles de déformation.
— Dispositif appliqué à l'extérieur (seulement sur le fond), ou en couche dite « diffusante » de quelques millimètres de cuivre, d'aluminium ou d'alliages. La conductibilité est très améliorée, mais non celle des parois. Peu de déformations sur les fonds.
— Dispositif d'un fond triple dit « sandwich », d'une couche de cuivre entre deux d'acier inoxydable. La conductibilité du fond est bonne, mais non celle des parois.
— Un procédé nouveau « le trimétal », permet d'obtenir à la fois une conductibilité améliorée, uniformément répartie sur l'ensemble du récipient, et lui confère des avantages supplémentaires malgré son prix élevé dans les meilleures qualités: récipient équilibré et facile à manipuler; poids relativement faible, malgré un fond plus épais et une paroi assez mince.

- **EXEMPLES DE DISPOSITIFS DE DIFFUSION DE LA CHALEUR:**

- Fond cuivre brasé . . . .

- Aluminium moulé ou brasé . . . .

- Fond triple acier/cuivre/acier . . . .

- Trimétal à âme cuivre . . . .

- Fond triple acier/aluminium/acier . . . .

- Fond cuivre recouvert d'alliage blanc . . . .

- Dépôt électrolytique de cuivre . . . .

CHAUFFAGE UTILISÉ	• Electricité de préférence. • Gaz de ville; gaz naturel; propane.
AVANTAGES	• Aucun étamage à faire. Apprécié pour sa facilité d'entretien. • Bon conducteur de la chaleur pour les récipients de cuissons disposant d'un dispositif de diffusion. Le fond de ces ustensiles, reste bien plan. • Garantie totale d'hygiène: il est insensible aux attaques des produits alimentaires acides et alcalins, et une non-absorption des odeurs. • Il ne se ternit pas; même après un long service, il garde son aspect esthétique brillant, s'il est bien entretenu. • D'une grande solidité il résiste aux chocs; ne se déforme pas sous réserve d'une épaisseur suffisante. • D'une durée de vie indéfinie.

- Son prix est assez élevé.
- Mauvais conducteur de la chaleur pour les récipients en acier simple, entraînant une mauvaise répartition thermique et un échauffement lent, pour les ustensiles sans dispositif de diffusion de la chaleur. Dans ce matériel, certains points chauds sont fréquents et occasionnent l'adhésivité des aliments traités par cuissons vives.
- Une trop vive surchauffe risque de faire prendre aux aciers inoxydables des teintes bleues — grises — brunes, par oxydation des parties chauffées (ces traces peuvent s'éliminer avec les produits spéciaux de nettoyage). Ces accidents sont moins fréquents avec les aciers de bonne nuance traités par un excellent polissage et à l'abri des oxydations.
- Il se raie facilement si les précautions d'usage ne sont pas observées lors de son utilisation et de son entretien.

- La surface lisse et inaltérable de l'acier ne retient pas les résidus d'aliments; donc le nettoyage courant s'effectue aisément à l'eau chaude additionnée ou non d'un détergent.
- Précaution impérative à observer: ne jamais utiliser de tampons métalliques, ils rayent le métal et risquent de déposer des particules de fer, qui, elles, pourraient rouiller.
- Employer une brosse ou un tampon en nylon en combinant leur action, le cas échéant, avec un produit plus actif qu'un simple détergent. Limiter leur emploi à l'intérieur et au fond extérieur des récipients, car ces tampons et certains de ces produits sont légèrement abrasifs et pourraient altérer le poli brillant de l'extérieur des ustensiles. Après nettoyage, rincer soigneusement à l'eau courante pour éliminer toute trace de produit utilisé.
- Il peut arriver, à la suite d'une surchauffe accidentelle, que le métal prenne une légère coloration. Il existe dans le commerce des produits d'entretien spéciaux qui permettent de l'enlever facilement.
- Parfois, de petites taches blanches provenant de dépôts calcaires peuvent apparaître sur le fond ou sur les parois, en particulier dans les récipients employés pour faire bouillir de l'eau. Pour les faire disparaître, verser dans le récipient deux volumes d'eau pour un de vinaigre. Laisser séjourner une ou deux minutes au contact des taches. Rincer soigneusement à l'eau courante.

- Employé généralement dans les petites cuisines.
- Recommandé pour la cuisine à l'électricité.

■ B. MATÉRIEL EN ALUMINIUM AVEC REVÊTEMENTS ANTI-ADHÉSIFS

● CARACTÉRISTIQUES

La découverte des corps plastiques anti-adhésifs, et de la mise au point des moyens de fixation de ces corps sur leur support métallique, a amené la fabrication d'un nouveau matériel, employé de plus en plus en cuisine et principalement en pâtisserie.

L'emploi de revêtements anti-adhésifs est appliqué aux récipients présentant une particulière tendance à l'attachement, tout en respectant les conditions propres à la sécurité alimentaire.

Les revêtements employés couramment sont:
— **Les silicones:** résines synthétiques facilement applicables sous forme de vernis. Ces revêtements ont l'inconvénient d'assez mal supporter les températures un peu élevées de certaines cuissons rapides, réalisées dans les poêles par exemple; en outre, ils leur apportent malheureusement une très grande fragilité et une courte durée d'emploi. Par contre, ils sont employés particulièrement pour les moules à pain, à biscottes, etc.

— **Le téflon,** désignation commerciale du **polytétrafluoréthylène** (PTFE): matière plastique douée de très nombreuses propriétés qui, par un procédé d'ancrage direct sans produit chimique de fixation (procédé qui fut mis au point par un ingénieur français dès 1954), permet la fabrication de matériel culinaire, celui auquel rien n'adhère, ni ne se fixe:
— Son inertie chimique est pratiquement totale quand il est pur.
— Son coefficient de glissement est très élevé.
— L'eau ne le mouille pas.
— Il résiste à des températures bien supérieures à celles employées pour la cuisson des aliments, car il ne fond qu'à 700°C alors que toutes les préparations de cuisine et de pâtisserie brûlent à moins de 300°C.

L'aluminium offre toutes les qualités de support pour l'ancrage du téflon: il présente, après traitement de surface, les meilleures cavités d'accrochage; il ne rouille pas sous le revêtement, et il apporte toutes ses qualités de conductibilité thermique.

Un procédé d'ancrage chimique, dit avec sous-couche aux chromates, est interdit en France par les services d'hygiène (n° 81590 - AR-C du 27.2.1964) du Service de la répression des fraudes. L'acide chromatique est inscrit au tableau C des substances vénéneuses.

Pour encrer directement le PTFE, on emploie une technique basée sur le principe de fixation purement mécanique d'un film de PTFE sur l'aluminium.
Le matériel ainsi traité, nécessite certaines précautions dans son utilisation: éviter de couper les aliments dedans, ni employer d'accessoires métalliques, tels que fourchettes, spatules, fouets, etc.

De nouveaux revêtements PTFE à base dure ont été mis au point, afin de remédier, du moins en partie, aux rayures et coupures accidentelles occasionnées par les ustensiles métalliques.

CHAUFFAGE UTILISÉ	● Tous les moyens de chauffage.
AVANTAGES	● Permet de cuire certains aliments sans matière grasse, sans qu'ils attachent au fond du récipient. ● Permet de réchauffer les aliments sans risque d'attacher, et conserve leur saveur. ● Permet de supprimer en partie, si on le désire, les graisses cuites, en ayant la possibilité d'ajouter du beurre après cuisson (méthode appréciée par les personnes au régime). ● Ne s'oxyde pas. Suppression de l'altération de certaines pâtes (matériel de pâtisserie). ● Bon conducteur de la chaleur. ● Matériel léger. Souplesse de maniabilité. ● Lavage facile. Utilisation et réutilisation immédiates.
INCONVÉNIENTS	● Risque de rayures accidentelles provoquées par des outils ou ustensiles pointus ou coupants, lors de l'utilisation et de l'entretien. ● Eviter de gratter le fond avec des ustensiles, tels que: fourchettes, spatules métalliques, fouets, raclettes, etc. ● Eviter de couper directement les aliments dans les ustensiles à support dur. ● Le matériel employé aux cuissons rapides, à revêtement à base de silicone, supporte assez mal les températures un peu élevées. En outre, ce matériel est assez fragile et de courte durée.
ENTRETIEN	● Relativement inexistant. Simple lavage à l'eau chaude sans aucun détergent, ou essuyage au chiffon sec.
UTILISATION	● Employé dans la fabrication des poêles à crêpes, poêles à sauter, sauteuses, plats à œufs, plats à paella, plaques à pâtisserie, moules, tourtières, etc.

■ C. MATÉRIEL EN ALUMINIUM LISSE, MARTELÉ ET MARTELÉ DEMI-FORT

● CARACTÉRISTIQUES:

L'aluminium est le plus jeune des métaux usuels (1886).

Actuellement, le procédé de fabrication le plus répandu du matériel de cuisine est, soit l'emboutissage partant de feuilles ou de bandes de 1,4 mm à 8 mm d'épaisseur, soit fondu.

De surface douce, facilement polissable, de faible densité, l'aluminium fournit des ustentiles légers, même lorsqu'ils sont épais. Minces, ils se déforment facilement, ce qui amène la fabrication d'un matériel assez épais, indispensable pour obtenir des récipients de qualité.

Il existe chez les fabricants (en fonction du chauffage utilisé) trois épaisseurs de récipients:

APPAREILS AU GAZ	— **Moyenne,** dont l'épaisseur du fond est de 1,4 mm à 2 mm, utilisés pour les cuissons rapides (au four, à l'eau, à la vapeur) et pour le matériel à débarrasser. Les cuissons lentes seront plus délicates à réussir. — **Epaisse,** dont l'épaisseur du fond est de 2 mm à 3 mm, pour les cuissons rapides.
APPAREILS A L'ÉLECTRICITÉ	— **A fond dressé,** dont l'épaisseur du fond est de 6 mm à 8 mm. Il permet de mieux conserver la chaleur: évite aux aliments d'attacher au fond et régularise les cuissons. L'épaisseur de ce matériel lui donne une plus grande résistance aux chocs, sans pour cela obtenir des récipients d'un poids excessif, étant donné que l'aluminium est un métal léger.

L'industrie moderne a mis au point deux nouveaux types d'ustensiles en aluminium:
— L'aluminium avec traitement anti-adhésif — les silicones; le téflon ou polytétrafluoréthylène ou PTFE — permet la fabrication de matériel de cuisine et de pâtisserie, celui auquel rien n'adhère, ni ne colle.
— L'aluminium avec alliages: aluminium manganèse (Al-Mm) et aluminium magnésium (Al-Mg), confère au matériel une plus grande dureté, il limite les déformations.

Le fond de certains ustensiles de cuisson est rectifié au tour, renforcé, pour obtenir une parfaite adhérence sur les plaques chauffantes électriques.

Le matériel en aluminium peut être: brillant, mat, lisse, martelé, martelé demi-fort. A ces deux derniers s'ajoute à la qualité initiale de l'aluminium, un durcissement dû à un martèlement à la main.

Pour le matériel de collectivité, le bord est plus épais pour renforcer l'ustensile (1); la paroi est durcie par fluotournage (2); le point de choc (base) est renforcée (3); le fond est plus épais (4).

* Eventuellement renforcé, dressé pour les cuisinières
à plaques chauffantes

Le choix du matériel en aluminium doit donc être fait en fonction de certains critères, les qualités fonctionnelles mises à part:
— Source de chaleur employée.
— Fréquence d'utilisation.
— Méthode de restauration adoptée (collectivités, restaurants d'entreprise, etc.).

CHAUFFAGE UTILISÉ	● Electricité de préférence; ● Gaz de ville; gaz naturel; propane.
AVANTAGES	● Pas d'étamage. ● Matériel léger. Souplesse de maniabilité. ● Assez bonne résistance aux chocs pour le matériel martelé et renforcé. ● Permet d'obtenir des ustensiles de forte épaisseur sans poids excessif, grâce à la légèreté du matériau. ● Excellente conductibilité thermique qui assure une température constante en tous points de l'ustensile. ● Permet de conserver les aliments chauds pendant un certain temps après l'arrêt de la source de chaleur. ● N'attaque pas les aliments. ● L'éclat du matériel fabriqué en alliage, après polissage, est plus durable. ● Certains ustensiles en alliages ou avec les revêtements au PTFE, éliminent les difficultés d'entretien, aussi bien intérieur qu'extérieur.
INCONVÉNIENTS	● Il se raye facilement. Eviter de frotter le fond avec des accessoires métalliques tels que: fouets, écumoires, spatules, fourchettes, etc. ● Il s'use plus vite que le cuivre, le fer, l'acier..., si le matériel est d'une qualité médiocre. ● L'intérieur d'un ustensile en aluminium manganèse noircit plus rapidement que celui en aluminium pur. ● Un séjour prolongé de certains aliments acides (ex.: épinards, oseille, salade, tomate, etc.) dans les récipients risque d'en dénaturer la couleur, le goût. ● Il réagit aux cuissons (il s'assombrit) de certains aliments et par les eaux dures (les cuissons à l'eau noircissent l'intérieur des ustensiles). ● Certaines préparations demandant l'emploi d'un fouet risquent de noircir (ex.: sauce béchamel, sauce hollandaise, sauce béarnaise, crème à l'anglaise, etc.).
ENTRETIEN	● Avant sa première utilisation, roder le matériel en faisant bouillir un liquide gras ou du lait. Cette méthode évite les risques de coloration noirâtre qui est généralement occasionnée par la nature de l'eau qui dépose des matières siliceuses ou calcaires. Cette coloration noire est absolument inoffensive. Si elle persiste, nettoyer avec de la mousse d'acier fine, du savon, si cela est nécessaire avec un peu de poudre à récurer. ● Si le matériel est choisi judicieusement, les difficultés d'entretien se trouvent diminuées — de qualité médiocre, il est difficile à entretenir. ● La surface lisse et inaltérable de l'aluminium ne retient pas les résidus d'aliments, donc, le nettoyage s'effectue aisément à l'eau chaude additionnée ou non d'un détergent (savon minéral). ● Une seule précaution impérative: ne jamais employer de tampons métalliques; ils rayent le métal et risquent de déposer des particules de fer qui, elles, pourraient rouiller. Utiliser de préférence une brosse ou un tampon en nylon, en combinant leur action, le cas échéant, avec un produit plus actif qu'un simple détergent. Limiter leur emploi à l'intérieur et au fond extérieur des récipients, car ces tampons et certains de ces produits sont légèrement abrasifs et pourraient altérer le poli brillant de l'extérieur des ustensiles. Après nettoyage, rincer soigneusement à l'eau courante pour éliminer toute trace de produit utilisé.

- Il peut arriver, à la suite d'une surchauffe accidentelle, que le métal prenne une coloration. Il existe dans le commerce des produits d'entretien spéciaux qui permettent de l'enlever facilement.
- Parfois, de petites taches blanches provenant de dépôts calcaires peuvent apparaître sur le fond ou sur les bords, en particulier dans les récipients utilisés pour faire bouillir de l'eau (cuissons des légumes). Pour les faire disparaître, verser dans le récipient deux volumes d'eau pour un de vinaigre. Laisser pendant une minute ou deux au contact des taches. Rincer soigneusement à l'eau courante.
- Ne jamais employer de cristaux de carbonate de soude ou de potasse, qui noircissent l'aluminium.

UTILISATION

- Employé généralement pour la cuisine à l'électricité; au gaz de ville; au gaz naturel; au propane.
- Recommandé pour les collectivités.

QUELQUES USTENSILES EN ALUMINIUM RENFORCÉ:

MARMITE

BASSINE A RAGOUT

PLAT A SAUTER à queue

CASSEROLE ou RUSSE

PLAT A SAUTER ou RONDEAU

◼ D. MATÉRIEL EN CUIVRE ROUGE LISSE ET MARTELÉ

● **CARACTÉRISTIQUES:**

Etant donné sa résistance, la facilité avec laquelle il est travaillé, sa grande conductibilité thermique, c'est généralement ce métal qui est employé pour la fabrication du matériel de « grande cuisine ». Il est recherché par les professionnels, malgré son prix d'achat élevé (le prix est en fonction du poids de l'ustensile).

Presque tous les ustensiles de cuisson sont étamés à l'intérieur, pour éviter la formation d'oxyde de cuivre (« vert de gris ») provoqué par les aliments corrosifs (acides).
Cet étamage doit être fait avec minutie. Il doit avoir un aspect lisse, brillant et non mat. Le matériel fraîchement étamé et de bonne qualité ne doit pas présenter d'aspérités ou de « perles d'étain » soudées au fond des récipients.
Certains ustensiles ne sont pas étamés à l'intérieur. Il faut donc prendre toutes les précautions nécessaires en les utilisant:
— Les bassins à blancs d'œuf, les poêlons à sabaillon, nécessitent pour le mélange des blancs d'œuf (en neige) ou des jaunes d'œuf (sabaillon), l'emploi de fouets métalliques qui, en frottant l'étain, risqueraient d'oxyder les œufs.
— Les bassines à confitures, les bassines à sucre, les poêlons à sucre subissent de hautes températures pour la cuisson des fruits et du sucre, ce qui occasionnerait la fonte de l'étain.

D'autres ustensiles sont façonnés au marteau — cuivre martelé — ce qui leur donne plus de résistance. Le fond est plus épais et confère à ce matériel une plus longue durée d'utilisation.

CHAUFFAGE UTILISÉ	● Excellent pour le chauffage au charbon; au gaz de ville et au gaz naturel. ● Bien pour le propane. ● Moyen pour l'électricité.
AVANTAGES	● Très bon conducteur de la chaleur. ● Très résistant aux chocs. ● Usage extrêmement durable. Presque inusable. ● Peut se revendre facilement au poids. ● Grande diversité de formes et de tailles des ustensiles.
INCONVÉNIENTS	● D'un maniement assez difficile pour les grosses pièces étant donné leur poids. ● Surveillance minutieuse de l'étamage, qui doit se faire périodiquement selon la rotation d'utilisation du matériel, ou chaque fois que le besoin s'en fait sentir. ● Un étamage défectueux se raye assez facilement. ● Prix d'achat assez élevé pour les grosses pièces.
ENTRETIEN	● Nettoyer l'intérieur à l'eau chaude additionnée de quelques cristaux de carbonate de soude. ● Eviter l'emploi de raclettes en fer, de paille de fer, qui risquent d'user l'étamage. ● L'extérieur peut se nettoyer avec tous les produits d'entretien: poudres spéciales à métaux; rouge anglais; grès, sable fin; paille de fer; laine métallique... Rincer soigneusement à l'eau froide et essuyer au torchon bien sec.
UTILISATION	● Employer dans toutes les grandes et moyennes cuisines traditionnelles.

E. MATÉRIEL EN FER ÉTAMÉ OU FER BLANC
EN FER BATTU
EN TOLE D'ACIER ÉTAMÉE
ET EN TOLE D'ACIER NOIR

● **CARACTÉRISTIQUES:**

L'acier brut est obtenu par traitement de la fonte. La tôle est ensuite formée par laminage, puis étamée ou non.

— **Fer étamé ou fer blanc:** généralement mince, étamé avant d'être découpé.

— **Fer battu:** découpé avant d'être étamé, puis rivé ou soudé autogène. Lorsque ce matériel est soumis à un service constant, il est nécessaire de le faire étamer plusieurs fois par an.

— **Tôle d'acier:** selon l'utilisation, ce matériel est réalisé en différentes épaisseurs variant de quelques dixièmes de millimètre:
  ● 7 à 8 dixièmes pour le matériel courant;
  ● 3 mm pour le matériel particulièrement robuste.

— **Tôle d'acier noir:** sous cette dénomination, la tôle d'acier est employée pour la fabrication des poêles, des bassines à friture, des plaques à pâtisserie, etc.

CHAUFFAGE UTILISÉ	● De préférence électricité; gaz de ville; gaz naturel; propane.
AVANTAGES	● Ce matériel est à l'achat le moins cher de tous. ● Il résiste assez bien aux durs traitements lorsqu'il est en tôle d'acier étamée ou en tôle d'acier noir. ● Le fer battu a aussi l'avantage de ne pas présenter de danger lorsqu'il est bien étamé. ● Le matériel de cuisson en tôle d'acier est assez bon conducteur de la chaleur, tout particulièrement l'acier noir et mat. ● L'entretien du matériel en tôle d'acier noir est à peu près nul, un simple nettoyage à sec est suffisant.
INCONVÉNIENTS	● Il a l'inconvénient de rouiller rapidement si les ustensiles sont mal essuyés après le nettoyage, ou si l'étamage est défectueux ou usé. L'étamage sur le fer ne se comporte pas de la même manière comme celui sur le cuivre. ● Lorsque les récipients de cuisson sont placés sur un feu vif, l'étamage se met parfois en petites boules au fond de l'ustensile. ● Le matériel en fer étamé ou blanc ou battu est moins résistant que celui en tôle d'acier. ● La tôle d'acier s'oxyde facilement en présence de l'eau, elle rouille. Afin d'éviter cette difficulté, certain matériel est revêtu d'émail.
ENTRETIEN	● Pour garder toutes ces qualités, ce matériel doit être étamé à chaque fois que le besoin s'en fait sentir, sauf celui en tôle d'acier noir. ● Le nettoyage se fait à l'eau chaude additionnée d'un peu de cristaux. Le rincer ensuite à l'eau froide, puis l'essuyer à l'aide d'un torchon bien sec, afin de ne laisser aucune trace d'humidité qui risquerait de le rouiller.
UTILISATION	● Le matériel en fer étamé ou fer blanc est employé pour débarrasser les aliments crus ou cuits. ● Le fer battu est généralement employé comme matériel de cuisson, principalement dans les cuisines de collectivités. ● La tôle d'acier noir est réservée pour les ustensiles de friture; les poêles, les marmites friteuses, etc.

II. MATÉRIEL MÉNAGER

■ F. MATÉRIEL EN FONTE ÉMAILLÉE

● CARACTÉRISTIQUES :

Alliage de fer et de carbone, la fonte est un matériau traditionnel.

L'alliance fonte-émail est une garantie d'hygiène alimentaire et de bonne cuisine.
Ce matériel n'est ni forgé, ni laminé, ni martelé, il est simplement coulé dans des moules de sable de formes et de dimensions différentes permettant d'obtenir une variété d'ustensiles étudiés sur le plan fonctionnel, et capables de satisfaire toutes les préparations culinaires (dans le petit matériel).
Après refroidissement, les ustensiles sont démoulés automatiquement, nettoyés, ébarbés par meulage, décapés, enfin limés, en vue d'obtenir une surface très nette pour l'émaillage. Celui-ci se fait en deux couches d'émail :
— La première est cuite à 900°C.
— La deuxième est donnée au pistolet et cuite à 800°C.
L'émail donne aux ustensiles un aspect brillant, mais certaines pièces sont mates : c'est uniquement un phénomène d'optique (réfraction de la lumière) qui les différencie.
Les récipients de cuisson émaillés seront plus aptes à une longue utilisation si le métal présente une épaisseur suffisante et si l'émail est appliquée en couches plus fines.
Certains ustensiles possèdent sur le fond des rainures, faisant office de régulateur de chauffe, d'autres possèdent pour les plaques électriques un fond dressé parfaitement plat, en vue d'obtenir de ce matériel une parfaite adhérence sur les plaques chauffantes.

CHAUFFAGE UTILISÉ	● Electricité de préférence. ● Gaz de ville ; gaz naturel ; propane.
AVANTAGES	● Matériel d'une très grande résistance, susceptible d'assurer de longues années d'usage, garde en principe son aspect et sa couleur. ● D'une très grande qualité thermique. ● Autre qualité de ce matériel est de maintenir facilement la chaleur et de ne la perdre que difficilement. ● Ne s'altère pas sous l'action de l'eau, des acides et des aliments. ● Ce matériel permet pour certaines préparations, grâce à son esthétique dans les formes et l'éclat des émaux, de faire passer sans crainte l'ustensile de cuisson du feu ou du four sur la table. Facteur d'économie de temps, d'argent et d'énergie.
INCONVÉNIENTS	● La brillance de l'émail gêne légèrement la bonne absorption de la chaleur par le fond des récipients. Il est souhaitable que celui-ci ne soit pas émaillé. ● Au cours des cuissons, l'émail présente une certaine adhésivité latente, qui occasionne l'attachement de certains aliments et le dépôt des sels calcaires provoqué par l'eau (principalement dans les poêles). ● Risque parfois de se craqueler s'il tombe sur une surface dure, ou si les récipients sont chauffés sans contenu. Plus le support métallique est mince, plus sa vibration au choc est importante et plus les risques sont grands. ● Risque de rayures accidentelles provoquées par des outils pointus ou coupants. ● Certains ustensiles ne peuvent pas se mettre au four, ayant des manches en bois ou des poignées en bakélite qui risquent de brûler. D'autre part, ne pas les laisser séjourner dans l'eau lors du nettoyage.

ENTRETIEN	• D'une grande facilité d'entretien, ce matériel se lave simplement à l'eau chaude additionnée de détergents habituels. • Eviter d'employer des tampons métalliques et des abrasifs.
UTILISATION	• Utilisé dans les petites cuisines. • Ce matériel peut s'imposer pour certaines préparations: escargots; soufflés; gratins, pour la cuisine régionale, etc.

QUELQUES USTENSILES
EN FONTE ÉMAILLÉE:

POÊLON A FONDUE Courche

COQUELLE

PLAT rond

TERRINE ovale

LÉGUMIER NIÇOIS

PLAT ovale

TERRINE A PATÉ rectangula

PLATS A ESCARGOTS

POÊLON A FONDUE bourguignonne

TERRINE ronde

■ G. MATÉRIEL EN TERRE A FEU

● **CARACTÉRISTIQUES:**

L'argile, terre glaise et grasse, qui, imbibée d'eau, constitue une pâte plastique susceptible d'être façonnée par divers procédés.

Desséchée, elle acquiert une certaine cohésion en diminuant de volume. Sous l'action d'une température élevée au four, elle perd son eau de constitution, se contracte et devient dure, pratiquement inaltérable.
Elle constitue la matière de base de toutes les terres cuites dont l'emploi nous vient du fond des âges. Elle tient par tradition une place dans le matériel de cuisine.

L'argile apporte une gamme importante dans la fabrication des récipients culinaires:
— Les argiles pures, de teinte blanche, sont utilisées dans la fabrication de la porcelaine. Les moins pures sont les argiles rouges, puis jaunes.
— Les argiles plus ou moins colorées sont employées pour constituer des faïences de diverses finesses, revêtues d'un émail opaque.
Elles apportent la fabrication d'une gamme importante de récipients culinaires, qui tiennent une grande place dans la batterie de cuisine moderne:
— Les poteries vernissées (de couleur jaune ou rougeâtre) revêtues d'un émail transparent. Exemple: pots, marmites, cocottes, plats à gratin, poêlons, terrines diverses, etc.
— Les faïences fines ou porcelaines à feu revêtues d'un émail transparent. Exemple: casseroles, petites marmites, plats à œufs, plats à escargots, etc.
— Les grès cérames, à la pâte partiellement vitrifiée, donnent des poteries opaques, denses, dures, recouvertes d'une glaçure. Ce matériel est issu d'ateliers artisanaux et généralement d'un aspect décoratif.
— Les matières céramiques, très modernes, vendues dans le commerce sous l'appellation de pyrocérame (vitrocérame: verre transformé en une sorte de céramique à structure régulière analogue à celle d'un métal), commencent à faire leur apparition.
Certains ustensiles en terre à feu ont gardé leurs caractéristiques traditionnelles, et pourraient être adaptés, avec quelques petites modernisations, à une utilisation plus facile et plus agréable.

CHAUFFAGE UTILISÉ	● Charbon de préférence. ● Gaz de ville; gaz naturel; propane. ● Electricité pour le mijotage sans surveillance.
AVANTAGES	● Ce matériel peut passer du feu ou du four de cuisson à la table. Méthode très recherchée de nos jours qui correspond au confort du passé, à la simplification du travail. ● Ces récipients à échauffement lent absorbent la chaleur avec le même degré de température que les aliments. Ils sont recommandés pour les préparations à cuisson longue et régulière: terrines diverses, préparations mijotées, etc.
INCONVÉNIENTS	● Conductibilité thermique plus basse que les autres métaux culinaires traditionnels. ● Se casse, se fêle facilement au moindre choc brutal. ● Ne permet pas de saisir les aliments. Ne supporte pas les cuissons vives. ● Les récipients ont l'inconvénient de ne pas avoir un fond aussi parfaitement plan que possible, ce qui nuit à l'absorption de la chaleur.
ENTRETIEN	● Simple trempage à l'eau chaude additionnée d'un produit détergent. ● Eviter l'emploi de raclettes ou d'ustensiles métalliques.
UTILISATION	● Employé pour la cuisine dite « régionale ». ● Pour les cuissons lentes, les « mijotages »: les pâtés, les terrines, les gratins, les croûtes au pot, les petites marmites, etc.

■ H. MATÉRIEL EN VERRE A FEU

● CARACTÉRISTIQUES :

Corps solide, transparent et fragile, le verre employé à l'élaboration des ustensiles de cuisine est d'une composition sensiblement différente que celle du verre ordinaire:

Verre à feu	Verre ordinaire
81 % de sable	70 % de sable siliceux
12 % d'acide borique	14 % de soude
2,5 % d'alumine et de soude	10 % de chaux

La fabrication du verre destiné au matériel culinaire est plus complexe que celle du verre courant.

Le verre à feu résulte de la fusion d'un mélange de différents éléments vitrifiants, fondants et stabilisants.

Après fusion, moulage, les récipients subissent le « rebrûlage » qui consiste à fondre superficiellement le bord, afin d'éliminer les défauts (irrégularités, arêtes) inhérents au moulage.
Les récipients subissent ensuite l'opération de la « trempe »: ils sont portés à une température (700°C à 750°C) proche du ramollissement, ensuite refroidis brutalement, par jet d'air comprimé, ce qui comprime et trempe la surface du verre et lui confère ainsi une résistance aux chocs mécaniques ou thermiques.

CHAUFFAGE UTILISÉ	● Electricité de préférence. ● Gaz de ville; gaz naturel; propane; charbon.
AVANTAGES	● D'un prix de revient peu élevé. ● Matériel d'une excellente résistance aux chocs mécaniques et thermiques. ● Passivité complète aux réactions des aliments. ● N'attire pas le dépôt des sels calcaires. ● Bonne diffusion de la chaleur avec les foyers électriques obscurs. Absorbe bien la chaleur rayonnée. ● Peut passer (sans crainte) directement de la plaque de cuisson ou du four à la table. ● Matériel recommandé pour les cuissons longues et régulières.
INCONVÉNIENTS	● Mauvais conducteur de la chaleur. ● Ne permet pas de saisir les aliments. ● Se terni et se raie légèrement à l'usage. ● Risque de se casser ou de se fêler aux chocs brutaux.
ENTRETIEN	● Sous réserve d'un usage soigné, l'entretien en est facile. Il est recommandé de mettre le matériel à tremper avant de le laver à l'eau chaude additionnée d'un détergent.
UTILISATION	● Utilisé dans les petites cuisines et aussi dans celles de collectivités. ● Ce matériel peut s'imposer pour certaines préparations: gratins divers; soufflés; pots de crème; ramequins, etc.

NOTA : Il ne faut pas oublier à côté de ce matériel, fabriqué avec les matériaux traditionnels, celui réalisé en BOIS (ustensiles accessoires) et en matière PLASTIQUE (matériel à débarrasser et de manutention).
Réservé seulement pour quelques accessoires usuels, il ne fera pas l'objet d'un exposé, mais d'un simple rappel dans la classification du MATÉRIEL DE CUISINE (chapitre n° 3, pages 120-121).

• 3. CLASSIFICATION DES USTENSILES

Ce matériel comprend les petits et les moyens ustensiles mobiles de cuisine et de pâtisserie.
Ils peuvent être employés indifféremment pour la cuisine et la pâtisserie, ou réservés spécialement pour l'une ou pour l'autre.
Afin d'en faire une distinction particulière sur leur utilisation, nous les avons divisés en cinq parties:

- ■ **A. USTENSILES DE CUISSON**
- ■ **B. USTENSILES DE CUISSON SPÉCIFIQUES A LA PATISSERIE**
- ■ **C. USTENSILES A DÉBARRASSER**
- ■ **D. USTENSILES ACCESSOIRES**
- ■ **E. USTENSILES POUR GLACES ET SORBETS**

■ *A. USTENSILES DE CUISSON*

BAIN-MARIE A POTAGE	PLAQUE A PATISSERIE
BAIN-MARIE A SAUCE	PLAQUE A ROTIR
BASSINE A BLANCHIR	PLAT A POISSON
BASSINE A CONFITURE	PLAT A SAUTER
BASSINE A FRITURE OU NÉGRESSE	POÊLE A CRÈPES
BASSINE A RAGOUT (RONDEAU HAUT)	POÊLE A TRUITE ou POÊLE OVALE
BASSINE A SUCRE	POÊLE RONDE
BRAISIÈRE	POÊLON A SABAILLON
CAISSE A BAINS-MARIE	POÊLON A SUCRE
CASSEROLE ou RUSSE	POISSONNIÈRE ou SAUMONNIÈRE
CASSEROLE A JUS	RONDEAU PLAT
CASSEROLE A POMME ANNA	SAUTEUSE
MARMITE	TURBOTIÈRE
MARMITE A BOUILLON	

NATION	CARACTÉRISTIQUES	MATÉRIAUX	UTILISATION	
MARIE TAGE	Cylindrique, muni d'une queue, peut recevoir un couvercle.	En aluminium lisse ou en cuivre martelé, étamé intérieurement.	Sert à débarrasser, mais allant au feu. Utilisé à maintenir au chaud les potages et les crèmes.	
MARIE AUCE	Cylindrique, muni d'une queue, peut recevoir un couvercle à bouton.	En aluminium lisse ou en cuivre martelé, entièrement étamé.	Sert à débarrasser, mais allant au feu. Utilisé à maintenir au chaud les sauces.	

109

DÉNOMINATION	CARACTÉRISTIQUES	MATÉRIAUX	UTILISATION	
BASSINE A BLANCHIR	Ronde, à fond légèrement arrondi, à bord légèrement évasé, munie de deux poignées.	Entièrement en cuivre martelé non étamé.	Utilisée exclusivement à la cuisson des légumes verts.	
BASSINE A CONFITURE	Rond, à bord légèrement évasé, à fond arrondi, muni de deux poignées.	Entièrement en cuivre martelé non étamé.	Employée exclusivement à la cuisson des confitures.	
BASSINE A FRITURE ou NÉGRESSE	De trois formes: ronde ou ovale, à bords hauts verticaux, et ronde à bord peu haut, légèrement évasé, munies chacune de deux poignées.	En tôle d'acier noir.	Utilisée pour toutes les préparations frites.	
BASSINE A RAGOUT (RONDEAU HAUT)	Ronde, à bord vertical haut, munie de deux poignées. Peut recevoir un couvercle à degré.	En acier inoxydable; en aluminium lisse et martelé; en cuivre lisse et martelé étamé intérieurement; en tôle d'acier étamée.	Employée indifféremment pour les longues cuissons (sautés, braisés), ou pour la cuisson de légumes, potages, etc.	
BASSINE A SUCRE	Ronde, demi-sphérique avec panache, munie de deux poignées.	Entièrement en cuivre martelé non étamé.	Employée exclusivement à la cuisson du sucre (praliné).	

NATION	CARACTÉRISTIQUES	MATÉRIAUX	UTILISATION
SIÈRE	Rectangulaire, avec couvercle emboîtant, munie de deux poignées.	En aluminium martelé; en cuivre martelé étamé intérieurement.	Sert pour les cuissons de longue durée: viandes braisées, tripes, etc.
SE A -MARIE	Carrée ou rectangulaire, à bords verticaux peu hauts, possède sur le fond une grille ou une plaque perforée, qui isole les bains-marie du fond de la caisse. Munie de deux poignées tombantes.	En aluminium martelé; en cuivre martelé étamé intérieurement.	Sert exclusivement à recevoir les bains-marie à potage et à sauce, dont le contenu doit rester au chaud sans bouillir.
EROLE USSE	Ronde, à bord vertical, munie d'une queue. Peut recevoir un couvercle à degré à poignée ou à queue.	Toutes les variétés.	Sert à cuire les aliments dans un liquide.
EROLE US	Cylindrique, à bord vertical, munie d'un côté d'une queue, de l'autre d'une poignée.	En aluminium martelé; en cuivre martelé ou non, étamé intérieurement.	Employée à maintenir au chaud les jus et les sauces.
EROLE MMES NA	Ronde, à bord vertical peu haut, avec un couvercle emboîtant, munie de deux oreilles.	En cuivre martelé, étamé intérieurément.	Réservée exclusivement pour la cuisson des pommes Anna, Sarladaise.

DÉNOMINATION	CARACTÉRISTIQUES	MATÉRIAUX	UTILISATION
MARMITE	Cylindrique, à bord très haut, munie de deux poignées. Peut recevoir un couvercle à degré. L'un des plus grands ustensiles de cuisson.	Toutes les variétés.	Sans utilisation déterminée, sert à cuire les grandes quantités.
MARMITE A BOUILLON	Cylindrique, à bord très haut, munie de deux poignées. Possède à la base un robinet. Peut recevoir un couvercle à degré.	En cuivre étamé intérieurement; en aluminium; en acier inoxydable.	Utilisée pour la cuisson des fonds.
PLAQUE A PATISSERIE	Généralement de deux formes: rectangulaire ou ronde, à bords variés: pincés, rabattus, droits ou roulés sur fils. De formats très différents.	En tôle noire; en aluminium; en acier inoxydable.	Sert à coucher et cuire toutes les pâtes, gâteaux divers et appareils variés de pâtisserie et de cuisine.
PLAQUE A ROTIR	Rectangulaire, à bord vertical peu haut, munie de deux poignées.	Toutes les variétés.	Sert, comme son nom l'indique, à rôtir.

NATION	CARACTÉRISTIQUES	MATÉRIAUX	UTILISATION	
AT A SSON	Ovale, à petits bords évasés, munie de deux poignées ou de deux anneaux tombants.	Toutes les variétés.	Sert à pocher les filets et les petites pièces de poisson, occasion-nellement de plaque à rôtir.	
AT A TER	Rond, à bord vertical peu haut, muni d'une queue.	Toutes les variétés.	Sans utilisation déterminée. Sert à faire sauter, revenir les aliments.	
ÊLE RÊPES	Petite, ronde, à bord évasé très peu haut, munie d'une queue.	Généralement en tôle d'acier noir.	Employée exclusivement à la cuisson des crêpes.	
LE A TE ou ÊLE ALE	Ovale, à bord évasé peu haut, munie d'une queue.	Toutes les variétés.	Sert à faire les poissons meunière.	
ÊLE NDE	Ronde, à bord évasé peu haut, munie d'une queue.	Toutes les variétés.	Sert à faire sauter, revenir, frire, etc.	

113

DÉNOMINATION	CARACTÉRISTIQUES	MATÉRIAUX	UTILISATION
POÊLON A SABAILLON	D'une forme conique, arrondi à son extrémité, muni d'une queue creuse.	Entièrement en cuivre martelé non étamé.	Sert exclusivement à la confection des sabaillons.
POÊLON A SUCRE	Rond, à bord vertical avec bec verseur, muni d'une queue creuse.	Entièrement en cuivre martelé non étamé.	Sert exclusivement à la cuisson du sucre et des sirops.
POISSON- NIÈRE ou SAUMON- NIÈRE	Longue, à bord vertical haut, munie de deux poignées, possède une grille permettant de retirer les poissons sans les abîmer, et d'un couvercle.	En aluminium lisse ou martelé; en cuivre martelé ou non, étamé intérieurement; en acier inoxydable; en fer étamé.	Sert exclusivement à faire pocher les gros poissons longs: colin, saumon, brochet, etc.
RONDEAU PLAT	Rond, à bord vertical peu haut, muni de deux poignées.	Toutes les variétés.	Sans utilisation déterminée.
SAUTEUSE	Ronde, à bord évasé peu haut, munie d'une queue.	En cuivre martelé ou non, étamé intérieurement; en aluminium; en acier inoxydable.	Sert, comme son nom l'indique, à faire sauter la viande, les légumes.

114

INATION	CARACTÉRISTIQUES	MATÉRIAUX	UTILISATION
OTIÈRE	En forme de losange, à bord vertical haut, munie de deux poignées et d'un couvercle, possède une grille permettant de retirer les poissons sans les abîmer.	En aluminium lisse ou martelé; en cuivre martelé ou non, étamé intérieurement; en fer étamé; en acier inoxydable.	Sert exclusivement à pocher les gros poissons plats: turbot, barbue, etc.

■ B. USTENSILES DE CUISSON (spécifiques à la pâtisserie)

CAISSE ou MOULE A GÉNOISE
MOULE A FLAN
CERCLE A TARTE
MIASSON
MOULE A BABA ou DARIOLE
MOULE A BARQUETTE
MOULE A BRIOCHE
MOULE A CAKE
MOULE A CHARLOTTE
MOULE A CROQUEMBOUCHE

MOULE A MADELEINE « DE COMMERCY »
MOULE A MANQUÉ
MOULE A PAIN DE MIE
MOULE A PATÉS
MOULE A SAVARIN
MOULE A SOUFFLÉ
POT DE CRÈME
RAMEQUIN
TOURTIÈRE

INATION	CARACTÉRISTIQUES	MATÉRIAUX	UTILISATION
SSE ou JLE A NOISE	De forme carrée ou rectangulaire, à bord peu haut.	Généralement en fer blanc étamé.	Sert à la cuisson des génoises, occasionnel-lement des flans, etc.
JULE FLAN	De tailles différentes, sans fond, rond ou rectangulaire, à bord peu haut.	En fer blanc étamé.	Utilisé à la confection des flans, des quiches (cercle rond) et des tartes aux fruits.
RCLE ARTE	De diamètres différents, sans fond, légèrement moins haut que le cercle à flan.	En fer blanc étamé; en métal avec revêtement anti-adhésif.	Sert à la confection des tartes en général.

DÉNOMINATION	CARACTÉRISTIQUES	MATÉRIAUX	UTILISATION
MIASSON	Petit moule de diamètres différents (60-100 mm), rond, bordé.	En fer blanc étamé; en métal avec revêtement anti-adhésif.	Employé à la confection de petites croûtes, croustades, tartelettes, etc.
MOULE A BABA OU DARIOLE	Petit moule cylindrique de diamètres différents (40-70 mm), bordé.	En fer blanc étamé.	Sert à la confection des babas en général.
MOULE A BARQUETTE	Petit moule ovale cannelé ou uni, de longueurs variables (80-120 mm), légèrement creux à bord évasé.	En fer blanc étamé.	Utilisé à la confection de tartelettes ovales (barquettes de leur vrai nom).
MOULE A BRIOCHE	Moule de formes et de diamètres différents: rond à grosses côtes ou à côtes fines; à fond plat ou boule; cylindrique dite « brioche mousseline ».	En fer blanc étamé.	Sert, comme son nom l'indique, à la confection des différentes brioches.
MOULE A CAKE	Rectangulaire, de dimensions variées, à bord roulé sur fil, à parois assez hautes, unies, droites ou légèrement évasées. Parfois d'une forme ronde sans fond.	En fer blanc étamé.	Employé, comme son nom l'indique, à la confection des cakes.
MOULE A CHARLOTTE	Moule cylindrique, à bord haut muni de deux « oreilles », pouvant recevoir un couvercle.	En fer blanc étamé; en cuivre étamé intérieurement ou en tôle épaisse étamée.	Sert à la confection des « charlottes », des crèmes renversées, des puddings, etc.

116

NATION	CARACTÉRISTIQUES	MATÉRIAUX	UTILISATION
LE A UEM- CHE	Moule conique, à extrémité plate, de hauteurs différentes (25-50 cm).	En fer blanc étamé.	Utilisé pour la confection des « pièces montées ».
LE A LEINE DE ERCY »	Petit moule individuel, ou en plaque de 12 et 24 pièces, de tailles différentes.	En fer blanc étamé.	Sert à mouler et à cuire les « madeleines ».
LE A QUÉ	Moule peu haut, de formes variées: rond, carré ou ovale unis, légèrement évasés, ou rond à fond mobile à charnière avec paroi verticale et bord roulé.	En fer blanc étamé; en métal avec revêtement anti-adhésif; en tôle étamée.	Employé pour la confection des « manqués » (sorte de gâteau de Savoie), génoise, etc.
LE A DE MIE	Moule rectangulaire avec couvercle à glissière ou à charnière, cylindrique à charnière, de tailles variées selon le poids de pain à réaliser.	En fer blanc étamé; en tôle d'acier noir; en métal avec revêtement anti-adhésif.	Employé exclusivement pour le moulage et la cuisson du pain de mie.

DÉNOMINATION	CARACTÉRISTIQUES	MATÉRIAUX	UTILISATION
MOULE A PATÉS	Moule de dimensions et de formes variées, muni de charnières (afin de pouvoir retirer — démouler — plus facilement les pâtés lorsque ceux-ci sont cuits. Peut être ovale, rond ou rectangulaire pincé; ovale ou rectangulaire à parois unies ou à grosses côtes.	Généralement en fer étamé.	Employé pour la confection et la cuisson des différents pâtés en croûte.
MOULE A SAVARIN	Moule rond de diamètres variés, en forme de « couronne », percé au centre (ou fermé au centre).	En fer blanc étamé.	Pour la réalisation des savarins.
MOULE A SOUFFLÉ	Récipient cylindrique, à bord vertical, de diamètres variés.	En porcelaine à feu; en verre à feu.	Réservé exclusivement pour la cuisson des soufflés de cuisine ou de pâtisserie.
POT DE CRÈME	Petit récipient cylindrique, à bord vertical ou arrondi (forme tonnelet).	En grès (terre à feu); en verre à feu; en porcelaine à feu.	Employé pour la cuisson des crèmes aux œufs.

NATION	CARACTÉRISTIQUES	MATÉRIAUX	UTILISATION
EQUIN	Petit récipient rond ou ovale, à bord vertical.	En terre à feu; en verre à feu; en acier inoxydable; en porcelaine à feu.	Employé pour diverses préparations de cuisine (hors-d'œuvre, garnitures) et de pâtisserie.
RTIÈRE	Moule à petit bord évasé, rond uni ou cannelé, d'une seule pièce ou à fond mobile.	En fer blanc étamé; en métal avec revêtement anti-adhésif.	Pour la cuisson des tourtes, occasionnellement des tartes.

■ C. USTENSILES A DÉBARRASSER

BAHUT
BASSINE A LÉGUMES
BASSINE A LÉGUMES
BASSINE DEMI-SPHÉRIQUE
CALOTTE ou BASSINE CALOTTE

CUVETTE
MORTIER
PLAQUE A DÉBARRASSER
SÉBILE A OMELETTE
TERRINE EN GRÈS

NATION	CARACTÉRISTIQUES	MATÉRIAUX	UTILISATION
HUT	Cylindrique, à bord vertical, embouti, muni de deux oreilles, de tailles variées.	En fer blanc étamé; en acier inoxydable; en aluminium martelé; émaillé, mais peu recommandé.	Sert à débarrasser les aliments cuits, les sauces, les crèmes ou appareils divers, mis en réserve.

DÉNOMINATION	CARACTÉRISTIQUES	MATÉRIAUX	UTILISATION	
BASSINE A LÉGUMES	Cylindrique, à bord haut évasé, bordée, emboutie d'une seule pièce, munie de deux poignées.	En fer blanc étamé ou galvanisé; en tôle d'acier étamée.	Employée pour le lavage des légumes.	
BASSINE A LÉGUMES	Cylindrique, à bord haut évasé, bordée, munie de deux oreilles.	En matière plastique.	Employée pour le lavage des légumes.	
BASSINE DEMI-SPHÉRIQUE	Demi-sphérique, emboutie d'une seule pièce, munie d'un pied circulaire et de deux goussets, ou sans pied ni goussets. Se fait en tailles différentes.	En fer blanc étamé.	Sert à débarrasser ou à mélanger les aliments, les appareils et crèmes divers.	
CALOTTE ou BASSINE CALOTTE	Récipient rond, à bord haut évasé (comme une cuvette), sans anses, embouti d'une seule pièce. Se fait en tailles différentes.	En fer blanc étamé; en acier inoxydable; émaillé (peu recommandé).	Sert à débarrasser ou à mélanger les aliments, les appareils et crèmes divers.	

120

MINATION	CARACTÉRISTIQUES	MATÉRIAUX	UTILISATION
VETTE	Récipient de formes et de dimensions variées: rond ou carré, à bordure et à paroi évasée.	En matière plastique.	Employée pour le lavage des légumes.
RTIER	Demi-sphérique, fixé généralement sur un socle de 40 à 50 cm de haut, de dimensions différentes.	En marbre noir ou blanc.	Sert exclusivement pour réduire en purée et travailler les farces, les beurres composés, etc.
QUE A EBAR- SSER	Rectangulaire, à bord évasé peu haut, de dimensions différentes; certaines percées ou munies d'une grille adéquate.	En fer blanc étamé; en acier inoxydable; en aluminium; émaillé (peu recommandé).	Sert à débarrasser à réserver divers préparations et ingrédients cuits.
BILE A ELETTE	Petit récipient rond, de dimensions différentes, à bord évasé.	En bois fumé.	Employée exclusivement pour le mélange des œufs (brouillés, omelettes).
RRINE GRÈS	Récipient rond, à bord largement évasé (comme une cuvette), muni d'un bec ou non-verseur.	En terre à feu vernissée.	Employée pour réserver ou mélanger diverses préparations.

■ D. USTENSILES ACCESSOIRES

ARAIGNÉE A FRITURE
BASSINE A BLANCS (d'œuf)
BOULE A LÉGUMES
CHINOIS EN FER
CHINOIS MÉTALLIQUE
CUILLÈRE A ARROSER
CUILLÈRE A RAGOUT
CUILLÈRE EN BOIS
ÉCUMOIRE
ÉCUMOIRE A CONFITURE
FOUET A BLANCS
FOUET A SAUCE
GRAPPIN
GRILLE A FRITURE
GRILLE A PATISSERIE
LOUCHE
PALETTE CAOUTCHOUC

PANIER A FRITURE
PANIER A LÉGUMES
PANIER A NID
PASSE-BOUILLON
PASSOIRE
PELLE A FOUR
PILON A MORTIER
PILON A PURÉE
PLANCHE A DÉCOUPER
POCHON A JUS
RAPE A MAIN
ROULEAU A PATISSERIE
SPATULE A POISSON
SPATULE A RÉDUIRE
SPATULE EN BOIS
TAMIS A FARINE
TAMIS EN TOILE MÉTALLIQUE

DÉNOMINATION	CARACTÉRISTIQUES	MATÉRIAUX	UTILISATION
ARAIGNÉE A FRITURE	Sorte d'« écumoire » en fils de fer, possédant une grande surface d'égouttage; de diamètres variés.	En fils de fer tournés étamé.	Sert à égoutter tous les aliments traités par la friture.
BASSINE A BLANCS (d'œuf)	Demi-sphérique, munie d'un anneau sur le côté afin de la maintenir avec le pouce, ou pour la suspendre. Se fait en tailles différentes.	Entièrement en cuivre martelé non étamé.	Sert exclusivement à monter les blancs d'œuf en neige.
BOULE A LÉGUMES	Sorte de panier ovale entièrement grillagé, formé de deux demi-sphères attenantes entre elles par un crochet. Muni d'un anneau à une de ses extrémités, afin de le suspendre.	En fils de fer tourné étamé.	Employée à cuire séparément certains légumes dans un fond blanc, afin de les retirer de leur cuisson, sans pour cela décanter entièrement le fond.
CHINOIS EN FER	De forme conique, cerclé en haut et muni d'une queue à crochet.	En fer blanc étamé.	Sert à passer les sauces épaisses en les foulant.

...MINATION	CARACTÉRISTIQUES	MATÉRIAUX	UTILISATION
...NOIS ...LLIQUE	De forme conique, en toile métallique fine, cerclé en haut et muni d'une queue.	En fer blanc étamé.	Sert à passer les bouillons, les sauces, les crèmes fines, à défaut d'étamine.
...LÈRE A ...ROSER	Sorte de louche ovale (forme cuillère), munie d'un bec sur le côté.	En fer blanc étamé; en acier inoxydable; en aluminium.	Employée pour arroser de jus les rôtis en cuisson.
...LÈRE A ...GOUT	Sorte de louche ovale (forme cuillère), munie d'un bec droit.	En fer blanc étamé; en acier inoxydable; en aluminium.	Employée pour arroser de sauce diverses préparations.
...LLÈRE ...BOIS	De longueurs variées, en forme de cuillère.	En bois fumé.	Sert à mélanger, à remuer divers apprêts.
...MOIRE	Ustensile perforé, muni d'un manche rivé, de diamètres variés.	En fer blanc étamé; en acier inoxydable; en aluminium.	Sert à retirer, à égoutter ou à écumer les aliments se trouvant dans un liquide, une sauce, etc.
...MOIRE A ...FITURE	Ustensile perforé, muni d'un manche.	Entièrement en cuivre martelé non étamé.	Sert à écumer et à remuer les confitures en cuisson.

DÉNOMINATION	CARACTÉRISTIQUES	MATÉRIAUX	UTILISATION
FOUET A BLANCS	Fouet muni d'un manche en bois, avec une monture à bague maintenant les fils de fer d'une souplesse variée: rigides, raides, souples.	En fils de fer étamé, avec virole nickelée et manche en bois.	Employé pour monter les blancs d'œuf en neige, pour le mélange des crèmes, des jaunes, des pâtes dures.
FOUET A SAUCE	Fouet de dimensions différentes, muni d'un manche crocheté ou avec un disque perforé maintenant les fils en place et assurant en permanence leur répartition.	En fils de fer étamé; en acier inoxydable.	Sert à mélanger les aliments, les crèmes, les appareils divers, etc.
GRAPPIN	Sorte de grosse fourchette à deux dents, de longueurs variées (40-70 cm).	En fer forgé étamé.	Employé pour retourner, retirer ou piquer les grosses pièces de viande en cuisson.
GRILLE A FRITURE	Grille ronde ou ovale, avec montants, de mêmes dimensions que les bassines à friture.	En fils tournés étamés, extra-fort.	Employée pour plonger les aliments à frire et les retirer sans les abîmer.

NATION	CARACTÉRISTIQUES	MATÉRIAUX	UTILISATION	
...LE A ...SSERIE	Rectangulaire ou ronde, de dimensions différentes.	En fils étamés; en acier inoxydable.	Sert à débarrasser après leur cuisson, les différents gâteaux et pâtes diverses.	
...UCHE	Ustensile muni d'un manche rivé, de diamètres variés.	En fer blanc étamé; en acier inoxydable; en aluminium.	Sert à servir les potages, les jus, les sauces, etc.	
...ETTE ...TCHOUC	Ustensile composé d'un manche en bois plat, muni d'une palette rectangulaire en caoutchouc, fixée à une de ses extrémités.	En caoutchouc et bois blanc.	Utilisée pour « récupérer » la totalité de divers éléments, fixés sur les parois et le fond des récipients.	
...NIER A ...TURE	Sorte de panier ovale ou rond, d'un diamètre identique à celui de la bassine à friture destinée à recevoir cet ustensile. Muni de deux poignées ou d'une queue (pour les bassines à friture rondes).	En fils de fer tourné étamé extra-fort.	Employé pour plonger et retirer plus facilement les aliments traités par la friture.	

DÉNOMINATION	CARACTÉRISTIQUES	MATÉRIAUX	UTILISATION
PANIER A LÉGUMES	Sorte de panier grillagé, muni de deux poignées, d'un diamètre correspondant aux récipients destinés à leur utilisation.	En fils de fer forgé extra-fort.	Employé pour la cuisson de certains légumes traités « à l'anglaise », afin de ne pas les abîmer pendant leur traitement, et faciliter leur débarrassage.
PANIER A NID	Composé de deux éléments grillagés (en forme de louche) de diamètres variées, s'emboîtant l'un dans l'autre; muni chacun d'une queue plate maintenues par une pince.	En fils de fer tourné étamé.	Sert exclusivement à la confection des nids réalisés en pommes paille.
PASSE-BOUILLON	Sorte de passoire demi-sphérique, munie d'une toile métallique très fine et d'une queue en bois pour la maintenir ainsi que d'une anse.	En toile métallique renforcée.	Sert à passer, à défaut de mousseline, les bouillons ou autres fonds.
PASSOIRE	Ustensile de forme évasée et de grandeurs différentes, à perforation grosse ou fine; cerclé ou non; muni de deux anses ou d'une queue et d'une anse.	En tôle étamée; en aluminium; en fer étamé.	Sert exclusivement à égoutter les aliments cuits ou crus.

INATION	CARACTÉRISTIQUES	MATÉRIAUX	UTILISATION
LE A OUR	Sorte de pelle très plate, de dimensions variables entre 60 × 40 cm, emmanchée d'un manche en bois de 2 m environ de longueur.	En bois dur.	Employée exclusivement pour sortir du four les grandes plaques à pâtisserie.
ON A RTIER	Sorte d'ustensile entièrement en bois, muni d'un manche fixé dans une ou deux têtes, de longueurs variées.	En bois de gaïac.	Sert pour piler au mortier les différents éléments composant les farces, les beurres composés, etc.
ON A URÉE	Dénommé aussi « champignon », sorte d'ustensile muni d'un petit manche fixé dans la tête.	En bois de buis, de hêtre ou de gaïac.	Sert à passer au tamis les purées, les farces, les marmelades, les purées de fruits, etc.
NCHE COUPER	Planche généralement rectangulaire, de dimensions variées, très épaisse (4-6 cm), avec bouts vissés.	En hêtre massif.	Employée pour travailler les aliments destinés à être taillés, émincés, hachés, etc.

DÉNOMINATION	CARACTÉRISTIQUES	MATÉRIAUX	UTILISATION	
POCHON A JUS	Ustensile muni d'un manche rivé, de diamètres variés.	En fer blanc étamé; en acier inoxydable; en aluminium.	Sert à servir, comme son nom l'indique, les jus et autres sauces.	
RAPE A MAIN	Sorte d'ustensile de tailles variées, légèrement incurvé, hérissé d'aspérités et perforé de petits trous, sur lequel on frotte certaines substances.	Entièrement en fer blanc étamé.	Utilisée pour réduire en poudre ou en menus morceaux certains aliments ou substances: fromage, noix de muscade, etc.	
ROULEAU A PATISSERIE	Rouleau de bois de 50 cm environ de longueur, à surface entièrement polie afin d'éviter toutes aspérités qui risqueraient de blesser les mains.	En bois de hêtre ou de buis (bois dur).	Sert à abaisser, à tourer, les différentes pâtes fermes.	
SPATULE A POISSON	Ustensile à extrémité plate unie légèrement arrondie, muni d'un manche plat; peut se présenter perforé.	En tôle d'acier; en aluminium; en cuivre étamé.	Employée pour retourner ou servir les poissons (entiers) ou les filets d'un gros volume.	

MINATION	CARACTÉRISTIQUES	MATÉRIAUX	UTILISATION	
ULE A UIRE	Ustensile plat d'une seule pièce, plus large à une de ses extrémités en forme de carré; muni d'un manche plat.	En cuivre étamé; en acier inoxydable; en aluminium.	Sert à remuer un liquide, une sauce, une crème en cuisson, afin qu'ils n'attachent pas au fond du récipient.	
ATULE BOIS	Ustensile d'une seule pièce, plus large et légèrement arrondi à l'une de ses extrémités; de longueurs différentes.	En bois de hêtre ou de buis.	Sert à mélanger travailler les appareils, les roux, les pâtes, les crèmes, etc.	
MIS A RINE	Ustensile rond, formé de deux cercles en bois s'emboîtant l'un dans l'autre et retenant une toile de soie, de crin ou de nylon.	Composé de bois et d'une toile de soie, de crin ou de nylon.	Employé exclusivement pour tamiser la farine, le sucre glace.	
AMIS TOILE LLIQUE	Ustensile rond, formé de deux cercles en bois s'emboîtant l'un dans l'autre et retenant une toile métallique étamée de trames différentes.	Composé de bois et d'une toile métallique étamée.	Employé pour passer au travers les purées, les beurres composés, les farces, les marmelades, les purées de fruits, etc.	

MOULE « A BOMBE PORTUGAISE CASSATA »
MOULE « BOMBE UNI » ou « A PARFAIT »
MOULE « A BRIQUE - TRANCHE NAPOLITAINE »
MOULE « CANNELÉ MARGUERITE »
MOULE « COMTESSE MARIE »

MOULE « FROMAGE GLACÉ »
MOULE « GLACE MADELEINE »
MOULE « GLACE ou PUDDING »
POTS A CRÈME GLACÉE ou SORBETIÈRE

REMARQUE GÉNÉRALE: Tous les moules donnés sont en tôle étamée extra-forte (fer blanc étamé), d'une contenance variable, munis généralement d'un couvercle à poignée s'emboîtant. Ils sont utilisés pour mouler les différentes glaces, bombes, sorbets, etc.

DÉNOMINATION	CARACTÉRISTIQUES
MOULE « A BOMBE PORTUGAISE CASSATA »	D'une forme cylindrique à fond uni et légèrement arrondi.
MOULE « BOMBE UNI » ou « A PARFAIT »	D'une forme allongée légèrement conique, à fond uni légèrement arrondi.
MOULE « A BRIQUE – TRANCHE NAPOLITAINE »	D'une forme rectangulaire, muni de deux couvercles, dont un est marqué de 7 à 16 divisions.
MOULE « CANNELÉ MARGUERITE »	D'une forme cylindrique, cannelé sur les parois, à fond en forme de marguerite.
MOULE « COMTESSE MARIE »	D'une forme rectangulaire, muni d'un couvercle à poignée, à fond uni.
MOULE « FROMAGE GLACÉ »	D'une forme allongée légèrement conique, à parois marquées de reliefs, à fond uni et légèrement arrondi.

ÉNOMINATION	CARACTÉRISTIQUES	
ULE « GLACE ⵏADELEINE »	D'une forme cylindrique à fond marqué d'une étoile à 7 branches.	
ULE « GLACE PUDDING »	D'une forme cylindrique à fond et à parois alvéolés.	

	CARACTÉRISTIQUES	MATÉRIAUX	UTILISATION	
POTS RÈME GLACÉE ou ORBETIÈRE	Récipients de formes et de contenances variées: cylindrique, rond, demi-rond (demi-lune). Certains munis d'un couvercle à poignée et de pattes de manutention à l'intérieur.	En tôle étamée; en matière plastique; en porcelaine; en acier inoxydable.	Sert à réserver les crèmes glacées dans les conservateurs.	

● 4. ENTRETIEN DU MATÉRIEL ET DES USTENSILES

● Le nettoyage du matériel de cuisine et de pâtisserie est confié à un ouvrier dénommé **« Plongeur de batterie ».**

● Celui-ci utilise, pour l'entretien permanent du matériel mobile, deux plonges (sortes de grands bacs fixes munis chacun d'une bonde de trop-plein) garnies de chaque côté d'un égouttoir.

L'une de ces plonges est employée pour le nettoyage proprement dit (généralement en cuivre ou en tôle galvanisée ou en acier inoxydable); l'autre pour le rinçage du matériel.

Elles sont alimentées toutes les deux en eau chaude et froide.

● Le plongeur utilise, suivant le matériel à nettoyer (acier inoxyadable, aluminium, cuivre, fer étamé, tôle d'acier, etc.), différents produits d'entretien: grès, sable fin, savon spécial, cristaux, poudres spéciales à métaux, laine métallique, paille de fer, etc., et ustensiles: raclettes en fer, brosses, etc.

● Le plongeur de batterie est secondé dans ses fonctions (suivant l'importance de l'établissement) par des aides:

— l'**Essuyer,** chargé comme son nom l'indique d'essuyer le matériel;

— l'**Accrocheur,** chargé de ranger, d'accrocher et de ramasser le matériel utilisé (sale).

NOTA: Le nettoyage de la batterie n'est pas à négliger; il a une très grande importance; il doit être fait avec minutie, avec beaucoup de soins, afin d'éviter une usure trop rapide du matériel.

● 5. RANGEMENT
DU MATÉRIEL ET DES USTENSILES

● Le matériel de cuisine et de pâtisserie est rangé selon son emploi et sa catégorie:

— en cuisine,

— en pâtisserie,

— en légumerie,

— au garde-manger,

— en plonge (généralement).

● Le **gros matériel,** braisières, marmites, rondeaux, turbotières, etc., est rangé à la plonge sur des étagères murales ou centrales (à barres ou à grilles), fixées à quelques centimètres au-dessus du sol.

Les plaques à rôtir (grosses tailles) sont placées à la verticale sur des étagères compartimentées.

Les bains-marie à sauce, les casseroles (russes), les plats à sauter, les sauteuses, etc., sont toujours suspendus à des barres d'accrochage munies de plusieurs crochets espacés les uns des autres, à portée de la main des utilisateurs, soit en cuisine et en pâtisserie, soit plus fréquemment en plonge.

● Le **petit matériel,** bains-marie à potage, calottes, plaques à débarrasser, etc., est aligné en totalité par variété et par grandeur sur des étagères placées à hauteur d'homme. Une partie de ces ustensiles utilisée au garde-manger et en pâtisserie, est rangée séparément dans ces deux locaux.

● Les **ustensiles accessoires,** araignées, écumoires, louches, etc., sont accrochés en plonge à des sortes de barres ou tringles.

Les planches à découper, afin de faciliter leur séchage et leur aération après leur lavage, sont disposées sur une échelle.

Les chinois, les fouets sont toujours accrochés à proximité des utilisateurs.

Les palettes, les spatules, les rouleaux, etc., et tous les autres accessoires ne pouvant pas être accrochés ou suspendus, sont rangés dans les tiroirs des tables de travail en cuisine et en pâtisserie.

● Le **matériel de pâtisserie,** gros moules et ustensiles à glaces et à sorbets, petits moules, pots de crème, ramequins, etc., est rangé dans des placards ou des tiroirs de rangement situés en pâtisserie; grilles et plaques sont superposées dans le même local sur des échelles fixes ou mobiles.

● Le **matériel à débarrasser** les légumes épluchés, bassines, cuvettes, et autres ustensiles réservés à cet effet, est rangé et maintenu en légumerie.

COUTEAUX ET PETIT OUTILLAGE

- Pour exercer tout métier, il est nécessaire de posséder d'excellents outils.
- Les ouvriers en cuisine sont constamment appelés à: découper, détailler, larder, mélanger, tourner (les légumes), etc.
- Ils doivent donc, pour effectuer ces différents travaux, employer des couteaux et des outils de forme et de taille différentes.
- L'outillage est assez varié: couteaux, fusils, cuillères à légumes, aiguilles, etc.

COUTEAUX

1. CARACTÉRISTIQUES GÉNÉRALES

TÉGORIE	CARACTÉRISTIQUES				
	LAME			MANCHE	
	FORME	MATÉRIAUX	FIXATION	FORME	MATÉRIAUX
UTEAUX DITS BOUCHER »	Plate; épaisse; rigide et pointue. Elle ne possède pas de talon.	En acier ordinaire ou en acier inoxydable.	Encastrée dans le manche. Celui-ci est rivé à la lame, ce qui lui donne plus de résistance.	D'une longueur assez courte pour certains; généralement rond. Il possède une garde et un talon légèrement arrondis, ce qui donne plus de sûreté aux mouvements et évitent à la main de glisser aussi bien vers la lame que vers le talon du manche.	En ébène, bois très dur et très résistant, en palissandre; en hêtre pour les couteaux dits « de boucher ».
UTEAUX DITS CUISINE »	Plate; allongée ou courte; souple ou rigide; épaisse selon l'utilisation; ondulée ou dentelée ou alvéolée ou lisse; généralement pointue, certaine à bout arrondi.	En acier ordinaire ou en acier inoxydable. Ce dernier présente un double avantage: solidité et propreté constante.	Enfoncée dans le manche et fixée à celui-ci par une virole (petit anneau plat de métal), fixé autour du manche près de la base de la lame ou encastrée et rivée dans le manche.	D'une longueur relativement courte, ne dépassant la main que d'un centimètre, légèrement plat, rarement rond; recourbé en forme de bec à l'extrémité vers l'intérieur, pour éviter au couteau de glisser de la main, ce qui donne plus de sûreté au mouvement.	

• 2. CLASSIFICATION

CLASSIFICATION	DÉNOMINATION	
COUTEAUX dits « DE BOUCHER »	Couteau de boucher	Couteau à désosser
COUTEAUX dits « DE CUISINE »	Couteau à battre ou couteau « lourd » Couteau à filets de sole Couteau à jambon Couteau à poisson	Couteau de cuisine « chef » Couteau d'office Couteau éminceur ou à émincer Couteau scie Couteau tranchelard

■ A. COUTEAUX DITS « DE BOUCHER »

DÉNOMINATION	DIMENSION DE LA LAME	CARACTÉRISTIQUES	UTILISATION	
COUTEAU A DÉSOSSER	10 cm environ de long.	Le plus petit des couteaux de boucherie. La lame très courte et assez large du côté du manche est pointue à son extrémité.	Sert, comme son nom l'indique, à désosser les viandes crues.	
COUTEAU DE BOUCHER	De 10 à 30 cm de long.	De taille variée, la lame est assez large du côté du manche et pointue à son extrémité.	Sert à tailler, trancher, parer la viande crue.	

■ B. COUTEAUX DITS « DE CUISINE »

DÉNOMINATION	DIMENSION DE LA LAME	CARACTÉRISTIQUES	UTILISATION	
COUTEAU A BATTRE ou COUTEAU « LOURD »	30 cm environ au minimum de long.	Couteau d'un poids relativement lourd. La lame épaisse est encastrée et rivée dans le manche afin de lui conférer une plus grande résistance.	Employé pour battre, concasser les os, et couper occasionnelle-ment les viandes.	

NATION	DIMENSION DE LA LAME	CARACTÉRISTIQUES	UTILISATION	
TEAU LETS SOLE	14 à 17 cm de long.	La lame longue, flexible et pointue, permet de suivre le contour des arêtes des poissons.	Sert exclusivement à lever les filets de sole ou autres filets de poisson. Occasionnelle- ment, il peut être utilisé à ciseler les oignons, les échalotes, etc., ou à tailler divers légumes ou fruits.	
TEAU MBON	De 20 à 40 cm de long et de 2 cm de large.	La lame sans talon est encastrée et rivée dans le manche. Elle se présente sous trois aspects : unie, alvéolée ou cannelée (cette dernière repro- duit le mouvement donné par la main). Dans toutes les variétés, la lame est flexible et à bout arrondi.	Sert, comme son nom l'indique, à trancher le jambon ou autres viandes froides ou chaudes.	
TEAU UISINE HEF »	Variable entre 13 et 35 cm de long.	Couteau généralement à lame très large, rigide, à bout pointu, fixée au manche par une virole en acier.	Employé à de multiples usages : trancher, hacher, émincer, etc.	
TEAU OFFICE	De 7 à 11 cm de long.	Le plus petit et le plus utilisé des couteaux de cuisine. Sa lame est à bout très pointu et peu large.	Sert à éplucher, tourner les légumes, les fruits, et effectuer de menus travaux variés.	

DÉNOMINATION	DIMENSION DE LA LAME	CARACTÉRISTIQUES	UTILISATION
COUTEAU ÉMINCEUR ou **A ÉMINCER**	20 cm environ de long et 5 à 7 cm de large.	Identique au couteau de cuisine, sa taille moyenne favorise sa manipulation, et lui confère un emploi bien défini.	Utilisé, comme son nom l'indique, à émincer, plus particulièrement les légumes, les fruits; couper les pâtes. Occasionnellement pour hacher de menus ingrédients.
COUTEAU SCIE	Variable entre 25 et 35 cm de long.	La lame encastrée et rivée au manche, possède de petites dents très fines (dentelées), ou crantées. Le bout est légèrement arrondi.	Sert à couper (scier) les gâteaux, le pain, les toasts, etc.
COUTEAU TRANCHE-LARD	Variable entre 17 et 35 cm de long.	Très long, à lame fine, flexible, à bout très pointu, possède un petit talon. La lame est fixée par une virole en acier.	Il est employé pour trancher le lard en tranches fines, ainsi que les viandes rôties chaudes et froides. Peut être aussi utilisé pour tailler certains gros gâteaux, etc.

PETIT OUTILLAGE

● CLASSIFICATION

CLASSIFICATION	DÉNOMINATION	
OUTILS TRANCHANTS	Ciseaux à poisson Couperet Couperet boucher Couteau à canneler ou canneleur Couteau à fromage ou à gruyère Couteau à huître	Couteau éplucheur ou « économe » Feuille à fendre Hachoir ou hache-herbes ou « berceau » Scie de boucher
OUTILLAGE DIVERS	Très disparates tant dans leur forme que dans leur utilisation, ces pièces ne peuvent pas faire l'objet d'une classification rationnelle, comme les couteaux de cuisine et de pâtisserie. D'autre part, il est bien entendu que malgré leur autonomie, chacun de ces instruments a une place bien définie dans la « panoplie » du cuisinier et du pâtissier.	
	Aiguille à brider Aiguille à piquer avec étui Batte à côtelette Brochette à rognons Brosse à farine Clé universelle (pour ouvrir les boîtes de conserves) Corne à ramasser Coupe-œuf dur Coupe-pâte ou raclette Crochet « S » et allonge de boucherie Cuillère à glace Cuillère à glace automatique Cuillère à pommes et à légumes Découpoirs ou emporte-pièces Découpoirs (petits) à décors Douilles à décors Ecailleur à poissons Emporte-pièces à colonne Fourchette à rôti Fusil de boucher	Glacière à sucre Grattoir de billot Hâtelet ou attelet Lardoire Mesure à lait Moulin à poivre Ouvre-boîte (à main) Pèse-sirop Pic-glace Pic-vite ou rouleau à piquer Pince à dénoyauter ou dénoyauteur Pince à pâte ou pince tarte Pinceau à pâtisserie ou à dorer Poche à décorer Roulette à pâte Spatule en acier Thermomètre Tire-bouchon Triangle à pâtisserie Vide-pomme

■ A. OUTILS TRANCHANTS

...NATION	DIMENSION DE LA LAME	CARACTÉRISTIQUES	UTILISATION	
...EAUX	D'une longueur totale variant entre 19 et 23 cm.	Très gros ciseaux pointus en acier inoxydable, à lames fortes fixées par une grosse vis.	Utilisé à ébarber (couper les nageoires) des poissons et pour d'autres emplois. Utilisé aussi en pâtisserie.	

137

DÉNOMINATION	DIMENSION DE LA LAME	CARACTÉRISTIQUES	UTILISATION
COUPERET	De tailles variées.	Outil lourd à lame rectangulaire très épaisse, encastrée et rivée dans un manche court. La lame est munie d'un trou pour permettre de suspendre le couperet.	Utilisé pour concasser les os en menus morceaux.
COUPERET BOUCHER	D'un poids variant entre 1,250 et 1,750 kg.	Très gros instrument, lourd, tranchant, entièrement en acier inoxydable poli, d'une forme assez curieuse.	Sert à briser ou à concasser les os les plus durs et les plus gros.
COUTEAU A CANNELER ou **CANNELEUR**		Petit instrument, muni à son extrémité ou sur le côté d'une petite lame incurvée ou triangulaire, percée d'un petit trou. La lame emboîtée dans le manche est maintenue par une virole.	Sert à décorer les citrons, les oranges, en pratiquant des petites cannelures sur l'écorce; à canneler les carottes pour les courts-bouillons et autres préparations culinaires.
COUTEAU A FROMAGE ou **A GRUYÈRE**	De 30 à 40 cm de long.	Couteau muni de 2 poignées (ou manches) dont la lame rigide est encastrée et rivée à ses extrémités dans les deux poignées.	Employé exclusivement à couper les grosses meules de gruyère ou autres gros fromages.
COUTEAU A HUITRE		Petit couteau à lame pointue, courte, épaisse, encastrée et rivée à un manche très court et épais. Peut être muni d'une garde, afin de protéger la main d'un éventuel accident.	Sert à ouvrir exclusivement les huîtres.

138

NATION	DIMENSION DE LA LAME	CARACTÉRISTIQUES	UTILISATION	
TEAU HEUR u IOME »	8 cm environ de long.	Possède au milieu de la lame légèrement incurvée deux petites fentes tranchantes de 4 cm environ de longueur, ce qui permet de l'utiliser aussi bien de la main gauche que de la droite. Au bout la lame est légèrement pointue, emboîtée	Sert exclusivement à peler les légumes crus: pommes de terre, carottes, salsifis, asperges, etc., ainsi que les fruits: pommes, poires. dans le manche (cylindrique), et maintenue par une virole.	
ILLE DRE	Prise dans la diagonale, elle mesure de 20 à 30 cm environ.	Instrument tranchant en acier ordinaire ou en acier inoxydable, à lame presque rectangulaire, très large et fine. L'une des extrémités de la lame est légèrement arrondie. En outre, elle est fixée au manche	Sert à fendre en deux, par exemple, le mouton; à détailler les carrés et les selles, etc. par une virole. Le manche est en bois cannelé, légèrement cylindrique.	
HOIR u CHE- BES u EAU »		Outil composé de deux poignées cylindriques, muni de 2, 3, 4 ou 5 lames courbes, pouvant se démonter, pour les affûter, à l'aide d'écrous.	Employé pour hacher, concasser le persil ou autres éléments.	

DÉNOMINATION	DIMENSION DE LA LAME	CARACTÉRISTIQUES	UTILISATION	
MANDOLINE ou **PLANCHE COMBINÉE**		Instrument combiné, à monture en bois ou entièrement en acier inoxydable, composé de deux lames tranchantes: l'une unie, l'autre cannelée, réglable à volonté. Muni d'un support permettant de disposer l'instrument dans une position inclinée.	Sert à détailler, à couper les pommes chips, soufflés, gaufrettes, paille, etc.; à émincer les carottes, les navets; à tailler les juliennes de légumes, le céleri rémoulade et autres éminçages de légumes.	
SCIE DE BOUCHER	De 30 à 50 cm de long	Instrument muni d'une lame étroite à petites dents fines. Elle est fixée sur une monture inoxydable, rivée à une poignée en bois épousant la forme de la poignée. Lorsque la lame est brisée ou défectueuse, elle peut être changée facilement.	Utilisée à scier les gros os de boucherie.	

■ B. OUTILLAGE DIVERS

DÉNOMINATION	CARACTÉRISTIQUES	MATÉRIAUX	UTILISATION	
AIGUILLE A BRIDER	Sorte de tige rigide, pointue à une extrémité, perforée à l'autre d'un trou (chas). De tailles différentes selon l'usage, elle mesure de 15 à 30 cm de longueur et 1 à 3 mm de diamètre.	En acier inoxydable.	Sert à passer une ficelle (bride), au travers d'une volaille, d'un gibier à plume, afin d'en maintenir le long du corps les abattis (ailerons, ailes et pattes). Employée aussi pour d'autres emplois: « fermeture », « couture », etc., de pièces farcies.	

INATION	CARACTÉRISTIQUES	MATÉRIAUX	UTILISATION	
UILLE QUER c étui	Sorte de tige (de grosseur variée), à forme légèrement conique, très fine, extrêmement pointue à une extrémité, creuse à l'autre et légèrement fendue en quatre. Cette partie est destinée à recevoir un	Aiguille en acier inoxydable; étui en bois vernissé.	Employée à piquer de petits bâtonnets de lard gras, de jambon, de langue écarlate, de truffe, etc., la surface des filets de bœuf, des ris de veau, des râbles de lièvre, etc.	
		bâtonnet d'éléments divers. L'étui permet de conserver les aiguilles à l'abri de toute détérioration.		
TE A ELETTE	D'une forme carrée, plate, unie sur une face, à plans inclinés de l'autre; munie d'un manche percé d'un trou à son extrémité afin de permettre la suspension de l'instrument. D'un	Entièrement en acier inoxydable poli.	Utilisée à aplatir les côtelettes, les escalopes, les entrecôtes minutes, les filets de poisson, etc.	
		poids relativement lourd pour sa taille: 900 g environ.		
CHETTE GNONS	Sorte d'aiguille pointue, légèrement plate, munie à une extrémité d'un anneau. Existe en diverses longueurs.	En acier inoxydable; en fer étamé; en maillechort.	Employée pour la réalisation des différentes brochettes composées d'éléments variés, et pour maintenir en forme les rognons de mouton, de porc grillés, etc.	
ROSSE ARINE	Brosse de formes et de dimensions variées, munie d'un manche rond.	Poils de soie blanche; manche en bois.	Sert à éliminer l'excédent de farine pendant le « tourage » des pâtes.	
CLÉ ERSELLE	Outil se présentant sous la forme d'une tige pleine, cylindrique, fendue à l'une de ses extrémités ou à mi-longueur afin d'y glisser l'attache d'ouverture du couvercle; munie à l'autre extrémité	En acier inoxydable; en nickel.	Sert à ouvrir les boîtes de conserves, munies d'une petite languette d'ouverture.	
		d'un anneau faisant corps avec l'ensemble pour permettre la manœuvre d'ouverture.		

DÉNOMINATION	CARACTÉRISTIQUES	MATÉRIAUX	UTILISATION
CORNE A RAMASSER	Objet plat légèrement plus grand qu'une main, de formes variées: généralement ovale ou demi-circulaire; d'une consistance assez souple pour lui permettre d'épouser les formes arrondies des récipients lors de son utilisation.	En corne véritable; en plastique souple ou demi-souple.	Employée pour ramasser (récupérer) entièrement une pâte sur un marbre, une crème, un appareil qui restent au fond ou sur les parois des récipients et ustensiles ayant servi à leur préparation. Evite ainsi le gaspillage et les pertes.
COUPE-ŒUF	Sorte d'instrument formé de deux pièces vissées entre elles et pouvant se rabattre l'une sur l'autre. L'une des parties est légère-ment incurvée afin de recevoir l'œuf à couper; l'autre, est munie de fils d'acier très fins, tendus,	En aluminium fort; en acier inoxydable. espacés de 3 mm environ, qui, en se rabattant et en s'appuyant sur l'œuf, le coupe en tranches régulières. Existe aussi pour couper les œufs en quartiers.	Employé pour couper les œufs durs en tranches régulières ou en quartiers.
COUPE-PATE ou **RACLETTE**	Outil formé d'une lame souple ou rigide; arrondie ou droite (carré) à son extrémité; encastrée dans une poignée cylindrique ou plate en bois ordinaire.	En tôle d'acier souple ou rigide; en plastique dur; en nylon spécial pouvant résister à 150°C; en acier dur pour certains.	Utilisé pour racler (ramasser) les débris de pâte et de détrempe collées sur le marbre. Employé aussi pour prélever en pleine masse une partie de pâte terminée. Occasionnelle-ment pour racler les plaques.
CROCHET « S » et ALLONGE DE BOUCHERIE	Crochet « S »: sorte d'instrument très résistant tourné en deux sens contraires comme la lettre « S ». — Allonge: autre instrument d'une seule pièce, composé d'un	En acier inoxydable; en fer étamé. crochet et se terminant par 2, 3 ou 4 trous, selon l'usage.	Employés pour accrocher (suspendre) les pièces de boucherie et de volaille en chambre froide.

DÉNOMINATION	CARACTÉRISTIQUES	MATÉRIAUX	UTILISATION	
...LLÈRE ...LACE	Sorte de longue cuillère à manche rond.	En acier inoxydable; en plastique.	Utilisée pour garnir (mouler) les moules à crème glacée.	
...LLÈRE ...LACE ...TO- ...TIQUE	Grosse cuillère, munie d'un mécanisme en bronze, montée sur un manche en bakélite ou en métal. La cuillère est demi-sphérique, d'une capacité variable selon la quantité de boules de glace faites au litre d'appareil à crème glacée.	En acier inoxydable.	Utilisée à servir (à mouler) rationnellement les crèmes glacées, les sorbets, etc., sous forme de boules régulières.	
...LLÈRE ...MMES et ...GUMES	Ustensile composé d'un petit manche avec, à son extrémité, une sorte de petite cuillère, fixée à celui-ci par une virole ou emboîtée et rivée; de tailles et de formes variées: ovale cannelée, ovale unie, ronde unie.	En acier inoxydable.	Sert à « lever » les légumes (noisettes, parisiennes), pommes de terre, carottes, navets; les fruits (pommes, melon); à évider les pommes de terre pour être farcies; les melons, etc.	
...UPOIRS ou ...ORTE- ...ÈCES	Petit outillage de formes et de tailles différentes: ronds unis ou cannelés, ovales unis ou cannelés. Certaines pièces, de dimensions variées et progressives dans la même série, s'emboîtent les unes dans les autres (par ordre de grandeur). Afin qu'elles ne s'abîment pas, elles sont rangées dans des boîtes adéquates.	En acier inoxydable; en fer étamé.	Servent à découper régulièrement et rapidement les pâtes sèches: feuilletage, brisée, sablée, etc.	

DÉNOMINATION	CARACTÉRISTIQUES	MATÉRIAUX	UTILISATION
DÉCOUPOIRS (petits) **A DÉCORS**	Outillage extrêmement petit; certaines pièces sont montées sur douilles ou sur plaques. Fabriqués entièrement à la main, ces découpoirs ont une forme légèrement conique afin de faciliter le démoulage de la pièce découpée. Ils représentent des figures (décors) variées et	Généralement en fer étamé extra-fort. extrêmement précises: géométriques, quatre as (cartes à jouer), feuilles diverses, etc. Ces découpoirs sont conservés, à l'abri de toute détérioration, dans des boîtes en fer ou en plastique transparent.	Utilisés, pour découper sur des lamelles de truffe, de royale ou dans de la gelée, des figures géométriques ou des sujets variés, destinés à la décoration.
DOUILLES A DÉCORS	Petits ustensiles creux de forme conique, à ouvertures variées: ronde unie, ronde cannelée, coupée, etc.; la partie évasée s'adapte à l'extrémité d'une poche à décorer (en coutil ou synthétique).	En acier inoxydable; en fer étamé; en plastique.	Selon l'usage, ces douilles sont utilisées pour « coucher », « dresser », « pousser », etc., divers pâtes, appareils, crèmes... ainsi que pour le décor des gâteaux ou autres prépara-tions de pâtisserie et de cuisine.

Plate à roses

Pétales de fleurs (à feuilles)

Saint-Honoré

Unie, de 1 à 20 mm, par millimètres

Sultane (à cône intérieur)

Vermicelle (à nid)

Dents moyennes

Dents très grosses

Moka

NATION	CARACTÉRISTIQUES	MATÉRIAUX	UTILISATION
LEUR SSONS	Sorte d'instrument robuste, formé d'une tige coudée d'une seule pièce, emboîtée et rivée solidement au manche. L'extrémité de l'appareil se	En acier inoxydable. termine par deux lames verticales (en forme de cœur), dentelées et acérées.	Employé exclusivement pour écailler (éliminer) les gros poissons.
RTE-CES LONNE	Petits outillages cylindriques, légèrement évasés, afin de faciliter le démoulage de la pièce découpée. Composés de plusieurs pièces creuses rondes, de diamètres différents, pouvant s'emboîter les unes dans les autres (par ordre	En fer blanc étamé. de grandeur). Afin que ces pièces ne s'abîment pas, elles sont rangées dans une boîte cylindrique munie d'un couvercle.	Servent à découper regulièrement, en petits disques variés, les pâtes ou autres éléments. Employés occasionnelle-ment comme vide-pommes ou pour parer le centre des ananas frais.
CHETTE ROTI	Fourchette munie de deux dents longues fines, droites ou recourbées, rivées dans le manche. Peut aussi se présenter avec trois dents.	En acier ordinaire; en acier inoxydable.	Sert à piquer délicatement les volailles et les viandes mises en traitement, ou pour tout autre emploi en remplacement de la fourchette de table.
SIL UCHER	Tige d'acier (mèche) fine, cylindrique ou ovale, striée de rainures minuscules sur toute sa longueur; munie d'une garde ou non, rivée ou vissée au manche. Celui-ci est parfois garni d'un anneau pour	Manche en bois ou en corne; acier pour la mèche. suspendre l'outil, qui est très fragile et risque de se casser au moindre choc.	Employé à affûter (temporairement) les couteaux tranchants.

DÉNOMINATION	CARACTÉRISTIQUES	MATÉRIAUX	UTILISATION
GLACIÈRE A SUCRE	Sorte de petite boîte cylindrique, munie d'un couvercle à vis, perforé de petits trous minuscules pour laisser filtrer au travers le sucre glace.	En fer blanc.	Sert à saupoudrer de sucre glace les gâteaux, les entremets, etc., ainsi que les surfaces à caraméliser.
GRATTOIR DE BILLOT	Sorte de lame longue, rectangulaire, épaisse, légèrement tranchante, fixée par deux vis dans un manche à deux poignées.	Manche en hêtre; lame en acier ordinaire.	Utilisé pour gratter (entretenir) les billots à viande (boucherie) après usage.
HATELET ou ATTELET	Tige pointue comme une aiguille (broche), surmontée dans sa partie supérieure de motifs variés décoratifs.	En argent; en acier ordinaire; en acier inoxydable.	Employé uniquement pour la présentation, la décoration des plats chauds ou froids de grand style.
LARDOIRE	Ustensile muni d'un manche cylindrique où vient s'emboîter une sorte de broche creuse, pointue à son extrémité, en forme de « gouttière ».	En acier ordinaire.	Utilisée pour larder, à l'aide de gros bâtonnets de lard gras, l'intérieur des grosses pièces de viande de boucherie.
MESURE A LAIT	Récipient de forme cylindrique, muni d'une anse ou d'un crochet, de capacités variables: 5 cl, 1 dl, 2 dl, 2,5 dl, 5 dl, 1 l, 2 l.	En aluminium mat; en acier inoxydable.	Sert à mesurer les liquides.

146

NATION	CARACTÉRISTIQUES	MATÉRIAUX	UTILISATION
ULIN IVRE	Instrument cylindrique, légèrement plus étroit vers le centre, afin de le maintenir plus aisément dans la main lors de son utilisation. A son sommet, un couvercle emboîté, maintenu par une vis en acier, permet de régler la mouture du	En bois de noyer. poivre. Au-dessous de la base est fixé une molette broyeuse manœuvrée par le couvercle, qui, en tournant en sens inverse du corps de l'appareil, permet d'obtenir le poivre moulu.	Cet appareil est employé fréquemment en cuisine pour poivrer les mets qui y sont préparés.
-BOITE ain)	Sorte de petit instrument à manche court et cylindrique, muni à son extrémité d'une petite lame à scie épaisse.	Manche en bois; lame en acier.	Sert à ouvrir les boîtes de conserves.
ETTE CIER	Instrument de forme variée, souple et fin: carré, rectangulaire ou légèrement triangulaire.	En acier inoxydable.	Matériel employé pour égoutter, retourner les aliments en cuisson ou pour leur dressage (sert d'écumoire occasionnelle-ment pour certains).
SIROP	Instrument fragile ressemblant à un thermomètre. Le corps est gradué de 0 à 45. La base légèrement renflée renferme des petits plombs d'un poids déterminé, afin de tenir l'instrument à la verticale lorsqu'il est plongé dans un sirop. La partie graduée se trouve à la surface des sirops, à des	niveaux différents selon leur densité. Un étui (petit récipient haut et cylindrique), muni d'une petite anse, permet de prélever du sirop afin de plonger plus facilement dedans le densi-mètre et de lire le degré.	Sert exclusivement à calculer (déterminer) la quantité de sucre dissous dans l'eau, afin d'obtenir des sirops plus ou moins concentrés.

DÉNOMINATION	CARACTÉRISTIQUES	MATÉRIAUX	UTILISATION	
PIC-GLACE	Ustensile muni d'une ou plusieurs pointes solidement emboîtées et rivées dans un manche en bois blanc vernissé, rond et court.	En acier ordinaire.	Sert à concasser la glace vive pour la conservation (glaçage) des poissons.	
PIC-VITE ou **ROULEAU A PIQUER**	Sorte de petit rouleau de 8 à 12 cm de longueur, garni sur toute sa surface de petites pointes, maintenu par un manche encastré de chaque côté du rouleau, afin de la tenir dans la main et de le	Rouleau en bois avec manche en fer étamé et pointes en acier ordinaire. faire rouler aisément par un mouvement de va-et-vient.	Sert à piquer les abaisses de pâte à grande surface, pour éviter à celles-ci de cloquer en cours de cuisson.	
PINCE A DÉNOYAUTER ou **DÉNOYAU-TEUR**	Sorte de pince munie d'un petit ressort, afin de lui donner une certaine élasticité. Elle est munie à son extrémité d'un gousset (recevant l'olive ou le fruit à	En nickel; en acier ordinaire. dénoyauter) d'une part, et d'un poussoir (pour l'extraction du noyau) d'autre part.	Utilisée exclusivement pour l'extraction des noyaux de cerises et d'olives.	
PINCE A PATE ou **PINCE A TARTE**	Petite pince souple et très plate, d'une longueur de 9 à 10 cm. Ses deux extrémités sont formées de petites dents, afin	En acier inoxydable. de pratiquer des petites cannelures sur le bord des tartes.	Sert à pincer le bord (crête) des tartes, afin de pratiquer régulièrement des petites cannelures.	
PINCEAU A PATISSERIE ou **A DORER**	Pinceau à manche plat, de largeurs variées.	En poils de soie blanche; en poils de nylon.	Employé à badigeonner la surface de certaines pâtes avec de la dorure (œuf battu), afin de les souder ou de les colorer pour leur cuisson, ou pour « lustrer », à l'aide de beurre	fondu, la surface de certaines préparations culinaires, ou pour beurrer le fond des plats, etc.

NATION	CARACTÉRISTIQUES	MATÉRIAUX	UTILISATION	
CHE CORER	Sorte de sac de forme conique. Selon les usages, son extrémité est adaptée d'une douille de variété différente. La poche est garnie au moment de l'emploi d'une pâte, d'une crème ou d'un appareil, pour y être poussés sur une plaque ou pour garnir un gâteau ou pour la décoration.	En coutil; en tissu synthétique; en caoutchouc (peu recommandé).	Sert à « pousser » et à détailler divers pâtes et appareils, afin de leur donner des formes appropriées: choux, éclairs, biscuits, gnocchi, pommes Lorette, etc., pour garnir l'intérieur de certains gâteaux avec de la crème, ou pour décorer de crème la surface des gâteaux et autres préparations de pâtisserie et de cuisine.	
LETTE ATE	Petite roulette cannelée, maintenue par une tige (manche) rivée dans celle-ci.	En bois dur.	Sert à découper des bandes de pâte en forme de dentelle, ou pour couper les ravioli.	
TULE ACIER	Instrument à lame longue rectangulaire non tranchante, très plate et très flexible (certaine coudée), arrondie à son extrémité, emboîtée dans le manche et maintenue par une virole. Se fait en plusieurs dimensions.	En acier inoxydable; en acier ordinaire.	Employée pour étaler les crèmes sur les gâteaux ou pour égaliser la surface de certaines préparations. Sert aussi pour retourner et pour décoller les aliments en cuisson: poissons, viandes, etc.	
RMO ETRE	Gros thermomètre à mercure, de 28 à 32 cm de long et de 3 cm de diamètre, avec un grillage protecteur autour de l'instrument. La graduation est faite entre 60° et 200°C. Pourvu à	En verre. son sommet d'un crochet et d'une suspension en fer, afin de le maintenir fixé sur le bord des récipients.	Employé généralement pour les différentes cuissons du sucre.	

DÉNOMINATION	CARACTÉRISTIQUES	MATÉRIAUX	UTILISATION
TIRE-BOUCHON	Instrument composé d'une tige torsadée, pointue à une extrémité, fixée à une poignée sur l'autre.	En acier ordinaire.	Employé pour tirer les bouchons des bouteilles.
TRIANGLE A PATISSERIE	Instrument plat à lame triangulaire non tranchante, emboîtée dans le manche et maintenue par une virole.	En acier inoxydable; en acier ordinaire.	Sert à gratter les plaques à pâtisserie, ou éventuellement à décoller de celles-ci les pâtes cuites.
VIDE-POMME	Instrument de 18 cm de long, formé d'une seule pièce enfoncée dans un manche cylindrique. L'extrémité de la pièce est tubée sur 3 à 4 cm environ de longueur.	En acier inoxydable; en acier ordinaire.	Employé exclusivement à vider les pommes (entières), fruits, de leurs pépins et du péricarpe.

● ENTRETIEN DES COUTEAUX ET DE L'OUTILLAGE

Les couteaux, les divers outils utilisés en cuisine doivent être entretenus avec soin.

1. Les essuyer après chaque usage, et tout particulièrement lorsque l'on coupe des aliments acides: les citrons et certains légumes, les tomates, les artichauts, etc., sinon la lame au cours de l'emploi suivant laisse des traces noirâtres sur la coupe des aliments.

2. Il ne faut jamais laisser les couteaux tremper dans l'eau, ce qui détériore les manches.

3. L'utilisation constante des outils tranchants arrive à diminuer l'efficacité du « fil », c'est-à-dire de la partie tranchante. Le cuisinier y remédie momentanément en l'**affûtant** sur son fusil. Néanmoins, au bout d'un certain temps, il devient nécessaire d'avoir recours au repasseur qui les affûte sur une meule en grès mouillée.

● RANGEMENT DES COUTEAUX ET DE L'OUTILLAGE

Les couteaux et l'outillage sont rangés à portée de la main de l'utilisateur dans un tiroir spécial, ou dans un râtelier, qui se trouve en principe dans la table de travail. Chaque ouvrier possède le sien qu'il partage parfois avec ses aides (commis).

NOTA. Dans les anciennes cuisines, chaque cuisinier possédait une « gaine » (sorte de trousse en bois ou en cuir) qu'il glissait dans la ceinture de son tablier. Cette gaine contenait une partie du petit outillage utilisé constamment: couteau d'office et couteau émínceur, spatule, aiguille à brider.

ORGANISATION GÉNÉRALE DES CUISINES

LA BRIGADE DE CUISINE

● La préparation des aliments est assurée dans les restaurants importants par un ensemble de cuisiniers « LA BRIGADE ». Elle est dirigée par le « CHEF » ou « GROS BONNET ».

● Le Chef a sous son autorité un Sous-Chef pour le seconder et des Chefs de Partie qui effectuent un travail bien précis. Les Chefs de Partie portent un nom en rapport avec leur activité. Ils sont aidés, selon l'importance de leur tâche, par un Premier Commis, un ou plusieurs Commis, et éventuellement un Apprenti.

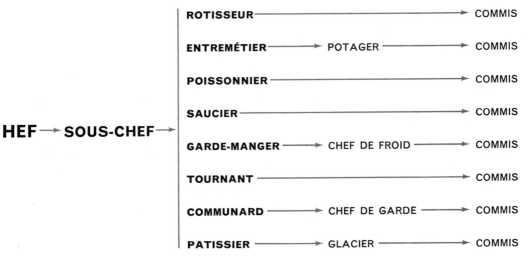

● **NOTA.** L'effectif d'une brigade peut être diminué pour être adapté aux besoins des établissements de moindre importance où il est d'usage que les ouvriers cumulent plusieurs fonctions.

● 1. ROLE DU CHEF DE CUISINE

Le Chef de cuisine est chargé d'assurer le fonctionnement du service placé sous sa responsabilité. Excellent administrateur, il doit tout régler dans le moindre détail.

a) **Engagement du Personnel.**
b) **Composition des menus.**
c) **Approvisionnement.**
d) **Travail en cuisine.**

■ A. ENGAGEMENT DU PERSONNEL

Le Chef engage le Personnel de toute sa Brigade et celui des services annexes dépendants de la cuisine.

SERVICES ANNEXES

PLONGEUR DE BATTERIE	Chargé du nettoyage de la batterie de cuisine et de « l'habillage des poissons ».
ARGENTIER	Chargé du nettoyage de l'argenterie.
VAISSELIER	Chargé du nettoyage de la vaisselle.
GARÇON DE CUISINE	Chargé d'aider à certaines manipulations et à l'entretien des locaux.
LÉGUMIER	Chargé de l'épluchage des légumes. Ce travail est fréquemment exécuté par des femmes.

Il établit un tableau des jours de repos du personnel de son service et un graphique des heures de service, en tenant compte des exigences du travail.

TABLEAU DES JOURS DE CONGÉ

JOURS	DE CONGÉ	REMPLACÉ PAR
DIMANCHE	CHEF DE CUISINE	SOUS-CHEF
	TOURNANT	N'est pas remplacé
LUNDI	SAUCIER	TOURNANT
MARDI	ROTISSEUR	TOURNANT
	PATISSIER	PREMIER COMMIS
MERCREDI	ENTREMÉTIER	TOURNANT
JEUDI	GARDE-MANGER	TOURNANT
VENDREDI	COMMUNARD	TOURNANT
	SOUS-CHEF	CHEF
SAMEDI	POISSONNIER	TOURNANT

● **NOTA.** Le problème des jours de sortie ne se pose pas dans les établissements qui ont un jour de fermeture hebdomadaire.

■ *B. COMPOSITION DES MENUS*

La composition des menus est une tâche très importante, **de leur équilibre dépend une équitable répartition du travail.** Pour les établir, le Chef tient compte de certains critères:

- a) Prévision du nombre de clients.
- b) Effectif de la Brigade devant exécuter le travail.
- c) Des marchandises stockées.
- d) De l'utilisation de la « desserte »: réemploi de la marchandise cuite invendue.

EXEMPLE:

● **MENU MAL COMPOSÉ - MAUVAISE RÉPARTITION DU TRAVAIL**

POUR LA MISE EN PLACE	TRAVAIL A EXÉCUTER	POUR LE SERVICE
GARDE-MANGER **ENTREMÉTIER**	CROQUETTES DE TURBOT PETITES SAUCISSES GRILLÉES SUR-TOAST CONTRE-FILET ROTI POMMES DAUPHINE	**ROTISSEUR**

● **MENU BIEN COMPOSÉ - BONNE RÉPARTITION DU TRAVAIL**

POUR LA MISE EN PLACE	TRAVAIL A EXÉCUTER	POUR LE SERVICE
GARDE-MANGER **ROTISSEUR** **ENTREMÉTIER**	SÉLECTION DE HORS-D'ŒUVRE SOLE DES SABLES DORÉE AUX COURGETTES VOLAILLE COCOTTE A L'ESTRAGON POMMES BERNY	**POISSONNIER** **SAUCIER** **ROTISSEUR**

● Dans le premier cas, **trois parties seulement** concourent à la réalisation du menu.
Dans le deuxième cas, la **Brigade entière** travaille à son élaboration.

Les menus sont composés la veille et affichés en évidence sur un tableau, pour que les Chefs de partie en prennent connaissance. Nantis de ces informations, ils sont à même de préparer ce qui peut être confectionné la veille.
Ce travail préliminaire se dénomme **« mise en place ».**

● Le Chef remet chaque soir à la Direction, pour information et reproduction, le menu du lendemain. Tous ces menus sont consignés sur un livre dit « livre de menus ».

Chaque jour il comptabilise sur un cahier le nombre de couverts servis par service:

— Repas servis au restaurant et aux étages.
— Repas servis à la Direction.
— Repas servis aux courriers: nurses, chauffeurs, etc.
— Repas servis à l'office: personnel.

EXEMPLE:

	RESTAURANT ET ÉTAGES	DIRECTION	COURRIERS	OFFICE
LUNCH				
DINER				

■ *C. APPROVISIONNEMENT*

L'approvisionnement des produits laitiers, légumes frais, viandes de boucherie, volailles, gibiers (pendant la saison), est assuré par les soins du Chef.
Il achète dans les conditions optima la qualité la meilleure, au prix le plus intéressant.
Différentes méthodes sont employées pour l'approvisionnement en fonction de l'organisation interne de chaque établissement.

EXEMPLES DES PRINCIPALES MÉTHODES EMPLOYÉES

- Le Chef se rend aux Halles afin de faire ses achats auprès des grossistes.
- Le Chef s'adresse à des commerçants de demi-gros, spécialistes de la fourniture hôtelière.
- Le Chef remet à l'Econome ou au «food and beveradge manager» des bons par spécialités: fruits, articles de boulangerie, produits laitiers, viandes, volailles, poissons etc.

● **NOTA.** Toutes les marchandises achetées par les soins du Chef sont contrôlées par l'économat avant d'être stockées en cuisine.

BON D'APPROVISIONNEMENT

Le Chef établit chaque soir pour le lendemain matin:

● **LE BON D'ÉCONOMAT:**

Pour les besoins en épicerie: conserves, pâtes, légumes secs, etc.; et, éventuellement, les produits d'entretien.

● **LE BON DE CAVE:**

Vin blanc et vin rouge «sauces»; liqueurs et alcools divers «sauces et pâtisserie»; boisson office, cuisine et services annexes.
Ces bons sont signés et datés.

■ *D. TRAVAIL EN CUISINE*

Le Chef veille tout particulièrement à la bonne exécution du travail. Pour atteindre ce but, il conseille ses ouvriers sur les méthodes à employer, en vue d'obtenir un travail conforme à ses désirs, mais surtout à ceux de la clientèle.
Il n'oublie jamais de veiller à l'économie:
— En évitant un emploi disproportionné de certains aliments.
— Au réemploi de la « desserte ».
Pendant le service, il annonce à la table chaude (table chauffante pour les assiettes) les commandes transmises sur des bons par le restaurant.
Les bons sont ensuite accrochés sur un tableau réservé à cet effet en regard du numéro correspondant à celui de la table.
Il réclame aux Chefs de partie intéressés les plats au fur et à mesure du déroulement du service, en ne perdant jamais de vue le temps nécessaire à la confection des plats commandés.

● **NOTA.** Dans les grandes brigades, ce travail est très souvent effectué par le Sous-Chef, ou par un ouvrier chargé uniquement de ce travail: « l'ABOYEUR ».

A chaque réclamation, les plats sont apportés sur la table chaude par les Commis de cuisine. Ce n'est qu'après avoir vérifié la conformité de l'exécution que le Chef les recouvre d'une cloche pour les plats, et d'un couvercle pour les légumiers et les soupières, ce qui a pour but de maintenir les préparations chaudes pendant leur transport à la salle.

● 2. ROLE DU SOUS-CHEF

Le Sous-Chef est chargé de seconder le Chef dans toutes ses fonctions. Il le remplace en son absence avec les mêmes pouvoirs.
Dans les maisons de moindre importance, le Sous-Chef, en plus de ses fonctions, occupe le poste de saucier ou de garde-manger, ces deux parties étant les plus importantes.

● 3. ROLE DES CHEFS DE PARTIE

Les Chefs de partie, après avoir pris connaissance du menu, dès son affichage au tableau, font leur mise en place.

AU COURS DU SERVICE, POUR DIMINUER LE TEMPS NÉCESSAIRE A LA RÉALISATION DE CERTAINES PRÉPARATIONS CULINAIRES, IL EST NÉCESSAIRE DE PRÉPARER A L'AVANCE CERTAINS ÉLÉMENTS CRUS OU CUITS. L'ENSEMBLE DE CES TRAVAUX S'APPELLE « LA MISE EN PLACE ».

La confection de la majorité des mets nécessite un travail en deux temps:

PREMIER TEMPS — MISE EN PLACE

La « Mise en place » est un travail de préparation préliminaire qui s'effectue **« Hors du service ».**
Cette mise en place est constituée d'**éléments variables** et d'**éléments invariables,** suivant la composition du menu. Toutes ces préparations forment la trame du travail qui se réalise au cours du « SERVICE ».

DEUXIÈME TEMPS — SERVICE

Au cours du « Service », le travail consiste à réaliser, à terminer, à dresser, à envoyer les mets commandés par les Clients.
Pour mieux situer le travail imparti à chaque Chef de partie, ainsi que la transformation des aliments, se reporter au chapitre « Répartition du Travail ».

● 4. ACTIVITÉ DES DIFFÉRENTS CHEFS DE PARTIE

■ *LE SAUCIER*

Le Saucier est le Chef de partie qui a le travail le plus délicat à réaliser.
Il confectionne tous les fonds et les sauces.
EXEMPLE: fond de veau, sauce tomate, sauce béchamel, veloutés divers, etc.
Il prépare toutes les volailles et les viandes braisées, poêlées, sautées, et parfois pochées, ainsi que les gibiers, sauf ceux rôtis ou grillés.
Le Saucier doit avoir une très grande habitude des dosages pour les nombreuses associations de sauces qu'il prépare. Il doit avoir un sens très développé du goût. Comme nous l'avons vu précédemment, ce poste primordial peut être occupé par le Sous-Chef. Dans les établissements moins importants, il remplit en même temps les fonctions de Poissonnier.

■ *LE ROTISSEUR*

Le Rôtisseur traite tous les aliments rôtis « au four » ou « à la broche », grillés et frits: viandes, poissons, volailles, gibiers et légumes. Il est le seul à utiliser les grils et les fritures.
La coutume veut qu'il tienne à la disposition des autres parties: du persil haché, Il prépare les volailles et les gibiers à plume (flamber, vider, brider) pour la « mise en place » du garde-manger.
Son travail consiste aussi à tailler toutes les pommes de terre traitées par la friture:
EXEMPLE: pont-neuf, allumettes, chips, soufflées, etc.
Dans les maisons où il n'y a pas de Communard, le Rôtisseur se charge de confectionner la nourriture du Personnel (Office).

■ *L'ENTREMÉTIER*

L'Entremétier prépare tous les légumes, sauf ceux frits et grillés (préparés par le Rôtisseur), les potages et les œufs.
L'Entremétier doit toujours avoir en réserve (« mise en place ») une gamme de légumes de saisons cuits, ce qui permet de satisfaire rapidement les commandes les plus variées, ainsi que certains potages de base.
EXEMPLE: consommé, Saint-Germain, etc.
Le poste d'Entremétier est l'un des plus ingrats. La transformation des légumes nécessite dans la majorité des cas de nombreuses manipulations, c'est d'ailleurs dans cette partie qu'il y a le plus de Commis.

Dans les brigades très importantes, il est déchargé d'une partie de son travail, potages et œufs, par le potager.

Dans les établissements où il n'y a pas de Pâtissier, l'Entremétier se charge de confectionner les entremets sucrés dits de cuisine. EXEMPLE: soufflés, crêpes, crèmes renversées, etc.

■ LE POISSONNIER

Le Poissonnier traite tous les poissons, sauf ceux grillés et frits (préparés par le Rôtisseur). Il est chargé de préparer les pommes à l'Anglaise, la sauce Hollandaise et la sauce Béarnaise. Ce travail est effectué par le Saucier, dans les établissements de moindre importance.

■ LE GARDE-MANGER

Le Garde-Manger occupe dans une Brigade un poste clef. Il veille à avoir constamment un stock suffisant de marchandises, en fonction des besoins.
Il veille à la bonne tenue des chambres froides et à l'approvisionnement de la glace pour assurer la conservation des poissons (voir chapitre «LE GARDE-MANGER» — SERVICES ANNEXES).
Presque toutes les marchandises passent par ses mains avant leur cuisson.
EXEMPLE: il dépèce, dénerve, dégraisse, coupe les viandes de boucherie; il détaille les volailles pour sauter; il tranche les gros poissons en darnes, en tronçons, lève les filets, etc.
Il remet chaque soir au Chef de cuisine le relevé des marchandises restant en stock, ce qui permet à celui-ci de prendre toutes les dispositions nécessaires pour l'approvisionnement.
Il fournit chaque jour aux parties intéressées la marchandise dont elles ont besoin pour la confection des plats du jour, et pour leur « mise en place ».
Pendant le « service », il passe les marchandises pour leur préparation, au fur et à mesure qu'elles sont commandées par le Chef.
Le Garde-Manger réalise tous les plats froids, ainsi que les sauces froides, parfois les hors-d'œuvre et ce, principalement dans les hôtels. Dans les maisons de grande importance, la réalisation des plats froids incombe un spécialiste, appelé « Chef de Froid ».

■ LE PATISSIER

Dans les établissements très importants, le travail des glaces peut être confié à un spécialiste « Le Glacier ».
Le Pâtissier confectionne les entremets dits de cuisine, les pâtisseries (petites et grosses pièces), les petits fours, les glaces, les bombes, les sorbets, etc.
Il prépare pour la cuisine toutes les pâtes salées.
EXEMPLE: vol-au-vent, bouchées, feuilletés, croustades, paillettes au fromage, nouilles fraîches, etc.
● NOTA. Il ne faut pas confondre le travail du Pâtissier de boutique, qui ne consacre son activité qu'à la pâtisserie proprement dite, alors que le Pâtissier d'hôtel ou de restaurant prépare aussi tous les entremets de cuisine. EXEMPLE: crèmes au caramel, crêpes, puddings, etc.

■ LE COMMUNARD

Le Communard prépare la nourriture du Personnel (Office). Dans les établissements où l'effectif du personnel ne nécessite pas l'emploi d'un Communard, ce travail est effectué par le Rôtisseur.

■ LE TOURNANT

Le Tournant remplace les Chefs de partie, lorsqu'ils sont de repos (se reporter au tableau des jours de congé).
● NOTA. Le problème des jours de repos ne se pose pas, bien entendu, dans les restaurants ayant un jour de fermeture hebdomadaire.
Dans les brigades très importantes plusieurs Tournants sont nécessaires: Chefs de Partie et Commis.

RÉPARTITION DU TRAVAIL TRADITIONNEL

Il est bien entendu que cette carte est un ensemble de propositions faites au client, ce qui le laisse libre de son choix. Donc, le travail à exécuter finalement est fonction des désirs de la clientèle et de son importance.

HORS-D'ŒUVRE
SÉLECTION DE HORS-D'ŒUVRE • MELON FRAPPÉ AU PORTO GRAPE FRUIT COCKTAIL • SAUMON FUMÉ DE HOLLANDE SAUCISSON D'ARLES • JAMBON DE BAYONNE

POTAGES
CONSOMMÉ DOUBLE AUX PAILLETTES • CRÈME DE VOLAILLE POTAGE PARISIEN • SAINT-GERMAIN AUX CROUTONS

ŒUFS
OMELETTE AUX FOIES DE VOLAILLE • ŒUFS COCOTTE AU JUS ŒUFS BROUILLÉS PORTUGAISE • ŒUFS POCHÉS HENRI IV

PATES
SPAGHETTI A L'ITALIENNE

POISSONS
SUPRÊME DE BARBUE GALIERA

TURBOT POCHÉ HOLLANDAISE • FILETS DE SOLE DUGLÉRÉ MERLAN FRIT EN COLÈRE • ROUGET GRILLÉ MAITRE D'HOTEL RAIE AU BEURRE NOIR • TRUITE AU BLEU TRUITE MEUNIÈRE AUX AMANDES • COQUILLE DE TURBOT VICTORIA

ENTRÉES
SPECIAL INDIAN CHICKEN CURRY

FOIE DE VEAU A L'ANGLAISE • ESCALOPE DE VEAU ZINGARA CERVELLE AU GRATIN • RIS DE VEAU BRAISÉ AUX ÉPINARDS FILET MIGNON CHASSEUR • COTE DE PORC CHARCUTIÈRE TOURNEDOS MASCOTTE • NOISETTES D'AGNEAU A L'ESTRAGON STEAK AU POIVRE

GRILLADES
MUTTON CHOP • STEAK • FILET GRILLÉ • COTE DE PORC COTES D'AGNEAU • MIXED-GRILL • CHATEAUBRIAND

ROTIS
VOLAILLE • CARRÉ D'AGNEAU

BUFFET FROID
JAMBON D'YORK • ROASTBEEF • VOLAILLE: L'AILE, LA CUISSE ASSIETTE ANGLAISE

LÉGUMES
CHOUX-FLEURS SAUTÉS • TOMATES SAUTÉES FINES HERBES ÉPINARDS AU BEURRE • CHAMPIGNONS PROVENÇALE HARICOTS VERTS • COURGETTES MEUNIÈRE • PETITS POIS ARTICHAUT SAUCE HOLLANDAISE • CÉLERIS BRAISÉS

ENTREMETS
SOUFFLÉ AUX LIQUEURS • POT DE CRÈME VANILLE OU CHOCOLAT CRÈME AU CARAMEL • COUPE JACK • PÊCHE CARDINAL POIRE HÉLÈNE • BANANES FLAMBÉES • PATISSERIES FINES GLACES PANACHÉES • VACHERIN PRINCESSE

MISE EN PLACE GÉNÉRALE	MISE EN PLACE INVARIABLE	TRAVAIL A EXÉCUTER
DU SAUCIER	Fond de veau lié Sauce tomate Tomate concassée Sauce béchamel Glace de viande Champignons tournés Pommes cocotte Lames de truffe	**SUR TABLE** **CONFECTION PLAT DU JOU ET DIVERS** **AU BAIN-MAI**
DU ROTISSEUR	Préparation des volailles, des gibiers « pendant la saison ». Préparation de toutes les pommes de terre traitées par la friture. Mie de pain fraîche. Beurre Maître d'Hôtel. Cresson.	**SUR TABLE**
DE L'ENTREMÉTIER	**LÉGUMES CUITS** Artichauts Fonds d'artichauts Carottes à l'Anglaise Céleris braisés Choux-fleurs Epinards Haricots verts Petits pois Riz créole Spaghetti Tomate concassée Pommes en robe des champs **LÉGUMES CRUS** Champignons. Courgettes. Tomates **POTAGES** Consommé. Purée Saint-Germain **ŒUFS** Œufs pochés	**SUR TABLE** **AU BAIN-MAI**
DU POISSONNIER	Fumet de poisson Velouté de poisson Sauce Américaine Pommes de terre tournées (pommes à l'Anglaise) Truffes Champignons tournés	**SUR TABLE** **AU BAIN-MAI** **HORS DU BAIN-MARIE**

MISE EN PLACE VARIABLE	TRAVAIL A EXÉCUTER EN COURS DE SERVICE
rsil en branches et haché (fourni par le Rôtisseur). lienne de jambon, de langue écarlate, de champignons et de truffes ournie par le Garde-manger sauf la julienne de champignons), pour s escalopes Zingara. lienne de cornichons, pour les côtes de porc charcutière. uilles d'estragon blanchies, pour les noisettes d'agneau. halotes ciselées. Champignons émincés. Gruyère râpé.	Envoyer au début du service le plat du jour à la voiture: Foie de veau à l'Anglaise Filet mignon chasseur Tournedos Mascotte Ris de veau braisé aux épinards Cervelle au gratin Escalope de veau Zingara Noisette d'agneau à l'estragon Steak au poivre Côte de porc charcutière
icken curry. Riz Pilaff. rniture chasseur (pour l'Entremétier « omelette chasseur »).	
uce tomate Fond de veau lié uce béchamel Glace de viande	Fournir au fur et à mesure des commandes la garniture « Foies de volaille » pour les omelettes
rsil en branches, pour les poissons grillés et frits. esson, pour les grillades et les rôtis. trons historiés, pour les poissons grillés et frits, éventuellement pour s gibiers « pendant la saison ». urre Maître d'Hôtel, pour les rougets et les grillades. tites tomates et têtes de champignons, pour les Mixed-grill. mmes de terre: Pont-Neuf, paille, allumettes, chips, soufflées, pour s grillades et les rôtis.	Poulet rôti Filet grillé Mutton-chop Chateaubriand Mixed-grill Steak Côtes d'agneau Merlan frit en colère Côte de porc Rouget Tremper les pommes frites au fur et à mesure des besoins.
illettes (fournies par le Pâtissier), pour le consommé rsil en branches et haché (fourni par le Rôtisseur) outons, pour le Saint-Germain uyère râpé rsillade	Servir les potages à la commande (ils sont parfois maintenus au chaud dans des bains-marie à la salle). Préparer les œufs: omelettes, œufs brouillés, œufs cocotte, œufs pochés, au fur et à mesure des commandes.
tage Parisien nsommé double ème de volaille nt-Germain mate concassée, pour les œufs brouillés mmes purée, pour les côtes de porc	Préparer les choux-fleurs sautés, les épinards au beurre, les haricots verts, les petits pois, les tomates sautées fines herbes, les champignons provençale, les courgettes meunière, les spaghetti aux tomates fraîches, les artichauts chauds dont la sauce est fournie par le Poissonnier.
halotes et oignons ciselés rsil en branches et haché (fourni par le Rôtisseur) ge pour les truites au bleu lienne de laitue, de truffes et de champignons, pour les suprêmes de rbue Galiera. pres. Lames de truffe. Jus de citron. Citrons pelés à vif. Citrons can- és. Citrons historiés. Amandes effilées.	Cuisson des poissons au fur et à mesure des commandes: Turbot poché Raie au beurre noir Truite au bleu Filet de sole Dugléré Truite aux amandes Coquille de turbot Victoria Suprême de barbue Galiera
outé de poisson uce Américaine mmes à l'Anglaise	
-dessus du fourneau) Sauce Hollandaise. Sauce Béarnaise.	

MISE EN PLACE GÉNÉRALE	TRAVAIL A EXÉCUTER HORS DU SERVICE	
	MISE EN PLACE INVARIABLE ET VARIABLE en fonction de certaines préparations occasionnelles	
	PIÈCES DE VIANDES PARÉES, VOLAILLES, ABATS, STOCKÉS EN CHAMBRE FROIDE	Selle d'agneau pour mutton-chops, noisette d'agneau Carré d'agneau pour côtes d'agneau, mixed-grill Carré de porc pour côtes de porc charcutières et grillées Contrefilet pour steaks Filet de bœuf pour tournedos, filet Noix de veau pour escalopes Foie de veau Poulets Rognons de mouton pour mixed-grill Bacon. Chipolatas
	ABATS CUITS	Cervelles Ris de veau
DU GARDE-MANGER	**BUFFET FROID (viandes cuites, charcuterie)**	Jambon d'York Poulet froid Saucisson d'Arles Foie gras à la gelée Jambon de Bayonne Viandes froides assc
	POISSONS CRUS (stockés dans un coffre à poissons)	Filets de sole Tronçons de turbot Truites mortes Rougets Filets de barbue Merlans Truites vivantes (en vivier)
	POISSONS CUITS	Portions de raie pochée « Desserte de turbot »
	POTAGE FROID	Consommé (préparé par l'Entremétier)
	SAUCE FROIDE	Sauce Mayonnaise

	MISE EN PLACE INVARIABLE	**MISE EN PLACE VARIABLE**
DU PATISSIER	Variétés de glaces Meringues Vacherins Crème pâtissière	Compotes de fruits Crèmes au caramel Sauce chocolat Pêches pochées Pots de crème vanille et chocolat Garniture des coupes Jack Sauce Melba Assortiment de pâtisserie

TRAVAIL A EXÉCUTER AVANT LE SERVICE	TRAVAIL A EXÉCUTER EN COURS DE SERVICE	
	Transmettre les marchandises nécessaires dans chaque partie au fur et à mesure des commandes annoncées par le Chef.	
	SAUCIER	Foie de veau, filet mignon, cervelle, escalope, tournedos, côte de porc, noisette d'agneau, ris de veau.
...sser au Saucier les quarts de volaille pour le ...t du jour et les foies de volailles pour la ...rniture chasseur des omelettes. Préparer le ...ffet froid qui sera envoyé à la salle au début ... service.	**ROTISSEUR**	Poulet à rôtir, mutton-chop, mixed-grill, côtes d'agneau, filet, steak, côte de porc, rouget, merlan.
	POISSONNIER	Tronçon de turbot, desserte de turbot, raie, truite morte, truite vivante, filet de sole, filet de barbue.
	ENTREMÉTIER	Le Garde-manger ne passe rien à l'Entremétier pendant le service. Celui-ci se charge lui-même de son approvisionnement.
	● **NOTA.** Les hors-d'œuvre sont préparés à la salle par le « Trancheur ». Lorsque l'établissement ne possède pas de Trancheur, ce travail est alors exécuté par le Garde-manger.	
...oyer à la salle l'assortiment de pâtisserie ... compotes de fruits.	Envoyer au fur et à mesure des commandes: Crèmes au caramel Coupes Jack Pêches Cardinal Vacherins Princesse Bananes flambées (préparées en pâtisserie, flambées à la salle) Pots de crème vanille et chocolat Poires Hélène Glaces panachées Meringues Chantilly	

SCHÉMATISATION ADAPTÉE DU TRAVAIL

● 1. SCHÉMA D'UNE ORGANISATION TRADITIONNELLE

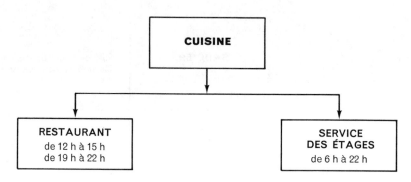

● **NOTA.** Tout est conçu et part de la cuisine

● **NOTA.** Le service des petits déjeuners est assuré en grande partie par la caféterie

● 2. SCHÉMA D'UNE ORGANISATION ADAPTÉE AUX NOUVEAUX MODES DE RESTAURATION

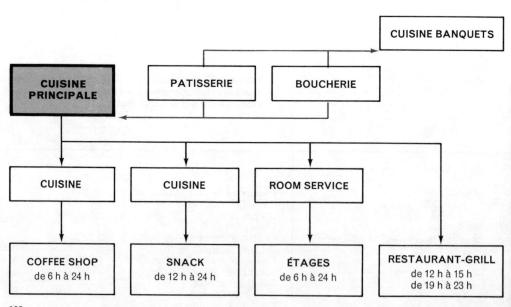

● 3. ROLE DE LA CUISINE PRINCIPALE AU SEIN DU COMPLEXE

La cuisine principale élabore l'essentiel du travail, qu'elle répercute en fonction des besoins, sur des cuisines satellites propres aux différents points de vente.

■ A. TRAVAIL EFFECTUÉ A LA CUISINE PRINCIPALE

● **Hors du service :** Elaboration de tous les plats du jour utiles aux différents restaurants ; toutes les sauces : béarnaise, hollandaise, brunes ou blanches ; ainsi que les potages et les légumes.
● **Pendant le service :** Réalisation des commandes « Carte » du restaurant.
Le Grill effectue les grillades : poissons et viandes ; les petits rôtis : carré d'agneau, caneton, poulet de grain, etc.

■ B. TRAVAIL EFFECTUÉ AU COFFEE SHOP

PETITS DÉJEUNERS

● « Petite carte avec différents sandwiches, en plus MENU SUGGESTION BUFFET FROID »
● Breakfast dès 6 heures le matin. L'ouvrier responsable fait ensuite la sortie d'économat.
● A 11 heures, il prend livraison en cuisine principale des plats du jour, viandes parées, légumes, potages, fromages, fruits et pâtisserie, en échange de bons de commande établis par ses soins. Il assure le service du déjeuner.
● L'ouvrier qui arrive à 15 heures complète la mise en place pour le soir et assure le service.
● Le cuisinier qui assure la fermeture prépare la mise en place en marchandise du breakfast du lendemain matin. Ex.: œufs, bacon, jambon, saucisses, etc.

■ C. TRAVAIL EFFECTUÉ AU SNACK

● « Carte appropriée avec plats du jour (service rapide) »
● L'ouvrier responsable, à 9 h. 30, établi son bon d'économat, fait ses sorties, prépare sa mise en place pour le déjeuner à 11 heures en cuisine principale, prend livraison des plats du jour, viandes parées, légumes, potages, fromages, fruits et pâtisserie en échange de bons de commande. Il assure le service du déjeuner — même processus pour le dîner lorsqu'il reprend son travail à 17 heures.

■ D. TRAVAIL EFFECTUÉ AU ROOM SERVICE

● « Petits déjeuners, petite carte pour les déjeuners et les dîners servis en appartement »
● L'ouvrier du matin assure le breakfast pour les chambres ; dès que le travail devient moins intense, il établit son bon d'économat auquel il ajoute en fonction de ses besoins : céréales, cafés, jus de fruits, etc. Il prépare sa mise en place pour le déjeuner.
● L'ouvrier, de service le soir, vérifie la mise en place sans oublier celle du breakfast du lendemain matin : œufs, bacon, jambon, saucisses, etc. Il assure le service du dîner.

■ E. TRAVAIL EXÉCUTÉ PAR LA « CUISINE BANQUETS »

● « Repas commandés, déjeuners et dîners, réceptions, cocktails, buffets froids, etc. »
● La « cuisine banquets » réalise intégralement toutes ses commandes sans l'aide de la « cuisine principale ».
● Les marchandises employées pour chacune des commandes sont portées à la connaissance du « Cost Contrôle » qui immédiatement est en mesure d'établir le « Food Cost » (rendement) propre aux différents points de vente.

■ F. ROLE DU BOUCHER

● Le Boucher prend connaissance de tous les besoins, en fonction des cartes et menus, sans oublier les banquets.
● Il passe les différentes pièces prêtes à l'emploi (pesées) aux intéressés.

■ G. ROLE DES PATISSIERS

● Les Pâtissiers prennent connaissance de tous les besoins, sans oublier les réceptions et banquets.
● Ils assurent la fourniture des gros gâteaux et des petites pièces, glaces, sorbets, etc., pour tous les points de vente, ainsi que des petits fours secs et frais, fruits déguisés, etc., sans oublier la fourniture-cuisine : fleurons, paillettes, etc. contre remise de bons.

■ H. ROLE DU CHEF

● Le Chef est secondé pour une partie de ses tâches administratives par deux adjoints :
— un à la « CUISINE PRINCIPALE ».
— un à la « CUISINE BANQUETS ».
● Celui de la **cuisine principale,** fait toutes ses commandes sur des bordereaux différents : volaille, poisson, boucherie, épicerie, crémerie, cave, etc.
● Celui de la **cuisine banquets,** relève avec exactitude, sur des bons de transfert, toutes les fournitures faites par la cuisine principale aux différents points de vente.
Toute cette documentation est ensuite exploitée par le « Cost Contrôle » pour établir le « Food Cost ».

REMARQUE :

En raison des heures d'ouverture et de fermeture des différents points de vente « Restaurants », le Chef est obligé de prévoir un planning très particulier des heures de travail, la majorité des ouvriers est amenée à faire la « journée continue ».

LEXIQUE DES TERMES PROFESSIONNELS

A BAISSER
Donner, à l'aide d'un rouleau à pâtisserie (ou d'un laminoir), une épaisseur plus ou moins fine à une pâte (à foncer, brisée, feuilletée, etc.).

ABRICOTER
Etaler sur une génoise ou sur une tarte (aux fruits) une légère couche de marmelade (finement **tamisée**) ou de confiture (légèrement **détendue** de sirop ou parfois de kirsch) d'abricots, soit en la versant sur la surface, soit en l'étalant à l'aide d'un pinceau ou d'une spatule en acier.

ACCOMMODER
Préparer un mets de manière à le conditionner pour sa mise en cuisson et son assaisonnement.

ACIDIFIER
Adjoindre à une préparation un jus de citron ou du vinaigre.

ACIDULER
Rendre une préparation légèrement acide, aigre ou piquante, par une adjonction en faible quantité de jus de citron ou de vinaigre.

AFFUTER
Rendre plus tranchant le fil de la lame d'un couteau, en le passant sur une meule (affûteuse).

AIGUISER
Rendre aigu, plus tranchant, le fil d'une lame d'un couteau.

APLATIR
Rendre plus mince, à l'aide d'une batte à côtelettes, différentes petites pièces (entrecôte, escalope, noisette, filet de poisson, etc.), afin de rompre les fibres musculaires et d'en faciliter la cuisson, ainsi que de les attendrir relativement.

APPRÊTER
Même définition qu'ACCOMMODER.

AROMATISER
Parfumer, à l'aide d'une liqueur, une pâtisserie, une crème, un appareil, ou à l'aide d'un aromate un mets de cuisine.

ARROSER
Verser, à l'aide d'un pochon, d'une louche ou même d'une cuillère, un jus, une sauce ou un beurre fondu, sur une préparation en cuisson ou terminée (viande, volaille, poisson, ou autre élément, etc.).

ASSAISONNER
Donner du goût, de la saveur, à une préparation culinaire, en la rendant plus agréable avec divers ingrédients: sel, poivres, épice, etc.

ATTENDRIR
Rendre moins fermes les viandes de boucherie et de gibier, en les laissant séjourner (**« rassir »**) quelques jours en chambre froide.

B ARDER
Recouvrir (en partie) une viande de boucherie, la poitrine (filets) d'une volaille et d'un gibier à plume, avec une tranche fine de lard gras (barde) maintenue à l'aide d'une ficelle, afin de les protéger de la chaleur trop vive du four et de les « nourrir » en graisse pendant leur cuisson.

BEURRER
- a) Incorporer, hors du feu, par petites quantités, du beurre à une sauce, en donnant en même temps au récipient un mouvement de rotation sur lui-même, ou, selon la quantité de sauce, à l'aide d'une petite louche à sauce ou d'une cuillère à potage.
- b) Adjoindre du beurre cru à un potage terminé.
- c) Enduire de beurre fondu, à l'aide d'un pinceau, un papier sulfurisé utilisé pour protéger certaines préparations (filets de poisson, légumes étuvés ou braisés, etc.) pendant leur cuisson au four, afin d'éviter aux aliments en traitement de coller au papier et de les protéger de la chaleur.
- d) Enduire aussi de beurre fondu ou ramolli, à l'aide d'un pinceau, le fond et les parois d'un moule, d'un cercle à tarte, d'une plaque à pâtisserie, afin d'éviter aux

165

pâtes, aux crèmes et aux appareils de s'y attacher pendant leur cuisson, et d'en faciliter ensuite le démoulage.

- e) Enduire également de beurre fondu ou ramolli certains plats et récipients de cuisson ou de dressage, avant d'y mettre les aliments traités ou non, afin qu'ils n'attachent pas au fond: cuissons à court-mouillement (filets et poissons en sauce) et pour réchauffer **(étuver)** certains légumes cuits ou autres préparations.

BLANCHIR

Mettre à l'eau froide des aliments et les porter à ébullition pendant 3 à 4 minutes selon les variétés. Rafraîchir ensuite à l'eau courante pour certains.

- a) On blanchit certains légumes pour supprimer en partie leur âcreté: chou vert, oignon, salade, etc.
- b) On blanchit également: tête de veau, ris de veau et d'agneau, pied de veau et d'agneau, etc., pour les épurer et raffermir leur chair, ainsi que la volaille, la viande et les os devant être pochés pour les fonds blancs, les consommés, les pot-au-feu, etc.
- c) On blanchit aussi les lardons (lard de poitrine salée) pour enlever l'excès de sel, avant de les faire **sauter.**
- d) Correspond aussi pour certains légumes à une cuisson complète, principalement pour les légumes verts: épinards, haricots verts, petits pois, etc.
- e) On blanchit les pommes de terre (tournées) avant de les **rissoler,** afin d'éliminer une partie de leur fécule et de faciliter ainsi leur cuisson dans la matière grasse. Ces pommes de terre ne sont pas rafraîchies après leur blanchiment.
- f) **Travailler** vigoureusement ensemble à l'aide d'une spatule en bois, des jaunes d'œuf et du sucre en poudre pour la réalisation de différents apprêts de pâtisserie (crème anglaise, crème aux œufs, etc.). Au fur et à mesure du mélange, la composition devient plus pâle (elle blanchit) et légèrement mousseuse.

BLONDIR

- a) Faire légèrement «dorer» (à peine colorer), une substance dans un corps gras (beurre, huile, etc.).
- b) Faire colorer également la farine dans le beurre fondu, pour la confection du roux blond.

BOUILLIR

Porter à ébullition un liquide (eau, fond blanc, fond brun, sauce, lait, etc.), afin de cuire les aliments qui y sont plongés.

BRAISER

Cuire longuement à four doux et à court-mouillement divers aliments et préparations: chou vert, endive, laitue, etc., viande de boucherie (aiguillette, daube, jambon, etc.), dans un récipient fermé hermétiquement (braisière), afin d'éviter une évaporation trop rapide et d'obtenir en fin de cuisson un fond (sauce) concentré et sapide.

BRIDER

Maintenir le long du corps les pattes et les ailes des volailles et des gibiers à plume, en passant au travers du corps, à l'aide d'une aiguille à brider, une ou deux brides de ficelle.

C ANNELER

Pratiquer de petites cannelures peu profondes à l'aide d'un couteau à canneler (ou canneleur), sur la surface de certains légumes et fruits (carotte, citron, orange).

CARAMÉLISER

- a) Enduire intérieurement de caramel un moule, en lui imprimant rapidement un mouvement circulaire.
- b) Ajouter à une crème ou à un appareil (de pâtisserie) du sucre cuit « au caramel ».
- c) **Saupoudrer** de sucre glace une pâtisserie ou un entremet (beignets aux pommes, polkas, puits d'amour, etc.), et d'en cuire (caraméliser) la surface à l'aide d'un « caraméliseur électrique », ou simplement par cuisson du sucre au four ou à la salamandre.

« CHATRER »

Retirer le boyau central (intestin) des écrevisses avant de les cuire. Cette opération se pratique en tirant avec les doigts la « lamelle » médiane de la queue, qui entraîne avec elle ce boyau.

CHEMISER

- a) Appliquer et faire prendre, contre les parois intérieures d'un moule, une couche plus ou moins épaisse de crème ou de glace, afin de remplir ensuite le centre du moule avec un autre appareil ou une autre glace.

b) Garnir le fond et les parois d'un moule avec des biscuits à la cuillère, des croûtons de pain de mie, des abaisses de génoise (charlottes...), etc.

c) Enduire et faire prendre de la gelée sur le fond et les parois d'un moule, ou recouvrir entièrement une préparation froide.

CHIQUETER Marquer de légères entailles, à l'aide de la pointe (côté tranchant de la lame) d'un couteau d'office ou d'un petit couteau, les bords de différentes abaisses de pâtes feuilletées (allumette, bande de tarte, tourte, vol-au-vent, etc.), afin d'en agrémenter la présentation et d'en faciliter la montée verticale en cours de cuisson.

CISELER
- **a)** Faire de légères entailles peu profondes sur la chair d'un gros poisson, afin d'en faciliter la cuisson (meunière, grillé).
- **b)** Réduire en menus morceaux de l'oignon et de l'échalote par des incisions successives verticales et horizontales, à l'aide d'un couteau à lame fine (de préférence à filets de sole).

CITRONNER
- **a)** Frotter la surface de certains aliments (céleri-rave, fonds d'artichaut, etc.) à l'aide d'un demi-citron, afin d'éviter qu'ils noircissent au contact de l'air ou pendant leur cuisson.
- **b)** Adjoindre ou arroser d'un jus de citron un aliment ou une préparation en voie de finition.

CLARIFIER
- **a)** Rendre clair (limpide) un consommé, une gelée, en les soumettant à une chaleur progressive avec du maigre de bœuf haché et des blancs d'œuf (éléments de clarification), et une garniture aromatique.
- **b)** Faire fondre doucement du beurre sans y toucher, sur le coin du feu ou au bain-marie, afin d'en éliminer les impuretés qui remontent à la surface sous forme d'écume, et le petit lait qui se dépose au fond du récipient. Après ces différentes opérations, le beurre, maintenu tiède, a l'aspect de « l'huile ».
- **c)** Séparer soigneusement le blanc du jaune d'œuf sans crever celui-ci, de manière à obtenir un blanc exempt de jaune.

CLOUTER Introduire:
- **a)** sur la surface d'une viande de boucherie, d'une volaille, d'un gibier, d'un gros poisson, de menus morceaux de jambon cuit, de truffe, de langue écarlate, de filets d'anchois, etc., coupés en forme de cheville (clou);
- **b)** dans un oignon destiné à une garniture aromatique (blanquette de veau, fond blanc, etc.), un ou plusieurs clous de girofle.

COLLER
- **a)** Adjoindre et dissoudre de la gélatine ramollie dans un consommé, une gelée (ordinaire ou de fruits), un appareil (bavarois), une mayonnaise, afin de leur donner une consistance plus ou moins poussée selon leur utilisation.
- **b)** Souder avec de la gelée fondue — afin de décorer la surface de certaines préparations froides (aspic, jambon, œuf, poisson, etc.) — des motifs découpés prélevés sur des lamelles de truffe, de blanc et de jaune d'œuf cuits au bain-marie, ou de feuilles d'estragon, de persil, de poireau, de cresson, etc., et autres éléments colorés.

COLORER Donner de la couleur, à l'aide de colorants végétaux, à des préparations différentes: consommé, sauce, crème, appareil, pâtisserie, etc.

COMPOTER Réduire une préparation en « bouillie », en marmelade (oignons, pipérade, poivrons etc.).

CONCASSER
- **a)** Diviser en petits dés la chair de tomate (**mondée** au préalable).
- **b)** **Hacher** grossièrement du persil.
- **c)** Couper en menus morceaux les os de boucherie, de volaille, de gibier et les arêtes de poisson.
- **d)** Casser grossièrement en morceaux de la glace vive.

CONDIMENTER Réhausser, à l'aide d'épices et de condiments, les préparations culinaires, afin de leur donner du goût.

CONFIRE

a) Conserver dans du sucre, de l'alcool, du vinaigre, divers fruits et légumes.

b) Conserver dans leur propre graisse après cuisson lente et prolongée, de l'oie ou du porc. Ex.: confit d'oie.

CONTISER

Placer d'une manière visuelle, dans de légères incisions pratiquées sur la surface des filets d'une volaille, d'un gibier ou d'un poisson, des truffes ou autres éléments découpés en forme de crête.
Ces éléments sont au préalable trempés dans le blanc d'œuf, dans le but de les fixer au cours de la cuisson. Ils sont disposés régulièrement en alignement ou en quinconce.

CORNER

Ramasser (récupérer entièrement), à l'aide d'un ustensile en corne, comme la définition l'indique (ou plus fréquemment en matière plastique), une pâte, un appareil ou une crème, afin d'en utiliser le maximum, ou pour éviter qu'ils se dessèchent sur les parois du récipient.

CORSER

Donner à une préparation plus de saveur, de goût et d'arôme, par adjonction de diverses substances, ou par réduction.

COUCHER

Disposer régulièrement sur une plaque à pâtisserie, avant leur cuisson, une pâte à choux (choux, éclairs, etc.), un appareil à petits fours, une pomme duchesse, etc., en les poussant à l'aide d'une poche à décorer munie d'une douille unie ou cannelée, en leur donnant la forme appropriée à leur dénomination.

CRÉMER

Ajouter de la crème fraîche à un potage, à une sauce ou à un autre apprêt.

CREVER

Faire **bouillir** à l'eau du riz pendant 2 à 3 minutes, afin d'éliminer en partie l'amidon qu'il contient, pour faciliter sa cuisson.
Méthode employée en pâtisserie pour la cuisson du riz au lait.

D ÉBRIDER

Retirer, après la cuisson, les ficelles (brides) qui maintenaient les pattes et les ailes d'une volaille et d'un gibier à plume.

DÉCANTER

a) Eliminer délicatement du beurre **clarifié**, à l'aide d'une cuillère ou d'une petite écumoire, l'écume qui se trouve à la surface, et transvaser doucement dans un autre récipient le beurre, afin d'en retirer le petit lait qui s'est déposé au fond.

b) Transvaser une sauce ou une viande en sauce (sauté) du récipient de cuisson dans un autre, en éliminant la garniture aromatique. Ex.: blanquette, navarin, bourguignon, fond brun, fond blanc, etc.

DÉCORER

Agrémenter un entremet ou une pièce de pâtisserie avec différents éléments (amandes, blancs d'œuf en neige, fruits confits, nougatine, etc.), ainsi qu'une préparation culinaire avec: truffe, œuf, tomate, laitue et autres éléments décoratifs.

DÉGLACER

Faire dissoudre à l'aide d'un liquide (vin blanc ou vin rouge, Cognac, Madère, Porto, fond etc.) les sucs caramélisés en cours de cuisson au fond du récipient. Ex.: tournedos, rôtis etc. dans le but d'obtenir un jus ou une sauce d'accompagnement personnalisés.

DÉGORGER

a) Laisser tremper à l'eau courante pendant un certain temps différents aliments (viande, volaille, triperie, poisson, etc.), afin d'éliminer en partie les impuretés (principalement le sang).

b) Eliminer de certains légumes (concombre, chou, etc.) une partie de leur eau de végétation, en les saupoudrant de sel.

DÉGUISER

a) Enrober de fondant et de chocolat des cerises à l'eau de vie.

b) Enrober de fondant de couleur appropriée des cerises, des cassis, des raisins, etc.

c) Enrober de sucre cuit et de pâte d'amandes un assemblage de fruits. Ex.: pruneaux, dattes, amandes, cerises, poires.

DÉLAYER

Répartir une substance dans un liquide.

DÉMOULER

Retirer délicatement d'un moule ou autre récipient une préparation culinaire ou de pâtisserie chaude ou froide.

DÉNERVER	Eliminer les nerfs d'une viande ou les tendons d'une volaille (dinde, coq, poule).
DÉNOYAUTER	Eliminer, à l'aide d'un instrument spécial (dénoyauteur ou énoyauteur), les noyaux de certains fruits, afin de ne pas les abîmer (cerises, olives, etc.).
DÉPOUILLER	● a) Retirer, à l'aide d'une louche ou d'une écumoire, toutes les impuretés qui remontent (sous forme d'écume) à la surface d'une sauce, au cours d'une ébullition lente et prolongée. ● b) Retirer la peau d'un lapin, d'un gibier à poil.
DÉSARÊTER	Eliminer à cru): l'arête principale des poissons traités entiers: turbot, turbotin, sole, merlan, etc.
DESSÉCHER	● a) **Travailler** vigoureusement sur feu vif une pâte à choux (avant incorporation des œufs), à l'aide d'une spatule en bois, jusqu'à ce qu'elle se détache des parois et du fond du récipient de cuisson. ● b) Eliminer l'exédent d'eau.
DÉSOSSER	Eliminer les os d'une viande de boucherie, d'une volaille, d'un gibier à poil, etc., crus ou cuits.
DÉTENDRE	**Relacher** un appareil, une pâte, une confiture, une préparation culinaire, en y ajoutant un liquide ou une autre substance appropriée.
DÉTREMPER	Faire absorber à une farine une quantité déterminée d'eau, de lait ou d'œuf.
DORER	Badigeonner la surface d'une pâte à l'aide d'un pinceau trempé dans de l'œuf battu (dénommé « dorure »), afin d'en favoriser la coloration en cours de cuisson.
DOUBLER	Mettre une deuxième plaque à pâtisserie sous celle utilisée à la cuisson, afin d'éviter aux pièces en traitement de trop colorer dessous.
DRESSER	Disposer harmonieusement sur les plats de service, en vue de leur présentation, les préparations de cuisine ou de pâtissere.
É BARBER	● a) Supprimer, à l'aide d'une paire de ciseaux (ou à défaut d'un couteau), les nageoires d'un poisson. ● b) Enlever les petites arêtes circulaires « barbes » des poissons plats cuits, servis entiers: sole, turbot, barbue, etc. ● c) Eliminer les filaments de blanc coagulé sur les œufs pochés, qui nuisent à leur dressage et à leur présentation.
ÉCAILLER	Enlever les écailles d'un poisson.
ÉCALER	Retirer les coquilles des œufs durs et mollets.
ÉCORCHER	Retirer (arracher) la peau d'une anguille.
ÉCOSSER	Extraire de leur cosse, les petits pois, les haricots, les fèves, etc.
ÉCUMER	Eliminer, à l'aide d'une écumoire (ou à défaut d'une louche ou d'une cuillère), l'écume qui se forme à la surface d'une préparation liquide en ébullition.
EFFILER	Couper en lamelles très fines, dans le sens de la longueur, des amandes, des pistaches, à l'aide d'un couteau d'office (ou d'un petit couteau).
ÉGOUTTER	Mettre dans un chinois, dans une passoire ou sur un tamis, un légume, un fruit ou autre élément culinaire crus ou cuits, afin d'en éliminer goutte à goutte l'excès d'eau qu'ils contiennent, après les avoir lavés ou blanchis ou rafraîchis.
ÉGRAPPER	Séparer de la rafle (pédoncule et pédicelles) les grains de raisin, de groseille, de cassis.
EMBROCHER	Enfiler sur une broche une volaille, un gibier, afin de les rôtir sur toutes les faces en les tournant devant un feu.

169

ÉMIETTER

Réduire en petites parcelles (miettes) certains aliments: chair de poisson (cuit), pain (de mie), biscuits, etc.

ÉMINCER

Couper **(tailler)** en lamelles plus ou moins grosses des légumes: carotte, navet, poireau, pomme de terre, etc.; des fruits: poire, pomme, etc.; de la viande , etc.

ÉNOYAUTER

Même définition que DÉNOYAUTER.

ENROBER

- a) Tremper dans une pâte à frire un aliment, afin de le recouvrir après cuisson d'une enveloppe protectrice et croustillante.
- b) Recouvrir de chocolat, de fondant ou autre substance, certaines préparations de pâtisserie.

ÉPLUCHER

Eliminer la partie non comestible des légumes et des fruits. (Ce terme s'applique improprement aux champignons, aux haricots verts.)

ÉPONGER

Débarrasser de toute humidité, après les avoir **égouttées** ou lavées, certaines denrées: légumes, poissons, viandes, etc.

ESCALOPER

Détailler de biais, en morceaux plus ou moins gros: fonds d'artichaut, champignons, etc., ainsi que viandes et poissons.

ÉTUVER

Cuire une viande, une volaille ou un légume, à couvert et à très court-mouillement.

ÉVIDER

Eliminer l'intérieur des pommes pour la confection des beignets, ou retirer la chair de certains fruits sans abîmer l'enveloppe pour la préparation des fruits givrés: ananas, citron, mandarine, orange, etc.; de légumes avant de les **farcir:** courgette, pomme de terre, tomate, etc.

EXPRIMER

Eliminer d'un fruit le jus et les semences: citron, orange, tomate, etc.

F ARCIR

Garnir l'intérieur de certaines préparations (viande de boucherie, volaille, gibier, poissons, légumes) avec des farces diverses: appareil, purée, salpicon, etc.

FARINER

- a) Passer dans la farine, avant de les cuire (meunière, frits, sautés), un poisson, une viande, une volaille, afin d'en faciliter la cuisson et la coloration.
- b) Passer dans la farine, avant de les **paner,** certaines préparations.
- c) **Saupoudrer** légèrement de farine un marbre (« tour »), en vue de **travailler** ou d'**abaisser** une pâte, afin de l'empêcher de coller après.
- d) **Saupoudrer** de farine une plaque ou un moule à pâtisserie, avant d'y mettre une pâte ou d'y verser un appareil.

FESTONNER

Garnir (orner) les bords d'un plat de service avec différents éléments décoratifs (gelée prise de forme variée, croûtons de pain de mie frits, citrons cannelés, etc.), en les disposant en feston (en « guirlande »).

FICELER

Entourer de quelques tours de ficelle une viande de boucherie, un poisson, un légume, afin de les maintenir pendant la cuisson.

FLAMBER

- a) Soumettre au contact d'une flamme, en les tournant constamment, une volaille ou un gibier à plume, afin de les débarrasser des embryons de plumes et du duvet qui subsistent encore après le plumage.
- b) **Arroser** d'alcool ou de liqueur un entremet (maintenu au chaud), au moment de le servir (bananes, crêpes, etc.). Ce travail est exécuté généralement devant les convives.
- c) Arroser d'un alcool — enflammer — une préparation pour sa finition ou la confection d'une sauce.

FLANQUER

Disposer de part et d'autre d'une pièce maîtresse (généralement une volaille ou un gibier) d'autres éléments plus petits de même nature.

FONCER	a) Mettre au fond d'un récipient, sous la pièce en traitement (viande de boucherie, volaille, gibier, triperie, légume braisé, poisson, etc.), une garniture aromatique, des os, de la couenne de porc, etc.
	b) Disposer au fond et sur les parois d'un moule ou d'un cercle à tarte, une abaisse de pâte feuilletée, de pâte brisée ou à foncer, etc.
FONDRE	Cuire à couvert avec beurre et sans mouillement certains légumes (oseille, laitue, etc.).
FOUETTER	Battre (mélanger) énergiquement, à l'aide d'un fouet à main ou électrique, un appareil, pour le rendre homogène ou des blancs d'œufs pour les monter en neige.
FOULER	Passer au chinois ou à l'étamine, en appuyant fortement, une sauce, une crème, etc.
FRAISER	Mélanger intimement les différents éléments qui composent une pâte (à base de beurre), en la fractionnant devant soi avec la paume de la main.
FRAPPER	a) Mettre une préparation glacée à une basse température, afin de la maintenir en état de conservation parfaite.
	b) Faire prendre des crèmes ou des appareils glacés, en les mettant dans un bain de glace vive pilée avec du sel et une quantité déterminée de salpêtre, en vue d'obtenir rapidement une température basse.
FRÉMIR	Ebullition presque imperceptible.
FRIRE	Cuire différents aliments en les plongeant dans un « bain » de friture (huile) chauffé à des températures variées, selon les préparations.
G LACER	a) Passer rapidement sous l'action d'une forte chaleur (salamandre), une préparation saucée (principalement de poisson), afin de former sur la surface une mince pellicule blonde.
	b) Recouvrir la surface de certaines pâtisseries (éclairs, choux, génoises, etc.) de fondant parfumé (café, chocolat, etc.) et parfois coloré.
	c) **Saupoudrer** et **caraméliser** de sucre glace un entremet ou une pâtisserie.
	d) Ranger des poissons frais dans des bacs ou des tiroirs spéciaux, garnis de glace vive concassée en morceaux, afin d'en assurer pour quelques jours leur conservation.
GRAISSER	Badigeonner, à l'aide d'un corps gras, la surface d'une plaque à pâtisserie, ou enduire l'intérieur d'un moule, afin de retirer ou de démouler plus facilement les pâtes après leur cuisson.
GRATINER	Faire colorer la surface de certaines préparations, avec du gruyère ou du parmesan râpé et très souvent avec le support d'une sauce Mornay, en présentant le plat quelques instants sous la salamandre (ou à défaut au four).
GRILLER	a) Cuire divers aliments sur un gril avec de l'huile, en les exposant à la chaleur directe d'un foyer (braise de charbon de bois ou de sarments de vigne, électrique, gaz ou infra-rouge).
	b) Mettre sur une plaque des amandes effilées ou hachées, et les passer au four en les remuant fréquemment, afin de les faire légèrement colorer.
H ABILLER	Préparer un poisson avant ces différents apprêts culinaires: **ébarber, écailler, vider** et laver. Ce dit aussi pour la volaille et le gibier à plume: **flamber, parer, vider, brider.**
HACHER	Réduire en petits morceaux, à l'aide d'un couteau ou d'un hachoir électrique ou d'un Cutter: persil, légume, viande, etc.
HISTORIER	a) Donner des formes et des présentations particulières à des citrons, des oranges, des légumes.
	b) Décorer (enjoliver) avec différentes figurines ou ornements des plats cuisinés.
I MBRIQUER	Disposer (décorer) harmonieusement sur la surface de certains mets (jambon, poisson, volaille, etc.), des lamelles de truffe découpées ou autre élément (jaune ou

blanc d'œuf cuits au bain-marie), en les recouvrant en partie à la manière des tuiles d'un toit ou des écailles d'un poisson.

IMBIBER   **Arroser** profondément un gâteau (baba, savarin, etc.) à l'aide d'une liqueur, d'un alcool ou d'un sirop, afin de le parfumer et de le rendre plus moelleux.

INFUSER   Mettre une substance quelconque dans un liquide bouillant, afin de le parfumer.

L ARDER   Introduire, à l'aide d'une lardoire, de gros bâtonnets de lard gras à l'intérieur d'une pièce de boucherie.

LEVER
- a) Retirer soigneusement, à l'aide d'un couteau à lame flexible, dit « filets de sole », les filets de poisson (barbue, merlan, sole, turbot, etc.).
- b) Prélever, à l'aide de cuillères spéciales, sur certains légumes (carottes, navets, pommes de terre, etc.), de petits morceaux réguliers de formes différentes : ovales, ronds (billes).

LIER   Donner à une sauce, à un potage, à une crème ou à un appareil une certaine consistance à l'aide de farine, de fécule, de jaune d'œuf, de sang, etc.

LIMONER   Mettre à l'eau courante cervelles, filets de poisson, etc., afin d'éliminer plus facilement les peaux, les pellicules, les parties sanguinolentes et le sang.

LUSTRER
- a) Donner du « brillant » à une préparation terminée, afin de la rendre plus présentable, en badigeonnant la surface à l'aide d'un pinceau imprégné de beurre clarifié.
- b) Recouvrir d'une mince pellicule de gelée une préparation froide.

LUTER   Fermer hermétiquement le couvercle d'un récipient à l'aide d'une pâte (dénommée « repère »), composée de farine et d'eau, afin que les éléments contenus dans le récipient cuisent sans évaporation et gardent leur saveur.

M ACÉRER   Mettre à tremper pendant un temps plus ou moins long certains éléments (fruits) dans un liquide (alcool, liqueur, vin), afin qu'ils s'imprègnent du parfum de celui-ci

MALAXER   **Travailler (pétrir)** une pâte ou un beurre, afin de les ramollir.

MANCHONNER   Dégager de la chair qui les recouvre l'extrémité de certains os (côte d'agneau, de veau, de porc, os de pilon et d'aile de volaille), afin d'obtenir une meilleure présentation et leur permettre de recevoir selon les cas une papillote ou un manchon au moment du dressage.

MANIER   **Pétrir** intimement du beurre avec de la farine (beurre manié).

MARINER
- a) Mettre à tremper dans une composition aromatique (dénommée marinade), pendant un temps déterminé, une viande de boucherie ou un gibier à poil, afin d'attendrir et de parfumer la chair.
- b) Mettre aussi dans une marinade courte et instantanée les poissons destinés à être grillés, afin de les **aromatiser.**

MARQUER   Préparer les éléments qui concourent à la réalisation d'un mets, avant sa cuisson complète.

MASQUER   Couvrir entièrement un élément quelconque d'une gelée, d'une crème, d'une sauce.

MERINGUER   Enduire de meringue une pâtisserie.

MIJOTER   Faire cuire doucement à petit feu.

MONDER   Eliminer la peau des tomates, des amandes, des pêches, des pistaches, etc., en les plongeant quelques secondes dans l'eau bouillante.

MONTER
- a) Battre **(fouetter)**, à l'aide d'un fouet à main ou électrique, des blancs d'œuf en neige, un appareil (génoise), etc., des jaunes d'œuf (hollandaise, béarnaise, mayonnaise, etc.).

● b) Ajouter du beurre par petites parcelles dans une sauce, en l'incorporant par un mouvement de rotation du récipient ou à l'aide d'une cuillère, ou d'une louche pour les quantités plus importantes.

MORTIFIER Laisser reposer **(rassir)** pendant quelques jours la viande de boucherie et de gibier avant leur emploi, afin d'**attendrir** leur chair.

MOUILLER Ajouter à une préparation, pour la cuire ou la confectionner, un liquide: eau, lait, fond blanc, fond brun, vins divers, etc.

MOULER Emplir un moule d'un appareil quelconque (liquide ou semi-liquide), afin que celui-ci, après cuisson ou refroidissement complet, prenne la forme du contenant.

NAPPER Couvrir **(saucer)** un mets de sa sauce d'accompagnement.

PANER Recouvrir entièrement un aliment de mie de pain fraîche ou de chapelure, après l'avoir passé « à l'anglaise » ou au beurre clarifié, avant de le **frire**, de le griller, ou de le **sauter.**

PARER ● a) Supprimer les parties non consommables d'une viande, d'un poisson, d'un légume, d'un fruit, etc. (crus ou cuits).

● b) Supprimer aussi (égaliser) les parties (bordures) qui nuisent à la présentation correcte d'une pâtisserie.

PASSER Faire traverser simplement ou par force, au travers d'un chinois, d'une étamine, d'une passoire ou d'un tamis, un liquide, une crème, une purée, une marmelade, une farce, etc., pour éliminer les parties non consommables, et obtenir une préparation plus fine.

PÉTRIR **Malaxer** une pâte, pour mélanger ses composants et la rendre homogène.

PILER Réduire à l'aide d'un pilon certaines substances en poudre, en pommade ou en purée.

PINCER ● a) Faire colorer **(saisir)** légèrement dans un corps gras: viande, os, légume, etc.

● b) Pratiquer sur « la crête » d'une tarte, à l'aide d'une pince à tarte, des petites cannelures.

PIQUER ● a) Introduire à l'aide d'une aiguille spéciale (« à piquer ») de petits bâtonnets de lard gras, en les alternant en quinconce sur la surface d'une viande (filet de bœuf, ris de veau, râble de lièvre, etc.).

● b) Faire des petits trous à l'aide d'un pic-vite (rouleau à piquer) ou d'une fourchette, la surface d'une pâte abaissée, afin d'empêcher les boursouflures (« cloques ») en cours de cuisson.

POCHER Cuire différents aliments (viande, volaille, poisson, fruits, etc.) dans un liquide (fond blanc, court-bouillon, sirop, etc.), par une cuisson légèrement « frémissante ».

POÊLER ● a) Cuire un aliment « à la poêle » avec beurre ou huile.

● b) Cuire aussi à couvert avec matière grasse, garniture aromatique, et court mouillement.

POUSSER ● a) Laisser gonfler (augmenter de volume) une pâte grâce à l'action d'une levure.

● b) Appuyer sur une poche à décorer emplie à moitié d'une pâte à choux ou d'un appareil à petits fours, afin d'en faire sortir ces préparations pour les disposer **(coucher)** sur une plaque à pâtisserie avant leur cuisson, et selon une forme propre à chacune d'elles.

QUADRILLER ● a) Donner aux préparations grillées (entrecôte, côtes diverses, escalope, volaille, poisson, légume, etc.) un quart de tour sur elles-mêmes pendant la cuisson, afin de marquer sur la surface un quadrillage à l'aide des barreaux du gril.

● b) Marquer, à l'aide du dos de la lame d'un couteau ou autre outil, un léger quadrillage sur la surface de certaines préparations. Ex.: escalope panée en vue de leur présentation.

R AFRAICHIR
- a) Refroidir rapidement à l'eau courante.
- b) Remettre en état de consommation ou de présentation un plat.
- c) Mettre au frais (réfrigérateur), un entremet, une crème, etc.

RAIDIR
Passer rapidement dans une matière grasse une viande, une volaille, afin d'en raffermir la chair sans la colorer.

RAPER
Réduire en poudre grossière ou fine, à l'aide d'une râpe à main ou électrique, divers aliments et substances (gruyère, parmesan, noix de muscade, etc.).

RASSIR
Laisser reposer pendant quelques jours la viande de boucherie avant son emploi, afin d'**attendrir** la chair.

RÉDUIRE
Faire évaporer en partie un liquide, une sauce, pour obtenir une concentration des sucs ou un épaississement.

RELACHER
Adjoindre à une sauce, à une purée ou à une farce, un liquide (consommé, lait, jus, fond blanc, etc.), afin de les rendre moins épaisses.

RELEVER
Renforcer une préparation à l'aide d'un condiment, d'une épice.

REMONTER
Reprendre une sauce « tournée » en lui redonnant son homogénéité (mayonnaise, hollandaise, béarnaise, etc.).

REVENIR
Faire colorer dans un corps gras fortement chauffé, avant la cuisson, une viande, une volaille, un gibier, un légume.

RISSOLER
- a) Faire colorer plus ou moins, dans une matière grasse chauffée, pour les saisir, une viande, une volaille, un légume, etc., afin de les envelopper d'une couche « croustillante et colorée », afin d'emprisonner toutes les substances nutritives (sucs) à l'intérieur de la pièce traitée.
- b) Cuire dans une matière grasse les pommes de terre dites « rissolées », après les avoir **blanchies.**

ROMPRE
Arrêter la fermentation (pousse) d'une pâte levée, en la retournant plusieurs fois sur elle-même.

ROTIR
Cuire au four ou à la broche une viande de boucherie, une volaille, un gibier à plume ou à poil, avec une matière grasse.

S ALER
Mettre du sel, sur ou dans une préparation.

SANGLER
Mettre autour d'un moule, empli d'appareil à bombe, de la glace vive pilée additionnée de sel, afin d'obtenir la congélation et la conservation du contenu.

SAUCER
Napper une préparation avec la totalité, ou avec une partie de la sauce d'accompagnement.

SAUPOUDRER
- a) Parsemer de la mie de pain, du fromage râpé, du sucre glace ou en poudre, sur la surface d'une préparation culinaire, d'une pâtisserie ou d'un entremet.
- b) Parsemer aussi de la farine sur une préparation **(singer).**
- c) Parsemer également de la farine sur un marbre (tour) ou sur une pâte, afin d'en faciliter le travail.

SAUTER
- a) Cuire un aliment quelconque dans un corps gras, en le faisant « sauter » dans le récipient de cuisson (sauteuse, sautoir, plat à sauter, poêle, etc.).
- b) Cuire aussi de petites pièces de boucherie, de volaille, de gibier, dans un corps gras.

SINGER
Saupoudrer de farine certaines garnitures aromatiques (mirepoix) destinées à la préparation de sauce, les sautés de viande (bourguignon, navarin, sauté de veau, etc.), afin d'obtenir la liaison de la sauce.

SIROPER
Ajouter du sirop à une préparation de pâtisserie.

SUER
Faire « exsuder » à l'aide d'un corps gras l'eau de végétation contenue dans les végétaux, afin d'obtenir une concentration des sucs dans la matière grasse.

TAILLER Couper, découper, façonner un aliment quelconque, afin de lui donner une certaine forme: viande, poisson, légume, etc.

TAMISER
- a) Passer de la farine ou du sucre glace au travers d'un tamis, afin d'éliminer les grumeaux.
- b) Passer aussi au travers d'un tamis une farce, un légume cuit, une purée de fruits, une marmelade, un appareil, etc., pour obtenir plus de finesse ou le cas échéant, les réduire en purée.

TAMPONNER Mettre sur la surface d'une sauce, d'une béchamel, d'une crème, d'un potage, etc., quelques parcelles de beurre, afin d'éviter la formation d'une pellicule (peau) sur le dessus, pendant le « repos » (en attente d'utilisation), au bain-marie ou en réserve.

TAPISSER Disposer harmonieusement ou non certains éléments sur le fond ou les parois d'un moule, d'une plaque ou d'un plat, afin d'en décorer l'extérieur après le démoulage ou pour contribuer à la préparation proprement dite.

TOMBER Réduire de volume certains végétaux avec ou sans matière grasse (oseille, laitue, oignon, etc.), pour faire évaporer partiellement l'eau de végétation.

TOURER Donner à une pâte feuilletée, à l'aide d'un rouleau à pâtisserie (ou d'un laminoir), les différentes opérations qui concourent à sa réalisation finale: plier, replier, **abaisser.**

TOURNER
- a) Donner à certains légumes une forme régulière et définie: pomme cocotte, à l'anglaise, château, fondante, etc.; carotte, navet pour bouquetière; champignon pour garniture; fond d'artichaut, etc.
- b) Mélanger aussi différents éléments, soit à l'aide d'un fouet, soit avec une spatule ou autre instrument.

TRAVAILLER Mélanger vigoureusement ou non une pâte, un appareil, une farce, une purée, etc., avec une spatule en bois ou avec un batteur-mélangeur électrique, afin de leur donner, selon leur nature, du « corps », ou de l'onctuosité.

TREMPER
- a) Mouiller profondément des babas, des savarins ou de la génoise, à l'aide d'une liqueur, d'un alcool ou d'un sirop, afin de les parfumer, de les rendre plus moelleux.
- b) Mettre aussi des légumes secs (haricots, lentilles, pois cassés, etc.) dans de l'eau pendant un laps de temps déterminé, dans le but d'attendrir la texture pour faciliter la cuisson.

TRONÇONNER Couper certains aliments (ou appareils) en morceaux allongés (bouchons). Détail particulier pour le turbot.

TROUSSER
- a) Pratiquer une petite incision sur chaque côté des flancs d'une volaille, afin d'y glisser l'articulation de la patte et du gras-de-cuisse.
- b) Maintenir avant leur cuisson, et ceci pour une certaine présentation, les pinces des écrevisses (parfois des langoustines) en piquant celles-ci par l'extrémité, à la base de la « queue » (abdomen).

TRUFFER
- a) Garnir une farce, un appareil, un foie gras, etc., avec des truffes hachées.
- b) Disposer (glisser), entre chair et peau d'une volaille, des lamelles de truffes.

TURBINER Mélanger et faire prendre un appareil à glace dans une sorbetière.

VANNER Remuer doucement, à l'aide d'une spatule en bois (ou d'un fouet), pendant le refroidissement, une crème, un appareil, une sauce, afin de leur conserver leur homogénéité, et d'éviter la formation d'une pellicule (peau) sur la surface.

VOILER Recouvrir « d'un voile » de sucre filé (très fin), certaines glaces, bombes glacées, fruits givrés et autres préparations, etc.

ZESTER Prélever, à l'aide d'un couteau économe, la peau extérieure et colorée d'un citron ou d'une orange, sans prendre la partie blanchâtre (partie ferme).

175

TERMINOLOGIE DE BASE

ABAISSE

- a) Pâte (à foncer, brioche, brisée, feuilletage, etc.) amincie plus ou moins fine, selon l'emploi, sur une surface plane et farinée, à l'aide d'un rouleau à pâtisserie (ou d'un laminoir).
- b) C'est aussi une « tranche de génoise » coupée sur l'épaisseur, ou autre préparation identique (biscuit).

A BLANC

- a) Sorte de cuisson (ou de demi-cuisson) à four doux, qui consiste à cuire sans coloration une croûte (barquette, croustade, tarte, tartelette, etc.), avant de la garnir. L'intérieur des abaisses est préservé de l'ardeur du four par un papier sulfurisé ou par un papier de soie, de même dimension que la croûte, et empli de noyaux de cerises ou de haricots secs, pour éviter la déformation de la pâte à le cuisson. La croûte, une fois cuite, est débarrassée de « cette protection » et remplacée par la garniture ou l'élément approprié.
- b) Appellation qui consiste à maintenir en fin de cuisson les petits oignons glacés « à blanc », c'est-à-dire sans coloration. Utilisés pour la fricassée, la blanquette, etc.).
- c) S'adresse aussi à la cuisson des champignons destinés aux garnitures des préparations à base de sauce blanche (fricassée, blanquette, etc.).
- d) Expression familière qui consiste à retirer les os (viande de boucherie, gibier, volaille, etc.) dénudés entièrement de la chair qui les recouvre. On dit: « Désosser à blanc ».

A BRUN

Appellation appliquée aux petits oignons glacés « à brun ». La méthode consiste à laisser colorer légèrement les oignons. Utilisés pour le navarin, le bourguignon, garnitures diverses (grand-mère, bonne-femme, etc.), sauté Marengo, etc.

ACCOLADE (EN)

Dresser sur le même plat de service des pièces de même nature (principalement de volaille) en les adossant l'une contre l'autre.

A COUVERT

Exécuter une cuisson en la couvrant avec un couvercle.

A CRU

Exécuter une cuisson en partant d'un élément cru. Ex.: « pommes sautées à cru ».

A DÉCOUVERT

Exécuter une cuisson sans couvercle.

AIGUILLETTES

- a) Minces tranches prélevées sur les filets (poitrine ou blanc) des volailles ou des gibiers à plume.
- b) C'est aussi le nom de deux pièces de bœuf prélevées dans le rumpsteak (culotte): aiguillette rumpsteak et aiguillette baronne.

A L'ANGLAISE

- a) Cuire un aliment (principalement un légume) à l'eau salée.
- b) Cuire un filet de poisson pané à la poêle avec beurre et huile.
- c) Paner avec « une anglaise » (voir ce mot ci-dessous).

ANGLAISE

Mélange composé d'œufs entiers, d'huile, de sel et de poivre (additionné parfois par économie, d'eau et de blancs d'œuf). Employée avec l'appui de farine et de mie de pain ou de chapelure, elle est utilisée pour paner différents aliments: croquettes variées, légumes, filets de poisson, escalopes, côtes, etc.

A POINT

- a) Stade de cuisson appliqué généralement aux viandes rouges grillées et rôties, situé avant « bien cuit ».
- b) Cuisson, « correctement cuite ».

APPAREIL

Composition d'éléments simples ou composés mélangés intimement ensemble: à soufflé, à meringue, à crêpes, à crème renversée, à génoise, à talmouse, à pommes duchesse, etc.

APPRÊT

Ensemble d'une préparation, d'un mets préparés.

ASPIC

Appellation s'appliquant à de nombreuses préparations froides à la gelée moulée et décorées, composées de filets ou d'escalopes de viandes diverses, de volaille, de gibier, de poisson, de crustacés, de légumes variés. L'élément de base détermine l'appellation de l'aspic: aspic au jambon, aspic de poularde, aspic de perdreau, aspic de faisan, aspic de filets de sole, aspic de langouste, etc. La gelée est parfumée avec: Porto, Madère, Xérès ou autres vins et liqueurs.

La décoration est composée de truffes, de jambon, de langue écarlate, d'œufs durs (jaune et blanc), de corail de crustacés, etc.

ATTEREAU

● a) Éléments divers, taillés en morceaux carrés, escalopés, rectangulaires, etc.: ris de veau ou d'agneau, cervelle d'agneau, foie de volaille, crêtes, rognons, gibier à plume, coquillages divers, légumes, fruits.
Ces éléments sont enfilés sur brochettes, trempés dans une sauce puis panés à l'anglaise, afin de les rendre plus résistants. Les attereaux sont généralement traités à la friture.

● b) Désigne aussi la brochette utilisé pour ces préparations.

AU BLANC

Cuisson composée pour 1 litre d'eau, d'une cuillerée à potage de farine diluée, d'un jus de citron et de 6 à 8 g de sel.

Cette cuisson est réservée pour certains abats blancs de boucherie: pieds de veau et d'agneau, tête de veau, etc.; ainsi que pour certains légumes: fonds d'artichauts, cardons, salsifis, etc., afin qu'ils ne noircissent pas pendant la cuisson.

AU BLEU

Méthode de cuisson appliquée principalement à la truite. La technique consiste à mettre en cuisson le poisson vivant (vidé au préalable) arrosé d'un filet de vinaigre, dans un court-bouillon (nage), en ébullition (voir chapitre « LES POISSONS » — Les truites.

AU DÉPART

« Juste au moment de servir », en fin de dressage d'un plat. Ex.: on dit: « Mettre au départ un peu de persil haché », ou « quelques pluches de cerfeuil », ou autres éléments de finition.

BARDE

Tranche fine de lard gras maintenue avec quelques tours de ficelle, disposée sur la poitrine des volailles, des gibiers à plume, sur les viandes de boucherie, afin de les protéger de la chaleur trop vive du four et de les nourrir en graisse pendant leur cuisson.

BLANC

Préparation composée, pour 1 litre d'eau, d'une cuillerée à potage de farine diluée, d'un jus de citron et de 6 à 8 g de sel.

BLANCHIMENT

● a) S'applique improprement, en cuisine, pour indiquer une opération qui consiste à mettre à l'eau froide des aliments, et de les porter à ébullition pendant 3 à 4 minutes selon les variétés et de les rafraîchir ensuite à l'eau courante.

● b) S'applique aussi pour certains légumes verts: cuisson complète.

BLEU

Stade de cuisson appliqué généralement aux viandes rouges grillées et rôties, et désigne une cuisson « à peine cuite » (presque crue).

BORDURE

Éléments divers, composés ou simples, façonnés, taillés ou moulés, dressés en forme de couronne sur le bord des plats de service, afin d'en agrémenter la présentation.

Cette bordure peut être réalisée à volonté de: farce à quenelle, pâte à nouilles, pâte à décorer, croûtons de pain de mie frits, de riz, de semoule, appareil à pommes duchesse, gelée prise de formes variées, etc.

BOUQUET GARNI

Composition constituée d'herbes aromatiques, simple ou composée, de grosseurs différentes selon l'utilisation, attachées entre elles par quelques tours de ficelle.

Le bouquet garni classique est composé de branches de thym, de feuilles de laurier (non fraîches) et de quelques queues de persil. Il peut être adjoint d'autres herbes et légumes: feuilles de poireaux, branche de céleri, romarin, sauge, sariette, etc.

BRIDE

Ficelle de longueur variable employée pour maintenir les membres d'une volaille, d'un gibier à plume, pendant la cuisson pour les maintenir en forme.

BRUNOISE

Légumes (carottes, céleris-raves, navets, oignons) taillés en petits dés pour garnir des potages, des sauces, etc.

BUISSON (EN)

Dresser en disposant en « pyramide » sur les plats de service: écrevisses, fritures d'éperlans ou de goujons, goujonnettes de sole, etc.

CANAPÉS

- a) Tranches de pain de mie de formes et d'épaisseurs variées selon la pièce à supporter, utilisées pour certains gibiers (bécasse, faisan, perdreau, etc.) et volaille (pintadeau).
Ces canapés sont frits au beurre ou grillés, farcis d'une farce à gratin ou avec les éléments internes de certains gibiers, et du foie gras (bécasse).

- b) Ce sont aussi des petites tranches de pain de mie (ou autre pain: seigle, bis) de formes variées (ronde, carrée, rectangulaire, triangulaire, etc.), peu épaisses, grillées parfois. Elles sont utilisées pour les lunchs, cocktails, hors-d'œuvre froids, garnies à volonté d'éléments des plus variés, simples ou composés: beurres composés, œufs durs, œufs de poissons (caviar, saumon, etc.), crustacés, coquillages, poissons, charcuterie, volailles, légumes, etc.

CANNELURES

Incisions peu profondes, pratiquées à l'aide d'un couteau à canneler sur la surface (à la verticale) des citrons, des oranges destinés à la décoration de plats, des carottes (court-bouillon — nage, marinade — filets de hareng, etc.).

CHAPELURE

Pain rassi émietté (généralement parures), séché au four, pilé, passé au tamis. Cette chapelure est employée pour paner: filets de poissons, viande, légumes, divers gratins, etc. Elle peut être blanche (mie de pain) ou blonde (croûte et mie).

CHIFFONNADE

Généralement feuilles d'oseille et de laitue émincées en fines lanières, fondues au beurre et employées comme garniture dans les potages, consommés, etc.

CLARIFICATION

Composition constituée d'éléments ayant pour but de rendre clair (limpide) les consommés et les gelées.
Ces éléments sont constitués d'une partie nutritive (maigre de bœuf haché), d'une partie aromatique (carottes, vert de poireaux, céleri en branches, tomate fraîche et cerfeuil), d'une partie de « clarification » (blanc d'œuf et sang de la viande de bœuf hachée).

COULIS

Les coulis sont généralement des purées de crustacés, de légumes (tomates).

COUP DE FEU

- a) Préparation subissant ou ayant subi l'exposition brutale d'un feu trop vif.
- b) Expression désignant l'espace de temps consacré « au service » proprement dit, et plus particulièrement pour la période la plus active.

CROUTONS

- a) Pain de mie taillé de formes et d'épaisseurs variées, généralement frit au beurre (ou à l'huile). Employé indifféremment pour plusieurs préparations:
En tant que garniture: en petits dés (grenobloise, potages divers, épinards, omelettes, œufs brouillés, etc.).
En tant que complément de garniture: en forme de « cœur » (matelotte, sauté marengo, etc.).
En tant que « socles »: canapés pour accompagner gibier et parfois volaille, garnis d'une farce à gratin (bécasse, faisan, perdreau, pintadeau, etc.).
En tant qu'élément de décoration: de formes extrêmement variées pour bordures de plats.

- b) Gelée prise, découpée soit à l'emporte-pièce, soit au couteau, de formes variées et utilisée pour festonner la bordure de certains plats froids.

CUISSON

- a) Liquide (fond, court-bouillon, eau, etc.) dans lequel est mis à cuire un aliment quelconque.
- b) Action de cuire un aliment.
- c) Etat d'un mets qui est cuit.

DARNE

Tranche (morceau) de poisson de grosseur variable selon la portion, taillée exclusivement sur les gros poissons ronds (fusiformes).

DÉS

Taille particulière de dimensions différentes, donnée à certains aliments: pain de mie (croûtons); citron (garniture grenobloise; carottes et navets (macédoine); carottes et oignons (mirepoix); certains légumes (brunoise); truffes, jambon, viande, volaille, etc.

DESSERTE

Denrées desservies (restes) des plats, cuites et non vendues. La desserte est utilisée à la préparation de certains mets, sous des formes différentes. Ex.: pilaf de volaille.

DÉTREMPE

Préparation utilisée à la réalisation d'une pâte, et qui consiste à faire absorber à de la farine une quantité déterminée d'eau, de lait, ou des œufs.

DORURE Plusieurs sortes de dorures sont employées, selon les préparations qu'elles doivent recouvrir:
- a) L'œuf entier battu comme une omelette, employé pour: pâte feuilletée, pâte à choux, pâte à brioche, etc.
- b) Le jaune d'œuf seulement, pour donner une couleur plus accentuée, plus foncée.
- c) Au lait sucré pour les pâtes sèches.

EBULLITION Liquide qui bout lorsque celui-ci atteint une température maximum, le mettant en mouvement.

ÉLÉMENTS Substances alimentaires différentes les unes des autres, qui constituent les mets et les préparations de cuisine et de pâtisserie.

ÉMINCÉS Viandes rôties ou braisées, issues généralement de la desserte (bœuf, veau, mouton, parfois gibier). Détaillées en tranches fines, elles sont dressées sur plat, nappées de leur sauce d'accompagnement (chasseur, bordelaise, piquante, tomate, poivrade, etc.) et réchauffées doucement au four.

ENTREMET Mets servi entre le rôt et le dessert.
Culinairement parlant, l'entremet a deux sens: il désigne tous les légumes en général, et toutes les préparations de « douceurs » (sucrées): charlottes, crêpes, crèmes renversées, soufflés, etc.

EPIGRAMMES Un morceau de poitrine pochée ou braisée et une côtelette d'agneau, panés à l'anglaise et grillés ou sautés.

FLEURONS Sortes de petites abaisses de pâte feuilletée (ou de « rognures » de feuilletage) en forme de petits croissants (de 2 à 3 cm de largeur), découpées à l'emporte-pièce, ou de petits triangles (de 6 à 8 cm de côté), passées à la dorure et cuites au four.
Ces fleurons sont utilisés généralement en cuisine pour accompagner certains poissons (filets) en sauce, épinards, etc.

FONÇAGE
- a) Abaisse de pâte (feuilletée, à foncer, etc.) disposée au fond et sur les parois d'un moule.
- b) Garniture aromatique (carottes, oignons, etc.), os, couenne, disposés sous une pièce de viande de boucherie, de volaille, de gibier, de poisson, de légume à braiser, mis en traitement, afin d'aromatiser la pièce, la sauce ou le jus d'accompagnement.

FONTAINE Disposition en « couronne » (ou en « puits ») de la farine sur un marbre, afin d'y mettre au centre les différents ingrédients entrant dans la confection de la pâte à réaliser.

FRÉMISSEMENT Mouvement presque imperceptible d'un liquide, qui « frise » l'ébullition.

FRICANDEAU
- a) Tranche de veau de 4 cm environ d'épaisseur, prélevée dans la noix, taillée dans le sens des fibres musculaires de la viande, piquée de lard gras, braisée ou poêlée.
- b) Peut s'appliquer aussi à l'esturgeon.

FRICASSÉE Préparation particulière « à blanc » de la volaille et du veau (parfois de l'agneau), détaillés en morceaux, sautés au beurre sans coloration avec garniture aromatique, liés et mouillés d'un fond blanc correspondant à l'élément traité; crème au terme de la cuisson, recevant généralement une garniture de petits oignons glacés et de champignons cuits à blanc.

FRITOTS Beignets d'éléments divers cuits: légumes, cervelles, ris de veau, volaille, etc., mis à mariner avec huile, jus de citron, persil haché, trempés dans une pâte à frire et cuits à la friture.

FRITURE
- a) Cuisson qui consiste à plonger un aliment dans un corps gras (huile de préférence) porté à des températures différentes mais hautes, selon l'élément à frire.
- b) Aliment frit, principalement le poisson: friture d'éperlans, de goujons, etc.

FUMET
- a) Préparations liquides, confectionnées avec divers éléments: gibier, poisson, etc., afin de parfumer, de corser ou de mouiller: sauces, fonds ou différentes cuissons.
- b) Arôme qui se dégage d'aliments crus ou cuits.

GARNITURE
- a) Eléments divers (principalement de légumes) ajoutés aux préparations centrales (poisson, pièce de viande de boucherie, volaille, gibier, etc.). Ils sont servis en même temps (à part) ou autour en bouquets.
  Les garnitures peuvent être « simples », c'est-à-dire comporter un seul élément, ou « composées », c'est-à-dire formées de plusieurs éléments.
- b) Divers légumes (carottes, oignons, poireaux, bouquet garni, tomates, etc.) employés comme élément aromatique dans la réalisation de différentes préparations.

GASTRIQUE
Préparation indispensable à la réalisation des sauces d'accompagnement de réalisations chaudes comportant des fruits (ex.: canard à l'orange). Vinaigre et sucre cuits jusqu'à légère caramélisation.

GLACE
Concentration des sucs, à l'état sirupeux, de divers fonds: de poisson, de viande, de gibier. Ces différentes glaces (ou demi-glaces) sont employées à terminer les sauces, en leur apportant saveur et onctuosité.

GRATIN
Légère croûte colorée (« gratinée ») formée à la surface de diverses préparations, après les avoir parsemées de fromage râpé (gruyère ou parmesan) ou de chapelure, et passées à la salamandre ou au four.

GRENADIN
Morceau de veau prélevé sur la noix ou la sous-noix coupée en deux sur la longueur, en tranche (médaillon) de 2 cm environ d'épaisseur, piqué de lard gras en rosace, braisé ou poêlé.

JARDINIÈRE
Légumes (carottes, navets, haricots verts) taillés en bâtonnets, cuits à l'anglaise, égouttés et mélangés avec petits pois.

JULIENNE
- a) Légumes (principalement carottes, navets, poireaux, céleris en branches) émincés en filaments, étuvés au beurre, et utilisés en garniture: potage ou autre préparation.
- b) Ou de zestes de citron et d'orange.

LARDONS
Petits bâtonnets de ½ à 1 cm de section, taillés sur la largeur d'une tranche de poitrine de lard maigre salé ou demi-sel. Employés pour diverses garnitures et préparations.

LEVAIN
« Pâte » qui est confectionnée avec de la levure industrielle (levure de bière) délayée avec un peu d'eau tiède (ou de lait tiède) et de farine.
Ce « levain », mélangé dans une certaine proportion avec la pâte à travailler, a pour effet de provoquer au sein de celle-ci une fermentation panaire qui, en produisant un dégagement de gaz carbonique, fait lever la pâte et la rend plus légère. Utilisé pour les pâtes levées: pâte à baba, pâte à brioche, etc.

LIAISON
Sous l'effet d'une chaleur plus ou moins élevée, consiste à donner, à l'aide d'un empois (farine, fécule de pommes de terre, arrow-root, tapioca, crème de riz, crème de maïs, etc.) ou autres substances (beurre, jaune d'œuf, crème fraîche, sang, etc.), une consistance plus ou moins épaisse à un liquide, une sauce, une crème, un potage, un appareil, etc.
Chaque liaison a sa propre utilisation.

MACÉDOINE
Légumes (carottes, navets, haricots verts) taillés en petits dés, cuits à l'anglaise, rafraîchis, égouttés, et généralement assaisonnés de sauce mayonnaise.

MANCHE
Extrémité de l'os d'une côte (de veau, d'agneau, de bœuf ou de porc) ou de l'os d'une aile, d'un suprême, d'une cuisse (pilon seulement) de volaille, ou l'os d'un gigot, dégagée de la chair qui la recouvre, afin d'y recevoir au moment du dressage, une papillote ou une manchette ou un manchon.

MANCHON
Grosse papillote en papier fort blanc, découpé sur un côté en dentelle, roulé en forme de rouleau de 10 à 12 cm de long.
Employé pour « habiller » l'extrémité des manches de gigot (os) ou des côtes de bœuf.

MARBRÉE
Viande de bœuf, striée de petits vaisseaux graisseux. On dit plus couramment « persillée ».

MARINADE Préparation composée d'une garniture aromatique, mouillée au vin rouge ou au vin blanc, cuite ou crue, ou seulement composée d'huile, de citron, de thym et de laurier, selon l'élément mis à mariner.
La marinade a pour but d'attendrir les fibres musculaires de certaines chairs, de les aromatiser, de les conserver pendant quelques jours seulement: pièces de boucherie, gibiers à poil, etc., et d'aromatiser les poissons destinés à être grillés ou pour certains filets de poisson: beignets, fritots.

MATIGNON ● a) Légumes (rouge de carotte, oignon, céleri) émincés en fine paysanne, brindilles de thym et de laurier fragmenté, étuvés au beurre, déglacés au madère (ou au vin blanc), réduit à sec. Il peut être adjoint pour la Matignon « au gras », du jambon cru.
Employée pour différents apprêts en tant qu'élément complémentaire.

● b) « Garniture » d'accompagnement d'un plat.

MÉDAILLON Préparations diverses de forme ronde, légèrement épaisse selon l'élément employé.
Le médaillon peut être de foie gras, de saumon, de langouste, de volaille, de veau, etc.

MIGNONNETTE ● a) Grains de poivre concassés grossièrement et employés dans la réalisation des fonds, des sauces, des courts-bouillons, des marinades, etc.

● b) Appellation donnée aussi à la noisette (voir plus loin).

MIREPOIX Composition de légumes (rouge de carotte, oignon, céleri) avec adjonction de poitrine de lard maigre selon la préparation, taillés en petits dés (brunoise) et utilisée pour augmenter la saveur de certaines sauces (espagnole), fonds, viandes, crustacés, poissons, etc.

MOUILLEMENT S'applique à l'élément liquide quelconque employé à la cuisson des aliments ou d'un apprêt.

N OISETTE ● a) Petite tranche (de 75 à 100 g) ronde peu épaisse, taillée dans la selle d'agneau (ou de mouton). Se dénomme aussi « Mignonnette ».

● b) Défini le stade de cuisson du beurre, lorsque celui-ci commence à blondir.

● c) Indique une quantité approximative. Employée généralement pour le beurre: de la grosseur d'une « noisette ».

P APILLOTE Petite « manchette » en papier fort blanc, découpé sur le côté en dentelle fine roulé de la grosseur d'un doigt, de 4 à 6 cm de longueur.
Employée pour « habiller » l'extrémité des manches (os) des côtes d'agneau, des ailes et des suprêmes de volaille ainsi que les cuisses (pilon seulement).

PAPILLOTE (EN) Préparation qui consiste, après une première cuisson, à enfermer hermétiquement l'élément traité, dans une feuille de papier sulfurisé taillée en cœur et huilée. Mis ensuite à four chaud, le papier, sous l'action de la chaleur, se gonfle.

PARURES Parties et morceaux de viande, de volaille, de gibier, de poisson, de crustacé et de légume prélevés, non utilisables sous la forme la plus noble, employés pour les fonçages ou autres préparations quelconques ne nécessitant pas une présentation: farce, potage, purée, etc.

PATON Morceau de pâte non encore détaillé.

PAUPIETTE ● a) Tranche fine de viande (escalope de veau ou de bœuf) assaisonnée, garnie à l'intérieur d'une farce, roulée, ficelée ou non, bardée et poêlée à court-mouillement.

● b) Se réalise aussi avec les filets de poisson, généralement de sole.

PAYSANNE ● a) Ensemble de légumes émincés finement en petits morceaux, pour la réalisation de différents apprêts: potage, garniture, Matignon, etc.

● b) « Garniture » d'accompagnement d'un plat.

PERSILLADE Ail et persil hachés, mélangés avec de la mie de pain fraîche (ou de la chapelure). Utilisée en fin de cuisson. Ex.: tomates provençales.

PERSILLÉE Se dit généralement pour une viande de bœuf de première qualité, lorsque la chair est « marbrée » de graisse à l'intérieur et sur la tranche.

PINCÉE Petite quantité prise entre le pouce et l'index: une pincée de cerfeuil, de persil, de sel fin qui correspond à 3 à 5 g pour les assaisonnements rapides, etc.

PLUCHES Petites feuilles (sans tiges) prélevées délicatement sur le cresson, le cerfeuil, le persil, etc.

POINTE Quantité infime d'une substance ou d'un ingrédient en poudre, pouvant être dosés avec la pointe de la lame d'un couteau: une pointe d'ail, une pointe de poivre de cayenne, etc.

PRISE Très petite quantité généralement d'un ingrédient en poudre, pris du bout des doigts (synonyme de pincée): une prise de poivre.

R ÉDUCTION
- a) Préparations liquides «sauces», qui diminuent de volume par évaporation, afin d'obtenir une concentration des sucs, on une sauce plus épaisse, savoureuse, parfumée ou corsée.
- b) Préparation préliminaire d'une sauce: béarnaise, bordelaise, beurre blanc, etc.

REPÈRE
- a) Pâte pas trop sèche, faite d'eau et de farine mélangées intimement en proportion indéterminée, disposée en bande autour d'un couvercle, afin d'en fermer hermétiquement l'ouverture: terrine, cocotte, etc., pour éviter à la vapeur de s'échapper et d'obtenir une cuisson en vase clos.
- b) Mélange de pâte faite de blancs d'œuf et de farine, utilisée à souder (coller) certains sujets de décoration, posés sur le bord ou sur un plat chaud.

ROUELLE Grosse tranche de veau plus ou moins épaisse, taillée sur toute la largeur d'un cuisseau de veau.

ROUX Mélange de farine et de beurre en proportions égales, cuit plus ou moins longtemps selon la couleur à obtenir (brun, blond, blanc); élément de liaison de nombreuses sauces.

RUBAN Aspect et consistance d'une pâte légère confectionnée à chaud (au bain-marie), à l'aide d'un fouet qui, en fin de cuisson, devient lisse, homogène, et coule sans s'interrompre lorsque l'on sort le fouet de la préparation, à la manière d'un «ruban qui se déroule».

S ALPICON Garniture composée d'un ou de plusieurs éléments (certains provenant de la desserte) toujours taillés en petits dés, liés avec sauces diverses chaudes ou froides (blanches, brunes, crème, mayonnaise, vinaigrette, etc.), généralement employés à garnir: barquettes, bouchées, canapés, caisses, cassolettes, croustades, croûtes, tartelettes, timbales, etc.
Les salpicons sont aussi utilisés dans la confection des côtelettes reconstituées (volaille, veau, etc.), cromesquis, croquettes, etc. Pour farcir les poissons, les volailles, les gibiers, et même les œufs.
Il n'est pas possible d'énumérer tous les articles qui composent les salpicons, ainsi que les sauces employées à leur réalisation. On peut toutefois indiquer qu'ils peuvent être de légumes, de poissons, de crustacés, de volailles, de viandes de boucherie, de gibiers, d'abats de volaille, de champignons, de truffes, de foie gras, de fruits frais pochés au sirop ou confits.

SAPIDE Se dit d'une sauce, d'une crème, d'une préparation, pourvues de saveur, de goût.

SUPRÊME
- a) Partie la plus «choisie»: blanc (aile) d'une volaille ou d'un filet de sole, de barbue.
- b) Nom donné à un velouté de volaille additionné et réduit avec de la crème fraîche.

T RONÇON
- a) Morceau plus long que large taillé dans le milieu des gros poissons plats (rhomboïdaux): turbot, barbue, etc.
- b) Morceau plus ou moins long d'un élément quelconque, taillé en forme de bouchon.

TURBAN
- a) Mode de dressage qui présente certaines préparations en couronne.
- b) farce cuite en moule à bordure: turban de poisson, turban de crustacés, turban de volaille, etc.

V ERT CUIT Cuisson incomplète, presque crue. Méthode de cuisson du canard au sang, de la bécasse, etc.

TECHNIQUES DE CUISSON DES ALIMENTS

● 1. DÉFINITION GÉNÉRALE

- Les cuissons sont des opérations culinaires dont la finalité consiste à modifier l'aspect et le goût des aliments. Ce qui met en éveil les sens: **visuel, olfactif et gustatif.**
- Ces techniques sont adaptées en fonction de la texture propre à chaque aliment.
- Les cuissons découlent de **deux formules types:**

■ A. CUISSON PAR CONCENTRATION
■ B. CUISSON PAR EXPANSION

NOTA: Une troisième formule est utilisée: elle est l'association des deux précitées. Nous la définirons sous la terminologie de CUISSON MIXTE.

● 2. GÉNÉRALITÉS SUR LES TECHNIQUES DE BASE

DÉFINITIONS DES FORMULES	TECHNIQUES CULINAIRES	ALIMENTS POUVANT ÊTRE TRAITÉS
● **CONCENTRATION:** Ces cuissons consistent à saisir certains aliments, soit dans un liquide bouillant, soit à l'aide d'un corps gras chaud. Elles visent par tous les moyens à éviter aux substances (sucs) nutritives de s'extérioriser des aliments traités, en les « emprisonnant » à l'intérieur des pièces par une « croûte » superficielle sèche, ou par une enveloppe formée par le saisissement.	A. FRIRE	ŒUFS — POISSONS — LÉGUMES Préparations diverses: CROQUETTES, FRITOTS, BEIGNETS, etc.
	B. GRILLER	VIANDES — VOLAILLES — POISSONS CHARCUTERIE — LÉGUMES
	C. ROTIR	VIANDES — VOLAILLES — GIBIERS
	D. SAUTER	VIANDES — VOLAILLES — GIBIERS POISSONS — LÉGUMES
● **EXPANSION:** Ces cuissons consistent à faire cuire dans un liquide certains aliments, afin d'obtenir au cours du traitement un échange entre les substances nutritives (sucs). Celles-ci se diffusent dans le liquide et s'associent avec la garniture aromatique qui, à son tour, pénètre elle-même les aliments.	E. POCHER	ŒUFS — VIANDES — VOLAILLES POISSONS — LÉGUMES — PATES FRUITS

DÉFINITIONS DES FORMULES	TECHNIQUES CULINAIRES	ALIMENTS POUVANT ÊTRE TRAITÉS
● **MIXTE:** { concentration / expansion } Ces cuissons s'appliquent à des préparations qui utilisent conjointement les deux formules combinées.	F. BRAISER	VIANDES — ABATS — VOLAILLES GIBIERS — POISSONS — LÉGUMES
	G. POÊLER	VIANDES — VOLAILLES — GIBIERS

■ A. FRIRE

● ALIMENTS TRAITÉS PAR CE PROCÉDÉ

CLASSIFICATION	ALIMENTS TRAITÉS	REMARQUES PARTICULIÈRES
POISSONS	Anguille, barbue, cabillaud, colin, éperlan, goujon, lieu, limande, sole, turbotin, etc.	Généralement réservé pour les poissons portions; les filets et les petites pièces. Se référer au chapitre qui les concerne.
LÉGUMES	Aubergine, courgette, pomme de terre, salsifis, etc.	Se référer, pour chaque légume, au chapitre « LES LÉGUMES ».
ŒUFS	Œuf de poule	Voir chapitre « LES ŒUFS ».
ALIMENTS « ENROBÉS »	Attereaux, beignets, cromesquis, croquettes, fritots, etc.	Tous les aliments crus ou cuits enrobés de pâte à frire, panés à l'anglaise, mélangés à la pâte à choux, etc.

● DÉFINITION ET BUT

● FRIRE consiste à mettre en immersion dans des « bains » d'huile ou de graisse portés à des températures variant selon le corps gras employé et l'aliment traité, divers éléments, afin de les cuire entièrement ou d'en terminer la cuisson.

Cette méthode permet:
— par la coagulation de l'albumine,
— par la caramélisation des sucres,
— par la transformation des amidons,
d'obtenir des préparations « croustillantes » (sèches) et « colorées » (brunes).

● TECHNIQUE APPLIQUÉE AUX ALIMENTS « ENROBÉS »

● Sont généralement frites toutes les préparations culinaires crues ou cuites, enrobées d'éléments divers, désignées sous les dénominations suivantes:

DÉNOMINATION CULINAIRE	ÉLÉMENT D'ENROBAGE
ATTEREAUX	Panés à l'anglaise
BEIGNETS	Trempés dans la pâte à frire Mélangés avec pâte à choux
CROMESQUIS	Panés à l'anglaise Roulés dans une crêpe sans sucre Enveloppés dans une crépine fine
CROQUETTES	Panées à l'anglaise
FRITOTS	Trempés dans la pâte à frire

● LES ATTEREAUX

● CUISSON

REMARQUE:

Les attereaux sont des préparations composées d'éléments divers, taillés en morceaux carrés, escalopés, rectangulaires, etc.: ris de veau ou d'agneau, cervelle, langue, rognon, jambon, poisson, coquillage, volaille, gibier, légume, fruit etc. enfilés et intercalés sur une petite brochette en bois, enrobés de sauce réduite, panés ensuite à l'anglaise.

a) Frire au moment.
b) Mettre les pièces dans un panier à friture.
c) Plonger délicatement (peu à la fois) à la friture presque chaude (170°C).
d) Laisser frire doucement pendant 4 à 5 minutes environ.
e) Sortir et égoutter sur un linge ou sur un papier absorbant.

● DRESSAGE

a) Remplacer la brochette de bois par un hâtelet.
b) Garnir un plat de service d'une serviette ou d'un papier gaufré.
c) Dresser avec bordure de persil en branches frit.

● LES BEIGNETS

● CUISSON

REMARQUE:

Réalisés généralement avec des éléments cuits (sauf certaines préparations: beignets de fruits divers): légume, poisson, viande, etc. Deux méthodes:

PREMIÈRE MÉTHODE:

● **Tremper dans la pâte à frire** (voir chapitre « LES PATES »)

a) Mettre à mariner 1 heure environ à l'avance. Réserver au frais.
b) Tremper un par un chaque morceau de l'élément dans la pâte à frire.
c) Plonger (déposer délicatement à la surface) à la friture chaude (180°C).
d) Laisser frire 4 à 5 minutes environ.
e) Retourner les beignets dans la friture à l'aide d'une petite araignée.
f) Sortir et égoutter sur un linge ou sur un papier absorbant.
g) Saler légèrement.

● **DRESSAGE**

a) Garnir un plat rond de service d'un papier gaufré.
b) Dresser avec persil en branches frit.

● **NOTA.** Les beignets sont servis invariablement sans sauce d'accompagnement, ce qui les différencient des fritto.

● **Beignets aux fruits** (ex.: pommes)

a) Evider, éplucher, tailler en tranches.
b) Etaler sur une plaque ou sur un plat.
c) Saupoudrer de sucre semoule.
d) Arroser de calvados ou de cognac (ou de liqueur pour autres fruits).
e) Réserver au frais.
f) Procéder pour la cuisson comme ci-dessus.

● **DRESSAGE**

a) Dresser en couronne sur plat rond (pour les beignets ronds; sur plat long pour les beignets en longueur) en chevauchant légèrement les beignets.
b) Saupoudrer de sucre glace. Essuyer le bord du plat.
c) Mettre à glacer (caraméliser) quelques secondes sous la « salamandre ».
d) Servir aussitôt.

DEUXIÈME MÉTHODE:

● **Mélanger avec la pâte à choux** (voir chapitre « LES PATES »)

a) Mélanger à la pâte à choux les éléments de base.
b) Mettre cet « appareil » à la cuillère, de la grosseur d'une « noix », dans une friture chaude (180°C).
c) Laisser frire **sans y toucher.** Au bout de quelques minutes, les beignets surnagent et se retournent d'eux-mêmes.
d) Laisser frire, puis, lorsqu'ils sont bien soufflés et bien dorés, les sortir à l'aide d'une araignée.
e) Egoutter sur un linge ou sur un papier absorbant.

● **DRESSAGE**

a) Garnir un plat rond de service d'un papier gaufré.
b) Dresser les beignets en pyramide.
c) Garnir facultativement de persil en branches frit.

● **VARIANTES**

DÉNOMINATION	COMPOSITION
BEIGNETS	
DE CERVELLES	Couper les cervelles en petits quartiers. Enrober dans la pâte à frire.
AU FROMAGE	Pâte à choux fromagée.
PALERMITAINE	Pâte à choux fromagée. Garnir ensuite l'intérieur une fois frits, d'une béchamel fromagée.
PIGNATELLI	Pâte à choux additionnée de dés de jambon et d'amandes effilées légèrement grillées.

- **LES CROMESQUIS**

- CUISSON

REMARQUE:

Les cromesquis sont des préparations composées d'éléments divers: poisson, volaille, gibier, champignons, etc., taillés en menus morceaux et façonnés selon la forme adoptée.
Au moment de les frire, ils sont enveloppés ou non chacun d'une crêpe fine sans sucre ou d'une crépine fine, puis trempés dans une pâte à frire légère.

a) Frire au moment de servir.
b) Mettre les pièces dans un panier à friture.
c) Plonger délicatement (peu à la fois) à la friture presque très chaude (190°C), afin d'obtenir une enveloppe bien croustillante et dorée.
d) Laisser frire pendant 3 à 4 minutes environ.
e) Sortir et égoutter sur un linge ou sur un papier absorbant.

- DRESSAGE

a) Garnir un plat rond de service d'un papier gaufré.
b) Dresser les cromesquis légèrement en pyramide.
c) Garnir de persil en branches frit soit au milieu, soit en bouquets autour.

- **LES CROQUETTES**

- CUISSON

REMARQUE:

Les croquettes sont des préparations composées d'éléments divers comme les cromesquis: champignons, jambon, langue, truffe, poisson, crustacés, volaille, gibier, etc., taillés en menus morceaux et façonnés de formes variables.
Elles sont panées à l'anglaise.

a) Mettre les pièces dans un panier à friture.
b) Plonger à la friture très chaude (190°-200°C), afin d'assurer le saisissement de la « panure », et former une croûte résistante et dorée qui empêchera l'échappement de l'appareil de l'intérieur.

- DRESSAGE

a) Garnir un plat rond de service d'un papier gaufré.
b) Dresser les croquettes légèrement en pyramide.
c) Garnir selon les cas de persil en branches frit.

- **NOTA.** Les croquettes sont toujours servies avec une sauce en rapport avec l'élément principal qui compose l'appareil.

- **Variantes**

DÉNOMINATION	COMPOSITION
CROQUETTES	
DE MORUE A L'AMÉRICAINE	Morue mélangée avec pommes Duchesse et sauce béchamel. Servir avec sauce tomate.
A LA NANTAISE	Chair de poisson additionnée de champignons hachés, liés avec une sauce poisson réduite. Servir avec sauce tomate légère.
DE VOLAILLE	Chair de volaille additionnée de champignons et de truffe, liés aux jaunes d'œuf. Servir avec sauce Périgueux.

- **LES FRITOTS**

- **CUISSON**

REMARQUE:

Réalisés généralement avec des éléments cuits: cervelle, pied de mouton, volaille, poisson (filets), etc. ces éléments sont toujours marinés à l'avance.
Les fritots sont toujours accompagnés d'une sauce tomate, d'une sauce tartare, etc.

a) Mettre à mariner 1 heure environ à l'avance. Réserver au frais. (Voir chapitre « LES MARINADES — INSTANTANÉES ».)
b) Tremper un par un chaque morceau de l'élément dans la pâte à frire.
c) Plonger (déposer délicatement à la surface) à la friture chaude (180°C).
d) Laisser frire 4 à 5 minutes environ selon l'élément.
e) Retourner les fritots dans la friture à l'aide d'une petite araignée.
f) Sortir et égoutter sur un linge ou sur un papier absorbant.
g) Saler légèrement (facultatif).

- **DRESSAGE**

a) Garnir un plat rond de service d'un papier gaufré.
b) Dresser les fritots légèrement en pyramide avec persil en branches frit.
c) Servir avec la sauce d'accompagnement.

- **Variantes**

- **NOTA.** Les fritots prennent l'appellation de l'élément de base:

... DE CABILLAUD - ... DE MORUE - ... DE CERVELLE - etc.

■ B. GRILLER

- **ALIMENTS TRAITÉS PAR CE PROCÉDÉ**

CLASSIFICATION	ALIMENTS TRAITÉS	REMARQUES PARTICULIÈRES
VIANDES ROUGES bœuf - mouton	**Bœuf :** beefsteak, chateaubriand, entrecôte, filet, tournedos. steak, rumpsteak, etc. **Mouton :** côte, côtelette, lamb-chop, mutton chop	Morceaux de **première catégorie** Petites pièces individuelles ou pour 2, 3, 4 personnes Se référer aux chapitres qui les concernent
VIANDES BLANCHES veau - agneau porc	**Veau :** côte, escalope **Agneau :** côtelette, chop **Porc :** côte	Morceaux de **première catégorie** pour le veau et l'agneau Petites pièces individuelles Se référer aux chapitres qui les concernent
VOLAILLES	Pigeon, poulet, poussin	Pièces entières Se référer au chapitre qui les concerne

CHARCUTERIE	Andouillette, boudin, saucisse	
DIVERS	Brochettes variées	En dehors de la CHARCUTERIE
POISSONS	Daurade, maquereau, rouget, sardine, saumon, sole, turbotin, etc.	Portions, darnes, tronçons Grosses pièces pour 2, 3, 4, 5, 6 personnes
LÉGUMES	Champignons, tomates, etc.	Se référer aux différents chapitres qui les concernent: « LES LÉGUMES — GRILLÉS »

● DÉFINITION ET BUT

● GRILLER consiste à cuire exclusivement sur une source de chaleur nue, à l'air libre, certains aliments, à l'aide d'un appareil dénommé « GRIL ».

● Sous l'action de la chaleur et avec l'aide d'un corps gras, principalement l'huile, il se forme autour des pièces ainsi traitées, une « croûte sèche » qui empêche les principes nutritifs (sucs) de s'extérioriser. Cette croûte rissolée est fonction de la grosseur et de la nature de l'aliment mis en cuisson.

● Il est très important d'apporter une **attention toute particulière** à ce mode de cuisson. La réussite étant basée sur le degré de température appliqué à chaque aliment:

LES VIANDES ROUGES

● Une pièce volumineuse doit être **vivement saisie,** afin de **contracter rapidement** les tissus musculaires en contact avec le gril. L'intensité calorifique **est ensuite diminuée** lorsque l'enveloppe rissolée est entièrement obtenue.
Progressivement, la chaleur pénètre vers l'intérieur de la pièce, refoule successivement les sucs par étapes; ceux-ci finissent par apparaître — à perler — à la surface de la partie crue. La pièce est alors retournée délicatement sur cette face pour en terminer le saisissement et la cuisson. Comme pour la première, le même processus de cuisson se produit alors.

● Une petite pièce **est saisie** puis conduite rapidement **à la même température.** La chaleur ayant une épaisseur plus mince à traverser.
Les différents stades de cuisson des viandes rouges se définissent par des appellations précises et se constatent soit au « toucher » par pression du doigt, soit à l'aspect de la cuisson:

— « BLEU » — cuisson très rapide

Les pièces subissent l'action de la chaleur pendant un temps **très court,** juste celui d'opérer le saisissement sur toutes les faces. La viande n'oppose aucune résistance au toucher, elle est molle, la chaleur n'ayant pas atteint l'intérieur.

— SAIGNANT — cuisson rapide

Les pièces sont **retournées et retirées aussitôt que le sang commence à peine à perler** sur la surface. La viande se contracte sans aucune résistance au toucher.

— « A POINT » — cuisson relativement lente

La viande résiste à la pression du doigt. La chaleur a pénétré à l'intérieur des pièces et a contracté la chair. Le sang perle franchement à la surface de la croûte rissolée.

— BIEN CUIT — cuisson très lente

La viande est très ferme au toucher. La chaleur a atteint entièrement le centre des pièces.

LES VIANDES BLANCHES — LES VOLAILLES

- Il est à remarquer que si les viandes rouges doivent être bien saisies, il n'est pas de même pour les viandes blanches.
Leur cuisson doit être conduite à feu modéré et prendre toutes les précautions données à la cuisson des viandes rouges.

- « L'à point » de cuisson se constate lorsque le jus qui s'échappe des pièces est entièrement blanc.

- Il est à noter aussi que ces viandes se servent bien cuites, sauf pour l'agneau servi légèrement rosé.

LA CHARCUTERIE — LES DIVERSES BROCHETTES

● CHARCUTERIE

Certaines de ces préparations sont crues ou cuites: andouillette, boudin noir ou blanc, saucisse, chipolata, etc. Elles ne demandent pas de préparations préliminaires, ni de technique de cuisson particulière.
Les pièces sont simplement mises sur le gril, légèrement huilées; le temps de cuisson est fonction de la nature et du volume des pièces.
Elles sont dressées sur plat long et plat. La garniture est servie à part: toutes les préparations de pommes de terre sont recommandées.

● LES DIVERSES BROCHETTES

Très diversifiées dans leur composition, ces brochettes sont préparées avec:

- **un élément principal :** rognon de mouton, agneau, ris de veau, foie de volaille ou d'agneau, etc.; certains de ces éléments sont escalopés, sautés au beurre au préalable;

- **d'éléments auxiliaires :** champignons, lard, jambon, poivron, etc.; ces éléments sont cuits ou blanchis. Selon les préparations, elles sont mises à mariner (voir chapitre « LES MARINADES — INSTANTANÉES »); elles sont ensuite grillées afin de compléter la cuisson des éléments qui ne sont pas cuits.
Elles sont dressées sur plat long. La garniture est servie à part, parfois à côté ou dessous: « lit » de riz varié, ratatouille, etc.

● RECOMMANDATIONS GÉNÉRALES DANS LA CONDUITE DES GRILLADES

Celles-ci sont appliquées pour toutes les grillades: avant, pendant et après leur cuisson:

- La cuisson se fait **« à la commande »**. Les grillades cuites ne supportent pas les **« attentes prolongées »**.

- Le gril doit être chauffé **à l'avance.**

- Régler l'intensité calorifique de la « Paillasse » ou de la source de chaleur, en fonction **de la nature, du volume, de la forme** de la pièce à traiter.

- Le « graissage » du gril se fait à l'huile de préférence, avant et pendant la cuisson des grillades, en le badigeonnant à l'aide d'un pinceau ou d'un petit manche en bois quelconque, garni à l'une de ses extrémités d'un morceau de chiffon enroulé, maintenu solidement par quelques brides de ficelle.

Certains Rôtisseurs-Grillardins confectionnent eux-mêmes leurs pinceaux à grillades: en réunissant plusieurs plumes de volaille (principalement plumes de queue de dinde) en forme de « plumet », solidement ficelé avec plusieurs tours de ficelle.

- Huiler les grillades avant de les poser sur le gril, et fréquemment en cours de leur cuisson, afin d'éviter le dessèchement des parties mises en contact avec le gril.

- Ne saler les grillades (principalement les viandes rouges) **qu'en cours de cuisson.** Le sel fait sortir le sang, et gêne la formation de la couche rissolée.

- **Ne jamais piquer avec une fourchette** une grillade de viande et de volaille pour les déplacer ou les retourner, mais à l'aide d'une spatule en acier. Ceci évite la perforation de la couche rissolée, empêche les sucs de s'échapper et garde toute la saveur à la grillade.

- **Soigner particulièrement** le « quadrillage » des pièces, selon leur nature.

- Les grillades sont **toujours présentées la face qui a été cuite en premier.**

- « Lustrer » (badigeonner) la surface des grillades (face présentée aux convives) à l'aide d'un pinceau enduit de beurre clarifié, afin de les rendre plus brillantes, plus agréables à leur présentation.

ENTRETIEN DES GRILS

- Les barreaux ou les plaques nervurées doivent toujours être rigoureusement propres.

- Leur entretien se fait de préférence avant l'utilisation principale, quelques minutes avant le début du « service ». Ce qui n'évite pas de le faire, lorsque cela est nécessaire, pendant le service.

- Il est recommandé, d'autre part, d'opérer cet entretien lorsque les barreaux ou les plaques sont très chauds.
  Ceux-ci sont grattés à sec, à l'aide d'une brosse métallique (ou d'un grattoir), qui élimine radicalement les restes de jus de viande, particules d'aliment fixées sur les grils, qui brûlent et donnent un goût amer aux grillades. Ces résidus qui se forment sur les grils diminuent considérablement la puissance de chauffe (de radiation) et nuisent à la qualité de la grillade.

Passer ensuite un chiffon pour éliminer les poussières et autres particules qui subsistent dans les rainures et entre les barreaux.

- Ne jamais mouiller ni laver un gril.

- Après usage et nettoyage, huiler légèrement les barreaux ou les plaques.

■ C. ROTIR

● ALIMENTS TRAITÉS PAR CE PROCÉDÉ

CLASSIFICATION	ALIMENTS TRAITÉS	REMARQUES PARTICULIÈRES
VIANDES ROUGES bœuf - mouton	**Bœuf :** contrefilet, côte de bœuf, filet, roastbeef, rumpsteak, etc. **Mouton :** carré, double, épaule, gigot, selle	Morceaux de **première catégorie** pour le bœuf; de **première** et de **deuxième catégorie** pour le mouton Se référer aux chapitres qui les concernent
VIANDES BLANCHES agneau-porc	**Agneau :** épaule, gigot, carré, selle **Porc :** cuisseau, carré, filet, longe	Procédé peu employé pour le veau Morceaux de **première** et de **deuxième catégorie** pour l'agneau Se référer aux chapitres qui les concernent
VOLAILLES	Canard, chapon, dindonneau, oie, pigeon, pintade, poussin, poularde, poulet de grain, poulet reine	Pièces cuites entières Se référer au chapitre qui les concerne: « LES VOLAILLES »
GIBIERS à plume - à poil	Tous les gibiers	Se référer au chapitre qui les concerne: « LES GIBIERS »

● DÉFINITION ET BUT

● ROTIR consiste à cuire par **chaleur directe** (à la broche ou au four) et par une **cuisson méthodique** obtenue en équilibrant l'intensité de la source de chaleur suivant la nature et le volume des pièces traitées, afin d'éviter aux sucs (substances nutritives) des viandes de s'extérioriser.
Ce procédé ne peut s'effectuer qu'à l'aide d'un corps gras: beurre, huile, graisse, etc.

● Le processus expliqué pour les pièces grillées est le même pour celui-ci. La cuisson se fait en **deux temps,** le deuxième, seulement, n'a pas le même but:

PREMIER TEMPS (cuisson proprement dite)

Sous l'action de la chaleur et de la matière grasse, la couche extérieure s'échauffe, se « caramélise », « empri- sonne » les sucs d'une croûte plus ou moins rissolée selon l'importance des pièces mises en traitement. Les sucs se retirent alors vers le centre (ils sont « refoulés ») en opérant une pénétration par couches succes- sives.

DEUXIÈME TEMPS (repos)

Les pièces étant cuites sont réservées hors de la chaleur vive, posées sur une plaque à débarrasser (ou sur un plat) garnie sur le fond d'un plat ou d'une grille, afin de permettre aux pièces de s'égoutter.
Pendant ce court repos, les sucs qui avaient été « chassés » vers le centre lors du premier temps regagnent alors petit à petit leur place initiale. Les fibres musculaires contractées par la cuisson se relâchent pendant ce deuxième temps.

● La cuisson est obtenue par **deux procédés :**

A LA BROCHE (chaleur nue)

● Les viandes rouges et certains gibiers étant riches en sucs, et devant rester rosés, demandent un **saisisse-ment assez brutal** avec une cuisson soutenue, afin d'assurer la pénétration de la chaleur.
Il est incontestable que les rôtis cuits à la broche sont plus savoureux que ceux cuits au four. La cuisson à l'air libre facilite l'évaporation des substances hydriques.

● Les viandes blanches et les volailles, devant être suffisamment cuites, demandent plutôt une cuisson simul-tanée de l'extérieur comme de l'intérieur avec une température de chauffe plus atténuée.
Toutes les pièces cuites à la broche **sont arrosées fréquemment en cours de cuisson avec la matière grasse employée au rissolage** et celle provenant de la fonte des pièces, et **non avec le jus, qui empêche le rissolage,**

AU FOUR (chaleur rayonnante)

● La température du four doit être réglée en fonction de la nature et du volume des pièces. Il doit être conçu avec une excellente évacuation des buées, dont les effets sont néfastes aux rôtis.

● Les viandes rouges et certains gibiers, pour les raisons indiquées à la broche, seront saisis à **four très chaud** (250°C environ) puis posés sur des os concassés et des parures de nature identique aux pièces, eux-mêmes revenus pour qu'elles ne trempent pas dans la graisse pendant la cuisson.
Le saisissement étant opéré, l'intensité calorifique est légèrement baissée.
L'arrosage se pratique comme celui des pièces rôties à la broche.

● Les viandes blanches, les volailles et certains gibiers, après avoir été légèrement saisis, sont cuits à four plus modéré, en suivant les mêmes indications que les viandes rouges.

● **NOTA.** Il est à noter que tous les rôtis traités au four se réalisent à découvert (sans couvercle).

● TECHNIQUE DE CUISSON A LA BROCHE

REMARQUE :

Appliquée généralement au mouton.
a) Beurrer ou graisser la pièce.
b) Maintenir fermement la pièce dans la « broche à panier ».
c) Fixer sur le tournebroche.
d) Mettre en marche à feu vif.
e) Procéder ensuite comme un rôti au four en arrosant plus fréquemment.

● TECHNIQUE DE CUISSON AU FOUR

RECOMMANDATIONS PRÉLIMINAIRES :

Il est nécessaire, avant de mettre les pièces à rôtir, de prendre certaines précautions élémentaires :
— chaleur du four en fonction de la nature et du volume de la pièce (voir poids aussi) ;
— isolement de la plaque à rôtir avec quelques os concassés et des parures (de même nature que la pièce), afin qu'elle ne se trouve pas trop en contact direct avec la graisse et le jus ;
— les os et les parures peuvent être saisis légèrement à l'avance ;
— utiliser une plaque à rôtir proportionnée à la pièce à traiter.

- **INDICATIONS PRATIQUES DES TEMPS DE CUISSON POUR LES ROTIS**
- Ces chiffres sont donnés à titre indicatif, à quelques minutes près pour certaines pièces.

TEMPS DE CUISSON AU KILO (prêt à cuire)

DÉNOMINATION DES PIÈCES ROTIES	AU FOUR	INDICATION AU THERMOSTAT		A LA BROCHE
BŒUF				
ALOYAU	10-12 min.	8-9		
CONTREFILET	10-12 min.	8-9		
COTE	15-18 min.	8-9		
FILET	12-15 min.	8-9		
VEAU				
CARRÉ	30 min. environ	7-8		
LONGE	35 min. environ	7-8		
NOIX	35 min. environ	7-8		
MOUTON — AGNEAU		AGNEAU	MOUTON	
BARON	15-18 min.	6-7	7-8	18-22 min.
CARRÉ	18-25 min.	6-7	7-8	
ÉPAULE	18-20 min.	6-7	7-8	
GIGOT	20-25 min.	6-7	7-8	25-30 min.
SELLE	15-18 min.	6-7	7-8	
PORC				
CARRÉ	25-30 min.	6-7		
FILET	30-35 min.	6-7		
VOLAILLE				
CANARD NANTAIS	30-35 min.	6-7		35-40 min.
DINDONNEAU	40-45 min.	7-8		45-50 min.
OIE	45-50 min.	6-7		50-55 min.
PIGEON	18-25 min.	6-7		20-25 min.
PINTADEAU	18-20 min.	6-7		20-25 min.
POULARDE	40-45 min.	6-7		45-50 min.
POULET DE GRAIN	25-30 min.	6-7		30-35 min.
POULET REINE	30-35 min.	6-7		35-40 min.
POUSSIN	12-15 min	6-7		15-20 min.

GIBIER A PLUME

BÉCASSE	15-18 min.	6-7	18-20 min.
CAILLE	10-12 min.	6-7	12-15 min.
FAISAN	25-30 min.	6-7	30-35 min.
GRIVE	10-12 min.	6-7	12-15 min.
ORTOLAN	6- 8 min.	6-7	8-10 min.
PERDREAU	18-20 min.	6-7	20-22 min.

GIBIER A POIL

CHEVREUIL	CUISSOT	12-15 min.	7-8	15-20 min.
	SELLE	12-15 min.	7-8	15-20 min.
MARCASSIN	CUISSOT	18-20 min.	7-8	20-25 min.
	SELLE	18-20 min.	7-8	20-25 min.

● CONFECTION DES JUS DE ROTIS

● Afin de conserver tout leur « caractère », les JUS sont préparés à l'aide d' **eau** ou de **fond de veau brun clair** ou de **fond clair de même nature que la pièce traitée :**

— **avec eau :** mouton, agneau, parfois volailles, petits gibiers à plume ;
— **avec fond de veau brun clair :** bœuf, porc, parfois volailles ;
— **avec fond clair de même nature que la pièce traitée :** tous les rôtis cités, principalement les gibiers.

a) Mettre sur le feu la plaque à rôtir ayant servi à cuire la pièce, ou la lèchefrite de la broche.

b) « Caraméliser » (colorer légèrement) les sucs fixés au fond de la plaque ou de la lèchefrite si cela est nécessaire. **Faire attention à ne pas les brûler, ce qui rendrait « amer » le jus.**

c) Dégraisser en partie.

REMARQUE :

Pour le jus du mouton et de l'agneau, ajouter dans la plaque quelques gousses d'ail écrasées. Les laisser 1 minute environ sans brûler.

d) Déglacer avec le liquide approprié froid. Mouiller le double du volume à obtenir.

e) Laisser réduire presque de moitié.

REMARQUE :

On compte un peu plus d'un décilitre de jus pour 4 personnes.

f) Vérifier l'assaisonnement et si cela est nécessaire la couleur.

REMARQUE :

La couleur du jus est accentuée par l'adjonction en faible quantité de « caramel ».

g) Passer le jus au chinois.

h) Maintenir au chaud.

● **NOTA.** Le jus peut être additionné pour certaines pièces : volaille et gibier à plume d'un peu de beurre noisette au moment de servir.

■ D. SAUTER

● ALIMENTS TRAITÉS PAR CE PROCÉDÉ

CLASSIFICATION	ALIMENTS TRAITÉS	REMARQUES PARTICULIÈRES
VIANDES ROUGES bœuf - mouton	**Bœuf:** entrecôte, rumpsteak (parfois), steak, tournedos, etc. **Mouton:** côte, noisette	Morceaux de **première catégorie** Se référer aux chapitres qui les concernent
VIANDES BLANCHES veau - agneau porc	**Veau:** côte, escalope, piccata, médaillon **Agneau:** côtelette, noisette **Porc:** côte	Morceaux de **première catégorie** pour le veau et l'agneau Se référer aux chapitres qui les concernent
VOLAILLES	Poulet détaillé, suprême de volaille	Pièces individuelles Se référer au chapitre qui les concerne
GIBIERS	**Chevreuil:** côtelette, noisette **Marcassin:** côtelette, noisette	Ces pièces sont prélevées dans le carré et le filet Se référer au chapitre qui les concerne

● **NOTA.** Les poissons et les légumes « sautés à la poêle » n'ont rien à voir avec ce procédé de cuisson.

● DÉFINITION ET BUT

● Par ce procédé, SAUTER consiste **à cuire entièrement à l'aide d'un corps gras absolument chaud** (beurre ou huile), toute petite pièce de faible volume: boucherie, volaille, abat, gibier.

● CUISSON

● Il est très important d'apporter un soin particulier à ce mode de cuisson. La réussite réside principalement dans le saisissement des chairs, qui « emprisonne » les principes nutritifs de s'extérioriser, mais aussi dans la « caramélisation » des sucs qui vont se fixer sur le fond du récipient et contribuer pour une grande partie à la réussite de la sauce d'accompagnement, grâce au « DÉGLAÇAGE ».

● Celui-ci est absolument nécessaire, il est un appui appréciable pour la confection de la sauce. Elle ne peut se réaliser qu'en prenant les recommandations suivantes:
— Le choix du récipient de cuisson: il doit être de dimension proportionnée aux pièces à sauter. Un trop grand ustensile laisse une partie non occupée par les pièces, brûle, et rend le déglaçage impossible. La sauce risque d'être « amère », occasionnée par la carbonisation des sucs.
— Saisir à feu vif et cuire à découvert (sans couvercle) sur le fourneau **les pièces peu volumineuses et d'une faible épaisseur:** côte, entrecôte, escalope, noisette, steak, etc., afin d'opérer le rissolage (« caramélisation ») de la surface et d'emprisonner les sucs à l'intérieur, notamment pour les viandes rouges.
— Saisir, puis maintenir à cuisson lente à couvert (avec couvercle) sur le fourneau ou au four **les pièces plus volumineuses:** volailles détaillées, gibiers à plume, viandes blanches (veau, agneau, porc).

● Ces pièces, qu'elles soient issues de bœuf ou de mouton, se traitent « à la commande », quelques minutes avant de les servir. Le principe de cuisson est le même pour toutes.

Les différents stades de cuisson: « au bleu », saignant, « à point », bien cuit, sont identiques à ceux appliqués aux viandes rouges grillées (voir dans le même chapitre le procédé de cuisson « GRILLER »).

Pour la cuisson, se référer au chapitre « LE BŒUF — PIÈCES SAUTÉES », dont le tournedos est l'exemple pour toutes les pièces.

● **DRESSAGE**

● Les tournedos et les noisettes de mouton sont dressés sur croûtons de pain de mie frits, nappés au préalable d'un peu de « glace de viande », afin d'empêcher ceux-ci d'absorber le jus qui s'échappe de la viande, ou sur « croquettes », composées avec l'un, ou avec les éléments qui concourent à la garniture.

● Les pièces rondes et les côtes sont dressées en couronne sur plat rond plat.

● Les pièces longues sont dressées sur plat long plat.

LES VIANDES BLANCHES

● Les pièces de veau sont farinées au moment de leur cuisson, afin de faciliter la « coloration » de la couche rissolée externe.

● La conduite de cuisson est identique à celle des pièces de viande rouge avec moins d'intensité de chaleur après le saisissement.

Seul, l'agneau est tenu légèrement rosé; toutes les autres pièces sont tenues bien cuites.

● Pour le veau se référer au chapitre qui le concerne « LE VEAU — SAUTÉ (petites pièces) ».

● Pour l'agneau procéder comme le mouton.

● Pour le porc comme le veau (sans être fariné).

LES VOLAILLES

● Réservée principalement pour les poulets détaillés en morceaux et les suprêmes de volaille (ailes).

● Deux méthodes sont appliquées:

— **A BRUN.** Les morceaux de poulet sont assaisonnés, **farinés,** saisis (colorer) au beurre très chaud. La cuisson est terminée à four assez chaud « à couvert ».

Le déglaçage est assuré par un vin quelconque et par un fond brun de même nature que l'élément de base (ou à défaut par un fond de veau brun lié).

— **A BLANC.** Les morceaux de poulet sont assaisonnés, « raidis » sans aucune coloration. La cuisson est terminée à four chaud « à couvert ».

L'élément du déglaçage est toujours un fond blanc de volaille, et la finition invariablement réalisée avec de la crème fraîche.

LES GIBIERS

● Les principales pièces qui subissent cette technique sont:

— **CHEVREUIL,** côtelette, noisette,

— **MARCASSIN,** côtelette, noisette.

● Hormis la marinade qui doit être obligatoire, la méthode de cuisson est identique à celle qui est appliquée au bœuf.

● La cuisson se fait rapidement à l'huile chaude après avoir épongé soigneusement les pièces.

● La sauce est généralement réalisée à base de sauce Poivrade.

● **NOTA.** A côté de ces pièces sautées, on peut citer dans cette série les SAUTÉS MIXTES, qui englobent toutes les préparations de viande de boucherie et de gibier détaillé en petits morceaux, rissolés comme les SAUTÉS, complétées ensuite avec une sauce et une garniture comme les BRAISÉS: Bourguignon, estouffade, navarin, sauté de veau, civet, etc.

● **ALIMENTS TRAITÉS PAR CE PROCÉDÉ**

CLASSIFICATION	ALIMENTS TRAITÉS	REMARQUES PARTICULIÈRES
VIANDES ROUGES principalement le bœuf	Bavette à pot-au-feu, collet, gîte-gîte, jumeaux, macreuse, paleron, plat de côtes, etc.	Morceaux de **deuxième** et de **troisième catégorie** Se référer au chapitre qui le concerne
VIANDES BLANCHES le veau	Epaule, jarret, poitrine, etc.	Morceaux de **deuxième** et de **troisième catégorie** Se référer au chapitre qui le concerne
VOLAILLES	Poularde, poule, poulet reine	Pièces entières Se référer au chapitre qui les concerne
ABATS bœuf - veau agneau	Amourettes, cervelle, langue, tête, pieds, ris	Se référer au chapitre « LES ABATS »
CHARCUTERIE	Carré, jambon, jambonneau, longe, palette, poitrine, saucissons divers, etc.	Généralement pièces entières ou au détail pour certaines Se référer au chapitre qui la concerne
POISSONS	Barbue, brochet, colin, raie, sole, saumon, thon, turbot, turbotin, truite, etc.	S'applique aussi bien aux petites et aux grosses pièces Se référer au chapitre qui les concerne
ŒUFS	Œuf de poule	S'applique aux œufs pochés Aux œufs cuits avec leur coque Se référer au chapitre « LES ŒUFS »
LÉGUMES	Tous les légumes frais et secs	Se référer aux différents chapitres qui les concernent: « LES LÉGUMES » et « LES LÉGUMES SECS »
PATES ET FARINAGES	Pâtes alimentaires, fraîches, gnocchi, riz	Se référer aux différents chapitres qui les concernent: « LES PATES FRAICHES ET LES FARINAGES », « LE RIZ », « LES PATES ALIMENTAIRES »
FRUITS	Abricot, pêche, poire, pomme, etc.	Méthode appliquée pour les fruits au sirop

● DÉFINITION ET BUT

● POCHER consiste à cuire les aliments en immersion dans une quantité plus ou moins grande de liquide: eau, fond, court-bouillon, sirop, etc., porté à une température atteignant aussi près que possible le stade d'ébullition **(frémissement imperceptible).**

● Ce procédé s'applique par extension à **toutes les cuissons qui comportent l'emploi d'un liquide quelconque.**
Il peut être aussi appliqué en exposant les aliments sous l'action continue de la vapeur.

● **Deux formules** sont appliquées au POCHAGE:
— CUISSON PAR CONCENTRATION, à partir d'un **liquide bouillant**
— CUISSON PAR EXPANSION, à partir d'un **liquide froid**
Ces formules ont des buts différents:

CUISSON A PARTIR D'UN LIQUIDE BOUILLANT

● Permet de conserver aux aliments un maximum de saveur (de goût) et d'éléments nutritifs: vitamines hydrosolubles, sels minéraux, substances aromatiques, etc.
Il y a « coagulation brutale » (rapide) de la surface qui, dans une certaine mesure, empêche ces substances de se diffuser dans l'eau de cuisson, si celle-ci est conduite rapidement.

● Procédé appliqué aux légumes frais, particulièrement aux légumes verts, ainsi qu'au pochage des fruits frais au sirop.

● Appliqué aussi, tout particulièrement, à la préparation des truites pochées dites « au bleu »: mise en cuisson dans un court-bouillon aromatisé (au préalable) bouillant. (Voir chapitre « LES POISSONS ».)

CUISSON A PARTIR D'UN LIQUIDE FROID

● Permet aux aliments, grâce à l'élévation progressive de la température du liquide, de diffuser une grande partie de leur saveur et de leurs substances solubles au liquide de cuisson.
Il n'y a pas « coagulation » de la surface des aliments.

● Procédé appliqué pour obtenir un **excellent fond de cuisson,** aux dépens de l'aliment: consommé, fond blanc, fumet de poisson, etc.
Afin de maintenir la qualité sapide de l'aliment ainsi traité: pièce de boucherie, volaille, etc., il est fréquent de renforcer le fond de cuisson par un fond identique (de même nature) préparé au préalable (« mise en place »), et une garniture aromatique plus importante.
Pour augmenter le contact entre le liquide et l'aliment, on coupe celui-ci en petits morceaux: veau pour la blanquette, os concassés pour le fond blanc, etc.

● On peut obtenir par ce procédé un aliment « parfumé »: méthode appliquée particulièrement pour les poissons pochés au court-bouillon.
La cuisson s'établit en deux temps:
— **premier temps:** préparation et cuisson du court-bouillon composé d'aromates, d'épices, d'une garniture aromatique, éventuellement de vin blanc ou de vinaigre. Laisser refroidir entièrement avant de procéder au deuxième temps — cuisson.
— **deuxième temps:** plonger l'aliment dans le court-bouillon.
Monter progressivement la température de cuisson jusqu'au point de pochage défini par la nature et le volume de l'aliment. En cours de cuisson, l'aliment s'enrichit et se parfume, par osmose, de tous les éléments sapides du court-bouillon.

REMARQUE:

Pour les poissons servis froids, afin d'obtenir un meilleur résultat, laisser refroidir entièrement dans la cuisson. Les poissons acquerront plus de saveur.

● Permet d'obtenir des aliments riches en saveur, en éléments nutritifs (vitamines, sels minéraux, etc.), conservent leur aspect naturel, n'ayant eu aucun échange avec le milieu de cuisson.

● Peu employée dans la restauration traditionnelle, cette méthode est néanmoins utilisée à l'échelon ménager, et fait sont apparition dans les cuisines de collectivité, restaurants d'entreprise, hôpitaux, etc. Permet d'obtenir un gain de temps considérable et une remarquable économie de chauffage.
Cette cuisson est réservée spécialement aux légumes, riz, œufs, à certaines viandes, aux crustacés et aux poissons.

LES LÉGUMES

REMARQUES PARTICULIÈRES:

● Il est recommandé avant la cuisson des légumes de noter plusieurs facteurs importants, si l'on veut atteindre le but souhaité:
— Utiliser des eaux aussi douces que possible ou des eaux adoucies.
— Saler l'eau avant la mise en cuisson des légumes, à raison de 8 à 10 grammes de gros sel par litre d'eau, afin de permettre au sel dissous une meilleure diffusion dans le légume.
— Certains légumes dits « à goût fort » renferment des composés sulfurés, dont il est nécessaire de se débarrasser. Etant donné que ces composés sont volatils, il est recommandé de cuire ces aliments à découvert (sans couvercle): tous les choux, les poireaux, les oignons, etc.
— Conservation de la couleur des légumes verts (chlorophylle). Sous l'influence de la chaleur, les acides organiques contenus dans les légumes **décolorent la chlorophylle** vers le vert jaunâtre. Ces acides étant volatils, il est recommandé de faciliter leur évacuation rapide par la vapeur, à découvert.
— Le temps de cuisson doit être limité à l'optimum de consistance. Une cuisson prolongée risque de faire perdre l'aspect naturel aux légumes.
En outre, cette prolongation aggrave le goût fort de certains légumes et diminue leur digestibilité.
— « Blanchir » les légumes à odeur forte et à cuisson longue, avant leur cuisson définitive.

LES FRUITS (PÊCHES ET POIRES)

● PRÉPARATIONS PRÉLIMINAIRES

● PÊCHES

REMARQUE:

Selon la qualité et la maturité, certaines se pèlent (se mondent) facilement sans être plongée dans l'eau bouillante.
a) Mettre dans un récipient de l'eau à bouillir.
b) **Plonger délicatement** les pêches sur une écumoire ou dans une passoire.
c) Laisser les fruits **dans l'eau bouillante pendant 6 à 8 secondes.**
d) Rafraîchir aussitôt en les plongeant dans un récipient d'eau froide.
e) Retirer ensuite soigneusement la peau, à l'aide d'un couteau d'office.

REMARQUE:

Pendant ces opérations, éviter de presser les pêches entre les doigts, ce qui risque de meurtrir (taler) la surface et de nuire à leur présentation.
f) Poser et réserver les pêches sur un plat.

● POIRES

a) Préparer dans une petite calotte (ou dans un petit récipient inoxydable) de l'eau froide additionnée d'un jus de citron.
b) Peler soigneusement les poires à l'aide d'un couteau économe.
c) Frotter légèrement chaque poire avec un demi-citron, afin d'éviter qu'elles noircissent.

REMARQUE:

Pendant ces opérations, éviter de presser les poires entre les doigts, ce qui risque de meurtrir (taler) la surface et de nuire à leur présentation.
d) Mettre les poires épluchées au fur et à mesure dans le récipient contenant l'eau citronnée.

● CUISSON

PRÉPARATION DU SIROP (à 15°)

a) Mettre dans une russe (ou dans une casserole) moyenne 500 grammes de sucre semoule et un quart de gousse de vanille pour 1 litre d'eau.
b) Faire bouillir pendant 1 à 2 minutes environ.

● **NOTA.** Le sucre peut avoir des effets différents selon les fruits employés. Généralement les fruits **se raffer-missent dans un sirop de concentration plus élevée que la teneur en sucre des fruits.**

POCHAGE DES FRUITS

● PÊCHES

a) Plonger les pêches dans le sirop « frémissant » (petite ébullition).
b) Terminer le pochage sur le coin du feu pendant 5 à 10 minutes selon la qualité et la variété des pêches.
c) Mettre sur le dessus un papier sulfurisé (ou une feuille d'aluminium) afin de maintenir légèrement les fruits en immersion.
d) Vérifier l'à point de cuisson, en piquant une aiguille à brider jusqu'au centre des pêches.
e) Débarrasser soigneusement les fruits (dès la cuisson terminée) à l'aide d'une écumoire et le sirop, dans une terrine (ou dans un récipient inoxydable).
f) Laisser les pêches dans leur sirop jusqu'à complet refroidissement.

● POIRES

a) Sortir les poires de leur eau citronnée, et les plonger dans le sirop « frémissant » (petite ébullition).
b) Terminer le pochage sur le coin du feu.
c) Mettre sur le dessus un papier sulfurisé (ou une feuille d'aluminium) afin de maintenir légèrement les fruits en immersion.
Il n'est pas possible de donner un temps de cuisson déterminé. Celui-ci étant fonction de la qualité et de la variété des poires.
d) Vérifier l'à point de cuisson, en piquant une aiguille à brider jusqu'au centre d'une poire.
e) Débarrasser soigneusement les fruits (dès la cuisson terminée) à l'aide d'une écumoire et le sirop, dans une terrine (ou dans un récipient inoxydable).
f) Laisser les poires dans leur sirop jusqu'à complet refroidissement.

● DRESSAGE

● Très diversifié du fait des nombreuses utilisations auxquelles sont destinés ces fruits frais pochés au sirop.

■ *F. BRAISER*

● ALIMENTS TRAITÉS PAR CE PROCÉDÉ

CLASSIFICATION	ALIMENTS TRAITÉS	REMARQUES PARTICULIÈRES
VIANDES ROUGES principalement le bœuf	Aiguillette, gîte à la noix, paleron désossé, macreuse, etc.	Morceaux de **deuxième catégorie** Se référer au chapitre qui le concerne
VIANDES BLANCHES le veau	Noix, longe, selle, fricandeau, etc.	Morceaux de **première** et de **deuxième catégorie**
ABATS	Langue de bœuf, ris de veau, ris d'agneau	Se référer au chapitre qui les concerne
VOLAILLES ET GIBIERS		Très rarement Pièces trop fermes pour être rôties
POISSONS grosses pièces	Bar, carpe, saumon, turbot	Le terme de BRAISER est également utilisé pour d'autres aliments La technique employée diffère de celle indiquée ci-dessous Se référer aux différents chapitres qui les concernent : « LES POISSONS » et « LES LÉGUMES »
LÉGUMES	Céleri, choux, laitue, etc.	

● DÉFINITION ET BUT

● Il permet d'obtenir un équilibre de saveur entre la **pièce** ainsi traitée et le **fond de cuisson** (sauce riche et corsée).

● Certains critères sont à observer pour la « conduite » de ce procédé :

— cuire longuement les aliments dans un récipient muni d'un couvercle fermant hermétiquement et d'une taille proportionnée à l'élément à braiser.

— à feu modéré.

— à faible mouillement.

— à forte concentration de garniture aromatique.

● L'opération se traduit en **deux temps :**

PREMIER TEMPS

Il consiste à saisir vivement dans un corps gras chaud la pièce sur toutes les faces, afin d'éviter aux sucs de la viande de s'**extérioriser trop tôt,** de les **« refouler » vers le centre** en les « emprisonnant » d'une croûte plus ou moins rissolée selon l'importance de la pièce mise en traitement.

DEUXIÈME TEMPS

Il amène dans cette phase de cuisson l'**opération inverse :** la température ayant atteint le centre de la pièce, comprime et vaporise les sucs, qui, sous la tension de la vapeur, cherchent à s'extérioriser pour s'échapper. Les fibres musculaires de la viande ainsi comprimées par la chaleur cèdent petit à petit et laissent passer les sucs, qui se mêlent à la sauce. Dans le même temps, celle-ci pénètre la chair et lui communique toute la saveur du fond de braisage.

En outre, toujours sous l'action de la chaleur, l'eau de constitution de l'aliment mis en traitement et l'eau de mouillement se transforment en vapeur, qui, s'élève jusqu'au couvercle, se condense, glisse sur la paroi du récipient, pour retomber dans le fond de braisage qui constitue le jus de cuisson.

TECHNIQUE APPLIQUÉE AUX VIANDES BLANCHES — LE VEAU

● PRÉPARATIONS PRÉLIMINAIRES

a) Dénerver; dégraisser légèrement la pièce.

b) Piquer la surface de la viande: à l'aide d'une aiguille à piquer, disposer en quinconce, et parallèlement aux fibres musculaires de la chair, des petits bâtonnets de lard gras frais de 3 à 4 centimètres de longueur et de 3 à 4 millimètres de section.

● **NOTA.** Afin de bien réussir cette opération, il est recommandé de **raffermir** les bâtonnets de lard dans un récipient garni de glace vive concassée.
En outre, le piquage permet de **« nourrir »** en matière grasse la viande pendant sa cuisson, et la rend plus moelleuse.

● CUISSON

a) Raidir légèrement (sans coloration) au beurre la viande et quelques os concassés.

REMARQUE:

Opération qui peut être facultative. La pièce est mise directement au four et saisie ensuite.

b) Assaisonner de sel fin et de poivre du moulin.

c) Mettre la pièce sur les os avec adjonction d'une garniture aromatique émincée grossièrement, suée au beurre au préalable et composée: de carottes; de gros oignons; d'ail; d'un bouquet garni.

d) Faire suer 10 à 15 minutes environ (toujours sans coloration).

e) Dégraisser.

f) Déglacer au vin blanc.

g) Laisser réduire 5 minutes.

h) Mouiller à mi-hauteur avec du fond de veau brun réduit preque à glace.

i) Couvrir le récipient et continuer la cuisson au four (200° environ), en arrosant fréquemment la pièce, afin d'éviter qu'elle ne sèche.

REMARQUE:

Le fond de braisage étant réduit — gélatineux — forme à la surface de la pièce une mince pellicule qui s'oppose à l'extériorisation des sucs de la viande.

j) Laisser cuire jusqu'au moment où, la pièce étant piquée à l'aide d'une aiguille à brider, elle pénètre à l'intérieur sans résistance, et laisse exsuder lorsqu'on la retire un jus incolore.

k) Retirer avec précaution la viande. La réserver sur un plat.

l) Passer la sauce au chinois sans fouler.

m) Faire réduire si cela est nécessaire.

n) Dégraisser complètement; écumer.

o) Vérifier l'assaisonnement.

● FINITION

REMARQUE:

Lorsqu'elles sont servies entières (service « à la voiture »), les viandes blanches braisées sont toujours « glacées ».
Cette opération n'est pas nécessaire lorsque les pièces sont servies détaillées en tranches.

a) Mettre la pièce sur un plat à l'entrée d'un four doux (200° environ).

b) Arroser légèrement la viande avec un peu de fond (sauce) de cuisson.

c) Recommencer l'opération toutes les 30 secondes environ avec le fond réduit par la chaleur situé dans le plat, jusqu'à ce que la pièce soit entièrement recouverte d'une pellicule brillante formée par la concertration de la sauce qui se dépose sur la surface.

d) Retirer la pièce du four lorsque le but est atteint.

● **DRESSAGE**

Dresser la pièce sur un plat de service légèrement saucé. Servir le fond à part en saucière.

● **VARIANTES**

DÉNOMINATION	COMPOSITION
ÉPAULE DE VEAU FARCIE	Farcir avec chair à saucisse additionnée de farce à gratin, de Duxelles et de fines herbes. Rouler, ficeler, braiser. Servir avec purée de légumes ou de pâtes quelconques.
FILET DE VEAU ORLOFF	Lever les filets en escalopes en conservant la semelle après le braisage. Masquer les filets d'une purée de champignons soubisée Reformer sur la semelle en intercalant une lame de truffe entre chaque escalope. Couvrir de sauce Mornay. Glacer rapidement.
LONGE DE VEAU A LA NIVERNAISE	Garnir avec carottes tournées glacées et petits oignons glacés.
NOIX DE VEAU JARDINIÈRE	Garnir avec jardinière de légumes composée : carottes et navets en bâtonnets ; haricots verts ; petits pois. Lier au beurre.
POITRINE DE VEAU AUX CÉLERIS	Farcir. Ajouter aux deux tiers de la cuisson pieds de céleris blanchis. Terminer la cuisson avec le fond de braisage passé.
SELLE DE VEAU RENAISSANCE	Dresser avec gros bouquets de choux-fleurs disposés à chaque bout du plat. Alterner sur les côtés petits bouquets de carottes et navets glacés levés à la cuillère cannelée ; haricots verts et petits pois liés au beurre ; botillons d'asperges ; pommes nouvelles rissolées.

■ G. POÊLER

● **ALIMENTS TRAITÉS PAR CE PROCÉDÉ**

CLASSIFICATION	ALIMENTS TRAITÉS	REMARQUES PARTICULIÈRES
VIANDES BLANCHES le veau - le porc	**Veau :** carré, cuisseau, épaule, longe, noix, sous-noix, noix-pâtissière, rognonnade, etc. **Porc :** carré, longe	Morceaux de **première** et de **deuxième catégorie** seulement pour le veau Se référer aux chapitres qui les concernent
VOLAILLES	Canard, chapon, dindonneau, pintade, poularde, poulet reine	Pièces entières Se référer au chapitre qui les concerne

● **DÉFINITION ET BUT**

● Cette méthode permet d'obtenir un équilibre de saveur entre la pièce ainsi traitée et le jus obtenu (sauce riche et corsée).

● Les critères donnés au BRAISAGE sont les mêmes pour le POÊLAGE.

FONDS ET SAUCES

● La cuisine française doit surtout sa valeur et sa qualité aux sauces qui y rentrent pour une large part. Elles sont une des gageures de sa primauté. Elles forment une gamme excessivement variée, de goûts très différents.

● Qu'elles soient chaudes ou froides, elles accompagnent les mets, les rehaussent et les font apprécier à leur juste valeur. Leur confection revient au « SAUCIER ». A l'exception du fumet et du velouté de poisson préparés par le « Poissonnier ». Il apporte un soin attentif et constant à leur réalisation. Il doit avoir le sens du goût très développé et une sûreté absolue dans le dosage des éléments qui les composent.

● Pour les réaliser, le Saucier doit avoir à sa disposition des « FONDS ».
Ce sont des préparations de base qui permettent de confectionner des réalisations culinaires. Ils en sont la structure.

● 1. CLASSIFICATION

Ils se divisent en fonds **clairs** ou **liés, blancs** ou **bruns :** de veau, de volaille, de poisson et, occasionnellement, de gibier.
Ils permettent d'obtenir soit des SAUCES BLANCHES, soit des SAUCES BRUNES, avec l'emploi d'agents de liaison : roux, fécule de pomme de terre, arrow-root.
Le Saucier dispose des FONDS suivants dans sa « mise en place ».

FONDS DE BASE	COMPOSITION	LIAISON	FONDS LIÉS	UTILISATION
FOND DE VEAU BRUN	os de veau carottes, oignons, ail bouquet garni tomates, cerfeuil, estragon	arrow-root ou fécule diluée avec vin blanc ou Madère	FOND DE VEAU LIÉ	Bordelaise Bercy, Madère Périgueux Piquante, etc.
BRAISIÈRE	os de veau et de bœuf carottes, oignons, tomates Mirepoix, bouquet garni	farine torréfiée ou roux brun	ESPAGNOLE	demi-glace et mêmes utilisations que ci-dessus
FOND DE VEAU BLANC	os de veau, poireaux carottes, ail, céleri oignon, bouquet garni, clou de girofle	roux blanc	VELOUTÉ DE VEAU	Allemande Poulette, etc.
FOND DE VOLAILLE BLANC	carcasses de volaille ou volaille entière poireaux, carottes, ail céleri, bouquet garni clou de girofle	roux blanc	VELOUTÉ DE VOLAILLE	Suprême Aurore Ivoire, etc.
FUMET DE POISSON	arêtes de poisson beurre, carottes, oignons échalotes, bouquet garni	roux blanc	VELOUTÉ DE POISSON	Bretonne Crevette, etc.

● **NOTA.** De la qualité des fonds dépend en grande partie la valeur du résultat final. Ce qui n'exclut pas que, pour obtenir une préparation parfaite, il s'avère nécessaire d'employer des épices, des condiments, des vins, des liqueurs et des alcools d'excellente qualité.
Tous ces fonds ne sont jamais salés, sauf la SAUCE TOMATE et la SAUCE BÉCHAMEL.

● 2. TECHNIQUES DE PRÉPARATION

■ A. LES FONDS BRUNS

LE FOND DE VEAU BRUN (dénommé autrefois JUS DE VEAU LIÉ)

(temps de cuisson 2 h. 30 à 3 heures environ)

● COMPOSITION (pour 1 litre):

1 kg d'os de veau, 100 g de carottes, 50 g de gros oignons, 1 ou 2 gousses d'ail, 1 cuillerée à potage de tomate concentrée, (ou 200 g de tomates fraîches), 1 bouquet garni, 1 litre 1/2 à 2 litres d'eau froide.

● TECHNIQUE:

REMARQUE. Le fond de veau lié se réalise en deux opérations.

PREMIÈRE OPÉRATION. — **FOND DE VEAU BRUN CLAIR.**

a) Concasser les os de veau **en menus morceaux.**
b) Faire colorer les os à four très chaud (250° environ — thermostat 8-9) dans une plaque à rôtir et sans **matière grasse,** pendant 15 minutes environ.
c) Ajouter après coloration des os, les carottes et les oignons épluchés, lavés et émincés grossièrement.
d) Faire suer au four, pendant 10 minutes environ.
e) Débarrasser ensuite à l'aide d'une écumoire les os et la garniture aromatique dans une russe (ou autre récipient).
f) **Mouiller à l'eau froide. Ne pas saler.**
g) Adjoindre l'ail, le bouquet garni, la tomate concentrée (ou tomates fraîches).
h) Faire bouillir et cuire 1 h. 30 à 2 heures à ébullition **lente et régulière.**
i) **Ecumer fréquemment** en cours de cuisson, à l'aide d'une écumoire.
j) Dégraisser au terme de la cuisson, à l'aide d'une petite louche.
k) Passer au chinois sans fouler dans un autre récipient.

REMARQUE. — Après avoir passé le fond, on obtient 1 litre 1/4 environ de fond de veau brun clair.

LE FOND DE VEAU LIÉ

(temps de cuisson 1 heure environ)

● COMPOSITION (pour 1 litre):

1 litre 1/4 de fond de veau brun clair, 100 g de parures de champignons de Paris, 1 petit bouquet de cerfeuil et d'estragon frais, 1/2 dl de vin blanc ou de Madère, 1 à 2 cuillerées à potage de fécule de pomme de terre ou d'arrow-root.

206

● TECHNIQUE:

DEUXIÈME OPÉRATION. — **FOND DE VEAU LIÉ**

a) Ajouter au fond de veau brun clair, les parures de champignons, le bouquet de cerfeuil et d'estragon.

b) Faire bouillir à petit feu.

c) Diluer dans un petit bol la fécule de pomme de terre ou l'arrow-root avec le vin blanc ou le Madère.

d) Verser cette liaison **petit à petit** dans le fond **bouillant** en remuant à l'aide d'un fouet (ou d'une petite louche), jusqu'à **obtention de la liaison désirée.**

e) Laisser bouillir et réduire à **feu modéré** en dépouillant (en écumant) fréquemment, pendant 1 heure environ.

f) Passer au chinois étamine, au terme de la cuisson.

g) Tenir en réserve jusqu'au moment de l'utilisation.

● UTILISATION (quelques exemples):

BORDELAISE	Réduire 2 cuillerées à potage d'échalotes finement ciselées, un peu de thym, de laurier, 5 g de poivre en grains concassés avec 2 dl 1/2 de vin rouge; ajouter 5 dl de **FOND DE VEAU LIÉ**; réduire, écumer, passer au chinois. Terminer avec quelques rondelles de moelle pochée. (Se fait aussi au vin blanc, se dénomme BONNEFOY.)
BERCY	Réduire 2 cuillerées à potage d'échalotes finement ciselées avec 1 dl de vin blanc; ajouter 5 dl de **FOND DE VEAU LIÉ.**
MADÈRE	Réduire 5 dl de **FOND DE VEAU LIÉ**; ajouter 1 dl de Madère.
PÉRIGUEUX	Réduire 5 dl de **FOND DE VEAU LIÉ**; ajouter 30 g de truffe hachée (épluchée de préférence).
PIQUANTE	Réduire à sec 1 cuillerée à potage d'échalotes finement ciselées avec 1/2 dl de vin blanc et 1/2 dl de vinaigre; ajouter 5 dl de **FOND DE VEAU LIÉ**; faire réduire puis passer au chinois; adjoindre 150 g de cornichons taillés en julienne, un peu de persil, de cerfeuil et d'estragon hachés.

LA BRAISIÈRE

(temps de cuisson 5 à 6 heures)

● COMPOSITION (pour 1 litre):

1,6 kg d'os de veau et de bœuf, 100 g de carottes, 100 g de gros oignons, 1 ou 2 gousses d'ail, 1 bouquet garni, 1 litre 1/2 à 2 litres d'eau froide.

● TECHNIQUE (première opération):

a) Concasser les os de veau et de bœuf en menus morceaux.

b) Faire colorer au four dans une plaque à rôtir (sans matière grasse).

c) Ajouter les carottes et les oignons grossièrement émincés.

d) Faire suer au four.

e) Réunir le tout dans une braisière en égouttant à l'aide d'une écumoire.

f) Mouiller avec de l'eau froide.

g) Adjoindre l'ail et le bouquet garni.

h) Porter à ébullition et cuire 5 à 6 heures à ébullition lente et régulière, en écumant fróquemment.

i) Dégraisser, puis passer au chinois.

L'ESPAGNOLE

(temps de cuisson 5 à 6 heures environ)

● **COMPOSITION (pour 1 litre):**

2 litres 1/2 de braisière, 30 g de lard de poitrine, 50 g de carottes, 30 g de gros oignons, 1 bouquet garni, 1 dl 1/2 de tomate concentrée, 125 g de roux brun.

● **TECHNIQUE (deuxième opération):**

a) Mettre à bouillir le fond de braisière.

b) Préparer le roux. (La liaison peut se faire avec de la farine torréfiée, farine colorée au four, puis diluée avec un peu de fond froid.)

c) Ajouter le roux ou la farine diluée en mélangeant à l'aide d'un fouet à sauce.

d) Faire bouillir.

e) Préparer une Mirepoix: lard en petits dés fondu dans une sauteuse, avec carottes et oignons taillés en petits dés.

f) Adjoindre cette Mirepoix. Égoutter soigneusement la graisse.

g) Laisser cuire 3 heures environ. Écumer en cours de cuisson.

h) Passer au chinois et réserver. Vanner la sauce pendant son refroidissement.

i) Remettre le lendemain la sauce à bouillir.

j) Ajouter la tomate et un bouquet garni.

k) Laisser cuire doucement en dépouillant pendant 5 à 6 heures environ.

l) Passer au chinois et réserver.

● **UTILISATION:**

Cette sauce réduite jusqu'à son suprême degré de perfection se dénomme « DEMI-GLACE ».
Elle a la même utilisation que le FOND DE VEAU LIÉ.

■ B. LES FONDS BLANCS

LE FOND DE VEAU BLANC

(temps de cuisson 2 h. 30 à 3 heures environ)

● **COMPOSITION (pour 1 litre):**

1 kg d'os de veau, 100 g de carottes, 50 g de gros oignons, 1 poireau moyen, 1 branche de céleri, 1 ou 2 gousses d'ail, 1 bouquet garni, 1 clou de girofle, 1 litre 1/2 à 2 litres d'eau froide.

TECHNIQUE:

a) Concasser les os de veau **en menus morceaux.**

b) Mettre ces os dans une russe moyenne (ou dans une casserole).

c) Mouiller **à l'eau froide.**

d) Porter à ébullition.

e) Faire « blanchir ». Laisser bouillir 1 à 2 minutes environ.

f) Rafraîchir à l'eau courante.

g) Egoutter les os dans une passoire.

h) Eplucher et laver les carottes, les gros oignons, l'ail, le poireau, la branche de céleri.

i) Préparer un petit bouquet garni.

j) Remettre les os dans un récipient.

k) Ajouter 1 litre 1/2 à 2 litres d'eau froide environ. **Ne pas saler.**

l) Adjoindre tous les légumes. Piquer le clou de girofle dans un oignon.

m) Porter à ébullition. Ecumer.

n) Laisser cuire **doucement et régulièrement** à découvert pendant 2 h. 30 à 3 heures environ.

o) Passer délicatement (sans fouler) au chinois étamine, dès que la cuisson est terminée.

p) Tenir en réserve jusqu'au moment de l'utilisation.

UTILISATION:

Ce fond est réservé en partie pour mouiller: les crèmes de légume, les jus et les sauces.
Il est utilisé pour la préparation du VELOUTÉ DE VEAU.

LE VELOUTÉ DE VEAU

(temps de cuisson 12 à 15 minutes environ)

COMPOSITION (pour 1 litre):

1 litre de fond blanc de veau, 70 à 80 g de beurre (+20 g pour tamponner la surface), 70 à 80 g de farine, 100 g de parures de champignons de Paris, sel fin.

TECHNIQUE:

REMARQUE. Le velouté de veau se prépare en deux temps:

PREMIER TEMPS. — **CONFECTION DU ROUX BLANC**

REMARQUE. Le récipient (sauteuse ou casserole) utilisé à la confection du roux doit être d'une taille adéquate avec la sauce à préparer.

a) Mettre dans une petite sauteuse (ou dans une casserole) 60 à 70 g de beurre à fondre doucement **sans coloration.**

b) Ajouter 60 à 70 g de farine (tamisée de préférence) dès le beurre fondu.

c) Mélanger beurre et farine **en remuant constamment à l'aide d'une spatule en bois,** et sur toute la surface du récipient afin **d'éviter la coloration et la formation de grumeaux.** Le roux doit être **absolument lisse.**

d) Cuire 4 à 5 minutes jusqu'au moment où le roux devient « mousseux » et « blanchi » légèrement.

e) Mettre au terme de la cuisson, le **roux à refroidir.**

a) Verser 1 litre de fond de veau **bouillant** (en une seule fois) sur le roux refroidi.

b) Mélanger le tout à l'aide d'un petit fouet à sauce, de manière à obtenir une sauce très lisse.

c) Faire bouillir.

d) Ajouter les parures de champignons (facultatif). Saler.

e) Laisser cuire en remuant fréquemment, pendant 8 à 10 minutes environ.

f) Passer **(si cela est nécessaire)** au chinois étamine, dès que la cuisson est terminée.

g) « Fouler » à l'aide d'une petite louche (qui « épouse » la forme du chinois) au-dessus d'un petit bain-marie (ou autre petit récipient).

h) Tamponner la surface avec 30 g de beurre, afin d'éviter la formation d'une peau au contact de l'air.

i) Tenir en réserve.

● **UTILISATION** (quelques exemples):

ALLEMANDE	Reduire 5 dl de **VELOUTÉ DE VEAU** en remuant avec une spatule à réduction. Lier avec 3 jaunes d'œufs, 1 dl de cuisson de champignons, 2 gr de poivre en grains concassés et un filet de jus de citron. Faire bouillir, puis reduire jusqu'au moment ou la sauce est nappante. Ajouter une râpure de noix de muscade. Passer à l'étamine. Au moment d'utiliser, compléter avec 50 g de beurre frais.
POULETTE	Comme la sauce ALLEMANDE, ajouter une fois terminée du persil haché.

LE FOND DE VOLAILLE BLANC

● **COMPOSITION** (pour 1 litre):

Les mêmes proportions que le fond blanc de veau en remplaçant les os de veau par des carcasses ou une volaille.

● **TECHNIQUE:**

Même technique culinaire que le fond de veau blanc.

● **UTILISATION:**

Même utilisation que le fond de veau blanc.
Il est utilisé pour la préparation du VELOUTÉ DE VOLAILLE.

LE VELOUTÉ DE VOLAILLE

● **COMPOSITION** (pour 1 litre):

Les mêmes proportions que le velouté de veau.

● **TECHNIQUE:**

Même technique culinaire que le velouté de veau.

SUPRÊME	Réduire 5 dl de **VELOUTÉ DE VOLAILLE** avec 1 dl de crème fraîche. Passer à l'étamine.
AURORE	Sauce SUPRÊME légèrement tomatée.
IVOIRE	Sauce SUPRÊME additionnée d'une demi-cuillerée à potage de glace de viande.

LE FUMET DE POISSON

(temps de cuisson 20 minutes environ)

● COMPOSITION (pour 1 litre):

1 kg d'arêtes de poisson (voici par ordre de préférence les arêtes à employer: sole, barbue, turbot, merlan...), 30 g d'échalotes, 80 g de gros oignons, 100 g de carottes, 30 g de parures de champignons (facultatif), 1 bouquet garni, 50 g de beurre, 1 litre 10 d'eau froide.

● TECHNIQUE:

a) Eplucher, laver et **émincer finement** 100 g de carottes, 80 g de gros oignons et 30 g d'échalotes.
b) Mettre 50 g de beurre à fondre, dans une sauteuse (ou dans une casserole).
c) Mettre à suer la garniture **sans coloration,** 4 à 5 minutes environ.
d) Remuer à l'aide d'une spatule en bois.
e) Egoutter et concasser en menus morceaux les arêtes.
f) Ajouter ces dernières à la garniture.
g) Faire suer le tout 3 à 4 minutes environ.
h) Mouiller de 1 litre 10 **d'eau froide.**
i) Adjoindre un petit bouquet garni et les parures de champignons.
j) Faire bouillir.
k) Ecumer si cela est nécessaire à l'aide d'une écumoire.
l) Laisser **frémir** doucement **à découvert** sur le coin du feu (ou à petit feu), pendant 20 minutes environ. **Ne pas saler.**
m) Passer au chinois étamine, au terme de la cuisson.
n) Presser les arêtes, à l'aide d'une petite louche.
o) Réserver jusqu'à l'emploi.

● UTILISATION:

Ce fumet est réservé en partie pour mouiller les poissons braisés et pochés.
Il est utilisé pour la préparation du VELOUTÉ DE POISSON.

LE VELOUTÉ DE POISSON

(temps de cuisson 12 à 15 minutes)

● COMPOSITION (pour 1 litre):

1 litre de fumet, 60 à 70 g de beurre (+20 g pour tamponner la surface), 60 à 70 g de farine.

REMARQUE. Le velouté de poisson, comme le velouté de volaille et le velouté de veau, se prépare en deux temps:

● **TECHNIQUE:**

PREMIER TEMPS. — **CONFECTION DU ROUX BLANC**

REMARQUE. Le récipient (sauteuse ou casserole) utilisé à la confection du roux doit être d'une taille adéquate avec la sauce à préparer.

a) Mettre dans une petite sauteuse (ou dans une casserole) 60 à 70 g de beurre à fondre doucement **sans coloration.**

b) Ajouter 60 à 70 g de farine (tamisée de préférence) dès le beurre fondu.

c) Mélanger beurre et farine **en remuant constamment à l'aide d'une spatule en bois,** et sur toute la surface du récipient afin **d'éviter la coloration et la formation de grumeaux.** Le roux doit être **absolument lisse.**

d) Cuire 4 à 5 minutes jusqu'au moment où le roux devient « mousseux » et « blanchi » légèrement.

e) Mettre au terme de la cuisson, le **roux à refroidir.**

DEUXIÈME TEMPS. — **CONFECTION DU VELOUTÉ**

a) Verser 1 l. de fumet **bouillant** (en une seule fois) sur le roux refroidi.

b) Mélanger le tout à l'aide d'un petit fouet à sauce, de manière à obtenir une sauce très lisse.

c) Faire bouillir.

d) Laisser cuire en remuant fréquemment, pendant 8 à 10 minutes environ.

e) Passer **(si cela est nécessaire)** au chinois étamine, dès que la cuisson est terminée.

f) « Fouler » à l'aide d'une petite louche (qui « épouse » la forme du chinois) ou d'une cuillère à potage, au-dessus d'un petit bain-marie (ou autre petit récipient).

g) Tamponner la surface avec 20 g de beurre, afin d'éviter la formation d'une peau au contact de l'air.

h) Tenir en réserve.

● **UTILISATION (quelques exemples):**

BRETONNE	Réduire 5 dl de **VELOUTÉ DE POISSON** avec 1 dl de crème fraîche. Ajouter une julienne de légumes étuvée et cuite au beurre: blancs de poireau, oignon, céleri en branche, champignons de Paris. Terminer avec 50 g de beurre.
CREVETTES	Réduire 5 dl de **VELOUTÉ DE POISSON** avec 1 dl de crème fraîche. Ajouter hors du feu 50 g de beurre de crevette et 4 cuillerées à potage de crevettes décortiquées.

Le velouté de poisson est utilisé en majeure partie pour **étoffer les sauces de poisson.**

LA SAUCE TOMATE

(temps de cuisson 1 h. 30 à 2 heures) (pour 1 litre):

● **COMPOSITION (pour 1 litre):**

2 dl de tomate concentrée, 150 g de lard de poitrine, 160 g de carotte, 160 g de gros oignon, 4 gousses d'ail, 1 petit bouquet garni, 50 g de farine, 100 g de beurre (+20 g pour tamponner la surface), sel, 1 prise de sucre, poivre du moulin, 1,5 litre d'eau ou de fond blanc.

● **TECHNIQUE:**

a) Eplucher, laver les carottes et les gros oignons.

b) Eplucher et écraser les gousses d'ail.

c) Préparer un petit bouquet garni.

d) Tailler en petits dés (brunoise) de 5 mm environ, les carottes et les oignons, à l'aide d'un couteau éminceur.

e) Tailler aussi le lard en dés.

f) Mettre à fondre dans une sauteuse moyenne (ou dans une casserole) le beurre (100 g).

g) Ajouter les carottes, les oignons et le lard (Mirepoix).

h) Faire suer le tout, sans coloration, pendant 5 minutes environ.

i) Remuer à l'aide d'une petite spatule en bois.

j) Saupoudrer (singer) de 50 g de farine.

k) Incorporer la farine à la Mirepoix.

l) Mettre au four 3 à 4 minutes.

m) Sortir le récipient, puis ajouter 2 dl de tomate concentrée.

n) **Mouiller avec 1,5 litre d'eau chaude.**

o) Mélanger à l'aide d'un petit fouet à sauce.

p) Adjoindre les 4 gousses d'ail écrasées et le petit bouquet garni.

q) Assaisonner de sel, de poivre du moulin et d'une prise de sucre.

r) Faire bouillir en remuant de temps en temps.

s) Laisser cuire à four doux (150° environ - thermostat 4-5) à couvert, pendant 1 h. 30 à 2 heures environ.

REMARQUE. Surveiller de temps en temps la cuisson de la sauce. **Remuer** fréquemment à l'aide d'une spatule en bois. Compenser une trop forte réduction de la sauce par l'adjonction d'un peu d'eau chaude.

t) Sortir la sauteuse du four au terme de la cuisson.

u) Passer la sauce au chinois étamine.

REMARQUE. Ne pas trop « fouler » les légumes de la garniture aromatique.

v) Vérifier l'assaisonnement.

w) Tamponner la surface avec un petit morceau de beurre (20 g), afin d'éviter la formation d'une peau au contact de l'air.

x) Réserver jusqu'au moment de l'utilisation.

● **UTILISATION (quelques exemples):**

Elle est utilisée comme sauce d'accompagnement pour les fritots, les œufs frits, les pâtes alimentaires, etc., soit pour leur donner un caractère particulier.

CHASSEUR	Sauter au beurre 250 g de champignons de Paris émincés avec 1 cuillerée à potage d'échalotes finement ciselées. Déglacer avec 1 dl de vin blanc et une goutte de cognac. Ajouter 5 dl de **FOND DE VEAU LIÉ** et 1 dl de **SAUCE TOMATE.** Laisser réduire 3 à 4 minutes. Au départ ajouter cerfeuil et estragon hachés.
DIABLE	Faire réduire à sec 1 cuillerée à potage d'échalotes finement ciselées avec 10 g de poivre en grains concassés (Mignonnette), mouiller de 5 cl de vin blanc et 5 cl de vinaigre. Ajouter 5 dl de **FOND DE VEAU LIÉ** et 1 dl de **SAUCE TOMATE.** Laisser réduire 5 minutes environ, puis passer au chinois. Ajouter 50 g de beurre et terminer avec une pincée de persil haché.

LA SAUCE BÉCHAMEL

(temps de cuisson 15 minutes) (pour 1 litre):

1 litre de lait, 70 g de beurre (+20 g pour tamponner la surface), 70 g de farine, sel fin, poivre de cayenne (ou à défaut poivre du moulin), quelques râpures de noix de muscade.

REMARQUE. La béchamel se prépare en deux temps:

● **TECHNIQUE:**

PREMIER TEMPS. — **CONFECTION DU ROUX BLANC**

REMARQUE. Le récipient (sauteuse ou casserole) utilisé à la confection du roux doit être d'une taille adéquate avec la sauce à préparer.

a) Mettre dans une sauteuse moyenne (ou dans une casserole moyenne) 70 g de beurre à fondre doucement **sans coloration.**

b) Ajouter 70 g de farine (tamisée de préférence), dès le beurre fondu.

c) Mélanger beurre et farine **en remuant constamment à l'aide d'une spatule en bois,** et sur toute la surface du récipient afin **d'éviter la coloration et la formation de grumeaux.** Le roux doit être **absolument lisse.**

d) Cuire 4 à 5 minutes jusqu'au moment où le roux devient « mousseux » et « blanchi » légèrement.

e) Mettre au terme de la cuisson, le **roux à refroidir.**

DEUXIÈME TEMPS. — **CONFECTION DE LA SAUCE BÉCHAMEL**

a) Verser 1 litre de lait **bouillant** (en une seule fois) sur le roux refroidi.

b) Mélanger le tout à l'aide d'un petit fouet à sauce, de manière à obtenir une sauce très lisse.

c) Faire bouillir.

d) Laisser cuire en remuant fréquemment pendant 10 minutes environ.

e) Assaisonner de sel fin, d'une pointe de poivre de cayenne (ou à défaut de poivre du moulin) et de quelques râpures de noix de muscade.

f) Passer au chinois étamine, dès que la cuisson est terminée.

g) « Fouler » à l'aide d'une petite louche (qui « épouse » la forme du chinois) au-dessus d'un petit bain-marie à sauce (ou autre récipient).

h) Tamponner la surface avec 20 g de beurre, afin d'éviter la formation d'une peau au contact de l'air.

i) Réserver au bain-marie.

● **NOTA.** La méthode ancienne consistait à cuire la sauce béchamel 3 à 4 heures environ, dans un four doux, avec une garniture aromatique: bouquet garni, oignon piqué d'un clou de girofle et carotte. Cette méthode ancienne était certainement la meilleure, et donnait d'excellents résultats.

● **UTILISATION** (quelques exemples):

CRÈME	Faire réduire sur le feu en remuant constamment à l'aide d'une spatule à réduction, 5 dl de **SAUCE BÉCHAMEL** avec 1 dl de crème fraîche.
MORNAY	Lier hors du feu, 5 dl de **SAUCE BÉCHAMEL** avec 2 jaunes d'œufs et 75 g de gruyère râpé.
SOUBISE	Etuver au beurre 150 g d'oignon émincé sans coloration (faire blanchir au préalable l'oignon émincé). Ajouter 5 dl de **SAUCE BÉCHAMEL.** Passer au chinois ou à l'étamine.

La **SAUCE BÉCHAMEL** est très employée dans les gratins.

LES « GLACES »

● CARACTÉRISTIQUE:

Tous les fonds non liés de viande, de volaille, de poisson, et occasionnellement de gibier, lorsqu'ils sont réduits, donnent une concentration des sucs, obtenue par une ébullition lente et prolongée, qui provoque une forte évaporation du liquide, laissant une substance sirupeuse dénommée couramment en cuisine « GLACE », qui se solidifie en refroidissant.

● COMPOSITION:

Glace de viande obtenue par le fond brun.
Glace de volaille obtenue par le fond de volaille.
Glace de poisson obtenue par le fond de poisson.

● TECHNIQUE:

a) Faire bouillir le fond.
b) Laisser réduire doucement à feu doux.
c) Ecumer constamment pendant la réduction.
d) La réduction est terminée lorsque celle-ci enveloppe (nappe) une cuillère plongée dedans, d'une couche luisante et bien adhérente. Passer à l'étamine ou au chinois.
La « glace » est réservée dans de petites terrines mises au frais.

UTILISATION (quelques exemples):

Les GLACES sont utilisées pour renforcer les sauces, ou bien directement comme sauces après avoir été mises au point avec fond, beurre ou crème, selon les utilisations.

LES LIAISONS

● 1. CARACTÉRISTIQUES

Les **LIAISONS** sont des préparations culinaires réalisées à l'aide de **PRODUITS ÉLABORÉS** ou **NATURELS,** soit seuls, soit mélangés, dont le but initial est d'épaissir un liquide, une sauce, afin de les rendre plus onctueux et plus savoureux.

● 2. PRODUITS UTILISÉS POUR LES LIAISONS

PRODUITS ÉLABORÉS	AMIDONS	farine de blé fécule de pomme de terre	arrow-root * crème de riz...
	BEURRE		
	CRÈME FRAICHE		
PRODUITS NATURELS	JAUNE D'ŒUF		
	SANG	de porc de gibier	

● 3. CLASSIFICATION DES LIAISONS

■ A. A BASE D'AMIDON (seulement)   ■ D. A BASE DE JAUNE D'ŒUF
■ B. A BASE DE FARINE ET DE BEURRE   ■ E. A BASE DE SANG
■ C. A BASE DE CRÈME

■ *A. A BASE D'AMIDON* (seulement)

● CARACTÉRISTIQUE:

Mélangés à un liquide bouillant, les amidons peuvent absorber jusqu'à 30 fois environ leur volume de liquide pour former une liaison. Celle-ci est fonction de la **température** et de la **nature** de l'amidon; elle commence graduellement à partir de 50°C, et pour obtenir un maximum d'épaississement il faut chauffer autour de 90°C:

> IL FAUT DONC FAIRE BOUILLIR TOUTES LES LIAISONS A BASE D'AMIDON

Différents facteurs sont à considérer pour obtenir un bonne liaison:

LES ACIDES	Réduisent partiellement la liaison. Ex.: quand on ajoute un jus de citron à une sauce il est préférable de le faire après la cuisson: c'est le cas pour la **BLANQUETTE,** la **SAUCE POULETTE...**
L'EAU EMPLOYÉE	La liaison est plus importante dans l'eau distillée, dans les liquides peu ou pas assaisonnés, que dans les solutions salines.
LES CONDITIONS DE LA CUISSON	Un chauffage rapide permet d'obtenir une liaison ferme, alors qu'un chauffage trop prolongé tend à la liquéfier.

* Sorte de fécule extraite des rhizomes du «maranta arundinacea» (Antilles, Madagascar, Indes). Même aspect que la fécule de pommes de terre; s'utilise dans les mêmes proportions que celle-ci.

L'aspect des liaisons varie avec les amidons utilisés:
— la farine donne une liaison **OPAQUE**,
— la fécule de pomme de terre, l'arrow-root, donnent une liaison **VISQUEUSE**,
— la crème de riz une liaison **TRANSLUCIDE**.

LIAISONS LIQUIDES

● TECHNIQUE:

Elles sont principalement réalisées à base de fécule de pomme de terre, d'arrow-root, de crème de riz.
a) Délayer l'élément de liaison avec un liquide froid: eau, fond blanc, vin, alcool...
b) Mélanger intimement.

REMARQUE. Si le mélange n'est pas utilisé de suite, il est nécessaire de bien le remuer au moment de son emploi. En effet, l'amidon étant en suspension et non en dissolution, se dépose au fond pendant le repos.

c) Verser petit à petit — « en filet » — la liaison dans le liquide **bouillant.**
d) Remuer à l'aide d'un fouet, rapidement et sans interruption jusqu'à obtention de la liaison désirée.

● NOTA. La liaison s'opère presque instantanément.

● UTILISATION:

Crème de riz = crèmes diverses (potages)
Fécule de pomme de terre, arrow-root = fond de veau et rectification d'une sauce imparfaitement liée.

LIAISONS SÈCHES

● TECHNIQUE:

Elles sont réalisées à base de farine.
a) Saupoudrer de farine (singer) l'aliment en cours de cuisson.
b) Mélanger à l'aide d'une spatule en bois.
c) Laisser cuire un moment la farine et même dorer s'il y a lieu, dans un four.
d) Ajouter le liquide de mouillement **chaud.**
e) Mélanger, faire bouillir.
f) Terminer la cuisson.

● UTILISATION:

Ces liaisons sont généralement utilisées pour les sautés.

■ B. *A BASE DE FARINE ET DE BEURRE*

ROUX

● CARACTÉRISTIQUE:

Mélange de beurre et de farine dont la cuisson plus ou moins prolongée de la farine dans le beurre donne selon qu'on désire obtenir un **ROUX BLANC** ou un **ROUX BLOND**.
Malgré la grande simplicité de leur préparation, les roux demandent beaucoup d'attention.
Peu utilisés, le ROUX BLOND et le ROUX BRUN ne feront pas l'objet d'une étude approfondie. Nous étudierons donc le ROUX BLANC, d'une utilisation plus courante.

● COMPOSITION:

La farine et le beurre sont employés en proportions égales.
Il est bon de rappeler que le poids de la farine est fonction de sa qualité, ainsi que de la consistance de la sauce à obtenir. Ex.: pour 1 litre de sauce: — béchamel: 70 g à 80 g de farine et autant de beurre
— velouté, crème: 50 g à 60 g de farine et autant de beurre

217

● **TECHNIQUE:**

REMARQUE. Le récipient (sauteuse ou casserole) utilisé à la confection du roux doit être d'une taille adéquate avec la sauce à préparer.

a) Mettre dans une sauteuse (ou dans une casserole) le beurre à fondre doucement et **sans coloration.**
b) Ajouter la farine (tamisée de préférence), dès le beurre fondu.
c) Mélanger beurre et farine **en remuant constamment** à l'aide d'une spatule en bois, et sur toute la surface du récipient afin **d'éviter la coloration et la formation de grumeaux.** Le roux doit être **absolument lisse.**
d) Cuire 4 à 5 minutes jusqu'au moment où le roux devient « mousseux » et « blanchi » légèrement.
e) Mettre au terme de la cuisson, le roux à refroidir jusqu'au moment de la liaison du liquide (lait, fond blanc de volaille, de veau, de fumet de poisson, etc.). Ne pas le débarrasser dans un autre récipient.

   REMARQUE. Afin d'éviter la formation de grumeaux dans la sauce à lier, le liquide doit être **versé bouillant sur le roux froid.** Le mélange doit se faire **à l'aide d'un fouet à sauce,** et chauffer progressivement le mélange en remuant constamment.

● **UTILISATION:**

Roux blanc

Mouillé au lait = sauce béchamel
Mouillé au fond de veau blanc = velouté de veau
Mouillé au fond de volaille blanc = velouté de volaille
Mouillé au fumet de poisson = velouté de poisson

BEURRE MANIÉ

● **CARACTÉRISTIQUE:**

Mélange de beurre et de farine réalisé « à cru ». Comme pour les roux, les deux éléments sont employés en proportions égales. Il peut se préparer à l'avance et se réserver au frais quelques jours.

● **TECHNIQUE:**

a) Incorporer (malaxer avec le bout des doigts) la farine dans le beurre ramolli.
b) Obtenir une sorte de pâte.
c) Réserver jusqu'à l'emploi.

● **UTILISATION:**

Ce beurre manié est utilisé pour compléter la liaison d'une sauce ou d'une préparation insuffisamment liées.
a) Jeter un peu de cette pâte dans la sauce ou le liquide bouillant.
b) Remuer à l'aide d'un fouet, rapidement et sans interruption.
c) Laisser cuire 5 à 10 minutes environ.

■ C. A BASE DE CRÈME

● **CARACTÉRISTIQUE:**

Employée seule, la crème ne peut être considérée comme élément stable de liaison. Mais associée avec le beurre, le jaune d'œuf, les veloutés divers..., elle a la faculté de donner aux sauces du **« velouté ».**

● **TECHNIQUE ET UTILISATION:**

Sauces poisson

a) Réduire aux 4/5 la cuisson du poisson.
b) Ajouter la crème.
c) Mélanger, remuer fréquemment en cours de réalisation à l'aide d'un fouet à sauce.
d) Laisser réduire de moitié.
e) Monter au beurre (hors du feu) lorsque la sauce « nappe » entièrement le dos d'une cuillère à potage.

Crèmes diverses (potages) — pour la liaison finale

a) Mélanger la crème avec des jaunes d'œuf.
b) Verser sur cette liaison du lait bouillant. Mélanger.
c) Verser ensuite le velouté (composition du potage) chaud sur la liaison.
d) Passer au chinois étamine.

Sauce blanquette — pour la liaison finale

a) Mélanger la crème avec des jaunes d'œuf.
b) Verser sur cette liaison le velouté de veau bouillant. Mélanger.
c) Passer au chinois étamine.

■ D. A BASE DE JAUNE D'ŒUF

● **CARACTÉRISTIQUE:**

Seul, le **jaune d'œuf** est utilisé pour les liaisons.
Celles-ci ne peuvent être effectuées qu'à une température inférieure à 80°C. Au-dessus, la liaison **est détruite par l'ébullition.** Si les jaunes d'œuf sont employés conjointement avec un apport de farine, le mélange **peut bouillir** (pas plus de 4 à 5 minutes, car la liaison se liquéfierait), du fait de la dispersion des jaunes dans une grande quantité de farine qui abaisse le point d'ébullition.

● **TECHNIQUE:**

a) Verser peu à peu, en remuant vivement et constamment le liquide chaud à lier sur les jaunes, pour les diviser et les réchauffer.
b) Verser ensuite le mélange ainsi obtenu dans la totalité du liquide à lier.
c) Faire cuire **progressivement jusqu'au point de liaison.** Mélanger constamment.
d) Passer au chinois étamine au terme de la cuisson.

● **UTILISATION:**

Consommé Germiny
Crème anglaise
Pots de crème
Sauce Mornay — Crème pâtissière...

■ E. A BASE DE SANG (de porc — gibier occasionnellement)

● **CARACTÉRISTIQUE:**

Comme le jaune d'œuf, son « point » de coagulation ne peut dépasser 80°C. Mais, étant fréquemment utilisé dans les sauces ayant déjà une liaison à base de farine, son ébullition ne doit pas se prolonger au-delà de 3 à 4 minutes environ.

● **TECHNIQUE:**

Même procédé que le jaune d'œuf.

● **UTILISATION:**

Est utilisé de préférence le sang de porc frais. Il peut être conservé en chambre froide ou au réfrigérateur, dans une bouteille ou bocal hermétiquement fermés pendant quelques heures.
Celui du gibier est employé pendant la période de la chasse, quelques heures après l'abattage.
Le sang de coq peut être aussi utilisé lorsque la préparation (COQ AU VIN) suit de quelques heures l'abattage.

L'utilisation du sang est très limitée en cuisine:
— Civet de lièvre, de garenne...
— Civet de porc.
— Coq au vin: Chambertin, Bourguignonne...

SAUCES ÉMULSIONNÉES

● 1. PRINCIPES DE L'ÉMULSION

● On appelle émulsion une dispersion stable en fines gouttelettes d'un liquide non miscible avec un autre, Le beurre (fondu) et l'huile ne sont pas miscibles à un liquide. C'est-à-dire qu'ils ne peuvent pas se mélan ger à celui-ci.

● Si l'on fouette énergiquement de l'huile et de l'eau ensemble, l'huile se divisera momentanément en fines gouttelettes, celles-ci auront tendance à se réunir entre elles dès qu'aura cessé l'agitation des deux liquides.
C'est pour éviter la séparation de ces deux corps et obtenir une émulsion stable, qu'il est nécessaire d'utiliser un **agent émulsionnant.**

● En cuisine, l'agent émulsionnant le plus utilisé et le plus commun est le jaune d'œuf.
Le jaune d'œuf a la propriété d'être **lipophile** (affinité avec les graisses) et **hydrophile** (affinité avec l'eau), ce qui permet d'obtenir une émulsion stable.

● 2. CLASSIFICATION

CLASSIFICATION	DÉNOMINATION	COMPOSITION	DÉRIVÉS
SAUCES ÉMULSIONNÉES FROIDES	**MAYONNAISE**	huile jaunes d'œuf moutarde vinaigre sel fin poivre de Cayenne	**ANDALOUSE CHANTILLY ITALIENNE TARTARE VERTE, etc.**
SAUCES ÉMULSIONNÉES CHAUDES	**HOLLANDAISE**	jaunes d'œuf beurre sel fin poivre de Cayenne jus de citron eau	**CHANTILLY MOUSSELINE VIERGE MALTAISE MIKADO MOUTARDE, etc.**
	BÉARNAISE	jaunes d'œuf beurre vinaigre d'estragon échalotes poivre en grains estragon cerfeuil sel fin poivre de Cayenne	**ARLÉSIENNE CHORON FOYOT PALOISE TYROLIENNE VALOIS, etc.**

● **NOTA.** Pour bien comprendre la préparation de ces sauces, nous allons démontrer dans ce chapitre qu'il est simple de les réussir, en précisant **les soins** et les précautions à apporter à leur préparation.

3. TECHNIQUES DE PRÉPARATION

A. LES SAUCES ÉMULSIONNÉES FROIDES

LA SAUCE MAYONNAISE

● **COMPOSITION:**

4 à 5 jaunes d'œuf, 2 cuillerées à potage de moutarde (blanche de préférence), 1 litre d'huile, quelques gouttes de vinaigre, sel fin, poivre de Cayenne (ou poivre blanc du moulin).

● **RECOMMANDATIONS PRÉLIMINAIRES:**

— Employer une terrine dont la surface du fond soit assez réduite, afin que chaque coup de fouet ait un maximum d'efficacité.
— Ne jamais utiliser une spatule pour le mélange, mais un fouet.
— Mélanger tous les ingrédients à la même température (température ambiante).
— Incorporer l'huile progressivement en agitant énergiquement.
— Assaisonner (sel) au début de l'opération.
— Ne pas utiliser de poivre moulu (il laisse des petits grains noirs dans la sauce), mais du poivre de Cayenne.
— Ne jamais débarrasser la sauce dans un récipient en métal (fer-blanc, cuivre, cuivre étamé, etc.), ni laisser séjourner une cuillère en argent dans la sauce.

● **TECHNIQUE:**

a) Séparer **(clarifier)** les jaunes des blancs d'œuf.
b) Réunir les jaunes dans une petite terrine (ou dans un petit légumier).
c) Adjoindre la moutarde, une pincée de sel fin et une pointe de poivre de Cayenne (ou à défaut de poivre du moulin, mais du poivre blanc).
d) Incorporer progressivement l'huile, à l'aide d'un petit fouet à sauce. **Mélanger rapidement.**
e) Ajouter en cours de préparation quelques gouttes de vinaigre, ce qui rend la sauce plus fluide, mais en la maintenant ferme.
f) Réserver après avoir essuyé le bord du récipient.
g) Ajouter facultativement un peu de vinaigre bouillant.

● **CAUSES D'ÉCHEC:**

— Addition trop rapide de l'huile.
— Emploi de l'huile trop froide (il est recommandé de ne pas utiliser d'huile figée sans l'avoir ramenée à la température ambiante).
— Ne jamais conserver la sauce dans un lieu trop froid (l'huile figeant).

● **COMMENT REMONTER LA MAYONNAISE « TOURNÉE »**

En incorporant petit à petit la sauce tournée:
— à un nouveau jaune d'œuf, ou
— à un peu de moutarde, ou
— à quelques gouttes de vinaigre, ou
— à quelques gouttes d'eau.

● **QUELQUES DÉRIVÉS:**

ANDALOUSE	Additionner à 5 dl de **MAYONNAISE,** 1 cuillerée à potage de tomate concentrée bien rouge et 50 g de poivrons doux taillés en petits dés.
CHANTILLY	Additionner à 5 dl de **MAYONNAISE,** 1 dl de crème fraîche fouettée.
ITALIENNE	Additionner à 5 dl de **MAYONNAISE** (dont le vinaigre a été substitué par un jus de citron), 100 g de cervelle de veau pochée et hachée, une pincée de persil haché.

TARTARE	Additionner à 5 dl de **MAYONNAISE,** 1 cuillerée à potage de câpres hachés, 1 cuillerée à potage de cornichons hachés, 1/2 cuillerée d'oignons hachés (facultatif), 1 pincée de persil, de cerfeuil et d'estragon hachés.
VERTE	Blanchir vivement à l'eau bouillante: 25 g de persil, de cerfeuil et d'estragon, 25 g de cresson, 25 g de feuilles d'épinards. Egoutter, presser, piler ces herbes au mortier. Tordre ensuite dans un linge de façon à obtenir 1/2 dl environ de jus assez épais et bien vert, qui est ajouté à 5 dl de **MAYONNAISE,** jusqu'à l'obtention de la couleur désirée.

● UTILISATION:

La sauce MAYONNAISE peut, en certains cas, être substituée à la sauce « Chaud-Froid », pour napper et enrober les éléments dits « EN BELLEVUE », par l'adjonction de gelée fondue.
La MAYONNAISE est utilisée aussi pour les liaisons et assaisonnement des salades de légumes, pour accompagner les viandes et les poissons froids, etc.

■ B. LES SAUCES ÉMULSIONNÉES CHAUDES

LA SAUCE HOLLANDAISE

(temps de préparation 12 à 15 minutes environ) (pour 8 personnes)

● COMPOSITION:

16 jaunes d'œuf, 1 kg de beurre, sel fin, poivre de Cayenne (ou à défaut poivre du moulin), 1 jus de citron, 8 cuillerées d'eau froide.

● RECOMMANDATIONS PRÉLIMINAIRES:

— Ne jamais débarrasser la sauce dans un récipient en cuivre, mais dans une terrine.
— Couvrir la terrine avec une assiette, mais pas avec un plat en argent.
— Ne pas laisser séjourner une cuillère en argent dans la sauce.
— Tenir la sauce dans un endroit de chaleur modérée **(jamais au bain-marie).** Tout excès de chaleur étant la cause d'une dissociation du beurre et des jaunes d'œufs.

REMARQUE. La hollandaise se réalise en deux temps.

● TECHNIQUE:

PREMIER TEMPS. — CLARIFICATION DU BEURRE

a) Mettre le beurre à clarifier dans un petit bain-marie à sauce (ou de préférence dans un récipient inoxydable).
b) Laisser fondre **doucement sans y toucher,** sur le coin du feu (ou au bain-marie).
c) Décanter le beurre lorsqu'il est clarifié. Le maintenir au chaud.

DEUXIÈME TEMPS. — CONFECTION DE LA SAUCE HOLLANDAISE

REMARQUE. Il est nécessaire d'employer des récipients (sauteuses ou à défaut casseroles) bien étamés (en cuivre) ou inoxydables. Eviter les récipients en aluminium qui donnent aux sauces une teinte grisâtre.
Utiliser d'autre part, des sauteuses de grandeur proportionnée avec la quantité de jaunes d'œuf à monter (émulsionner) afin que chaque coup de fouet ait un maximum d'efficacité.

a) Séparer les jaunes des blancs d'œuf.
b) Mettre les jaunes de préférence dans une sauteuse.
c) Ajouter une demie cuillerée à potage d'eau froide par jaune.
d) Mélanger énergiquement à l'aide d'un petit fouet à sauce les jaunes, en les **soumettant à une chaleur progressive et lente.** La cuisson doit se faire à une température voisine de 65° environ. D'un bout à l'autre de l'opération la paume de la main doit supporter le contact chaud de la sauteuse.
e) Retirer le récipient du feu, lorsque cette émulsion **atteint la consistance d'une crème.** Chaque mouvement du fouet laisse apparaître le fond du récipient.

REMARQUE. En cours de cuisson, si les jaunes sont trop épais, leur adjoindre **quelques gouttes d'eau.**
f) Incorporer alors petit à petit hors du feu, le beurre clarifié et décanté, dans les jaunes, en mélangeant à l'aide du petit fouet à sauce.
g) Assaisonner de sel fin et d'une pointe de poivre de Cayenne.
h) Passer la sauce au chinois étamine dans un petit légumier en inox (ou dans une terrine), **en foulant à l'aide d'une petite louche.**
i) Réserver au chaud (pas au bain-marie) sans excès, avec une assiette dessus pour maintenir la température.

REMARQUE. Au moment de l'utilisation, si la sauce est « tournée », reprendre l'émulsion à l'aide d'un petit fouet, en versant cette sauce sur un peu d'eau chaude (si la sauce est trop froide) ou d'eau froide (si la sauce est trop chaude).
Si cette sauce est utilisée dans l'état lui adjoindre un filet de jus de citron au moment de l'emploi.
j) Ajouter au moment de servir le jus d'un citron. Celui-ci peut être la cause de fermentation si la sauce reste un moment au chaud.

- ● CAUSES D'ÉCHEC:

Jaunes d'œuf **insuffisamment cuits.**
— Jaunes d'œuf trop cuits. La chaleur ne devant pas dépasser 62 à 65° environ.
— Incorporation trop rapide du beurre clarifié.
— Excès de chaleur pendant le repos de la sauce si elle n'est pas servie de suite.

- ● COMMENT REMONTER LA HOLLANDAISE « TOURNÉE »:

En incorporant petit à petit la sauce tournée:
— à une cuillerée d'eau chaude, si la sauce est froide;
— à une cuillerée d'eau froide, si la sauce est chaude.

- ● QUELQUES DÉRIVÉS:

CHANTILLY ou MOUSSELINE	Additionner à 8 jaunes de **HOLLANDAISE,** 1 dl de crème fraîche fouettée bien ferme.
VIERGE	Comme la **CHANTILLY.**
MALTAISE	Additionner à 8 jaunes de **HOLLANDAISE,** le jus d'une orange sanguine et le zeste, taillé en julienne et blanchi.
MIKADO	Additionner à 8 jaunes de **HOLLANDAISE,** le jus d'une mandarine et le zeste, taillé en julienne et blanchi.
MOUTARDE	Additionner à 8 jaunes de **HOLLANDAISE,** 1 cuillerée à potage de moutarde blanche.

● UTILISATION:

Accompagne les poissons pochés, certaines préparations d'œufs pochés (Bénédictine...), artichauts et asperges tièdes, dans certaines sauces de poisson, etc.

LA SAUCE BÉARNAISE

(temps de préparation 20 à 25 minutes environ) (pour 8 personnes):

● COMPOSITION:

18 jaunes d'œuf, 1 kg de beurre, 2 dl de vinaigre d'estragon, 150 g d'échalotes, 15 g de poivre en grains (mignonnette), 6 cuillerées à potage d'estragon et 3 de cerfeuil hachés, sel fin, poivre de Cayenne.

● RECOMMANDATIONS PRÉLIMINAIRES:

Les recommandations citées pour la sauce hollandaise sont identiques pour celle-ci.

REMARQUE. La béarnaise se réalise en trois temps.

● TECHNIQUE:

PREMIER TEMPS. — **CLARIFICATION DU BEURRE**

a) Mettre le beurre à clarifier dans un petit bain-marie à sauce (ou de préférence dans un récipient inoxy-dable).
b) Laisser fondre **doucement sans y toucher,** sur le coin du feu (ou au bain-marie).
c) Décanter le beurre lorsqu'il est clarifié.
d) Maintenir au chaud.

DEUXIÈME TEMPS. — **CONFECTION DE LA RÉDUCTION**

REMARQUE. Il est nécessaire d'employer des récipients (sauteuses ou à défaut casseroles) bien étamés (en cuivre) ou inoxydables. Eviter les récipients en aluminium qui donnent aux sauces une teinte grisâtre. Utiliser d'autre part, des sauteuses de grandeur proportionnée avec la quantité de jaunes d'œuf à monter (émulsionner) afin que chaque coup de fouet ait un maximum d'efficacité.

a) Eplucher, laver et ciseler finement les échalotes.
b) Laver et hacher l'estragon frais.
   REMARQUE. Hors saison utiliser de l'estragon au vinaigre. Bien l'égoutter avant de le hacher.
c) Concasser le poivre en grains (Mignonnette).
d) Placer les grains de poivre sur une planche à découper (ou dans un morceau de tissu).
e) Appuyer fortement dessus à l'aide d'une petite sauteuse (ou d'une casserole ou d'un pilon à purée), afin d'écraser les grains.
f) Donner en même temps au récipient ou au pilon, un mouvement de glissement.
g) Réunir ensuite de préférence dans une sauteuse: les échalotes ciselées, l'estragon haché, le poivre concassé et le vinaigre d'alcool.
h) Mettre sur le feu et faire réduire presque des trois quarts pendant 6 à 8 minutes.
i) Laisser refroidir hors du feu, avant d'y incorporer les jaunes, **afin d'éviter à ceux-ci de cuire trop rapidement.**

TROISIÈME TEMPS. — CONFECTION DE LA SAUCE BÉARNAISE

a) Séparer les jaunes des blancs d'œuf.

b) Mettre les jaunes dans la réduction refroidie.

c) Mélanger énergiquement à l'aide d'un petit fouet à sauce les jaunes et la réduction, en les **soumettant à une chaleur progressive et lente.** La cuisson doit se faire à une température voisine de 65° environ. D'un bout à l'autre de l'opération la paume de la main doit supporter le contact chaud de la sauteuse.

d) Retirer le récipient du feu, lorsque cette émulsion **atteint la consistance d'une crème.** Chaque mouvement du fouet laisse apparaître le fond du récipient.

REMARQUE. En cours de cuisson, si les jaunes sont trop épais, leur ajoindre **quelques petites gouttes d'eau.**

e) Incorporer alors petit à petit hors du feu. Le beurre clarifié et décanté, dans les jaunes, en mélangeant à l'aide du petit fouet à sauce.

f) Passer la sauce au chinois étamine dans un petit légumier en inox (ou dans une terrine), **en foulant à l'aide d'une petite louche.**

g) Assaisonner de sel fin (et d'une pointe de poivre de Cayenne).

h) Hacher des feuilles d'estragon et de cerfeuil frais, après les avoir lavées. (Hors saison, les remplacer par du persil haché.)

i) Adjoindre ces fines herbes à la sauce. Mélanger délicatement.

j) Réserver au chaud (pas au bain-marie) sans excès, avec une assiette dessus pour maintenir la température.

REMARQUE. Au moment de l'utilisation, si la sauce est « tourbée », reprendre l'émulsion à l'aide d'un petit fouet, en versant cette sauce sur un peu d'eau chaude (si la sauce est trop froide) ou d'eau froide (si la sauce est trop chaude).

● **CAUSES D'ÉCHEC:**

Les causes citées pour la sauce hollandaise sont identiques pour celle-ci.

● **COMMENT REMONTER LA BÉARNAISE « TOURNÉE »:**

En procédant comme pour la hollandaise.

● **QUELQUES DÉRIVÉS:**

ARLÉSIENNE	Additionner à 9 jaunes de **BÉARNAISE,** 4 cuillerées à potage de tomate concassée étuvée au beurre et quelques gouttes d'essence d'anchois.
CHORON	Additionner à 9 jaunes de **BÉARNAISE,** 2 cuillerées de purée de tomate cuite. Pas de fines herbes dans la sauce, elle doit être légèrement rosée.
FOYOT	Additionner à 9 jaunes de **BÉARNAISE,** 1 cuillerée de glace de viande. Elle doit être de couleur café crème.
PALOISE	Sauce **BÉARNAISE** dont l'estragon est substitué dans la réduction, par de la menthe fraîche.
TYROLIENNE	Sauce **BÉARNAISE** montée à l'huile en place de beurre clarifié, additionnée de 2 cuillerées à potage de purée de tomate cuite.
VALOIS	Comme la **FOYOT.**

● **UTILISATION:**

Accompagne les viandes grillées, les poissons grillés, dans certaines sauces de poisson, etc.

MARINADES

● ⸱Les marinades ont pour but d'attendrir les fibres musculaires de certaines chairs, de les aromatiser, de les conserver pendant quelques jours seulement: pièces de boucherie, de gibiers à poil, etc., et d'aromatiser les poissons à griller.

● 1. CLASSIFICATION

DÉNOMINATION	COMPOSITION	UTILISATION
MARINADE CUITE	Carottes, échalotes, oignons, queues de persil, bouquet garni, vin blanc ou vin rouge, vinaigre, huile, ail, poivre en grains, sel.	Viandes de boucherie et de venaison.
MARINADE CRUE	Carottes, échalotes, oignons, queues de persil, bouquet garni, vin blanc ou vin rouge, vinaigre, huile, ail, poivre en grains, sel fin.	
MARINADE INSTANTANÉE	Tranches de citron, huile, thym, laurier.	Poissons grillés.
	Jus de citron, huile, persil haché, sel fin, poivre du moulin.	Beignets, fritots.
	Échalotes (facultatif), Cognac, Madère ou Porto, sel fin, poivre du moulin.	Éléments des terrines, pâtés, galantines, etc.

● 2. TECHNIQUES DE PRÉPARATION

MARINADE CUITE

● **COMPOSITION (pour 1 litre de marinade):**

1 dl d'huile, 7 à 8 dl de vin blanc ou de vin rouge, 1 dl 1/2 de vinaigre, 50 g de carottes, 20 g d'échalotes, 50 g d'oignons, 1 bouquet garni, 1 clou de girofle, 1 ou 2 gousses d'ail, quelques grains de poivre, sel.

● **TECHNIQUE:**

a) Faire suer dans une russe (casserole) avec l'huile, les carottes, les échalotes et les oignons émincés.
b) Ajouter le vin blanc (fréquemment le vin rouge est substitué au vin blanc) et le vinaigre.
c) Adjoindre les aromates: bouquet garni, l'ail et quelques grains de poivre, sel.
d) Cuire doucement pendant une 1/2 heure environ.
e) Laisser refroidir au terme de la cuisson.
f) Verser ensuite sur la pièce à traiter.

● **UTILISATION:**

Cette marinade est surtout employée pour les viandes de boucherie et la venaison.

MARINADE CRUE

● **COMPOSITION (pour 1 litre de marinade):**

1 dl d'huile, 6 à 7 dl de vin blanc ou de vin rouge, 2 dl de vinaigre, 50 g de carottes, 20 g d'échalotes, 50 g d'oignons, 1 bouquet garni, 1 clou de girofle, 1 ou 2 gousses d'ail, quelques grains de poivre, quelques queues de persil.

● **TECHNIQUE:**

a) Mettre la pièce dans un récipient de grandeur juste suffisante.
b) Ajouter les carottes, les échalotes, les oignons émincés, les queues de persil, le bouquet garni, l'ail et quelques grains de poivre.
c) Mouiller avec le vin blanc ou le vin rouge, le vinaigre (sauf pour le lièvre) et l'huile.
d) Mettre au frais.
e) Retourner fréquemment la pièce dans la marinade.

● **UTILISATION:**

Cette marinade est employée pour les viandes de boucherie et la venaison.

MARINADE INSTANTANÉE

Cette marinade existe sous trois formes:

● **COMPOSITION (1):**

Huile, tranches de citron, brindilles de thym, feuilles de laurier.

● **TECHNIQUE:**

a) Eponger soigneusement les poissons: pièces entières, darnes, tronçons, etc.
b) Mettre sur une plaque, les pièces.
c) Arroser d'huile en quantité relative.
d) Aromatiser de quelques tranches de citron pelé à vif, de brindilles de thym et de feuilles de laurier concassées.
e) Retourner les pièces de temps en temps dans cette marinade.

● **UTILISATION:**

Utilisée pour les poissons grillés.

● **COMPOSITION (2):**

Jus de citron, huile, persil, sel fin, poivre du moulin.

● **TECHNIQUE:**

a) Mettre la préparation taillée en petits morceaux sur une plaque.
b) Arroser d'huile et d'un peu de jus de citron.
c) Assaisonner de sel fin et de poivre moulu.
d) Ajouter du persil haché.

● **UTILISATION:**

Utilisée pour les beignets et les fritots d'abats, de viande, de volaille, etc.

● **COMPOSITION (3):**

Échalotes (facultatif), Cognac, Madère ou Porto, sel fin, poivre du moulin.

● **TECHNIQUE:**

a) Assaisonner de sel fin et de poivre du moulin les éléments à mariner.
b) Ajouter facultativement un peu d'échalotes finement ciselées.
c) Arroser de Cognac et de Madère ou de Porto.
d) Retourner les éléments de temps en temps dans cette marinade.

● **UTILISATION:**

Utilisée pour les éléments des terrines, des pâtés, des galantines, etc.

RECOMMANDATIONS GÉNÉRALES

● Tenir les pièces à mariner au frais.
● Les retourner fréquemment dans la marinade.
● Ne jamais mettre les mains pour les retourner.
● Afin qu'une marinade soit parfaite et donne les résultats escomptés, il s'avère nécessaire de doser approximativement les éléments qui la composent en fonction du **volume de la pièce** et de la **résistance des fibres musculaires.**
● Il est à noter que l'emploi d'une marinade cuite ne doit pas excéder trois à quatre jours. Si elle dépasse ce laps de temps, elle doit être bouillie, puis rafraîchie avec une nouvelle adjonction de vin et de vinaigre.

BEURRES COMPOSÉS

Les beurres composés sont des beurres additionnés d'une ou plusieurs substances, ou d'éléments aromatiques, soit hachés, soit pilés. Ces opérations se font « à froid » ou « à chaud ».

● 1. CLASSIFICATION

	DÉNOMINATION		COMPOSITION	UTILISATION
A FROID	BEURRE D'ANCHOIS	**ÉLÉMENTS CRUS**	filets d'anchois ou Anchovy Sauce	viandes et poissons grillé allumettes aux anchois, canapés, etc.
	BEURRE D'ÉCHALOTE		échalotes	viandes et poissons grillé
	BEURRE D'ESCARGOTS		ail, échalotes, persil	escargots
	BEURRE D'ESTRAGON		feuilles d'estragon	sauces
	BEURRE MAITRE D'HOTEL		jus de citron, persil	viandes et poissons grillé
	BEURRE DE MOUTARDE		moutarde blanche	viandes et poissons grillé canapés
	BEURRE DE RAIFORT		raifort	viandes et poissons grillé
	BEURRE BERCY	**ÉLÉMENTS CUITS**	échalotes, vin blanc, moelle de bœuf, persil	viandes et poissons grillé
	BEURRE HOTELIER		jus de citron, persil, duxelles	viandes et poissons grillé
	BEURRE MARCHAND DE VIN		jus de citron, persil, échalotes, vin rouge, glace de viande	viandes grillées
A CHAUD	BEURRE DE HOMARD		carapaces de homard	sauce Cardinal, sauce Homard, etc.
	BEURRE D'ÉCREVISSE		carapaces d'écrevisse	sauce Nantua
	BEURRE ROUGE		carapaces de différents crustacés	finition de sauce de poiss

● 2. TECHNIQUES DE PRÉPARATION

■ *A. BEURRES COMPOSÉS RÉALISÉS A FROID*

Ces beurres accompagnent les viandes et les poissons grillés, soit en **rondelles sur la pièce,** soit **à part** (en pommade, en saucière), les canapés, la finition des sauces, etc.

NOTA. La méthode initiale qui consiste à passer tous les beurres composés au tamis fin, peut être substituée par les « cutters électriques ».

Deux méthodes sont employées pour réaliser ces beurres:
1° **Beurre en pommade + éléments crus;**
2° **Beurre en pommade + éléments cuits.**

PREMIÈRE MÉTHODE (éléments crus)

LE BEURRE D'ANCHOIS

● **COMPOSITION (pour 125 g de beurre):**

50 g de filets d'anchois ou Anchovy Sauce.

● **TECHNIQUE:**

a) Piler au mortier, ou passer directement au tamis fin, les filets d'anchois dessalés au préalable. Ne pas utiliser de filets d'anchois à l'huile. (On peut remplacer les filets par de l'Anchovy Sauce, vendue toute prête dans le commerce.)
b) Mélanger avec le beurre en pommade.

● **UTILISATION:**

Accompagne les viandes et les poissons grillés. Est employé à la préparation des allumettes aux anchois, à la confection des canapés, à la finition de certaines sauces, etc.

LE BEURRE D'ÉCHALOTE

● **COMPOSITION (pour 125 g de beurre):**

125 g d'échalote, 5 g de sel fin, poivre de Cayenne (facultatif).

● **TECHNIQUE:**

a) Ciseler finement l'échalote.
b) Blanchir à l'eau bouillante.
c) Égoutter dans un chinois.
d) Presser dans un torchon pour en extraire toute l'eau.
e) Piler au mortier ou passer directement au tamis fin, avec le beurre en pommade.
f) Assaisonner d'une pincée de sel fin et d'une pointe de poivre de Cayenne (facultatif).

● UTILISATION:

Accompagne les viandes et les poissons grillés.

LE BEURRE D'ESCARGOTS

● **COMPOSITION (pour 125 g de beurre):**

10 à 12 g de persil, 15 à 20 g d'échalotes, 5 à 8 g de gousses d'ail, 6 à 8 g de sel fin, poivre du moulin.

● **TECHNIQUE:**

a) Hacher le persil.
b) Ciseler finement l'échalote.
c) Écraser et hacher l'ail.
d) Mélanger ces trois éléments avec le beurre en pommade.
e) Assaisonner de 6 à 8 g de sel fin et de poivre du moulin.
f) Passer ensuite le tout au tamis à l'aide d'un pilon (facultatif, mais donne un excellent résultat).

● **UTILISATION:**

Utilisé pour farcir les escargots (18 pièces environ).

LE BEURRE D'ESTRAGON

● **COMPOSITION (pour 125 g de beurre):**

60 à 70 g de feuilles d'estragon.

● **TECHNIQUE**

a) Faire blanchir les feuilles d'estragon.
b) Égoutter, les rafraîchir.
c) Presser dans un torchon pour en extraire toute l'eau.
d) Piler au mortier avec le beurre en pommade.
e) Passer au tamis fin à l'aide d'un pilon.

● **UTILISATION:**

Utilisé pour la finition et la fabrication de certaines sauces.

LE BEURRE MAITRE D'HOTEL

● **COMPOSITION (pour 125 g de beurre):**

1 cuillerée à potage de persil haché, 1/4 de jus de citron, 4 à 5 g de sel fin, poivre du moulin.

● **TECHNIQUE:**

a) Hacher une cuillerée à potage de persil.
b) Presser le jus du citron.
c) Mélanger avec le beurre en pommade avec le sel fin et une prise de poivre du moulin.

● **UTILISATION:**

Accompagne les viandes et les poissons grillés, les poissons panés, etc.

LE BEURRE DE MOUTARDE

● **COMPOSITION (pour 125 g de beurre):**

1 cuillerée à potage de moutarde blanche.

● **TECHNIQUE:**

Mélanger une cuillerée à potage de moutarde blanche avec le beurre en pommade.

● **UTILISATION:**

Accompagne les viandes et les poissons grillés. Est employé à la confection des canapés.

LE BEURRE DE RAIFORT

● **COMPOSITION (pour 125 g de beurre)**

25 g de raifort.

● **TECHNIQUE:**

a) Râper le raifort.
b) Piler ensuite au mortier avec le beurre en pommade.
c) Passer au tamis fin à l'aide d'un pilon.

● **UTILISATION:**

Accompagne les viandes et les poissons grillés.

DEUXIÈME MÉTHODE (éléments cuits)

LE BEURRE BERCY

● **COMPOSITION (pour 125 g de beurre):**

1/2 cuillerée à potage d'échalote hachée, 1/2 dl de vin blanc, 50 g de moelle de bœuf, 1 cuillerée de persil haché, 5 g de sel fin, poivre du moulin.

● **TECHNIQUE:**

a) Ciseler finement l'échalote.
b) Mettre dans une sauteuse avec le vin blanc.
c) Faire réduire presque à sec.
d) Laisser refroidir.
e) Ajouter le beurre en pommade.
f) Assaisonner de sel fin et d'une prise de poivre du moulin.
g) Mélanger le tout avec la moelle de bœuf coupée en petits dés, pochée à l'eau salée et bien égouttée.

● **UTILISATION:**

Accompagne les viandes grillées principalement, les poissons grillés.

LE BEURRE HOTELIER

● **COMPOSITION (pour 125 g de beurre):**

1 cuillerée à potage de persil haché, 1/4 de jus de citron, 1 à 2 cuillerées à potage de Duxelles, 5 g de sel fin, poivre du moulin.

● TECHNIQUE:

a) Hacher le persil.
b) Presser le jus du citron.
c) Préparer 1 à 2 cuillerées à potage de Duxelles (voir chapitre « LES FARCES »).
d) Mélanger le tout avec le beurre en pommade.
e) Assaisonner de sel fin et d'une prise de poivre du moulin.

● UTILISATION:

Accompagne les viandes et les poissons grillés.

LE BEURRE MARCHAND DE VIN

● COMPOSITION (pour 125 g de beurre):

cuillerée à potage de persil haché, 1/4 de jus de citron, 1/2 cuillerée à potage d'échalote hachée, 1/2 dl de vin ouge, 1/2 cuillerée à potage de glace de viande (facultatif), 6 à 8 g de sel fin, poivre du moulin.

● TECHNIQUE:

a) Ciseler finement l'échalote.
b) Mettre dans une sauteuse avec le vin rouge.
c) Faire réduire presque à sec.
d) Ajouter la glace de viande.
e) Assaisonner de sel fin et d'une prise de poivre du moulin.
f) Mélanger avec le jus du citron, le persil haché et le beurre en pommade.

● UTILISATION:

Accompagne les viandes grillées.

■ B. BEURRES COMPOSÉS RÉALISÉS A CHAUD

Ces beurres sont presque exclusivement des beurres confectionnés avec des carapaces de crustacés. Ils sont utilisés **pour la finition** de certaines sauces, parfois **pour leur confection.** Pour la finition, ils entrent en dernier lieu dans la confection.
La confection de ces beurres est identique, les carapaces de crustacés utilisées déterminent la dénomination.

● TECHNIQUE:

a) Piler les carapaces au mortier avec une partie égale de beurre.
b) Faire fondre ensuite doucement au bain-marie.
c) Passer à l'étamine sur un récipient contenant de l'eau glacée (ce procédé permet de séparer du beurre les particules de chair qui tombent au fond du récipient).
d) Recueillir le beurre figé qui se trouve sur la surface de l'eau.

	UTILISATION
LE BEURRE DE HOMARD	Utilisé pour la finition de la sauce Cardinal, sauce Homard, etc.
LE BEURRE D'ÉCREVISSES	Utilisé pour la finition de la sauce Nantua, etc.
LE BEURRE ROUGE	Utilisé pour la finition de sauce de poisson.

GELÉES

● Les gelées sont obtenues en cuisine, en clarifiant un fond de base (brun ou blanc) de viande, de volaille, de gibier ou de poisson (voir chapitre « LES SAUCES »).

● Elles sont transparentes, se solidifient en refroidissant, leur consistance est fonction des principes gélatineux qu'elles contiennent.

● Les gelées sont employées pour accompagner certains plats froids et pour lustrer les pièces froides de viande, de gibier, etc.

●1. CLASSIFICATION

Les gelées peuvent être **BRUNES** ou **BLANCHES**:

GELÉES BRUNES

Les éléments nutritifs sont au préalable dorés au four, comme pour la préparation du fond de veau brun (voir chapitre « LES SAUCES »).

GELÉES BLANCHES

Le fond de base est traité comme le fond blanc (voir chapitre « LES SAUCES »).

DIFFÉRENTES GELÉES UTILISÉES

DÉNOMINATION	COMPOSITION	UTILISATION
GELÉE ORDINAIRE (blanche)	Viande de bœuf et de veau, os, couennes, pieds de veau.	Œuf à la gelée, aspic, etc.
GELÉE DE VOLAILLE (blanche)	Comme la gelée ordinaire avec en plus carcasses et abatis de volaille.	Galantine de volaille, poulet à la gelée, chaud-froid de volaille, etc.
GELÉE DE GIBIER (brune)	Comme la gelée ordinaire avec en plus carcasses et parures de gibier.	Gibier en chaud-froid.
GELÉE DE POISSON (blanche)	Fumet de poisson clair avec arêtes et parures de poisson: turbot, barbue, sole, etc.	Poisson froid à la gelée.
GELÉE DE POISSON AU VIN ROUGE	Préparée ordinairement avec le fond qui a servi au traitement du poisson.	Truite, saumon au Chambertin, etc.

● NOTA. La préparation des gelées demande une très grande attention et un dosage des éléments employés, afin d'obtenir de très bons résultats. **Lorsque les éléments gélatineux sont insuffisants, il faut ajouter de la gélatine.**

● 2. TECHNIQUES DE PRÉPARATION

LA GELÉE ORDINAIRE

● COMPOSITION (pour 1 litre):

a) Eléments nutritifs et gélatineux:	400 g de gîte de bœuf 300 g de jarret de veau	300 g d'os de bœuf et de veau concassés 50 g de couenne de lard frais 1 pied de veau désossé (l'os concassé)
b) Eléments aromatiques:	75 g de carottes 75 g de poireaux 50 g de gros oignons	1/2 branche de céleri 1 gousse d'ail 1 bouquet garni
c) Elément de mouillement:	2 litres environ d'eau froide.	
d) Eléments de clarification:	350 g de maigre de bœuf 25 g de carottes	50 g de vert de poireaux (feuilles vertes) 1/2 branche de céleri 1 blanc d'œuf (suivant le volume)
e) Eléments d'assaisonnement:	15 à 20 g de gros sel quelques grains de poivre	1 clou de girofle quelques feuilles de cerfeuil

● TECHNIQUE:

Deux méthodes sont employées pour la réaliser.

| **Première méthode** |

a) Faire blanchir les éléments nutritifs et gélatineux.
b) Rafraîchir à l'eau courante.
c) Remettre ces éléments dans un récipient.
d) Ajouter l'élément de mouillement.
e) Adjoindre les éléments aromatiques. Saler.
f) Faire bouillir.
g) **Ecumer fréquemment et dégraisser** pendant la cuisson.
h) Laisser cuire **doucement et régulièrement** à découvert sur le coin du feu, pendant 4 à 5 heures environ.
i) Retirer la viande au terme de la cuisson (la viande est utilisée pour un autre emploi). Passer **délicatement** à l'étamine humide ou, à défaut, au chinois étamine.
j) Clarifier.
k) RECOMMANDATION PRÉLIMINAIRE AVANT LA CLARIFICATION:
Il est recommandé de vérifier la **consistance du fond de gelée.**
Verser sur une petite assiette, ou sur une soucoupe, une cuillerée de fond. Placer celle-ci sur de la glace ou dans un endroit très froid. Au bout de quelques minutes, il est facile de constater la consistance et de voir s'il est nécessaire de renforcer la gelée par quelques feuilles de gélatine ramollies à l'eau froide.
En outre, le fond de gelée doit être **parfaitement dégraissé.**

l) Mettre dans un récipient les éléments de clarification: maigre de bœuf haché, blanc d'œuf, feuilles de poireaux émincées et de cerfeuil concassées.

m) Mélanger le tout avec un peu de fond de gelée refroidi.

n) Laisser macérer quelques minutes.

o) Verser ensuite le fond de gelée **refroidi** (ou tiède) **sur la clarification,** en remuant avec une spatule.

p) Remettre sur le feu.

q) Remuer **constamment** et **doucement** jusqu'à l'ébullition à l'aide d'une spatule.

r) Pousser le récipient sur le coin du feu. **Ne plus remuer.**

s) Laisser **frémir** 30 à 40 minutes environ.

t) Ajouter quelques grains de poivre concassés 10 minutes avant la fin de la cuisson.

u) Passer **délicatement** la gelée dans une étamine ou dans une serviette légèrement humide.

v) Réserver dans un récipient bien étamé ou dans un pot en grès jusqu'à utilisation.

Deuxième méthode (la plus utilisée)

Cette gelée est obtenue en ajoutant à un consommé de bœuf ou de volaille **avant sa clarification** (voir CONSOMMÉ, chapitre « LES POTAGES »), 12 à 15 g de feuilles de gélatine ramollies à l'eau froide, bien lavées et bien égouttées pour 1 litre de consommé.

● RECOMMANDATION

Lorsque les feuilles de gélatine ont été adjointes au consommé, remuer délicatement à l'aide d'une spatule jusqu'à la fonte de la gélatine, afin d'éviter à celle-ci d'attacher au fond du récipient.

● UTILISATION

Employée pour les œufs à la gelée, les aspics, etc.

LA GELÉE DE VOLAILLE

● COMPOSITION (pour 1 litre de gelée):

a)	**Eléments nutritifs et gélatineux:**	300 g de gîte de bœuf 300 g de jarret de veau 200 g d'os de veau concassés	300 g de carcasses et d'abatis de volaille concassés 1 pied de veau désossé (l'os concassé)
b)	**Eléments aromatiques:**	50 g de carottes 40 g de gros oignons 1 poireau	1 branche de céleri 1 bouquet garni
c)	**Elément de mouillement:**	1 litre 3/4 d'eau environ.	
d)	**Eléments de clarification:**	50 à 75 g de maigre de bœuf 100 g de carcasses ou d'abatis de volaille concassés 1 à 2 blancs d'œufs	quelques feuilles de poireaux bien vertes 1/2 branche de céleri
e)	**Eléments d'assaisonnement:**	10 à 15 g de sel	quelques feuilles de cerfeuil quelques grains de poivre

● **TECHNIQUE**

Procéder de la même manière que pour les deux méthodes de la gelée ordinaire.

● **UTILISATION**

Utilisée pour les galantines de volaille, les poulets à la gelée, les chauds-froids de volaille, etc.

LA GELÉE DE GIBIER

● **COMPOSITION (pour 1 litre de gelée)**

a)	**Eléments nutritifs et gélatineux :**	400 g de gîte de bœuf 200 g de jarret de veau 150 g d'os de veau concassés	350 g de carcasses et bas morceaux de gibier concassés 1 pied de veau désossé (l'os concassé)
b)	**Eléments aromatiques :**	50 g de carottes 40 g d'oignons 1 poireau	2 branches de céleri 1 bouquet garni (en forçant sur le thym) 2 à 3 baies de genièvre
c)	**Elément de mouillement :**	1 litre 3/4 d'eau environ.	
d)	**Eléments de clarification :**	50 à 75 g de maigre de bœuf 50 à 75 g de chair de gibier 1 à 2 blancs d'œufs	quelques feuilles de poireaux bien vertes
e)	**Eléments d'assaisonnement :**	10 à 15 g de sel	quelques feuilles de cerfeuil quelques grains de poivre

● **TECHNIQUE**

Faire colorer au four les éléments nutritifs et gélatineux, et procéder ensuite comme la gelée ordinaire, en comptant un peu moins de cuisson, 4 à 5 heures environ.

● **UTILISATION**

Utilisée pour les gibiers en chaud-froid.

LA GELÉE DE POISSON

● COMPOSITION (pour 1 litre de gelée)

a)	**Eléments nutritifs et gélatineux :**	150 g de poisson : grondin, merlan, vive, etc.	150 g d'arêtes et de parures de turbot, de sole, de barbue
b)	**Eléments aromatiques :**	50 g de gros oignons 1 petite branche de persil	1 bouquet garni quelques parures de champignons de Paris
c)	**Elément de mouillement :**	Un peu plus de 1 litre de fumet de poisson bien clair (voir « FUMET DE POISSON »).	
d)	**Eléments de clarification :**	2 merlans	1 à 2 blancs d'œufs
e)	**Eléments d'assaisonnement :**	10 à 15 g de sel	

● TECHNIQUE

a) Procéder comme un fumet de poisson en prenant les éléments nutritifs, aromatiques et l'élément de mouillement (sans faire suer au beurre).
b) Laisser cuire 40 minutes environ.
c) Passer **délicatement** au terme de la cuisson à l'étamine humide ou au chinois étamine.
d) Laisser refroidir.
e) Mettre ensuite la chair de 2 merlans hachés avec 1 ou 2 blancs d'œufs dans un récipient.
f) Assaisonner.
g) Mélanger le tout.
h) Verser le fond de gelée **refroidi** ou tiédi **sur la clarification,** en remuant avec une spatule.
i) Remettre sur le feu.
j) Remuer **constamment** et **doucement** jusqu'à l'ébullition à l'aide d'une spatule.
k) Pousser le récipient sur le coin du feu. **Ne plus remuer.**
l) Laisser **frémir** 20 minutes environ.
m) Passer **délicatement** la gelée dans une étamine ou dans une serviette légèrement humide.
n) Réserver dans un récipient bien étamé ou dans un pot en grès jusqu'à utilisation.

● RECOMMANDATION

Il est recommandé parfois de renforcer la gelée de poisson avec quelques feuilles de gélatine ramollies à l'eau froide.

● UTILISATION

Utilisée pour les poissons froids à la gelée.

LA GELÉE DE POISSON AU VIN ROUGE

Cette gelée est ordinairement préparée avec le fond qui a servi au traitement du poisson mouillé avec moitié vin rouge et moitié fumet de poisson, très riche en arêtes et parures de poisson gélatineux comme : barbue, turbot, sole, etc.
La clarification se fait à raison de 1 ou 2 blancs d'œufs par litre de gelée.

• 3. COMMENT COLORER LES GELÉES

Suivant l'utilisation, les gelées peuvent être teintées à l'aide de caramel et, éventuellement, de carmin (couleur végétale) afin d'obtenir une belle teinte ambrée.

• 4. COMMENT PARFUMER LES GELÉES

Elles peuvent être parfumées à volonté avec différents vins, alcools ou liqueurs: Porto, Madère, Xérès, Cognac, Sherry, etc.
Afin de conserver tout leur arôme, ces vins et alcools sont ajoutés aux gelées lorsqu'elles sont refroidies, et avant qu'elles ne prennent.

• 5. COMMENT UTILISER LES GELÉES

a) Pour lustrer :

a) Mettre dans un légumier en inox, la quantité de gelée nécessaire.
b) Faire fondre **sans bouillir** la gelée, si elle est prise.
c) Refroidir petit à petit sur de la glace pilée.
d) Remuer **doucement** sans brusquerie, pendant son refroidissement, afin d'éviter de faire rentrer de l'air dans la gelée, ce qui risque de former des petites bulles d'air.
e) Disposer les pièces à napper sur une grille posée sur un plat, afin de récupérer la gelée.
f) Napper les pièces **bien froides** à l'aide d'une petite louche au moment où la gelée commence à prendre une consistance « sirupeuse ».
g) Recommencer le lustrage deux ou trois fois pour obtenir un travail parfait.

● **NOTA.** Si la gelée prend trop rapidement, la faire refondre doucement, **sans bouillir,** et recommencer l'opération.

b) Pour croûtons :

a) Mettre dans un plat creux en inox la gelée fondue sur une épaisseur de 2 cm environ.
b) Mettre à refroidir dans un endroit très froid.
c) Retourner le plat sur une serviette mouillée dès la gelée prise. La décoller du plat sans la briser.
d) Détailler ensuite au couteau ou à l'emporte-pièce de différentes formes: triangles, croissants, ronds, etc.
e) Disposer ces « croûtons » sur les bords d'un plat de viande, de volaille, de poisson à la gelée, etc., pour décorer.

c) Pour hacher :

a) Faire prendre la quantité de gelée nécessaire.
b) Retourner la gelée bien prise sur une serviette mouillée (pour éviter à la gelée de coller sur la serviette).
c) Hacher plus ou moins finement, suivant l'utilisation, à l'aide d'un grand couteau.

RECOMMANDATIONS GÉNÉRALES

● Il est recommandé de tenir les gelées bien au frais.
● De prendre au fur et à mesure des besoins (mises en réserve) **à l'aide d'un ustensile :** cuillère, louche, écumoire, etc., et **non avec les mains,** ce qui risquerait de faire tourner les gelées.
● De ne pas faire bouillir les gelées lorsqu'on les fait fondre.
● De ne pas trop abuser des blancs d'œufs dans les clarifications. En effet, les blancs d'œufs affaiblissent légèrement la saveur.

FARCES

● Les farces sont composées d'éléments hachés plus ou moins gros, crus ou cuits. Elles ont, selon leur composition, des destinations tout à fait différentes.

● Elles servent à farcir les légumes: aubergines, grosses têtes de champignons, courgettes, oignons, etc.; les croûtons servant à dresser les gibiers à plume; à farcir les volailles; à confectionner les ballotines, les galantines, les terrines, les pâtés en croûte, etc.

● 1. CLASSIFICATION

	DÉNOMINATION	COMPOSITION (principaux éléments)	UTILISATION
FARCES MAIGRES	DUXELLES A FARCIR	champignons de Paris, beurre, échalotes, fond de veau tomaté, mie de pain fraîche, vin blanc	farcir les légumes
	FARCE AMÉRICAINE	poitrine de lard fumé, oignon, mie de pain fraîche	farcir les pigeonneaux, les poussins, etc.
FARCES GRASSES	FARCE DE POISSON	chair de brochet ou de merlan, blanc d'œuf, crème fraîche	farcir les poissons, les paupiettes de sole
	FARCE A GRATIN	lard gras, foies de volaille, échalotes, Cognac	farcir les croûtons pour gibiers à plume
	FARCE MOUSSELINE DE VEAU OU DE VOLAILLE	chair de veau ou de volaille, blanc d'œuf, crème fraîche	farcir les volailles, quenelles
	FARCES DIVERSES	maigre et gras de porc, parfois veau, élément qui détermine l'appellation	ballottines, galantines, pâtés en croûte, terrines, etc.

2. TECHNIQUES DE PRÉPARATION

A. LES FARCES MAIGRES

LA DUXELLES A FARCIR

● **COMPOSITION**

Champignons de Paris, beurre, échalotes, fond de veau tomaté, mie de pain fraîche, vin blanc, sel fin, poivre du moulin.

● **TECHNIQUE**

a) Hacher des champignons de Paris (utiliser de préférence des pieds et des parures, et réserver les têtes pour d'autres utilisations).
b) Presser dans un torchon pour éliminer le plus d'eau possible.
c) Ciseler finement des échalotes.
d) Faire suer au beurre dans une petite sauteuse.
e) Ajouter les champignons hachés et essorés.
f) Assaisonner de sel fin et de poivre du moulin.
g) Cuire jusqu'à évaporation complète de l'eau de végétation, en remuant à l'aide d'une spatule en bois.
h) Ajouter un peu de vin blanc. Laisser réduire à sec.
i) Additionner de fond de veau tomaté. Laisser réduire.
j) Adjoindre en dernière minute de la mie de pain fraîche (pain de mie passé au tamis) jusqu'à consistance désirée.
k) Vérifier l'assaisonnement.
l) Débarrasser dans une terrine. Couvrir d'un papier sulfurisé beurré.

● **UTILISATION**

Cette duxelles est surtout utilisée pour farcir: les aubergines, les grosses têtes de champignons, les courgettes, les fonds d'artichaut, les oignons, etc.

LA FARCE AMÉRICAINE

● **COMPOSITION**

Poitrine de lard fumé, oignon, mie de pain fraîche, feuilles de sauge, thym, sel fin, poivre du moulin.

● **TECHNIQUE**

a) Ciseler finement de l'oignon.
b) Faire suer dans une petite sauteuse avec de petits dés de poitrine de lard fumé.
c) Ajouter de la mie de pain fraîche (pain de mie passé au tamis) qui absorbera la graisse.
d) Assaisonner de sel fin et de poivre du moulin.
e) Adjoindre quelques feuilles de sauge hachées et des brindilles de thym (en petite quantité).
f) Vérifier l'assaisonnement.

● **UTILISATION**

Cette farce est utilisée pour farcir: les pigeonneaux, les poussins, etc.

■ B. LES FARCES GRASSES

LA FARCE DE POISSON (mousseline)

● **COMPOSITION**

Chair de brochet ou de merlan, blanc d'œuf, crème fraîche, sel fin, poivre du moulin.

● **TECHNIQUE**

a) Lever les filets de poisson ex.: brochet ou merlan.
b) Supprimer la peau.
c) Piler la chair au mortier avec assaisonnement de sel fin et de poivre du moulin.
d) Ajouter tout en pilant un peu de blanc d'œuf.
e) Passer ensuite la chair au tamis à l'aide d'un pilon.
f) Mettre la chair dans un récipient posé sur la glace pilée. Travailler.
g) Remuer à l'aide d'une spatule en bois en incorporant doucement de la crème fraîche.
h) Vérifier l'assaisonnement et la consistance.

● **UTILISATION**

Cette farce est parfaite pour farcir les gros poissons destinés à être cuits par le braisage. Ex.: turbot, barbue, saumon, etc., ainsi que les filets de sole pour la confection des paupiettes de sole, etc.

REMARQUE. Cette farce offre l'avantage de ne pas augmenter de volume à la cuisson, ce qui évite à la chair des poissons farcis de se fendre.

LA FARCE A GRATIN

● **COMPOSITION**

Lard gras, foies de volaille, échalotes, Cognac, thym, sel fin, poivre du moulin.

● **TECHNIQUE**

a) Couper du lard gras en petits dés.
b) Faire fondre rapidement dans une petite sauteuse.
c) Saisir dans la graisse de fonte des foies de volaille. Les tenir saignants pour avoir une farce rosée.
d) Assaisonner de sel fin et de poivre du moulin.
e) Ajouter un peu d'échalote finement ciselée et une brindille de thym.
f) Flamber avec du Cognac.
g) Egoutter le tout sur un tamis.
h) Passer ensuite au tamis fin.
i) Mélanger pour obtenir une farce lisse.
j) Réserver la farce en terrine, en la conservant au frais, couverte avec un papier sulfurisé beurré jusqu'à l'utilisation.

● **UTILISATION**

La farce à gratin est uniquement utilisée pour garnir les croûtons (canapés) servis avec le gibier à plume (voir chapitre « LES GIBIERS »).

LA FARCE MOUSSELINE DE VEAU OU DE VOLAILLE

● **COMPOSITION**

Chair de veau ou de volaille, blanc d'œuf, crème fraîche, sel fin, poivre du moulin.

● **TECHNIQUE**

a) Dénerver la chair de veau ou de volaille.
b) Piler au mortier avec assaisonnement de sel fin et de poivre du moulin.
c) Ajouter tout en pilant un peu de blanc d'œuf.
d) Passer ensuite la chair au tamis à l'aide d'un pilon.
e) Mettre la chair dans un récipient posé sur la glace pilée. Travailler.
f) Remuer à l'aide d'une spatule en bois en incorporant doucement de la crème fraîche.
g) Vérifier l'assaisonnement et la consistance.

● **UTILISATION**

Cette farce, lorsqu'elle est de volaille, peut être utilisée à la confection de petites quenelles (pour garnitures) et pour farcir les volailles. Confectionnée avec du veau, elle peut être utilisée pour la préparation de petites quenelles de veau.

LES FARCES DIVERSES

● **COMPOSITION**

Elles sont constituées d'une partie de maigre et de gras de porc, parfois de veau, et d'une partie de l'élément qui détermine l'appellation.

● **TECHNIQUE**

Chaque professionnel a son tour de main pour les réaliser: grosseur de hachage, dosage des éléments, assaisonnement, etc.

● **UTILISATION**

● Pour les **ballotines** et les **galantines.**
Ces deux préparations sont identiques. Elles sont réalisées soit avec une poularde, soit avec un canard de préférence. La peau est utilisée pour réunir tous les éléments qui composent la ballotine ou la galantine; le tout est remis dans un torchon ficelé et cuit dans un fond blanc.
● Pour les **pâtés en croûte.**
Les éléments qui les composent cuisent dans la pâte (voir chapitre « LES PATÉS EN CUISINE »), foncée dans un moule spécial, de forme ronde ou ovale, ou rectangulaire. Le moule est ensuite garni de la farce déterminée, puis recouvert à nouveau d'une seconde abaisse de pâte en ménageant sur le dessus une ou deux cheminées (petites ouvertures) pour faciliter l'évacuation de la vapeur.
● Pour les **terrines.**
L'ensemble des éléments qui les composent cuisent dans une terrine en terre, de forme ovale ou rectangulaire, préalablement bardée de lard gras. La cuisson s'opère au bain-marie à couvert au four. Ces terrines peuvent être de volaille, de gibier, de viande, etc.

AROMATES ET CONDIMENTS

- Les aromates et les condiments sont des substances végétales qui répandent une odeur suave et très caractéristique selon leur goût.
- Tous ces assaisonnements, qu'ils soient simples ou composés, permettent de donner le caractère et le relief à la cuisine, sans pour cela la dénaturer.

• 1. CLASSIFICATION

CLASSIFICATION	DÉNOMINATION
LES AROMATES	Le basilic, le cerfeuil, l'estragon, le fenouil, le genièvre, le laurier, le persil, le romarin, la sarriette, la sauge, le thym.
LES AROMATES ACRES	La cannelle, le clou de girofle, la coriandre, le cumin, le curry, le gingembre, la muscade, le macis, le piment, le poivre, le safran.
LES CONDIMENTS ACIDES	Le citron, le verjus, le vinaigre.
LES CONDIMENTS ACRES	L'ail, les câpres, la ciboule, l'échalote, la moutarde, l'oignon, le poireau, le raifort.
LES CONDIMENTS GRAS	Le beurre, la graisse, l'huile.
LES CONDIMENTS SALINS	Le sel.
LES CONDIMENTS SUCRÉS	Le sucre.

A. LES AROMATES

LE BASILIC (fig. 1)	Il est utilisé frais ou en poudre pour la confection du Minestrone (potage Italien), de la soupe aux pistoux (cuisine provençale), etc.
LE CERFEUIL (fig. 2)	Il est un composant des « fines herbes ». Complément aromatique des potages, il est ajouté au dernier moment, sous forme de « pluches ». Les pluches de cerfeuil ne comportent que les feuilles. Il entre dans la préparation de la sauce Béarnaise. Il est utilisé pour la décoration des plats froids, etc.
L'ESTRAGON (fig. 3)	Il est un composant des « fines herbes ». Il entre dans l'assaisonnement des salades. Il concourt à la réalisation des sauces: Américaine, Béarnaise, Chasseur, etc. Parfume les gelées, aromatise les cornichons, la moutarde, le vinaigre, etc. Ses feuilles sont utilisées pour la décoration des plats froids.
LE FENOUIL (fig. 4)	Il est consommé cru comme le céleri en branches, ou cuit, au gratin, au jus, etc. Les tiges ou branches séchées aromatisent les poissons grillés (loup, rouget), la bouillabaisse, la soupe de poissons, etc.
LE GENIÈVRE (fig. 5)	Les baies de genièvre sont d'une ressource précieuse pour aromatiser les gibiers, les marinades, la choucroute, etc.

FIG. 1

FIG. 2

FIG. 3

FIG. 4

FIG. 5

LAURIER (fig. 6)	La feuille fait partie du « bouquet garni »
PERSIL (fig. 7)	Il s'utilise sous trois formes: a) **En branches** (frais), de préférence le persil frisé et les feuilles seulement, pour la décoration des poissons pochés, des asperges, etc. Frit, pour tous les poissons frits, les fritots, etc. b) **Concassé.** c) **Haché.** Les tiges servent à la préparation du « bouquet garni ».
ROMARIN (fig. 8)	Il est utilisé en petite quantité, pour les rôtis de porc, les civets, les marinades, etc.
SARRIETTE	Elle est employée facultativement dans la cuisson des petits pois à la Française, etc.
SAUGE (fig. 9)	Pour les gibiers, les légumes frais (les fèves), la farce Américaine, le porc rôti, etc.
THYM (fig. 10)	Il fait partie du « bouquet garni ».

FIG. 6

FIG. 7

FIG. 8

FIG. 9

FIG. 10

■ B. LES AROMATES ACRES

LA CANNELLE (fig. 11)	Elle est utilisée dans les compotes de pommes, les gâteaux de riz, l'apple pie, etc.
LE CLOU DE GIROFLE (fig. 12)	Il est employé en petite quantité, piqué généralement dans un oignon, pour aromatiser certains fonds: marmite, fond blanc, blanquette, etc., ainsi que dans les marinades.
LA CORIANDRE (fig. 13)	Entre dans toutes les cuissons dites «à la Grecque».
LE CUMIN (fig. 14)	La graine parfume certains fromages: munster, fromage blanc, etc.
LE CURRY	Sert à la préparation du poulet et de l'agneau au curry, du riz à l'Indienne, etc.
LE GINGEMBRE	Il est utilisé dans les pays Anglo-Saxons, mélangé à la bière (Ginger beer), dans certaines sauces, etc.
LA MUSCADE (fig. 15)	La noix est employée râpée, en petite quantité, dans les sauces blanches (Béchamel), certaines farces, les gnocchi, les pâtés, etc.
LE MACIS	Peut remplacer la noix de muscade. Il est la peau ou tégument de la noix de muscade.

FIG. 11

FIG. 12

FIG. 13   FIG. 14   FIG. 15

PIMENT	Plusieurs variétés: ● a) LE CAYENNE, utilisé de préférence au poivre parce qu'il ne laisse pas de trace dans certaines sauces blanches: Béchamel, mayonnaise, etc., ou parce qu'il est plus fort: sauce Américaine, etc. ● b) LE PAPRIKA pour le Goulasch, le paprika de veau, etc. ● c) LE PIMENT SÉCHÉ (petit), aromatise le couscous, etc.

FIG. 16

POIVRE (fig. 16)	Il est utilisé dans presque toutes les préparations culinaires, soit moulu, soit en grains, soit concassé (Mignonnette).

SAFRAN (fig. 17)	Le safran est l'indispensable élément de la bouillabaisse, de la soupe de poissons, du rizotto au safran et de nombreuses spécialités méditerranéennes.

■ *C. LES CONDIMENTS ACIDES*

CITRON (fig. 18)	Il est utilisé en cuisine pour la cuisson de certains poissons de mer pochés. Il accompagne toutes les préparations de poissons meunière, frits, pochés. Il est d'une grande utilité pour la décoration de certains plats chauds et froids. Le jus se substitue au vinaigre dans l'assaisonnement des salades. Il entre dans la préparation du beurre Maître d'hôtel, sauce Hollandaise, etc. Le jus est très efficace, grâce à son acidité, il empêche certains légumes épluchés ou coupés de noircir au contact de l'air, ou au cours de leur cuisson (artichauts, champignons, céleris, etc.).

FIG. 17

VERJUS	Très peu utilisé dans la cuisine moderne, il peut remplacer le vinaigre.

VINAIGRE	Il existe trois variétés de vinaigre: ● a) LE VINAIGRE D'ALCOOL COLORÉ. Il est employé pour la préparation de toutes les vinaigrettes, sauce mayonnaise et dérivés. Il entre dans la confection des marinades, de certaines sauces (piquante, Béarnaise, etc.). ● b) LE VINAIGRE D'ALCOOL BLANC. Il est employé pour la conservation des cornichons, des petits oignons, etc. ● c) LE VINAIGRE DE VIN. Il est utilisé au même titre que le vinaigre d'alcool, mais de préférence dans les salades.

FIG. 18

⬛ D. LES CONDIMENTS ACRES

L'AIL (fig. 19)	L'ail est à la base de nombreuses spécialités (aïoli, sauces et garnitures provençales, etc.).
LES CAPRES (fig. 20)	Les câpres sont conservées au vinaigre et sont utilisées à la préparation de la garniture « Grenobloise », propre à la raie, au merlan, à la cervelle de veau et de mouton. Elles entrent dans la confection de la sauce câpres, de la sauce tartare, etc.
LA CIBOULE	La ciboule comme la ciboulette est utilisée pour l'assaisonnement des salades. Elle est un composant des « fines herbes », dans lesquelles elle devrait toujours figurer.
L'ÉCHALOTE (fig. 21)	Elle rend de très grands services. Elle est fort appréciée en cuisine pour la confection de nombreuses sauces: Bordelaise, diable, Béarnaise, sauces pour divers poissons, etc.
LA MOUTARDE	La plus utilisée en cuisine est la blanche. Elle entre dans la préparation de la sauce mayonnaise, l'assaisonnement des salades. Elle accompagne souvent les viandes froides. Dans la confection de certaines sauces chaudes: charcutière, Robert, etc.
L'OIGNON (fig. 22)	Il est utilisé en cuisine en temps qu'élément aromatique, dans les sauces brunes et blanches, les fonds bruns et blancs, dans la composition de certaines farces, dans les sautés, dans les hors-d'œuvre, les salades de pommes de terre, de tomates, etc. En temps que légume et garniture, surtout lorsqu'il est petit, glacé à brun (navarin, sauté de veau Marengo, etc.) ou glacé à blanc (blanquette, fricassée). Gros, il est farci ou bien frit, émincé en rondelle, ainsi que pour la confection de la « gratinée », ou « soupe à l'oignon ».

FIG. 19

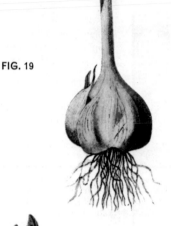

FIG. 20

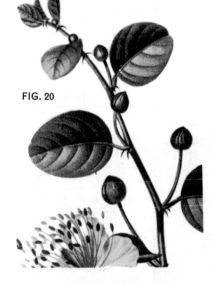

FIG. 21

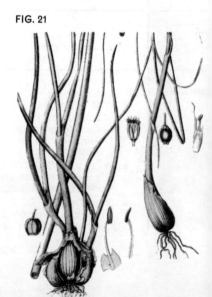

FIG. 22

| POIREAU (fig. 23) | Le poireau est utilisé comme élément aromatique dans les potages et les fonds blancs. Comme légume, cuit à la vinaigrette. |

FIG. 23

| RAIFORT (fig. 24) | Il est utilisé râpé, il accompagne les viandes froides, rôties ou bouillies (sauce raifort). |

■ E. LES CONDIMENTS GRAS

Pour l'étude de ces condiments, voir le chapitre « LES CORPS GRAS ».

■ F. LES CONDIMENTS SALINS

FIG. 24

| LE SEL | Il est vendu dans le commerce sous deux formes: |

- a) GROS SEL. Particulièrement utilisé pour les cuissons à grand mouillement qui permettent sa parfaite dissolution: cuissons de légumes, potages, etc.
- b) SEL FIN. L'emploi du sel fin est réservé, soit pour l'assaisonnement des préparations culinaires, dans lesquelles sa dissolution n'est assurée que par la présence d'une certaine humidité superficielle: petites pièces de viandes grillées ou sautées, poissons meunière, frits ou grillés, légumes sautés, etc., soit pour la mise au point final d'une sauce, d'un potage, etc.

■ G. LES CONDIMENTS SUCRÉS

| SUCRE | Il se présente dans le commerce sous plusieurs formes et est utilisé à des fins déterminées: |

- a) SUCRE EN MORCEAUX. Réservé exclusivement à la table pour sucrer le café, les infusions, etc.
- b) SUCRE CRISTALLISÉ. Il est plus particulièrement employé pour la confection des confitures, etc.
- c) SUCRE EN POUDRE. Utilisé pour la confection de la pâtisserie et pour sucrer les fruits frais: fraises, framboises, etc.
- d) SUCRE GLACE. Employé pour la confection de la glace royale et pour saupoudrer certains gâteaux.

« UTILISÉS COURAMMENT EN CUISINE »

● 1. CLASSIFICATION

■ A. LE LAIT

■ B. LE BEURRE

■ C. LA CRÈME FRAICHE

■ D. LE FROMAGE « GRUYÈRE » FRANÇAIS

■ A. LE LAIT (de vache)

● CARACTÉRISTIQUES

Aliment «physiologique» secrété par les glandes mammaires, il provient de la **traite totale et ininterrompue** d'une femelle laitière bien portante.

Ainsi recueilli, il est réservé avec toutes les précautions d'hygiène exigées par la loi.

Se présentant sous forme d'un liquide blanchâtre, le lait est à la fois:

● une solution (sels minéraux — lactose);

● une émulsion (matière grasse);

● une suspension (matières azotées);

ce qui le rend périssable et l'expose ainsi à toute altération par les micro-organismes.

Afin de le rendre plus stable et sain, 4 procédés de conservation lui sont appliqués:

PROCÉDÉ UTILISÉ	LAIT OBTENU	MÉTHODE
PAR LA CHALEUR	PASTEURISÉ	Consiste à débarrasser par un chauffage instantané, à 63° C pendant 30 minutes ou 95° C, les germes pathogènes susceptibles de se trouver accidentellement dans le lait, ainsi que les bactéries qui constituent la flore naturelle.
	STÉRILISÉ	Homogénéisé, il est rendu stérile par un chauffage de 110-120° C pendant 15 à 20 minutes en autoclave, dans son emballage hermétiquement fermé. Mais le lait perd une partie de ses propriétés digestives.

PAR L'ACTION INHIBITRICE DU SUCRE	CONCENTRÉ, SUCRÉ ou CONDENSÉ SUCRÉ	Fabriqué à partir de lait pasteurisé ou de lait ayant subi un traitement à ultra-haute température (140°-150° C), il est corrigé à l'aide de crème ou de lait écrémé, pasteurisé, concentré, refroidi rapidement. Il est sucré ou non selon son appellation.
PAR LA DESSICCATION	EN POUDRE	Consiste à réduire le lait à son extrait sec, par évaporation rapide de l'eau contenu dans le lait pasteurisé ou UHT.
PAR LE FROID	CRU	Consiste à refroidir le lait aussitôt après la traite. Il est maintenu à une température inférieure à 15° C jusqu'au moment de la vente directe au consommateur qui ne doit pas dépasser 24 heures. Ce lait n'a subi aucun traitement.

● **NOTA.** Nous pouvons signaler un cinquième procédé de conservation: l'**ACIDIFICATION** représente aussi une méthode biologique de conservation du lait (yaourts).

● **CONDITIONNEMENT**

Le lait est collecté en France dans les fermes productrices, acheté par les Coopératives laitières.
Généralement ramassé dans des bidons de 20 litres (en tôle, en aluminium ou almasilium), parfois de 40 litres, cette méthode laisse de plus en plus la place à la collecte par camions citernes.

● **NOTA.** Collecté encore en vrac à la ferme, le lait ne peut être livré et vendu sous cette forme, dans les villes de plus de 20.000 habitants (sauf dérogations spéciales) — par décret du 23 février 1950.

VARIÉTÉS DE LAIT	CONDITIONNEMENT	REMARQUES
LAIT CRU	En vrac ou en emballage carton.	Ne peut se conserver plus de 24 heures au froid (5° C environ).
LAIT PASTEURISÉ	En bouteille de 1 litre et 1/2 litre: en verre (perdu); en emballage carton; en plastique (bouteille ou sachet).	Les bouteilles sont fermées par une capsule d'aluminium portant l'inscription: lait pasteurisé certifié — date de la mise en bouteille.

VARIÉTÉS DE LAIT	CONDITIONNEMENT	REMARQUES
LAIT STÉRILISÉ	Presque toujours en bouteille de verre de 1 litre et 1/2 litre. Existe aussi en bouteille plastique. La forme des bouteilles est différente de celle du lait pasteurisé : goulot étroit, bouchon couronne.	La mention « lait stérilisé homogénéisé », demi-écrémé ou écrémé, doit figurer sur l'emballage, ainsi que le numéro d'immatriculation de l'atelier de traitement.
LAIT CONCENTRÉ	**LAIT CONCENTRÉ NON SUCRÉ** En boîte métal, fermée comme une conserve ordinaire de 450 g. **LAIT CONCENTRÉ SUCRÉ** En boîte métal stérilisée (capacité variable) de 140 g, 310 g, 400 g, 410 g ; en tube de 175 g ou 330 g.	Les boîtes une fois ouvertes doivent être utilisées en quelques jours : 8 jours au maximum. Le conditionnement en tube, réservé pour les petites quantités, permet une consommation plus rapide et une conservation plus sûre. Le rebouchage étant plus rapide. Ces laits ne doivent pas être reconstitués à l'avance.
EN POUDRE	En boîte métallique hermétiquement close au gaz inerte ou sous vide de 900 g ; en boîte carton de 250 g, 300 g, 500 g.	On peut trouver des poudres de lait emballées sous air.

● **UTILISATIONS**

EN CUISINE	EN PATISSERIE
● Sauces : béchamel et dérivés ● Appareils divers : à flan, à quiche, etc. ● etc.	● Glaces ● Crèmes diverses : pâtissière, renversée, etc. ● Entremets « dits de cuisine » ● etc.

■ B. LE BEURRE

● **CARACTÉRISTIQUES**

Le beurre est une substance grasse fabriquée industriellement à partir de l'ÉCRÉMAGE DU LAIT = **CRÈME**, puis du BARATTAGE DE LA CRÈME = **BEURRE**.
Sa fabrication comprend plusieurs phases :

● **ÉCRÉMAGE**

Cette opération est exécutée dans une écrémeuse (centrifugeuse), sorte de récipient (bol) rotatif, qui permet de séparer la crème (matière grasse) du lait (eau, caséine, lactose, sels minéraux).
Il existe actuellement différents procédés d'écrémage :

— L'**écrémage sans mousse**, permet d'éliminer le lait (une fois écrémé) sous pression.
— L'**écrémage hermétique,** avec arrivée du lait par le bas de l'écrémeuse, qui permet d'en mettre davantage, à l'abri de l'air et sous pression.

● **PASTEURISATION** (seulement pour les beurres dits « pasteurisés »)

La crème ainsi obtenue est pasteurisée à 95° C dans des pasteurisateurs en acier inoxydable (appareils tubulaires ou à plaques), afin d'en détruire la flore pathogène et lactique.
Mais il est nécessaire, après cette opération, d'ensemencer la crème de ferments lactiques et d'arôme, afin d'en faciliter la maturation.

● **MATURATION**

Celle-ci est généralement conduite à une température voisine de 12 à 15° C, pendant une durée de 18 heures environ, afin que se développe une acidité convenable de la crème, et la formation du corps donnant au beurre son arôme caractéristique, et d'en faciliter aussi le barattage.

● **BARATTAGE et LAVAGE**

La crème subit ensuite le barattage dans des turbines centrifuges (barattes-malaxeurs), qui permet d'agglomérer les globules gras c'est-à-dire « le beurre ».
Le babeurre (liquide formé d'eau, de lactose, de caséine, d'acide lactique) est éliminé, puis le beurre est lavé plusieurs fois à l'eau fraîche, afin d'empêcher par la suite toute altération.

● **MALAXAGE**

Le beurre est malaxé afin de le rendre plus homogène et de l'amener à sa teneur légale en eau (soit 16 %) qui doit être aussi parfaitement divisée que possible en fines gouttelettes.
Il est ensuite raffermi en chambre froide entre 4 et 8° C, puis conditionné.
Après ces différentes transformations, le beurre se présente sous forme d'une masse lisse, homogène, dont la couleur peut varier du jaune pâle au jaune d'or.
Le beurre de bonne qualité doit s'étaler ou se travailler facilement à la température de 15 à 20° C, sans se briser ou s'émietter, ou bien sans couler. Aucune gouttelette d'eau ne doit perler à la surface.
Le beurre d'été est de couleur jaune, alors que celui d'hiver est plus pâle.

● **VARIÉTÉS**

Il existe sur le marché français trois variétés de beurre:

BEURRE FERMIER	fabriqué à la ferme	à partir de crème crue
BEURRE LAITIER	fabriqué en usines	à partir de crème crue
BEURRE PASTEURISÉ	fabriqué en usines	à partir de crème pasteurisée

● **NOTA:** Il peut être conservé par addition de sel jusqu'à 5 % (demi-sel); entre 5 et 10 % (salé).

● **CONDITIONNEMENT**

Le beurre est conditionné en France:
— en caisses de 25 kg;
— en mottes de 10 kg enveloppée dans une mousseline et conditionnée en cagettes légères;
— en paquets cylindriques de 1 kg et de 500 g conditionnés sous papier sulfurisé, feuille d'aluminium ou de cellophane;
— en paquets de 125 et 250 g, conditionnés sous papier sulfurisé, feuille d'aluminium ou de cellophane;
— en micropains de 8,5 g à 25 g, destinés aux portions individuelles.

• UTILISATIONS

EN CUISINE	EN PATISSERIE
Est à la base de la bonne cuisine:	Est à la base de la bonne pâtisserie:
• Elément essentiel des sauces émulsionnées chaudes: hollandaise, béarnaise et dérivés	• Crème au beurre • Toutes les pâtes • etc.

■ C. LA CRÈME FRAICHE

• CARACTÉRISTIQUES

La crème fraîche est constituée de lait fortement enrichi en matière grasse de 20 à 50 %.
Elle est obtenue par centrifugation du lait, dans des écremeuses ou centrifugeuses.
Elle se présente sous l'aspect d'une masse blanc jaunâtre, bien homogène (lisse). Son épaisseur est fonction de sa qualité. Elle peut être pasteurisée.

• VARIÉTÉS

Deux variétés de crème sont employées:

CRÈME SIMPLE ou FLEURETTE	Obtenue par écrémage du lait qu'on a laissé reposer dans des récipients inoxydables. Elle contient de 10 à 12 % de beurre.
CRÈME DOUBLE	Obtenue par centrifugation. Elle contient 30 % au moins de beurre.

• CONDITIONNEMENT

La crème fraîche est généralement vendue:
— en seaux (métalliques inoxydables) de 5 à 10 litres;
— en boîtes (métalliques inoxydables) de 1, 2, 3 litres;
— en boîtes cartonnées imperméabilisées ou plastifiées de 5 cl, 1 dl, 2 dl, 5 dl;
— en petits « berlingots » de 2,5 cl.

• UTILISATIONS

EN CUISINE	EN PATISSERIE
• Sauce: support des sauces poisson (vin blanc) • Liaisons et finitions: crèmes (potages), blanquettes, fricassées, etc. • Assaisonnement: légumes chauds (haricots verts, épinards, etc.) • Salade verte: cœur de laitue, etc.	• Crème Chantilly • Bombes glacées • Bavarois • Mousses glacées • Soufflés glacés • Saint-Honoré ⎫ • Savarin ⎬ Chantilly, etc. • etc. ⎭

■ D. LE FROMAGE « GRUYÈRE » FRANÇAIS

● **CARACTÉRISTIQUES**

Fromage en forme de meule cylindrique, d'origine suisse, fabriqué dans les alpages à partir du lait de vache partiellement écrémé, affiné dans des caves fraîches et humides (12 à 18° C), à caillé découpé, cuit et pressé, à croûte lavée d'une couleur allant du brun au jaune gris (signe distinct d'une certaine humidité provenant de son procédé de maturation qui dure de 8 à 12 mois).
La coupe d'un gruyère de bonne qualité doit présenter peu de « trous » (sauf le beaufort) d'une dimension correspondant à celle d'une noisette.
Le gruyère titre 45 % de matière grasse au maximum. Parfois il peut atteindre 47 à 49 %.

● **VARIÉTÉS**

Il existe trois sortes de gruyère français dénommés sous le nom de:

BEAUFORT	Ne possède pas de « trous ». Meule à talon concave.
COMTÉ	Pâte ivoire jaune pâle à « trous » moyens bien ouverts, grosseur d'une noisette. Meule à talon légèrement bombé. Croûte rugueuse et grenée.
EMMENTAL	Pâte à « trous » relativement gros (dimension d'une noix). Croûte dure, sèche, de couleur jaune d'or).

● **NOTA:** « Orthographe ». Il convient de signaler que l'EMMENTHAL suisse comporte toujours un « H », alors que le français est sans « H ».

● **CONDITIONNEMENT**

Tous les gruyères sont conditionnés en meule:
— le beaufort en meule de 30 à 60 kg,
— le comté en meule de 50 kg au maximum,
— l'emmental en meule de 80 à 100 kg.

● **UTILISATIONS**

EN CUISINE

- ● Fondue savoyarde
- ● En lamelles: quiches, croques-monsieur
- ● Râpé: gratins, sauce Mornay
- ● Allumettes, soufflés, etc.
- ● Diverses préparations, etc.

CORPS GRAS ALIMENTAIRES

● Les corps gras alimentaires comprennent toutes les matières grasses comestibles. Ils entrent pour une large part dans la cuisine.

● Les corps gras sont d'origine animale ou végétale. Ils ont une température de décomposition qui leur est propre. Passé un certain degré, ils brûlent, se décomposent et donnent de « l'acroléine » qui est nocive pour l'organisme.

● Nombreuses sont les préparations culinaires qui nécessitent leur utilisation.

La préférence donnée à l'un ou à l'autre est fonction :

a) **du goût ;**
b) **de la température de décomposition ;**
c) **du prix de revient** (certains corps gras traditionnels sont parfois substitués à d'autres, d'un prix moins élevé).

● 1. CORPS GRAS SOLIDES

CORPS GRAS	ORIGINE	UTILISATION	TEMPÉRATURE DE DÉCOMPOSITION
BEURRE	LAIT	TOUTE LA CUISINE SAUF LES FRITURES	130°
MARGARINE	ARACHIDE, COPRAH, COLZA, HUILE DE PARME, KARITE	TOUTE LA CUISINE SAUF LES FRITURES	140°
GRAISSE VÉGÉTALE	COPRAH	TOUTE LA CUISINE	180°

GRAISSE DE VEAU	VEAU	POUR LES FRITURES	200°
GRAISSE DE BŒUF	BŒUF		
SAINDOUX	PORC	PEUT SERVIR A LA CUISINE	210°
GRAISSE D'OIE	OIE	CONFITS D'OIE, CHOU-CROUTE - PEUT SER-VIR A LA CUISINE	200°
GRAISSE DE VOLAILLE	VOLAILLE	GRILLADES - PEUT SERVIR A LA CUISINE	

• 2. CORPS GRAS FLUIDES

CORPS GRAS	ORIGINE	UTILISATION	TEMPÉRATURE DE DÉCOMPOSITION
HUILE D'ARACHIDE	ARACHIDE (cacahuète)	TOUTE LA CUISINE CHAUDE ou FROIDE	220°
HUILE D'OLIVE	OLIVE		210°
HUILES DIVERSES	NOIX	SALADE	
	COLZA	ENTRE DANS LA COMPOSITION DE LA MARGARINE	

FRITURES

- Les fritures sont des bains d'huile ou de graisse, portés à des températures variant suivant le corps gras utilisé et l'aliment mis en traitement.
- Frire consiste à mettre en immersion dans ces fritures chaudes, les aliments, afin de les cuire ou d'en terminer la cuisson.
- L'utilisation des fritures nécessite de grandes précautions (bassines à friture) qui disparaissent avec l'emploi des appareils modernes.
- C'est au « Rôtisseur » qu'incombe la tâche de les utiliser. Comme nous le verrons plus loin, il en utilise toujours **trois à divers stades.**

• 1. MATÉRIEL UTILISÉ

- Le choix des récipients à employer n'est pas à négliger. Les échecs comme les accidents sont souvent causés par des récipients défectueux et des ustensiles d'un maniement difficile.

- Il existe encore dans le matériel de certaines cuisines, des récipients réservés uniquement aux fritures.
Dénommés **« bassines à friture »** (ou **négresses »),** ces ustensiles sont en matériaux résistants (tôle d'acier noire, d'une épaisseur de 3 mm); d'une seule pièce; de forme ronde ou ovale; à parois droites (verticales) et hautes (préférables à celles légèrement évasées).

- Des paniers, des « araignées », ainsi que des grilles en fils de fer tournés étamés, complètent ce matériel. Ils permettent de plonger, de retirer les aliments mis en traitement.

FIG. 2

▼ Friteuse à gaz

▲ Friteuse électrique

FIG. 1

● La technique moderne a mis au point des appareils **(PRATIQUES, ROBUSTES, ÉCONOMIQUES)** qui se substituent aux bassines à friture.
Pouvant satisfaire au service des petites et des grandes cuisines, ils fonctionnent:

— à l'électricité (voir photo n°2);

— aux divers gaz — ville, naturel, propane — (voir photo n° 1), adaptable par simple changement des injecteurs et réglage de l'air primaire;

— à air propané.

De présentation, de dimensions variées selon leur utilisation, ces appareils sont recommandés pour tous les avantages qu'ils apportent dans la réalisation des fritures.
Ils sont munis:

● d'un système thermostatique automatique (thermo-couple avec veilleuse pour le gaz) précis, très efficace, qui commande l'admission du gaz ou la mise en contact du courant électrique; d'un contrôle de température qui la régularise et la maintien au degré choisi.
Une lampe témoin s'allume lorsque les brûleurs sont en fonctionnement et s'éteint lorsque le thermostat les arrête.

● d'un système de « trop plein » (certains appareils sont équipés d'une récupération automatique) permettant aux fritures trop chaudes ou « mousseuses » de déborder sans danger, même lorsqu'on y plonge les aliments sans observer les précautions d'usage.

● de paniers en grillage étamé ou en inoxydable, munis d'un dispositif d'accrochage pour égoutter au-dessus de la cuve, et d'une tablette d'égouttage.

● d'une cuve en inoxydable adaptée du principe de la « ZONE FROIDE ».

● d'un robinet de vidange situé dans le fond de la cuve, permettant l'évacuation des déchets dans un bac de récupération, muni d'un filtre les retenant.

259

● 2. ENTRETIEN DU MATÉRIEL

● 2. ENTRETIEN DU MATÉRIEL

Les vapeurs grasses des fritures arrivent, au bout d'un certain temps d'usage, à s'accumuler sur les parois externes des récipients. Il est donc nécessaire, pour qu'elles ne prennent pas feu, de les nettoyer périodiquement.

Pour les nettoyer, il suffit de laisser les récipients vides séjourner dans un four chaud pendant une nuit, afin de pouvoir mieux les décaper à l'aide d'un racloir en métal.

● Les bassines à friture **ne sont jamais nettoyées à la plonge avec de l'eau ;** seule la sciure est employée. Celle-ci absorbe les impuretés et la graisse subsistant dans les récipients. Il suffit ensuite de les essuyer avec un vieux chiffon.

● 3. PRÉPARATION DES FRITURES

D'un entretien plus facile, ce matériel ne pose pas de problèmes, grâce à leur ligne moderne et aux matériaux de revêtement: tôle d'acier émaillée; acier inoxydable, etc.

Seuls la cuve et le bac de récupération sont nettoyés à sec.

● 3. PRÉPARATION DES FRITURES

● En principe, toutes les graisses animales (sauf celle du mouton) et huiles végétales comestibles, sont bonnes pour les fritures.

Ces graisses et ces huiles doivent posséder **une grande pureté** et **une forte résistance à la chaleur.**

● Le mélange de graisses et d'huiles, ou de graisses de différentes origines, est parfois générateur de fritures « mousseuses ». Ne peuvent être utilisés: le beurre, qui ne peut atteindre une haute température; la graisse de mouton, qui a un goût prononcé de suif, ainsi que certaines huiles de table réservées exclusivement aux salades.

● C'est pour ces raisons que l'on choisit de préférence des graisses et des huiles qui supportent de hautes températures sans se décomposer.

● 4. ENTRETIEN DES FRITURES

● 4. FRITURES EMPLOYÉES AVEC LES BASSINES

Après chaque « service », il est recommandé de les décanter à travers un linge ou un chinois étamine, pour retenir toutes les particules en suspension, et les corps étrangers préjudiciables au traitement des aliments.

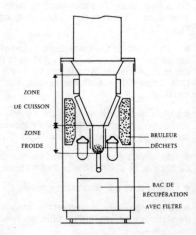

ZONE
DE CUISSON

ZONE
FROIDE

BRULEUR
DÉCHETS

BAC DE
RÉCUPÉRATION
AVEC FILTRE

FIG. 5
COUPE SCHÉMATIQUE D'UNE FRITEUSE A GAZ

● FRITURES EMPLOYÉES AVEC LES FRITEUSES MODERNES

L'entretien des fritures est facilitée, grâce à la zone froide qui permet la cuisson successive dans la même huile, de poissons, de pommes de terre, de beignets divers, etc., sans pour cela altérer le goût des aliments traités. En effet, le chauffage différentiel des parois vers la mi-hauteur provoque un mouvement circulaire permanent de l'huile. Les déchets, au fur et à mesure de leur production, se déposent et s'accumulent dans le fond de la zone froide (voir « coupe schématique » n° 5), située en dessous de la partie chauffée par les brûleurs ou les résistances, dont la température est plus basse que le haut du bain (80° environ).
Ainsi, ces déchets ne cuisent pas, peuvent être évacués par un robinet de vidange situé au point bas de la zone froide.

● 5. RECOMMANDATIONS GÉNÉRALES

(particulières aux fritures employées avec les bassines)

- Ne remplir les bassines à friture qu'à moitié. Si l'ustensile contient une trop grande quantité de graisse ou d'huile, celles-ci risquent de déborder lorsqu'on y plonge les aliments.
- Eviter de porter les bains de friture à des températures trop élevées, ce qui diminue considérablement la durée utilitaire.
- Ne pas les laisser brûler inutilement. Les fritures en brûlant se décomposent et donnent naissance à une matière, « l'acroléine », d'odeur âcre, indigeste pour l'organisme.
- Ne pas plonger d'aliments mouillés sans les avoir préalablement épongés. Ils risquent de projeter des fines gouttelettes grasses qui se vaporisent brusquement et risquent d'occasionner des brûlures.
- Eviter de déplacer brutalement les récipients sur le fourneau.
- Eviter de mettre les fritures sous un robinet d'eau, lorsque des postes d'eau sont installés au-dessus des fourneaux.

● 6. CLASSIFICATION D'UTILISATION

E DE DATION	DÉNOMINATION	DEGRÉS D'UTILISATION	ASPECT	UTILISATION
MIER	FRITURE A POCHER ou FRITURE DE MISE EN PLACE	Moyennement chaude 160°	Friture neuve.	Pour cuire intégralement les aliments contenant de l'eau de végétation: pommes paille, chips, gaufrettes, ou à une cuisson préalable: pommes pont-neuf, allumettes.
IÈME	FRITURE A TREMPER ou FRITURE DE SERVICE	Chaude 180°	Présente une légère coloration, occasionnée par le travail précédent.	Pour les aliments ayant déjà subi une cuisson préalable: pommes pont-neuf, allumettes. Les aliments panés à l'anglaise ou enrobés de pâte à frire: croquettes, fritots, beignets, etc.
SIÈME	FRITURE A POISSON	Très chaude 200°	Presque intégralement usée par les deux services antérieurs, elle présente une coloration plus prononcée que la deuxième.	Pour toutes les fritures de petits poissons et les poissons de faible grosseur (poissons portions).

CONSERVATION DES ALIMENTS PAR LE FROID ARTIFICIEL

● 1. HISTORIQUE

Deux Français furent au milieu du XIXᵉ siècle (entre 1856 et 1876), les précurseurs de l'**industrie du froid :**

- **FERDINAND CARRÉ** — 1824-1900 (ingénieur) — mit au point à Marseille la première machine frigorifique **à absorption** (1860), qui repose sur le principe du passage d'un corps de l'état liquide à l'état gazeux. Le système consiste à faire évaporer le fluide frigorifique (gaz ammoniac...), puis à le contraindre à devenir liquide, et ainsi de suite en circuit fermé.

- **CHARLES TELLIER** — 1828-1913 (ingénieur) — surnommé le **« Père du Froid »,** créateur du premier appareil **à compression** dans lequel un fluide frigorigène (ammoniac, chlorure de méthyle, fréon ou R 102, plus compressibles que l'air) est comprimé dans un compresseur, puis liquéfié par refroidissement, soit par circulation d'air, soit par circulation d'eau, et sous-refroidi ensuite. Il équipa spécialement (en 1876) un navire « LE FRIGORIFIQUE », avec son système de réfrigération. Il réussit pour la première fois de Rouen à Buenos Aires, le transport à longue distance d'un chargement de viandes en parfait état de consommation, pendant 105 jours de traversée.
  CARRÉ perfectionna ce procédé en faisant voyager les produits à —30° C environ, c'est-à-dire congelés. Malgré son imperfection, le procédé fut mis en application.

- Au début du XX siècle, l'Américain **CLARENCE BIRDSEYE** perfectionne la technique du froid. Il invente en 1928 un appareil de congélation à plateaux — processus naturel de conservation — en mettant au point la technique de surgélation ou de congélation ultra-rapide.
  La « Société BIRDS'EYE » commence en 1930 la première vente des produits alimentaires surgelés.
  En 1948, ce procédé est dénommé **surgélation.**

Cette technique de conservation par le froid artificiel, « boudée » pendant plusieurs années par les Français, voit réellement son apparition auprès du public qu'à partir de 1955.

● 2. PROCÉDÉS DE CONSERVATION PAR LE FROID

■ A. LA SURGÉLATION

La SURGÉLATION est un procédé technique par le froid **ultra-rapide, effectuée à —40° C,** qui permet la « mise en sommeil » de tous les produits alimentaires de faible volume et de peu d'épaisseur, ce qui permet une congélation ultra rapide au cœur du produit.
Elle désigne aussi le phénomène physique qui aboutit à la transformation en petits cristaux de glace de l'eau contenue dans les produits.
L'appellation de **produit surgelé** s'applique d'après la législation française (décret n° 64 949 du 9 septembre 1964), à toutes denrées animales ou végétales qui répondent aux caractéristiques générales d'hygiène et de fabrication prévues par les textes, et par trois notions importantes qu'on qualifie parfois de **« Trépied frigorifique »** défini par le Dr MONVOISIN:

— **l'aliment doit être au moment de la surgélation, condition « sine qua non », dans un parfait état de fraîcheur et de qualité irréprochable, voire sélectionné.**
  Ce mode de conservation ne peut être un moyen commercial de survie pour le produit douteux.
  Il est nécessaire à cette industrie de sélectionner les produits qui se prêtent le mieux à cette technique.
  Ils doivent être soumis à la surgélation dès la récolte, la capture, l'abattage, la préparation préliminaire, la cuisson (pour les plats préparés).

— **obtenir rapidement un abaissement de la température à cœur, égale ou inférieure à —18o C.**
La rapidité de surgélation permet de stabiliser le produit dans son état de fraîcheur initial, évite ainsi la formation de gros cristaux de glace, qui risquent d'endommager la structure cellulaire du produit.

— **maintenir le produit à la température constante (—18o C) après la surgélation : pendant le stockage, le transport, la distribution.**
Garantie de stabilisation, cette règle concerne essentiellement la phase de commercialisation du produit.

Ces trois critères requis distinguent la **surgélation de la congélation** d'une part, et de la **réfrigération** d'autre part.

■ B. LA CONGÉLATION

Un aliment surgelé à —40° C, devient **un produit congelé** s'il a été conservé et transporté à —10° C ou à —15° C.
Le cas se présente pour les importations par bateaux frigorifiques à —15° C. Ces produits ne peuvent prétendre à l'appellation de **surgelés.**
La conservation des produits alimentaires surgelés ou congelés n'est plus à présent l'apanage des GRANDES CHAINES DE FROID.
Alors que la surgélation est une méthode industrialisée et commercialisée, régie par décret, la CONGÉLATION est généralement appliquée au stade **domestique** (individuel) ou **rural** (collectif).
La congélation domestique et rurale est une opération de conservation en autoconsommation : c'est-à-dire que les produits sont conservés dans le même appareil utilisé à les congeler ; ils ne sont pas par conséquent exposés à des chutes accidentelles de températures.
La température d'abaissement de la congélation doit être inférieure ou égale à —23° C. La conservation doit se faire à —18° C maximum.

■ C. LA RÉFRIGÉRATION

La RÉFRIGÉRATION des denrées alimentaires se réalise à la température la plus basse possible du point de congélation, afin de ne pas changer leur structure.
Ces produits **sont réfrigérés** lorsqu'ils sont refroidis à une température telle, que toute l'eau qu'ils renferment reste à l'état liquide. Toutes les fonctions vitales sont suspendues et cela permet une consommation différée de quelques jours de ces denrées.
La température de réfrigération varie entre +1° C et +6° C.
Le temps de conservation de courte durée est variable selon les denrées. Elle se pratique en chambres froides, en réfrigérateurs ménagers ou en armoires fermières.

● **NOTA :** Une circulaire du Service de la répression des fraudes du 15 juillet 1953, définit la dénomination de RÉFRIGÉRATION avec celle de CONGÉLATION, afin d'en discerner les avantages et les limites.

■ D. LA LYOPHILISATION

La LYOPHILISATION s'est appelée au départ le **« dry-freezing ».**
Elle s'applique généralement aux aliments limités à un faible volume : petits pois, champignons (de préférence), fraises, framboises... ; elle s'attaque maintenant à d'autres produits : viande, volaille, produits laitiers, œufs, crevettes, légumes pour potage, épices, café...
La seule condition requise pour la conservation, est l'isolement total de l'humidité.
La méthode consiste d'abord à surgeler rapidement les aliments à —40° C, pour que la totalité de l'eau qu'ils renferment se transforme en cristaux de glace.
Cette surgélation étant arrêtée, les produits sont placés dans un « tank de lyophilisation ou sublimateur », où un froid intense règne d'une part, et dans lequel le vide est fait. On provoque alors la sublimation des cristaux de glace, c'est-à-dire qu'ils passent directement de l'état solide à l'état gazeux.
La déshydratation étant terminée, les denrées sont conservées sous vide à température ambiante, sans altérations initiales — conservation de la qualité naturelle. L'élimination de l'humidité diminue considérablement le poids, ce qui donne à ces produits un avantage incontestable dans leur transport.
Ces aliments peuvent être employés selon les besoins en les reconstituant par addition du volume d'eau éliminé. Ils retrouvent leur forme, leur couleur et leur saveur initiales.
Ils offrent toutes les caractéristiques et les avantages des produits frais (et crus).

3. RÈGLES ESSENTIELLES A OBSERVER POUR LA SURGÉLATION ET LA CONGÉLATION

Afin de conserver toutes les caractéristiques des produits surgelés et congelés, voire pour certains, supérieures à celles des produits frais, il est indispensable de respecter quelques règles essentielles:
— les denrées doivent être d'une excellente qualité, de toute première fraîcheur;
— que certaines variétés sont plus recommandées pour cette conservation que d'autres;
— les produits doivent être traités avec soin: hygiène et propreté sont indispensables; éliminer les déchets; calibrer les variétés; laver soigneusement, etc.;
— appliquer le froid rapidement et le maintenir jusqu'à la préparation des produits;
— la plupart des légumes exigent une préparation préliminaire:
  • le blanchiment à l'eau ou à la vapeur entre 80° C et 100° C;
  • l'étuvage qui peut remplacer le blanchiment;
  • par traitement anti-oxydant (légumes blancs: salsifis, fonds d'artichaut...) à l'aide de jus de citron, de vinaigre;
  • par enrobage dans le sucre ou dans un sirop de certains fruits;
— enfermer hermétiquement les denrées dans des emballages étanches, afin de les protéger contre l'oxygène de l'air, les microbes, le rancissement des graisses, contamination d'odeur d'un produit par un autre;
— surgeler des aliments d'un volume réduit pour accélérer la surgélation.

4. TECHNIQUE D'OBTENTION DU FROID

L'obtention du froid peut être réalisée par différents procédés:

A. EN TUNNEL

Les aliments sont séparés les uns des autres afin d'assurer une bonne circulation d'un courant d'air froid à —40° C sur des claies qui se déplacent.
A la sortie, au terme de l'opération, la température à cœur doit être de —18° C.

B. PAR CONTACT

Les produits conditionnés sont placés sur des plaques d'aluminium réfrégérées par des serpentins frigorifiques, entre lesquelles circule l'évaporation d'un fluide frigorifique à —35° C ou —40° C. Les plaques sont placées les unes à côté des autres dans de grandes armoires de surgélation.

C. SUR LIT FLUIDE (dans l'air « flo-freezer »)

Méthode employée pour les aliments légers, particulièrement les petits pois, les haricots verts, les framboises, etc.
Avant le conditionnement, les produits divisés sont placés sur coussin d'air froid pulsé par un système de ventilation, surgelés individuellement, ce qui augmente la vitesse de surgélation.

D. PAR IMMERSION

a) Technique appliquée à bord des bateaux de pêche pour les gros poissons dont la peau est suffisamment résistante.
Les pièces sont immergées dans des cuves entourées de serpentins évaporateurs contenant une saumure à —20° C.
Ce procédé peut dénaturer le goût des poissons.

E. PAR L'AZOTE LIQUIDE (fluide cryogénique)

Procédé qui permet d'abaisser instantanément (en 1 heure environ) des plats cuisinés à des températures à cœur de —70° C.
L'AZOTE, principal constituant de l'air, gaz neutre par excellence, insoluble, inodore, est utilisé couramment en alimentation comme agent protecteur contre les actions de l'oxygène.
Liquide, l'azote libère la moitié de son énergie frigorifique en se vaporisant à —196° C.
Le refroidissement cryogénique consiste simplement à vaporiser de l'azote liquide dans une enceinte (tunnel) contenant les plats cuisinés à congeler.
NOTA : L'azote liquide peut être utilisé pour maintenir la température des chambres froides en cas de panne.

• 5. CHAINE INDUSTRIELLE DU FROID

Après la surgélation (entre —20° C et —40° C), les produits suivent un CIRCUIT défini, dénommé communément CHAINE DU FROID.
A tous les stades de la chaîne, depuis la **fabrication** jusqu'à la **consommation,** en passant par le **stockage** et le transport, un contrôle sérieux est fait pour préserver la qualité des produits surgelés.
Toutes les précautions doivent être prises, afin de maintenir une température égale ou inférieure à —18° C, limite prescrite pour les surgelés.

A. SCHÉMATISATION DE LA CHAINE

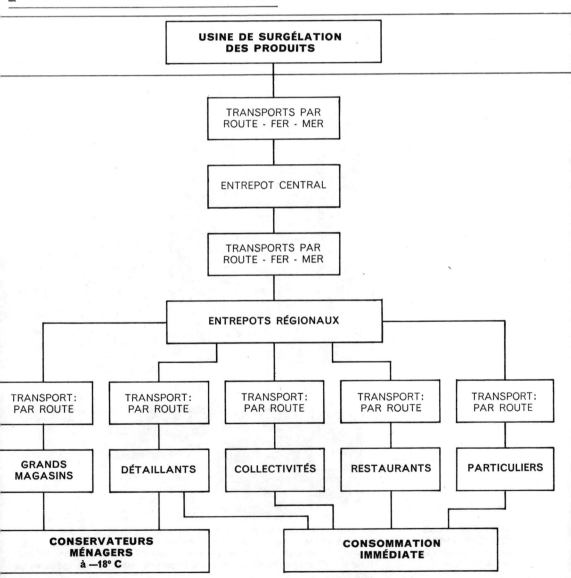

■ B. CONDITIONNEMENT DES PRODUITS SURGELÉS ET CONGELÉS

Le conditionnement (emballage) se réalisent avant ou après la surgélation (généralement avant).

● **NOTA:** L'article 4 du décret du 9 septembre 1964, précise « tous les produits surgelés doivent avant leur commercialisation, et ce, jusqu'à la vente au consommateur, être conditionnés dans des récipients ou emballages les enveloppant hermétiquement, afin d'en assurer leur protection ».

Les emballages employés doivent être absolument étanches: à l'eau; à l'air; à la vapeur d'eau; aux odeurs; aux graisses; être dépourvus de toxicité.
Les matériaux de qualité alimentaire les plus utilisés sont:
— le polyéthylène (en boîtes et sachets);
— la cellophane spéciale;
— la pellicule cellulosique;
— l'aluminium (en feuilles ou en moules);
— le carton paraffiné (en gobelets).

■ C. STOCKAGE

Les produits conditionnés sont maintenus de —20° C à —30° C, sans jamais remonter au-dessus de —18° C, dans des chambres de « grand froid ».

INTÉRIEUR D'UNE CHAMBRE FROIDE. Les produits sont stockés par palettes.

Aussitôt arrivés dans les différents entrepôts de stockage, les produits déchargés des camions « grand froid » sont transportés dans les chambres froides grâce à des chariots élévateurs. La température de —20° C qui règne à l'intérieur de ces chambres rend nécessaire le port de combinaisons spéciales de protection.

Dans des congélateurs horizontaux — type coffre — où les parois et le fond jouent le rôle d'éléments de congélation, ou verticaux — type armoire — identiques aux réfrigérateurs, mais dont les clayettes sont des plaques congélatrices.

● **NOTA:** Il semble que les pertes de frigories soient plus importantes pour le type armoire que pour le type coffre chaque fois qu'on ouvre la porte de ces appareils.

Congélateur type coffre

● **INTÉRIEUR D'UN CONGÉLATEUR HORIZONTAL.**

Congélateur type armoire

267

■ D. DURÉE DE CONSERVATION DES PRODUITS SURGELÉS

Les produits surgelés peuvent être conservés:

au réfrigérateur	de 24 à 48 heures selon les produits
au freezer	3 jours environ
au congélateur	à —18° C pendant plusieurs mois

● **NOTA:** La date de surgélation doit être obligatoirement inscrite sur les emballages.

TABLEAU SYNOPTIQUE DE DURÉE DE CONSERVATION DES SURGELÉS

MOIS	1	2	3	4	5	6	7	8	9	10	11
VIANDES MAIGRES (bœuf, veau, mouton)								▓	▓	▓	▓
VIANDES GRASSES (porc)						▓	▓	▓			
ABATS			▓	▓	▓						
CHARCUTERIE				▓							
VOLAILLES MAIGRES (poules, poulets, pintadeaux)								▓	▓	▓	
VOLAILLES GRASSES (canards, oies, dindes)					▓	▓	▓				
LAPINS				▓	▓						
GIBIERS A POIL			▓	▓							
GIBIERS A PLUME		▓	▓								
POISSONS MAIGRES			▓	▓							
POISSONS GRAS	▓	▓									
ŒUFS mélangés (blanc ou jaune seul)								▓	▓	▓	
LÉGUMES ET FRUITS								▓	▓	▓	▓
PLATS CUISINÉS (rôti, gratin, civet...)	▓	▓									
PATES CRUES	▓	▓									
PAINS — PATISSERIES	▓	▓									
CRÈMES GLACÉES	▓	▓									
JUS DE FRUITS									▓	▓	

● 6. CLASSIFICATION DES ALIMENTS SURGELÉS

DÉNOMINATION DE BASE	PRÉSENTATION COMMERCIALE	APPELLATION COURANTE
BŒUF	PIÈCES ENTIÈRES	filet; noix d'entrecôte; faux-filet; tende de tranche; bavette; rumpsteak; noix de rumpsteak...
VEAU	PIÈCES ENTIÈRES	noix; sous-noix; noix pâtissière; quasi; rôti (épaule et bas de carré)...
	EN MORCEAUX	blanquette...
	INDIVIDUELLES	côtes...
PORC	INDIVIDUELLES	côtes...
	PRÊT A ROTIR	rôti...
AGNEAU ou MOUTON	PIÈCES ENTIÈRES	gigot; carré (côtes premières)...
	ENTIER	agneau...
	INDIVIDUELLES	côtes découvertes...
ABATS	INDIVIDUELLES	cervelles (bœuf - veau - agneau/mouton)
	PIÈCES ENTIÈRES	foie (bœuf - génisse); langue (bœuf - veau); cœur (veau); rognon (génisse)... tête de veau
	INDIVIDUELLES	ris (veau); langue (agneau); rognons (agneau/mouton - veau - porc)...
VOLAILLES	PIÈCES ENTIÈRES PRÊTES A ROTIR	poulet; poule; canard; pintade; coq; coquelet; rôti de dindonneau...
	INDIVIDUELLES	cuisses de poulet; filets d'oie...
GIBIERS	PIÈCES ENTIÈRES EN QUARTIERS INDIVIDUELLES	A POIL: lièvre; chevreuil; marcassin; sanglier; cerf... A PLUME: caille; faisan; perdreau; canard sauvage...
POISSONS	EN FILETS	cabillaud; daurade; brochet; colin; merluche; merlan; julienne; sole; turbot; lieu...
	EN DARNES	colin; cabillaud; lieu; julienne...
	PIÈCES ENTIÈRES ÉTÉTÉES VIDÉES	bouillabaisse (mélange de poissons entiers); petite friture de mer; colin; daurade; ailes de raie; limande; loup; merlan; queue de lotte; sole; turbot; rouget barbet; truite; rascasse; saumon; mérou...

DÉNOMINATION DE BASE	PRÉSENTATION COMMERCIALE	APPELLATION COURANTE
CRUSTACÉS	ENTIÈRES NON DÉCORTIQUÉES	crevettes (crues) petites... langoustines (crues) toutes tailles...
	DÉCORTIQUÉES	crevettes (cuites) toutes tailles... scampi (crus) toutes tailles...
	PIÈCES INDIVIDUELLES CRUES	langouste; homard; langoustine; queues de langoustines; queue de langouste; écrevisses...
	PIÈCES CUITES	langouste; chair de crabe; queues d'écrevisses décortiquées...
MOLLUSQUES COQUILLAGES	INDIVIDUELLES	encornet; blanc de seiche; blanc de calmar...
	CRUES EN BLOC ou INDIVIDUELLES	saint-Jacques...
	DÉCORTIQUÉES	moules (cuites) moules avec une demi-coquille à farcir
	INDIVIDUELLES	cuisses de grenouille...
POISSONS PANÉS	PORTIONS INDIVIDUELLES	carres de cabillaud, de lieu panés; filets entiers de cabillaud panés; beignets de cabillaud...
LÉGUMES	SURGELÉS INDIVIDUELLEMENT	carottes; céleri julienne; choux de Bruxelles; choux-fleurs; cœurs de céleri; cœurs de poireaux; épinards (en branches - hachés); flageolets; fonds d'artichauts; haricots princesse; haricots verts; macédoine de légumes; petits pois; petits pois et carottes; salsifis; pommes frites; pommes parisienne; pommes dauphine...
FRUITS	SURGELÉS INDIVIDUELLEMENT	fraises; framboises; cassis; myrtilles; groseilles; oreillons de prune...
ŒUFS	EN BLOC	mélangés; jaune et blanc seul...
PATES PATISSERIE	PATES EN BLOC, ÉTALÉES, EN PORTIONS, INDIVIDUELLEMENT	croissants; génoise aux fraises; gâteau basque; moka; pâte brisée; pâte feuilletée; tartelette aux pommes; gâteau fourré chocolat-café-praliné...
PLATS CUISINÉS	EN SAC EN CARTON EN CARTON BARQUETTE BARQUETTE MOULE EN ALUMINIUM SPÉCIAL RÉCHAUFFAGE EN CARTON EN CARTON BARQUETTE	escargots de Bourgogne au beurre; crêpes fourrées; friand chair à saucisse; croustade fruits de mer; coquille Béchamel; gratin de fruits de mer; gras-double à la Lyonnaise; brandade de morue; soupe de poisson; soufflé de fruits de mer; etc., etc.

• 7. DÉSURGÉLATION DES PRODUITS POUR L'EMPLOI CULINAIRE

Avant leur emploi culinaire, les produits surgelés (ou congelés) doivent subir une DÉSURGÉLATION.
Il est possible aussi — et même conseillé — d'utiliser certaines denrées sans désurgélation préalable.
De bons résultats peuvent être obtenus si, certaines règles précises sont observées:

- Placer les produits à l'abri de l'air et des contaminations possibles.
- Laisser les denrées dans leur emballage bien fermé.
- Utiliser et consommer un aliment qui a été désurgelé entièrement.
- Eviter une désurgélation trop prolongée qui risque d'oxyder l'aliment et peut entraîner des troubles digestifs graves.

Plusieurs méthodes peuvent être mises en œuvre:

MÉTHODES DE DÉSURGÉLATION	PRINCIPE	PRODUITS SUBISSANT CETTE MÉTHODE	TEMPS DE DÉSURGÉLATION
EN CHAMBRE FROIDE OU EN RÉFRIGÉRATEUR ENTRE +1° C et +4° C	**Désurgélation lente.** Déballer les produits; poser sur plaque garnie d'une grille pour faciliter la désurgélation, et éviter ainsi au produit d'être en contact avec la glace fondue produite par la désurgélation. Le déballage n'est pas obligatoire pour certaines denrées: **grosses pièces de viande** destinées à être tranchées à crue — entrecôtes, steaks, filets, foies; **grosses pièces de poisson:** darnes...; **pour les fruits.**	VIANDES (grosses pièces)	36 h. à 72 h.
		FOIES	36 h.
		VOLAILLES LAPIN	36 h.
		POISSONS (grosses pièces)	24 h.
		POISSONS (en filets)	12 h.
		LÉGUMES (en plaque)	12 h.
		FRUITS	8 h.
		JUS DE FRUITS	8 h.
A TEMPÉRATURE AMBIANTE (à l'air) (Méthode peu recommandable)	Consiste à dégeler lentement les denrées (de préférence dans leur emballage d'origine, fermé) à la température ambiante, mais pas dans un lieu surchauffé (cuisine), où la condensation ne permet pas toutes les garanties d'hygiène.	VIANDES (petites pièces) individuelles	4 h. à 6 h.
		VOLAILLES: (poulets - poules) (canards - lapins) (pintades) (oies - dindes)	10 h. à 14 h. 14 h. à 16 h. 8 h. 24 h.
		POISSONS (en filets)	4 h. à 6 h.

MÉTHODES DE DÉSURGÉLATION	PRINCIPE	PRODUITS SUBISSANT CETTE MÉTHODE	TEMPS DE DÉSURGÉLATION
SOUS UN FILET D'EAU FROIDE COURANTE	Cette méthode accélère la désurgélation, et permet pour certains produits de les faire dégorger.	ABATS (sauf le foie)	Variable suivant l'importance des pièces et la catégorie des produits.
		POISSONS (grosses pièces) (en bloc)	
SANS DÉSURGÉLATION	Cette méthode est appliquée pour la plupart des légumes — comme un légume frais. Pour les plats cuisinés.	ABATS (cervelles)	
		POISSONS (panés) (en portions)	
		LÉGUMES (presque tous)	
		PLATS CUISINÉS	

● 8. AVANTAGES DE LA SURGÉLATION EN RESTAURATION

Hormis les méthodes industrielles que nous venons de voir, il est maintenant possible de surgeler à une échelle artisanale.

Cette technique est appelée à prendre une place de plus en plus importante dans la restauration.

Bien utilisée, elle ne modifie en rien la qualité de la cuisine. En raison des avantages qui suivent mis en évidence, cette méthode de conservation est un élément positif de rentabilité :

Possibilité en cuisine :

- de consommer certains produits d'origine lointaine ;
- d'avoir constamment à sa disposition un stock de denrées prêtes à l'emploi — ayant subi un traitement préliminaire (épluchage, habillage, blanchiment, etc.) ;
- de bénéficier de prix indépendants des variations saisonnières, et d'obtenir des prix avantageux ;
- d'avoir des produits d'un calibrage constant ;
- de surgeler des aliments achetés à un prix intéressant pour une utilisation ultérieure ;
- de réserver des mets cuisinés prêts à l'emploi.

Possibilité en pâtisserie :

- d'améliorer les horaires de travail, principalement en ce qui concerne la viennoiserie ;
- d'avoir toujours à sa disposition un stock de pâtisserie prêt à la consommation ;
- d'étaler le travail dans la semaine pour les jours de consommation importante.

POTAGES

● Les potages sont des préparations **claires** ou **liées, chaudes** ou **froides,** servies principalement au dîner et au début du repas.

● Ils sont confectionnés par « l'ENTREMÉTIER », dans les établissements de grande importance par le « POTAGER ».

● 1. CLASSIFICATION

CLASSIFICATION		COMPOSITION	DÉNOMINATION
LES POTAGES CLAIRS	CONSOMMÉ DE BŒUF	Bœuf et os de bœuf, carottes, navets (facultatif), poireaux, oignons, céleri en branches, ail, bouquet garni, tomates fraîches, blancs d'œufs, assaisonnement.	
	CONSOMMÉ DE VOLAILLE	Mêmes éléments que le consommé de bœuf, celui-ci est remplacé en partie ou en totalité par des poules et des abatis de volaille.	
LES POTAGES LIÉS	PURÉES	Blanc de poireaux, pommes de terre, crème pluches de cerfeuil + beurre.	PARMENTIER
		Pois frais ou pois cassés, vert de poireaux, Mirepoix, bouquet garni + beurre.	SAINT-GERMAIN
		Haricots blancs, crème, consommé + beurre.	SOISSONNAIS
		Carottes, poireaux, oignons, riz, crème + beurre.	CRÉCY
		Lentilles, fond blanc, crème + beurre.	ESAÜ
	CRÈMES	Fond blanc, liaison: crème de riz ou roux blanc, crème et jaunes, + éléments déterminant l'appellation.	
	CONSOMMÉS LIÉS	Consommé, liaison: crème et jaunes, + éléments déterminant l'appellation.	
	SOUPES	Potages ayant un caractère régional, pas de formule de base.	DE POISSONS D'HUITRES DE MOULES A L'OIGNON, etc.
	BISQUES	Crustacés, Mirepoix: oignons, carottes; vin blanc, cognac, tomates fraîches et concentrées, fumet de poisson, riz, crème.	
	TAILLÉS	Poireaux, pommes de terre.	PARISIEN
		Poireaux, pommes de terre, navets, carottes, haricots verts, petits pois, chou vert, céleri, lard.	CULTIVATEUR

273

● 2. TECHNIQUES DE PRÉPARATION

■ A. LES POTAGES CLAIRS

Les **POTAGES CLAIRS** sont uniquement des **CONSOMMÉS**.
Leur préparation est identique pour tous, peu importe les éléments nécessaires à leur réalisation.
Ils se diversifient entre eux par l'adjonction de garnitures simples ou composées.

        Ils peuvent être à base :

- de **BŒUF**

- de **VOLAILLE**

REMARQUE : Il était courant dans l'ancienne cuisine, de réaliser des consommés à base « de **GIBIER** » ou « de **POISSON** ». Ces préparations sont de nos jours tombées en désuétude.

LE CONSOMMÉ DE BŒUF

Il est réalisé en deux opérations :
— Confection du fond de base appelé « Marmite ».
— Confection de la « Clarification ».

● **COMPOSITION** (pour 5 litres)

a)	**Eléments nutritifs**	2,500 kg de bœuf sans os : macreuse, paleron, etc. 3,500 kg de bœuf avec os : plat de côtes, gîte-gîte, etc.	
b)	**Eléments aromatiques**	450 g de carottes 250 g de navets (facultatif) 400 g de poireaux 250 g de gros oignons	2 branches de céleri 1/2 tête d'ail 1 bouquet garni
c)	**Eléments de mouillement**	9 litres environ d'eau froide.	
d)	**Eléments de clarification**	1,500 kg de maigre de bœuf 125 g de carottes 250 g de vert de poireaux (feuilles vertes)	750 g de tomates fraîches 2 branches de céleri 2 blancs d'œuf (suivant le volume)
e)	**Eléments d'assaisonnement**	60 à 65 g de gros sel quelques grains de poivre	2 clous de girofle quelques feuilles de cerfeuil

● **TECHNIQUE**

> **Première opération :** Confection du fond de base appelé « Marmite ».

1. METTRE LES ÉLÉMENTS NUTRITIFS DE LA MARMITE A CUIRE :

a) Dégraisser la viande si cela est nécessaire.
b) Ficeler pour la maintenir pendant sa cuisson.
c) Concasser les os s'il y en a.
d) Réunir la viande et les os dans une russe moyenne (ou dans une casserole).

274

e) Mouiller **à l'eau froide** (9 litres environ). La viande doit être entièrement immergée.

f) Saler au gros sel.

g) Faire bouillir.

h) **Ecumer fréquemment** et complètement.

2. PRÉPARER LES ÉLÉMENTS AROMATIQUES DE LA MARMITE ET DE LA CLARIFICATION:

a) Eplucher et laver les carottes, les poireaux, les gros oignons, le céleri en branche et facultativement les navets.

b) Eplucher l'ail.

c) Préparer un bouquet garni.

d) Réserver 250 g de vert de poireaux, ainsi que 125 g de carottes et les 2 branches de céleri, destinés à la clarification.

3. TERMINER LA CONFECTION DE LA MARMITE (cuisson 3 h. 30 à 4 heures):

a) Couper les oignons en deux sur la circonférence.

b) **Faire griller (colorer fortement) à sec sur la plaque du fourneau, la moitié des oignons.**

c) Adjoindre à la marmite dès qu'ils sont **bien grillés.**

   REMARQUE. Ce procédé est employé, afin de colorer légèrement la marmite.

d) Piquer un demi-oignon avec deux clous de girofle.

e) Adjoindre à la viande, toute la garniture aromatique.

   REMARQUE. Les avis sont partagés sur l'emploi des navets. Ceux-ci communiquent parfois, un goût désagréable au consommé.

f) Faire bouillir.

g) Laisser cuire doucement à découvert sur le coin du feu, pendant 3 h. 30 à 4 heures.

h) **Dégraisser** en cours de cuisson **à plusieurs reprises**, à l'aide d'une petite louche.

   REMARQUE. La viande peut être « blanchie » au préalable, ce qui évite en partie, l'opération de l'écumage.

| **Deuxième opération :** Confection de la Clarification. |

● CARACTÉRISTIQUES DE LA CLARIFICATION

Cette opération a pour but de rendre plus limpide et plus savoureux le fond de base (marmite).

ÉLÉMENTS NUTRITIFS	Maigre de bœuf haché et éventuellement abatis de volaille.
ÉLÉMENTS AROMATIQUES	Carottes, verts de poireaux, céleri en branche, tomates fraîches, et cerfeuil.
ÉLÉMENTS DE CLARIFICATION	Blanc d'œuf et sang de la viande de bœuf hachée.

● ROLE DE CES ÉLÉMENTS

— **Le rôle des éléments nutritifs et aromatiques** ont pour but d'enrichir davantage la « marmite ». En effet, le blanc d'œuf affaiblit la saveur de celle-ci, et c'est pour cette raison qu'il est nécessaire d'y ajouter ces substances supplémentaires pour corser le « consommé ».

— **Le rôle des éléments de clarification** est de rendre limpide la « marmite ». Le blanc d'œuf et le sang de la viande en se coagulant au cours de l'élévation progressive de la température du fond porté à ébullition, entraînent dans cette action les minuscules particules en suspension dans le liquide, en les emprisonnant.

● TECHNIQUE

1. PRÉPARER LES ÉLÉMENTS DE LA CLARIFICATION:

a) Dénerver et hacher finement au hachoir électrique, 1,500 kg de maigre de bœuf.
b) Emincer les carottes, le céleri et le vert de poireaux.
c) Réunir ces éléments dans une terrine (ou dans un légumier).
d) Supprimer à l'aide de la pointe d'un couteau d'office, le pédoncule des tomates. Les laver.
e) Ajouter ces tomates (écrasées au préalable) dans la terrine.
f) Adjoindre les blancs d'œuf, avec 1,5 dl d'eau froide.

REMARQUE. Le rôle des éléments nutritifs (viande) et aromatiques (légumes) a pour but d'enrichir la marmite et aussi de compenser l'affaiblissement de saveur provoquée par l'emploi du blanc qui ne doit pas être abusif.

g) Mélanger le tout.
h) Réserver au frais pendant 10 à 15 minutes.

2. CLARIFIER LA MARMITE (cuisson 1 h. à 1 h. 30 environ):

a) Retirer la viande au terme de la cuisson de la marmite.

NOTA. La viande de la marmite est utilisée pour un autre emploi.

b) Passer la marmite au chinois étamine. (Réserver les légumes pour un autre emploi).
c) Réunir tous les éléments de la clarification dans une russe moyenne (ou dans une casserole).
d) Verser dessus la marmite, **bien dégraisser au préalable.**
e) Remuer à l'aide d'une spatule à réduction (ou à défaut à l'aide d'une écumoire).

REMARQUE. Afin d'obtenir une parfaite clarification, il est recommandé **lorsque la marmite est bouillante,** de mettre quelques morceaux de glace vive dans la clarification, pour éviter aux blancs d'œuf et à la viande hachée de cuire trop rapidement.

f) **Faire bouillir sans précipitation.**
g) **Remuer doucement sans discontinuer** à l'aide de la spatule à réduction. Les blancs d'œuf pouvant attacher au fond du récipient.
h) **Retirer le récipient** sur le coin du feu, **dès que l'ébullition commence à se manifester. Ne plus remuer.**
i) **Maintenir la cuisson à un simple frémissement.**
j) Laisser cuire doucement pendant 1 heure à 1 heure et demie environ.
k) Adjoindre en cours de cuisson un peu de cerfeuil et quelques grains de poivre concassés.

3. PASSER LE CONSOMMÉ:

a) Disposer un chinois (ou une passoire) sur un bain-marie à potage ou de préférence sur un récipient inoxydable (légumier).
b) Etendre dessus une étamine préalablement mouillée à l'eau froide et bien essorée.
c) **Passer délicatement** le consommé à l'aide d'une louche, au terme de sa cuisson.

REMARQUE. Ne pas remuer le consommé en le passant, ce qui risquerait de le « troubler ». Il est recommandé de le déposer sans précipitation sur l'étamine.

d) Retirer délicatement le chinois (ou la passoire) et l'étamine dès le consommé passé (soit 1 litre à 1,5 litre environ.
e) Laisser reposer ensuite 5 minutes environ.
f) Dégraisser en passant sur la surface un papier de soie. Répéter l'opération plusieurs fois, afin de dégraisser entièrement.
g) Faire rebouillir le consommé.
h) Vérifier l'assaisonnement ainsi que la couleur, à l'aide de caramel (sucre caramélisé) et éventuellement de carmin (couleur végétale), afin d'obtenir une teinte ambrée.
i) Maintenir le consommé au chaud, sans bouillir, ou réserver au frais.

LE CONSOMMÉ DE VOLAILLE

● Il est réalisé en deux opérations comme le consommé de bœuf.

● **COMPOSITION (pour 5 litres)**

Mêmes éléments et mêmes quantités que le consommé de bœuf. Toutefois, le bœuf est remplacé en partie ou en totalité par une poule et des abatis de volaille.

● **TECHNIQUE**

Même technique que le consommé de bœuf, sauf pour la coloration, un consommé de volaille devant rester blanc.

> **NOTA.** Les consommés sont parfois confectionnés pour plusieurs jours. Il est donc recommandé, de les réserver au frais (en chambre froide ou au frigidaire). Seule la quantité nécessaire est mise au chaud, au fur et à mesure des besoins.
> Néanmoins, dans les cuisines où les consommés sont préparés chaque jour, le « Garde-Manger » doit prendre ses dispositions pour avoir toujours en réserve une petite quantité de consommé froid (dénommé « Consommé rafraîchi »), surtout en été.

Les consommés de bœuf et de volaille sont servis chauds ou froids:

— Froids: Ils se présentent sous l'aspect d'une « gelée » très légère « tremblotante ». Pour les obtenir, il est nécessaire d'y apporter plus d'éléments nutritifs (maigre de bœuf, volaille, etc.) ou, par économie, de suppléer l'insuffisance de concentration des sucs par un apport à dose très légère de gélatine ou de gelée.

● **VARIANTES**

Tous les consommés peuvent recevoir de nombreuses garnitures.

Exemple:

Vermicelles, perles du Japon, riz créole, tapioca, profiteroles, légumes, etc.

En règle générale il sont servis:

— **en tasse ou en coupe** si la garniture est servie à part ex.: paillettes, profiteroles, diablotins, etc.
— **en soupière** si la garniture est mélangée ex.: vermicelle, pâtes d'Italie, tapioca, etc.

	GARNITURES COMPOSÉES	DÉNOMINATION
CONSOMMÉ	Julienne de carottes, navets, blanc de poireaux et céleris, cuite au consommé. Pluches de cerfeuil.	JULIENNE
	Riz créole et dés de tomates.	AMÉRICAINE
	Petite julienne de crêpes aux fines herbes et aux truffes hachées. Tapioca.	CÉLESTINE
	Petits dés de tomates, de pommes de terre et de haricots verts.	NIÇOISE

REMARQUE:

Certains potages peuvent s'apparenter aux potages clairs:

OXTAIL CLAIR	Sorte de consommé à base de queue de bœuf rissolée au préalable, parfumé aux herbes de tortue*, garni de petites boules de légumes et de petits tronçons de queue de bœuf.
PETITE MARMITE	Consommé dans lequel on fait cuire des abatis de volaille, des cubes de maigre de bœuf et de petits légumes tournés.
SOUPE DE TORTUE CLAIRE	Sorte de consommé à base de tortue étoffé de bœuf, parfumé aux herbes de tortue*.

* Herbes de tortue: basilic, fenouil, laurier, marjolaine, romarin, sauge et thym.

■ B. LES POTAGES LIÉS

■ LES PURÉES

● La liaison de ces potages est assurée par des légumes frais ou secs parfois avec les deux réunis.

LIAISON AVEC LÉGUMES FRAIS		LIAISON AVEC LÉGUMES SECS	DÉNOMINATION
POMMES DE TERRE			PARMENTIER
PETITS POIS	ou	POIS CASSÉS	SAINT-GERMAIN
		HARICOTS BLANCS	SOISSONNAIS
CAROTTES	et	RIZ	CRÉCY
		LENTILLES	ESAÜ

● **NOTA.** Tous ces potages sont des bases, ils peuvent recevoir différentes garnitures qui en modifient l'appellation.

LE PARMENTIER

● **COMPOSITION (pour 1 litre)**

500 g de pommes de terre, 200 g de blanc de poireaux, 75 g de beurre, 5 cl de crème fraîche, sel, pluches de cerfeuil, 1 litre 1/4 d'eau.

● **GARNITURE (facultative: « Parmentier aux croûtons »)**

100 g de pain de mie, 5 cl d'huile.

● **TECHNIQUE**

a) Eplucher, laver les pommes de terre et le blanc des poireaux.
b) Emincer les poireaux.
c) Mettre le beurre à fondre dans une russe (casserole).
d) Ajouter les poireaux.
e) Faire suer. Remuer à l'aide d'une spatule en bois. **Eviter toute coloration.**
f) Mouiller avec l'eau.
g) Ajouter les pommes de terre coupées en morceaux.
h) Saler (gros sel).
i) Laisser cuire à couvert 30 à 40 minutes environ.
j) Passer le potage au terme de la cuisson, à l'aide d'un moulin à légumes, (manuel ou électrique).
k) Passer ensuite au chinois fin en foulant à fond, pour obtenir une purée plus fine.
l) Remettre le potage à bouillir. Ecumer.
m) Mettre le potage dans un bain-marie.
n) Adjoindre la crème fraîche, beurrer. Mélanger.
o) Servir avec quelques pluches de cerfeuil mises au dernier moment. A part quelques petits dés de pain de mie frits à l'huile (croûtons).

	GARNITURE	DÉNOMINATION
PARMENTIER	Oseille ciselée fondue au beurre. Pluches de cerfeuil.	SANTÉ
	Julienne de légumes étuvée au beurre. Pluches de cerfeuil.	JULIENNE D'ARBLAY
	Tapioca.	ARGENTÉ
	Brunoise de légumes étuvée au beurre. Pluches de cerfeuil.	ALEXANDRA

LE SAINT-GERMAIN

● Deux formules sont utilisées: avec des pois cassés ou des pois frais.

> **Première formule:** Saint-Germain aux pois cassés.

● **COMPOSITION (pour 1 litre)**

350 g de pois cassés, 75 g de vert de poireaux (feuilles vertes), 50 g de carottes, 50 g de gros oignons, 50 g de lard de poitrine, 75 g de beurre, 5 dl de crème fraîche (facultatif), bouquet garni, sel, pluches de cerfeuil, 1 litre 1/2 d'eau.

● **GARNITURE (facultative: « Saint-Germain aux croûtons »):**

100 g de pain de mie, 5 cl d'huile ou 50 g de petits pois frais.

● **TECHNIQUE**

a) Laver plusieurs fois les pois cassés à l'eau courante.
b) Mettre dans une russe (casserole). Mouiller à hauteur avec de l'eau froide.
c) Mettre à bouillir (faire blanchir) pendant 1 à 2 minutes environs.
d) Rafraîchir à l'eau courante.
e) Egoutter les pois dans une passoire.
f) Faire fondre dans une russe, le lard avec 50 g de beurre.
g) Ajouter les carottes, les oignons et le vert de poireaux taillés en petits dés.
h) Faire suer le tout en remuant à l'aide d'une spatule en bois.
i) Ajouter les pois cassés.
j) Mouiller avec l'eau.
k) Saler (gros sel).
l) Adjoindre 1 petite branche de thym ou 1 petit bouquet garni (facultativement 1 gousse d'ail).
m) Cuire doucement à couvert 2 heures environ, selon la qualité des pois.
n) Passer le potage lorsque les pois sont en purée, à l'aide d'un moulin à légumes (manuel ou électrique).
o) Passer ensuite au chinois fin en foulant à fond, pour obtenir une purée plus fine.
p) Détendre le potage s'il est trop épais, à consistance voulue avec du fond blanc (ou du consommé ou, à défaut avec de l'eau). Remettre à bouillir. Ecumer.
q) Beurrer (avec le reste de beurre) ou crémer (la crème présente l'inconvénient d'atténuer la teinte verte du potage).
r) Modifier la couleur avec un peu de vert végétal si cela est nécessaire.
s) Mettre le potage dans un bain-marie.
t) Servir avec quelques pluches de cerfeuil mises au dernier moment. A part quelques petits dés de pain de mie frits à l'huile, ou adjoindre dans le potage quelques petits pois frais cuits à l'anglaise (à l'eau).

● COMPOSITION (pour 1 litre)

500 g de petits pois écossés, 7 à 8 dl de fond blanc ou de consommé, 50 g de beurre, 5 cl de crème fraîche (facultatif), sel.

● GARNITURES

(petits pois à l'anglaise).

● TECHNIQUE

a) Cuire les petits pois à l'anglaise : eau salée, cuisson à découvert.
b) Egoutter au terme de la cuisson, puis les passer au moulin à légumes (manuel ou électrique).
c) Détendre la purée à consistance voulue avec le fond blanc ou, de préférence, avec du consommé.
d) Passer ensuite au chinois fin, en foulant à fond, pour obtenir une purée plus fine.
e) Mettre le potage à bouillir. Ecumer.
f) Beurrer ou crémer. Vérifier l'assaisonnement.
g) Mettre le potage dans un bain-marie.
h) Servir comme à la première formule.

● VARIANTES

	GARNITURE	DÉNOMINATION
SAINT-GERMAIN	Oseille et laitue ciselées et fondues au beurre. Riz créole. Pluches de cerfeuil.	AMBASSADEUR
	Oseille ciselée et fondue au beurre. Pluches de cerfeuil.	FONTANGES
	Tapioca. Pluches de cerfeuil.	LAMBALLE
	Oseille ciselée fondue au beurre. Vermicelle. Pluches de cerfeuil.	LONGCHAMPS
	Oseille ciselée fondue au beurre. Spaghetti. Pluches de cerfeuil.	LONGUEVILLE
	Petits pois et losanges de haricots verts cuits à l'anglaise. Oseille ciselée fondue au beurre. Pluches de cerfeuil.	MARIGNY
	Julienne de blanc de poireaux suée au beurre. Pluches de cerfeuil.	SAINT-MARCEAUX

LE SOISSONNAIS

● COMPOSITION (pour 1 litre)

500 g de haricots blancs, 7 à 8 dl de fond blanc ou de consommé, 50 g de beurre, 5 cl de crème fraîche, sel.

● GARNITURE (facultative : « Soissonnais aux croûtons »)

100 g de pain de mie, 5 cl d'huile.

TECHNIQUE

a) Cuire les haricots selon le principe des légumes secs (voir chapitre « LES LÉGUMES SECS », les haricots).

b) Egoutter au terme de la cuisson, puis les passer, à l'aide d'un moulin à légumes (manuel ou électrique).

c) Détendre la purée à consistance voulue avec le fond blanc ou, de préférence, avec du consommé.

d) Passer ensuite au chinois fin, en foulant à fond, pour obtenir une purée plus fine.

e) Mettre le potage à bouillir. Ecumer.

f) Beurrer et crémer. Vérifier l'assaisonnement.

g) Mettre le potage dans un bain-marie.

h) Servir à part des petits dés de pain de mie frits à l'huile.

VARIANTES

	GARNITURE	DÉNOMINATION
SOISSONNAIS	Oseille ciselée fondue au beurre. Pluches de cerfeuil.	COMPIÈGNE
	Brunoise de légumes suée au beurre.	DARTOIS
	Julienne de légumes suée au beurre. Pluches de cerfeuil.	FAUBONNE
	Oseille ciselée fondue au beurre. Riz créole.	NARBONNAIS

LE CRÉCY

COMPOSITION (pour 1 litre)

500 g de carottes (bien rouges), 75 g de blanc de poireaux, 50 g de gros oignons, 125 g de riz, 1 l 1/2 de fond blanc ou, à défaut, de l'eau, 75 g de beurre, 5 cl de crème fraîche, sel, sucre.

GARNITURE (facultative: « Crécy aux croûtons »)

100 g de pain de mie, 5 cl d'huile (ou petites billes de carottes levées à la cuillère, prélevées sur les carottes), pluches de cerfeuil.

TECHNIQUE

a) Emincer le blanc des poireaux, les gros oignons et les carottes (principalement le rouge).

b) Faire suer le tout avec une partie du beurre. Remuer à l'aide d'une spatule en bois.

c) Mouiller au fond blanc ou, à défaut, à l'eau.

d) Saler et sucrer légèrement. Le sucre atténue un peu l'âcreté des carottes.

e) Faire bouillir.

f) Ajouter le riz. Cuire doucement à couvert.

g) Passer au terme de la cuisson, à l'aide d'un moulin à légumes (manuel ou électrique).

h) Passer ensuite au chinois fin, en foulant à fond, pour obtenir une purée plus fine.

i) Mettre le potage à bouillir. Ecumer.

j) Beurrer (avec le reste de beurre), ou crémer (la crème présente l'inconvénient d'atténuer la teinte rouge du potage.

k) Mettre le potage dans un bain-marie.

l) Adjoindre dans le potage quelques petites billes de carottes levées à la cuillère et cuites à l'anglaise ou quelques petits dés de pain de mie frits à l'huile.

	GARNITURE	DÉNOMINATION
CRÉCY	Tapioca.	VELOURS
	Perles du Japon.	CRÉCY AUX PERLES
	Riz créole.	CRÉCY AU RIZ
	Tapioca et liaison à la crème fraîche et aux jaunes d'œufs.	POLIGNAC

L'ESAÜ

● **COMPOSITION (pour 1 litre):**

500 g de lentilles, 7 à 8 dl de fond blanc ou de consommé, 50 g de beurre, 5 cl de crème fraîche (facultatif), sel.

● **TECHNIQUE**

a) Cuire les lentilles selon le principe des légumes secs (voir chapitre « LES LÉGUMES SECS », les lentilles).

b) Passer au terme de la cuisson, à l'aide d'un moulin à légumes (manuel ou électrique),

c) Détendre la purée à consistance voulue avec le fond blanc ou, de préférence, avec du consommé.

d) Passer ensuite au chinois fin, en foulant à fond, pour obtenir une purée plus fine.

e) Mettre le potage à bouillir. Ecumer.

f) Beurrer et crémer. Vérifier l'assaisonnement.

g) Mettre le potage dans un bain-marie.

● **VARIANTES**

	GARNITURE	DÉNOMINATION
ESAÜ	Petites quenelles de volaille.	CHANTILLY
	Oseille ciselée fondue au beurre. Riz créole.	CHOISEUL
	Petits dés de lard frit.	CONTI
	Petits dés de lard frit. Brunoise de légumes suée au beurre.	CONTI A LA BRUNOISE

■ LES CRÈMES

● Les crèmes sont des potages liés à la farine ou à la crème de riz (farine de riz), additionnés en dernier lieu de crème fraîche et de jaunes d'œufs.

REMARQUE

Dans la cuisine ancienne, les **crèmes** étaient composées d'un roux blanc, mouillé en grande partie ou en totalité avec du lait, plus l'élément déterminant l'appellation. La finition était assurée par une liaison de crème fraîche.

Il existait, sous la dénomination de **velouté,** une préparation partant d'un roux blanc mouillé au fond blanc, plus l'élément déterminant l'appellation. Le velouté ainsi obtenu était ensuite lié avec de la crème et des jaunes d'œufs.

Il existe plusieurs formules pour les confectionner, nous vous donnons ci-dessous les deux formules les plus usitées.

Première formule

● **COMPOSITION (pour 1 litre)**

L'élément déterminant l'appellation: choux-fleurs, laitues, asperges, etc., 125 g de blanc de poireaux, 250 g d'os de veau ou d'abatis de volaille, 70 g de beurre, 70 g de farine, sel, 1 litre 1/2 de fond blanc ou d'eau.

● **LIAISON**

1/4 de litre de lait, 1 dl de crème fraîche, 3 jaunes d'œufs, 25 g de beurre.

● **GARNITURE:**

Suivant l'appellation.

● **TECHNIQUE**

a) Concasser en menus morceaux les os de veau ou les abatis de volaille.
b) Mettre à blanchir à l'eau froide.
c) Porter à ébullition, laisser quelques secondes à bouillir.
d) Rafraîchir à l'eau courante.
e) Egoutter.
f) Emincer finement le blanc des poireaux.
g) Mettre le beurre à fondre dans une russe (casserole).
h) Ajouter le blanc des poireaux.
i) Faire suer. Eviter toute coloration. Remuer à l'aide d'une spatule en bois.
j) Adjoindre la farine. Mélanger.
k) Cuire doucement quelques minutes **sans coloration,** sur le coin du feu.
l) Mouiller avec le fond blanc ou à défaut avec de l'eau.
m) Saler.
n) Porter à ébullition en remuant à l'aide d'un petit fouet.
o) Ajouter les os ou les abatis, et l'élément déterminant la dénomination: choux-fleurs, laitues, asperges, volaille, etc.
p) Cuire **doucement à couvert** pendant 2 heures environ. **Remuer fréquemment.**
q) Enlever délicatement au terme de la cuisson du velouté, une partie du beurre qui est remonté à la surface, à l'aide d'une cuillère à potage (ou d'une petite louche).
r) Retirer les os ou les abatis. Passer le potage au chinois fin.
s) Préparer la liaison. Faire bouillir le lait.
t) Réunir et mélanger dans une terrine ou une calotte les jaunes d'œufs et la crème.
u) Verser le lait bouillant **sur la liaison** en mélangeant. Passer au chinois sur le potage en mélangeant constamment.
v) Vérifier l'assaisonnement. Ajouter la garniture. Répartir des parcelles de beurre sur la surface (pour éviter la formation d'une eau).
w) Maintenir au chaud au bain-marie. (Isoler le fond avec un morceau de papier plié. Une chaleur trop forte pouvant cuire les jaunes.)

● **COMPOSITION (pour 1 litre)**

L'élément déterminant l'appellation, 250 g d'os de veau ou d'abatis de volaille, sel, 1 litre 1/2 de fond blanc.

● **LIAISON**

150 g de crème de riz, 1 dl de crème fraîche, 3 jaunes d'œufs, 25 g de beurre.

● **GARNITURE**

Comme la première formule.

● **TECHNQUE**

a) Faire bouillir le fond blanc (en prélever pour la liaison).
b) Diluer la crème de riz avec un peu de fond blanc froid.
c) Verser la crème de riz diluée dans le fond blanc bouillant en remuant.
d) Ajouter l'élément déterminant l'appellation.
e) Adjoindre les os de veau ou les abatis de volaille, blanchis au préalable.
f) Saler.
g) Porter à ébullition.
h) Cuire doucement à couvert en remuant fréquemment, pendant 1 heure 1/2 à 2 heures environ.
i) Retirer les os au terme de la cuisson. Passer le potage au chinois fin.
j) Réunir dans une terrine ou dans une calotte les jaunes d'œufs et la crème fraîche. Mélanger. Passer au chinois.
k) Verser le potage **chaud** sur la liaison, en mélangeant à l'aide d'un fouet.
l) Vérifier l'assaisonnement. Ajouter la garniture. Répartir des parcelles de beurre sur la surface (pour éviter la formation d'une peau).
m) Maintenir au chaud au bain-marie. (Isoler le fond avec un morceau de papier plié. Une chaleur trop forte pouvant cuire les jaunes.)

● **VARIANTES**

	GARNITURE	DÉNOMINATION
CRÈME	Petites têtes de choux-fleurs. Pluches de cerfeuil.	DUBARRY
	Laitue ciselée fondue au beurre. Petits dés de pain de mie frits. Pluches de cerfeuil.	CHOISY
	Pointes d'asperges. Pluches de cerfeuil.	ARGENTEUIL
	Julienne de champignons de Paris, de volaille et de langue.	AGNÈS SOREL

■ **LES CONSOMMÉS LIÉS**

● Mêmes éléments que les consommés + une liaison.

● **COMPOSITION (pour 1 litre)**

8 dl de consommé environ.

- **LIAISON**

6 à 7 jaunes d'œufs (suivant la grosseur), 2 dl de crème fraîche.

- **GARNITURE**

Suivant l'appellation.

- **TECHNIQUE**

a) Faire bouillir le consommé.
b) Préparer la liaison: jaunes d'œuf et crème fraîche, mélanger dans une terrine ou dans une calotte.
c) Verser le consommé bouillant sur la liaison, en remuant constamment.
d) Cuire doucement sur le coin du feu en remuant constamment, à l'aide d'une spatule en bois, jusqu'au moment où le consommé nappe la spatule. **Eviter l'ébullition.**
e) Vérifier l'assaisonnement.
f) Passer au chinois fin. Adjoindre la garniture.
g) Maintenir au chaud au bain-marie, comme les crèmes citées ci-dessus.
- **NOTA.** Il est recommandé de confectionner ce potage au fur et à mesure des besoins.

- **VARIANTES**

	GARNITURE	DÉNOMINATION
CONSOMMÉ	Oseille ciselée fondue au beurre. Pluches de cerfeuil.	GERMINY
	Tapioca poché.	MILANAIS

■ LES SOUPES

- Potages ayant un caractère régional.

Les soupes ont un caractère régional. Les plus connues sont celles de poissons, d'huîtres, de moules, etc., certaines de légumes, comme la soupe à l'oignon.
Il n'existe pas de formule de base, toutes ces soupes ayant leur recette propre.

■ LES BISQUES

- Potages à base de coulis de crustacés.

Les bisques ont une analogie avec les crustacés traités à l'Américaine. Tous les crustacés peuvent être traités de cette façon.

- **COMPOSITION (pour 1 litre)**

1 kg environ de crustacés: écrevisses, homard, langoustines, etc., 50 g de carottes, 50 g de gros oignons, 1 à 2 cuillerées de tomate concentrée ou 2 à 3 tomates fraîches, bouquet garni, 5 cl de cognac, 2 dl de vin blanc, 1/4 de litre de fumet de poisson, 120 à 140 g de riz, 3/4 de litre de consommé, 1 dl 1/2 de crème fraîche, 125 g de beurre, 5 cl d'huile, sel, poivre du moulin, poivre de Cayenne.

- **TECHNIQUE**

a) Faire revenir avec un morceau de beurre et de l'huile les crustacés à traiter, préalablement lavés (les gros sujets sont tronçonnés).

b) Sauter vivement en plein feu jusqu'à ce que le test (carapace) soit bien rouge.

c) Assaisonner de sel et de poivre du moulin.

d) Flamber au Cognac.

e) Ajouter une Mirepoix (carottes et oignons taillés en petits dés) suée au beurre au préalable.

f) Ajouter le vin blanc.

g) Laisser réduire.

h) Adjoindre la tomate concentrée ou les tomates fraîches écrasées.

i) Mouiller avec le fumet de poisson.

j) Ajouter le bouquet garni.

k) Laisser cuire à couvert 10 à 15 minutes environ.

l) Cuire le riz dans le consommé, parallèlement à cette cuisson.

m) Piler les crustacés au mortier, au terme de leur cuisson.

n) Ajouter le fond de cuisson.

o) Passer à l'étamine.

p) Mettre à consistance si cela est nécessaire.

q) Remettre dans un récipient et faire bouillir en écumant fréquemment.

r) Compléter avec la crème fraîche.

s) Incorporer hors du feu, le restant de beurre.

t) Relever l'assaisonnement au poivre de Cayenne.

u) Réserver au chaud dans un bain-marie.

Ce potage doit être servi rouge.

REMARQUE. Décortiquer les crustacés avant de piler les carapaces au mortier. Tailler la chair en salpicon et l'adjoindre en garniture à la bisque.

- **NOTA.** La bisque peut être liée avec de la crème de riz (voir deuxième formule, des crèmes).

■ LES POTAGES TAILLÉS

- Les potages taillés sont des potages non passés. Les légumes qui entrent dans leur préparation sont taillés en « paysanne » ou en dés réguliers, dans certains cas.

Ce sont des préparations simples qui ne diffèrent pas beaucoup les unes des autres. Néanmoins, certains points sont à retenir:

- Les légumes doivent être au préalable sués doucement au beurre sur le coin du feu, afin de provoquer l'exsudation (l'évaporation) de l'eau de végétation et permettre au beurre d'absorber l'arôme des légumes mis en traitement.

- Les légumes verts, comme les haricots verts, les petits pois, les choux verts, etc., n'interviennent dans ces potages qu'en cours de cuisson, ainsi que les pommes de terre dont le temps de cuisson est relativement court.

Les deux principaux potages taillés sont: **Le Cultivateur, Le Parisien.**

LE CULTIVATEUR

- **COMPOSITION (pour 1 litre)**

100 g de poireaux, 150 g de pommes de terre, 75 g de carottes, 50 g de navets, 50 g de chou vert, 1/2 branche de céleri, 25 g de petits pois écossés, 25 g de haricots verts, 50 g de poitrine de porc salée (facultatif), 50 g de beurre, sel, 1 litre 1/4 de fond blanc ou d'eau.

● **GARNITURE** (facultative)

50 g de gruyère râpé, 50 g de pain baguette, pluches de cerfeuil.

● **TECHNIQUE**

a) Eplucher, laver tous les légumes.
b) Tailler en paysanne régulière les carottes et les navets, émincer finement les poireaux.
c) Faire suer ces trois légumes au beurre, 10 minutes environ. Remuer fréquemment à l'aide d'une spatule en bois. **Eviter toute coloration.**
d) Mouiller avec le fond blanc ou, à défaut, à l'eau.
e) Saler.
f) Ajouter facultativement la poitrine de porc salée sans la détailler.
g) Laisser cuire doucement sur le coin du feu.
h) Tailler le chou vert et le céleri comme les autres légumes (à défaut de céleri en branche, on peut utiliser du céleri-rave en quantité égale).
i) Adjoindre ces légumes au potage.
j) Laisser cuire à couvert 1 heure environ.
k) Tailler les pommes de terre comme les autres légumes.
l) Tailler les haricots verts crus en petits dés.
m) Ajouter au potage les pommes de terre bien lavées, les petits pois écossés et les haricots verts.
   REMARQUE. Hors saison, on utilise des petis pois et des haricots verts en conserve. Les ajouter au dernier moment dans le potage, lorsque tous les autres légumes sont cuits.
n) Sortir le lard. au terme de la cuisson,
o) Détailler en petits dés le lard. Le remettre dans le potage.
p) Vérifier l'assaisonnement.
q) Réserver au chaud dans un bain-marie.
r) Servir avec quelques pluches de cerfeuil mises au dernier moment. A part, sur une assiette, la garniture (qui est facultative) de gruyère râpé et de pain taillé en tranches fines et séchées au four.

LE PARISIEN

● **COMPOSITION** (pour 1 litre):

125 g de blanc de poireaux, 500 g de pommes de terre, 75 g de beurre, sel, pluches de cerfeuil, 1 litre 1/4 d'eau.

● **TECHNIQUE**

a) Eplucher, laver les légumes.
b) Emincer finement le blanc des poireaux.
c) Mettre une partie du beurre à fondre.
d) Ajouter les poireaux.
e) Faire suer. Remuer à l'aide d'une spatule en bois. **Eviter toute coloration.**
f) Mouiller à l'eau, au bout de 5 minutes environ.
g) Porter à ébullition. Saler.
h) Tailler les pommes de terre en paysanne régulière. Les laver.
i) Ajouter au potage.
j) Laisser cuire doucement à couvert une vingtaine de minutes environ.
k) Beurrer le potage, au terme de sa cuisson avec le reste de beurre. Vérifier l'assaisonnement.
l) Servir avec quelques pluches de cerfeuil mises au dernier moment.

HORS-D'ŒUVRE

● Les hors-d'œuvre sont le prologue du déjeuner. Ils sont servis « hors de l'œuvre ».

● Leur rôle est de mettre le convive en appétit, de le prédisposer favorablement à apprécier les autres mets du menu. Pour ces raisons majeures, ils ne doivent pas constituer à eux seuls un repas.

● Il est à noter que dans les pays nordiques de l'Europe, un grand buffet où figurent conjointement les hors-d'œuvre froids et chauds, est dressé dans la salle à manger du restaurant. Chaque convive se lève et se sert à sa guise. Cette formule est appelée « table Suédoise ».

● 1. CLASSIFICATION

CLASSIFICATION	ÉLÉMENTS DE BASE		VARIÉTÉS
	CHARCUTERIE	CRUE CUITE DIVERSE	Galantines, jambons crus et cuits, pâtés, saucissons, terrines, etc.
	COQUILLAGES	CRUS CUITS DIVERS	Bigorneaux, coques, huîtres, moules, palourdes, praires, etc.
	CRUSTACÉS		Différents crustacés: crabe, crevettes, homard, langouste, etc.
HORS-D'ŒUVRE FROIDS	**FOIE GRAS**		
	FRUITS		Avocats, cerises, pample-mousses, figues, melons, etc.
	LÉGUMES	CRUS EN SALADE CUITS EN SALADE CUITS A LA GRECQUE FARCIS MÉLANGES CUITS ENSEMBLE	Carottes, céleris-raves, céleris en branches, choux-fleurs, poivrons, pommes de terre, tomates, etc.
	ŒUFS		Durs, mollets, pochés, etc.

ŒUFS DE POISSONS		Esturgeon, saumon, lump, etc.
POISSONS	CONSERVES DESSERTE FRAIS TRAITÉS INDUSTRIELLEMENT	Anchois, anguilles, harengs, maquereaux, sardines, saumons, thon, truites, etc.
VIANDES		Bœuf marmite (bouilli, pot-au-feu), volaille, etc.

HORS-D'ŒUVRE CHAUDS	PATE FEUILLETÉE	Allumettes et bouchées diverses...
	PATE A FONCER ou ROGNURES DE FEUILLETAGE	Barquettes diverses...
	PATE A FRIRE ou PATE A CHOUX	Beignets divers...
	PATE A CRÊPES	Crêpes farcies
	PATE FEUILLETÉE et PATE A CHOUX	Talmouses diverses...

● 2. HORS-D'ŒUVRE FROIDS

La coutume veut, dans l'ensemble de la restauration, qu'ils soient réalisés et servis à la salle à manger par le « Trancheur » (le travail de cet ouvrier consiste aussi à trancher les pièces de viande, de volaille, etc., chaudes ou froides, devant le client).

Il est courant que le Trancheur ait de solides connaissances culinaires, acquises au cours d'un stage, ou même d'un apprentissage en cuisine. A défaut de Trancheur, les hors-d'œuvre froids sont confectionnés au garde-manger, par le « Garde-manger », ou par un Commis, chargé uniquement de cet ouvrage. Il est appelé « Hors-d'œuvrier » (ce qui est fréquent dans les hôtels).

La gamme de ces hors-d'œuvre est très étendue, il est facile d'en varier la composition à l'infini, et l'imagination de l'exécutant supplée d'une façon très heureuse aux formules classiques.

Leur composition permet de présenter sous un aspect agréable la « desserte ». Toutes les fantaisies sont tolérées. Ils demandent surtout une présentation soignée, décors, alternance des couleurs, et un assaisonnement parfait.

Quelques suggestions d'appellation pouvant figurer au choix sur un menu:

SÉLECTION DE HORS-D'ŒUVRE
AVALANCHE DE HORS-D'ŒUVRE
MÉLI-MÉLO DE BONNES CHOSES
HORS-D'ŒUVRE DES GOURMETS
HORS-D'ŒUVRE SÉLECTIONNÉS
CASCADE DE HORS-D'ŒUVRE

HORS-D'ŒUVRE DES GASTRONOMES
HORS-D'ŒUVRE VIEUX STYLE
HORS-D'ŒUVRE ÉPICURIENS
HORS-D'ŒUVRE DE CHOIX
CHOIX DE HORS-D'ŒUVRE
HORS-D'ŒUVRE D'ANTAN

■ A. CHARCUTERIE

La charcuterie est généralement présentée « au buffet » de la salle à manger du restaurant, sous forme de pièces entières, détaillées et servies par le Trancheur.

CHARCUTERIE CRUE

DÉNOMINATION DE BASE	NOM D'ORIGINE USUEL	TECHNIQUE DE PRÉPARATION ET DE PRÉSENTATION
COPPA	de **Corse** dénommée « Lonzu » d'**Italie**	En tranches très fines, dénommées aussi « dentelles » ou « feuilles ». Ces divers jambons peuvent être accompagnés indifféremment:
JAMBON	d'**Alsace** de **Bayonne** **Danois** (de Bornohlm) de **Luxeuil** du **Morvan** de **Parme** de **Prizuttu** (Corse) de **San Daniele** (Italie) de **Savoie** de **Westphalie** (All. Féd.) etc.	– **au beurre frais;** – **aux figues:** pelées et dressées en coupe de verre encastrée sur glace vive pilée en neige; – **au melon:** en petites tranches dressées à part, ou directement sur la chair du melon.
SALAMI	**Danois** **Français** **Hongrois** **Italien**	En rondelles fines.
SAUCISSON (sec)	d'**Arles** de **Bourgogne** d'**Italie** de **Lorraine** de **Lyon** de **ménage** de **Mortagne** **Rosette** de **Strasbourg** etc.	

CHARCUTERIE CUITE

DÉNOMINATION DE BASE	NOM D'ORIGINE USUEL	TECHNIQUE DE PRÉPARATION ET DE PRÉSENTATION
ANDOUILLE	de **Charlieu** (Lyonnais) de **Guemené** de **Vire**	En minces rondelles.
CERVELAS	d'**Alsace** de **Milan** de **Paris**	Dressés en ravier en tranches pas trop fines. Assaisonnés d'une sauce vinaigrette relevée, agrémentés de fines herbes.

GALANTINE	● Peut être truffée, pis-tachée de **canard** de **dindonneau** de **gibier** (à plumes) de **poularde**	Dressée bien froide sur plat, soit entière décorée et glacée à la gelée, soit en tranches dont l'épaisseur est fonction de l'importance de la portion, ou entourée de gelée hachée.
JAMBON	Blanc dit **« de Paris »** **Persillé de Bourgogne** de **Strasbourg** d'**York,** etc.	En tranches (une ou deux par personne) en fonction de l'importance de la portion. Ces divers jambons peuvent être accompagnés indifféremment.
MUSEAU	de **bœuf** de **porc**	Dressé en ravier, en tranches très fines. Assaisonné d'une sauce vinaigrette relevée, additionnée d'oignon et de fines herbes hachés.
PATÉ	de **campagne** de **canard truffé** de **foie gras truffé** de **foie d'oie** de **foie de porc** de **lapin** **Lorrain** de **veau et jambon**	Dressé bien froid sur plat, en tranche plus ou moins épaisse selon l'importance de la portion.
	de **grives de Provence** d'**alouettes** de **bécasses** de **faisan** (certains de ces pâtés peuvent être traités en croûte)	Dressé et servi bien froid en petits pots vernissés.
PATÉ DE TÊTE	**Fromage d'Italie** **Fromage de tête de porc**	En tranche dont l'épaisseur est fonction de l'importance de la portion. Dressé nature. Peut être accompagné d'une sauce vinaigrette relevée.
RILLETTES	de **Forli** au **jambon** de **lapin** du **Mans** d'**oie** de la **Sarthe** **Parisienne** de **Tours**	Dressées et servies en pots de terre vernissés.
SAUCISSON	à l'**ail** de **Bologne** **« bon Jésus »** de **foie** de **Paris** de **Toulouse,** etc.	En rondelles pas trop fines. Servi avec beurre à part.
TERRINE	● de **caneton** de **foie de porc** de **gibier** (à plumes) de **lapin** de **merles** d'**oie aux truffes** de **veau et jambon** de **volaille,** etc.	Servie dans le récipient de cuisson (terrine). Détaillée (devant les convives) en tranches dont l'épaisseur est fonction de l'importance de la portion.

291

CHARCUTERIE DIVERSE

DÉNOMINATION DE BASE	NOM D'ORIGINE USUEL	TECHNIQUE DE PRÉPARATION ET DE PRÉSENTATION
BŒUF FUMÉ DE HAMBOURG VIANDE DES GRISONS		En tranches très fines, roulées en cornet.
LANGUE ÉCARLATE	de **bœuf**	En tranches fines.
MUSEAU **PALAIS**	de **bœuf**	Emincer en tranches très fines. Assaisonner d'une sauce vinaigrette additionnée d'oignons finement ciselés et de fines herbes hachées. Dresser en ravier.
RILLONS ou **RILLAUDS**	de **Blois**	FROIDS: Dresser en petite terrine ou en cassolette, ou sur serviette. CHAUDS: Réchauffer légèrement. Dresser en pyramide, légèrement saupoudrés de sel fin, sur plat garni d'une serviette.
SAUCISSES	de **Francfort** de **Strasbourg** de **Vienne**	Pocher 10 minutes environ à l'eau bouillante. Servir à part indifféremment: – Raifort râpé. – Moutarde.
ZAMPINO	d'**Italie**	Pocher et refroidir. Emincer en rondelles très fines. Dresser sur ravier avec persil en branches.

● REMARQUE:

— La majorité de la charcuterie dressée sur plat est agrémentée de bouquets de persil en branches.
— De la gelée, détaillée en petits cubes, peut accompagner plus particulièrement la charcuterie cuite.
— Le beurre (sur table), les cornichons, les pikles, voire les olives, la moutarde, les cerises au vinaigre, les petits oignons, etc., peuvent être présentés en même temps.

NOTA. Il faut faire un distinguo entre la charcuterie pure et les terrines, galantines, pâtés en croûte confectionnés très couramment en cuisine par le chef de froid ou le chef garde-manger.

■ *B. COQUILLAGES*

Les coquillages sont consommés hors des lieux de production seulement, pendant les mois en « R » (de septembre à avril).
Ils doivent être d'une **extrême fraîcheur.** Prendre soin d'éliminer les sujets « douteux » et entrouverts.
Dans les établissements spécialisés, ils sont ouverts et dressés par l'« ÉCAILLER ».

COQUILLAGES CRUS

DÉNOMINATION DE BASE	NOM D'ORIGINE USUEL		TECHNIQUE DE PRÉPARATION ET DE PRÉSENTATION
HUITRES	Plates:	de **Belon** de **Cancale** de **Marennes** de **pleine mer** de **Zélande**	Ouvrir avec soin au dernier moment. Dresser sur plat spécial avec un « lit » de glace pilée, parfois agrémenté d'algues.
	Frisées:	**Claires spéciales** **Fines de Claires** **Portugaises**	Servir à part: — **Citron** ou **sauce échalote** ou **vinaigre aromatisé ; tranches fines de pain de seigle**
MOULES	**Caïeu d'Isigny** de **Bouzigues** d'**Espagne**	grosses variétés (plus particulièrement)	(bis) accompagné de **beurre frais.**
PALOURDES	d'**Auray** de **Roscoff**		● Un assortiment de ces différentes variétés (composé par le client) auquel est adjoint rituellement des oursins et des crevettes, forme « le plateau de fruits
PRAIRES	ou **Coque rayée de Cancale** ou **Rigadelle de Saint-Brieuc**		de mer ».

COQUILLAGES CUITS

BIGORNEAUX	ou **Vignots**	Cuire au court-bouillon aromatisé, pendant 20 minutes environ. Egoutter. Saupoudrer légèrement de sel fin et de poivre du moulin. Dresser en ravier. Servir à part indifféremment: – **Beurre frais.** – **Sauce échalotes.**
COQUES	**Rigadeaux** **Hénon**	Cuire **à la Marinière** (voir « Moules Marinière »). Egoutter. Décortiquer (les moules peuvent être ébarbées). Assaisonner indifféremment avec:
MOULES	**Bouchots** **d'Isigny,** etc.	– **Sauce mayonnaise.** – **Sauce vinaigrette.**

COQUILLAGES DIVERS

OURSINS	ou Hérissons marins ou Châtaignes de mer Principalement les verts et les noirs	Supprimer à l'aide d'une paire de ciseaux la bouche — ouvrir du côté plat et vider de l'eau qu'ils contiennent ainsi que des parties non comestibles. Ne laisser subsister que les parties orangées (corail). Dresser sur plat avec un « lit » de glace pilée, parfois agrémenté d'algues. Servir à part: **Citron, beurre, pain de seigle (bis) ou « mouillettes » de pain grillé.**

■ C. CRUSTACÉS

Seuls sont utilisés dans ces hors-d'œuvre, les pattes, les pinces et les coffres décortiqués des gros sujets. Les petits sujets sont servis entiers, en demis ou queues décortiquées.

DÉNOMINATION DE BASE	NOM D'ORIGINE USUEL			TECHNIQUE DE PRÉPARATION ET DE PRÉSENTATION
CRABE (Crab)	Frais En conserve Surgelé	décortiqué décortiqué décortiqué		DÉCORTIQUÉS: — **Cocktail de...**: Mélanger sauce mayonnaise avec Ketchup, sauce Anglaise, Cognac ou Whisky et crème fraîche. Servir frais en coupe individuelle.
CREVETTES (Shrimps)	Fraîches En conserve Surgelées	entières décortiquées décortiquées	Bouquets Grises Roses	— **Coquille de... Parisienne:** Dresser en coquille Saint-Jacques sur macédoine de légumes mayonnaise. Napper de sauce mayonnaise. Décorer avec œufs durs, tomate et laitue.
HOMARD (Lobster)	Frais Surgelé	décortiqué entière ou queue		— **Mayonnaise de...**: Mélanger avec salade russe. Dresser en saladier ou en ravier. Décorer avec œufs durs, tomate et laitue.
LANGOUSTE (Spiny lobster)	Fraîche Surgelées	entière ou queue		ENTIERS: Servir à part **sauce mayonnaise** (sauf les crevettes qui s'accompagnent de **beurre frais**)
LANGOUSTINES (Norway-Lobster)	Fraîches Surgelées Surgelées	entières ou queues décortiquées queues		

■ D. FOIE GRAS

Le foie gras peut être d'oie ou de canard, frais ou de conserve, truffé ou non.

DÉNOMINATION DE BASE	APPELLATION DE COMPLÉMENT	TECHNIQUE DE PRÉPARATION ET DE PRÉSENTATION
ASPIC		Morceaux de foie gras frais ou de conserve, disposés dans un moule lustré à la gelée et décoré.
BRIOCHE		Foie gras frais cuit dans une pâte à brioche.
MÉDAILLON	de foie gras, d'oie ou de canard	Tranche de foie gras frais ou de conserve, lustrée à la gelée. S'accompagne de toasts.
PATÉ		Foie gras frais cuit en croûte. Peut être isolé de la croûte grâce à un léger apport de fine farce de porc.
TERRINE		Foie gras frais cuit en terrine avec sa marinade.

■ E. FRUITS

Seuls, ils peuvent être accommodés de manière différente, ou servir de base à certaines préparations, ou comme élément d'accompagnement.

DÉNOMINATION DE BASE — APPELLATION DE COMPLÉMENT	TECHNIQUE DE PRÉPARATION ET DE PRÉSENTATION
AVOCATS	**TRAITEMENT PRÉLIMINAIRE.**
	Couper en deux. Eliminer le noyau. Garnir la cavité laissée par le noyau de l'élément d'accompagnement. Dresser sur plat rond ou sur assiette individuelle.
— BRÉSILIENNE (à la)	Garnir en dôme avec riz créole, poivrons crus verts et jaunes et tomates bien rouges taillés en petits dés, petits pois et dés de haricots verts cuits à l'anglaise, grains de maïs et petites olives (Niçoise) noires dénoyautées. Assaisonner de sauce vinaigrette relevée.
— CRABE (au)	Garnir en dôme d'un salpicon de crabe décortiqué lié avec sauce mayonnaise relevée au Ketchup et sauce Anglaise.
— CREVETTES (aux)	Garnir **comme au crabe,** remplacer celui-ci par des queues de crevettes roses décortiquées.
— LANGOUSTINES (aux)	Garnir **comme au crabe,** remplacer celui-ci par des queues de langoustines décortiquées et tronçonnées.
— SALADE D'	Lever la chair à l'aide d'une cuillère à parisienne. Dresser les boules dans un saladier garni de feuilles de laitue. Assaisonner d'une sauce huile et citron au moment de servir. Parsemer de fines herbes. Servir frais.
— VINAIGRETTE	Avec sauce vinaigrette et estragon haché dans la cavité ou servie à part.
CERISES	**TRAITEMENT PRÉLIMINAIRE.**
	Choisir des cerises bien fermes et bien rouges. Laisser les queues en les coupant de 1 cm longueur.
— BIGARREAUX confits	Couvrir de vinaigre salé à raison de 8 g de sel au litre. Ajouter quelques feuilles d'estragon. Laisser macérer 20 jours environ. Servir en ravier.
— A L'ALLEMANDE	Employer des cerises aigrelettes. Procéder comme les bigarreaux. Ajouter au vinaigre clous de girofle, cannelle, cassonade et muscade.
FIGUES	**TRAITEMENT PRÉLIMINAIRE**
	Choisir des figues arrivées à maturité. Peler délicatement sans les blesser. Dresser et servir très fraîches, soit sur feuille de vigne avec autour glace pilée en neige, soit en coupe de verre « encastrée » dans une autre coupe garnie de glace pilée en neige.
	Servir sans autre accompagnement ou généralement avec du jambon cru.
— BAYONNE AUX FIGUES	Servir le jambon en tranches très fines dressées légèrement chevauchées sur plat, ou tranché devant le client.
— PARME AUX FIGUES	comme ci-dessus.

DÉNOMINATION DE BASE — APPELLATION DE COMPLÉMENT	TECHNIQUE DE PRÉPARATION ET DE PRÉSENTATION
FRUITS COCKTAIL	**TRAITEMENT PRÉLIMINAIRE** Préparation confectionnée à base de fruits aqueux, taillés en dés, mais où doit dominer le **melon.** Dresser bien frais en coupe de verre « encastrée » dans une autre coupe garnie de glace pilée en neige, ou en demi-coque bien fraîche de melon évidé.
— COGNAC (au) — FINE CHAMPAGNE (à la) — WHISKY (au)	Selon le goût adjoindre l'alcool avec un peu de sucre, quelques minutes avant de servir.
MELONS charentais Cantaloup Carpentras (de) Cavaillon (de) Coteaux du Vantoux doré Eau (d') gris de Rennes Montagne (de) nantais Provence (de) serre chaude (de) vert d'Espagne	**TRAITEMENT PRÉLIMINAIRE** Employer de préférence des melons de petite taille. Trois méthodes de préparation courante: **Petit melon pour 1 personne** (entier) Pratiquer sur le sommet une ouverture (couvercle) de 8 à 9 cm de diamètre. Eliminer délicatement les semences, à l'aide d'une cuillère. **Melon pour 2 personnes** (en demi) Partager le melon en deux, sur la circonférence. Vider chaque moitié de ses semences. **Melon en boules** Pratiquer, à l'aide d'une cuillère à pommes parisienne, des petites boules dans la chair du melon.
— FRAPPÉS, RAFRAICHIS ou GLACÉS A L'ARMA- GNAC, AU MUSCAT, AU PORTO, AU SHERRY	Dresser bien frais entier ou en demi sur coupe de verre garnie de glace pilée en neige. Mettre dans la cavité l'alcool ou le vin selon dénomination. Peuvent être servis natures.
— AUX FRAMBOISES	Dresser comme ci-dessus. Garnir la cavité de framboises fraîches. Servir très frais.
— PERLES DE MELON GIVRÉES A LA PARISIENNE	Boules de melon macérées avec cognac ou porto et sucre semoule. Mélanger. Réserver au frais. Dresser en coupes ou en verres givrés au sucre semoule.
	NOTA. Les melons peuvent être servis accompagnés de tranches fines de jambon de Bayonne ou de Parme, ou bien de saumon fumé taillé en tranches fines également. Utiliser de préférence des gros melons a raison de deux côtes par personne. La chair est coupée en morceaux réguliers, reformer les tranches sur assiette, recouvrir de fines tranches de jambon ou de saumon fumé.
PAMPLEMOUSSE ou **PAMELOS** ou **GRAPE FRUIT**	**TRAITEMENT PRÉLIMINAIRE** **En demi:** Couper en deux sur la circonférence. Séparer à l'aide de la pointe d'un couteau chaque demi-segment de leur peau, en les laissant à leur emplacement d'origine. **En segments:** Peler à vif. Prélever les segments en éliminant la peau qui les enveloppe. Servir toujours frais.
— BRÉSILIENNE	Dresser en coupe, sur le dessus tranches d'ananas en quartiers, segments d'orange; agrémenter de quelques cerises.
— CERISETTE ou MONTMORENCY	Dresser avec des cerises.
— FLORIDA COCKTAIL ou GRAPE FRUIT A L'ORANGE	Dresser en coupe avec segments d'orange.
— RAFRAICHIS	Dresser très frais, soit en demi sur coupe garnie de glace pilée en neige, soit en segments.

■ F. LÉGUMES

Les légumes occupent une place prépondérante dans l'élaboration des hors-d'œuvre.
En raison de leur diversité, ils permettent de réaliser des combinaisons fort appréciables. La restauration moderne leur réserve toutes ses faveurs.
Ils peuvent être assaisonnés avec des éléments variés:

- **Crème fraîche**
- **Epices variés:** coriandre, curry, paprika, safran, etc.
- **Essence d'anchois**
- **Jus de citron**
- **Sauce mayonnaise**
- **Sauce vinaigrette ordinaire**
- **Sauce vinaigrette moutardée,** etc.

Dressés en raviers ou en saladiers, ils s'insèrent avec succès dans la gamme des hors-d'œuvre.
L'ensemble de leurs couleurs « chatoyantes » forme une véritable mosaïque fort attractive sur le **buffet** ou **à la voiture.**
Quant aux **crudités,** chères aux Méditerranéens, elles sont présentées sous forme d'un assortiment de légumes entiers: céleri branche, tomate, poivron, concombre, petit artichaut, fève, oignon blanc, radis, etc., dans un panier pour être consommées à la **croque au sel** ou selon le désir du convive à l'huile, vinaigre, citron, anchoïade, etc.

CUITS A LA GRECQUE — ATHÉNIENS

DÉNOMINATION DE BASE	TECHNIQUE DE PRÉSENTATION	TECHNIQUE DE PRÉPARATION	
AUBERGINES	EN QUARTIERS	TECHNIQUE COMMUNE	
CAROTTES	TOURNÉS	Cuire avec	huile, oignons ciselés, (ou petits oignons nouveaux), vin blanc, jus de citron, sel, coriandre, poivre en grains et bouquet garni
CÉLERIS RAVES			
CHAMPIGNONS DE PARIS	ESCALOPÉS	VARIANTES	
CHOUX-FLEURS	EN BOUQUETS	Ajouter à la technique commune ci-dessus: ail curry fleurs de thym paprika poivrons rouges ou verts safran tomate concassée tomate concentrée, etc.	
FENOUILS	EN QUARTIERS		
FONDS D'ARTICHAUTS			
PETITS OIGNONS	ENTIERS		
POIREAUX	EN QUARTIERS (TRONÇONS)		

REMARQUE. Il est possible d'associer plusieurs légumes dans une même préparation, ex.: carottes, fenouil, céleri, etc.

CUITS (seuls) EN SALADE

DÉNOMINATION DE BASE — APPELLATION DE COMPLÉMENT	TECHNIQUE DE PRÉPARATION ET DE PRÉSENTATION
ARTICHAUTS	**PRÉSENTATION:** entiers
	TECHNIQUE: Cuire à l'anglaise. Rafraîchir. Egoutter. Enlever en bouquet les feuilles centrales. Eliminer le foin de l'intérieur. Remettre les feuilles retirées en les inversant (pointes à l'intérieur) comme une « corolle ». Servir assaisonnement à part.
	ASSAISONNEMENT:
— VINAIGRETTE	**Sauce vinaigrette** moutardée. **Sauce vinaigrette** ordinaire.
ASPERGES (blanches ou vertes)	**PRÉSENTATION:** entières
	TECHNIQUE: Cuire à l'anglaise. Rafraîchir. Egoutter. Dresser sur grille spéciale ou sur serviette ou sur papier gaufré, avec persil en branches. Servir assaisonnement à part.
	ASSAISONNEMENT:
— VINAIGRETTE	**Sauce vinaigrette** ordinaire.
BETTERAVES ROUGES	**PRÉSENTATION:** émincées, en bâtonnets, en dés
	TECHNIQUE: Cuire à l'eau salée ou au four; vendues entières, cuites, ou en conserve; aucune cuisson.
	ASSAISONNEMENT:
— CRÈME (à la) — SALADE (en)	Crème fraîche moutardée, jus de citron, sel et poivre. **Sauce vinaigrette** et fines herbes hachées. Peuvent être dressées avec anneaux d'oignons dessus.
— POLONAISE (à la)	Comme **à la crème.** Parsemer dessus raifort râpé.
CHOUX-FLEURS	**PRÉSENTATION:** en bouquets
	TECHNIQUE: Cuire à l'anglaise un peu fermes. Rafraîchir. Egoutter délicatement.
	ASSAISONNEMENT:
— MAYONNAISE	**Sauce mayonnaise** légère (nature ou condimentée). Parsemer de cerfeuil ou de fines herbes et d'œufs durs hachés.
— VINAIGRETTE	**Sauce vinaigrette moutardée** ou ordinaire. Terminer comme ci-dessus.
CŒURS DE CÉLERIS	**PRÉSENTATION:** cœurs entiers parés
	TECHNIQUE: Cuire à l'anglaise avec jus de citron. Egoutter. Ou de conserve: aucune cuisson.
	ASSAISONNEMENT:
— MAYONNAISE — VINAIGRETTE	**Sauce mayonnaise** légère. Parsemer de fines herbes hachées. **Sauce vinaigrette** moutardée. Parsemer de fines herbes et d'œufs durs hachés. **Sauce vinaigrette** ordinaire. Comme ci-dessus.

DÉNOMINATION DE BASE — APPELLATION DE COMPLÉMENT	TECHNIQUE DE PRÉPARATION ET DE PRÉSENTATION
CŒURS DE PALMIER	PRÉSENTATION: émincés, entiers, tronçons TECHNIQUE: Conserve: aucune cuisson. ASSAISONNEMENT:
— MAYONNAISE — VINAIGRETTE	**Sauce mayonnaise** légère (nature ou condimentée). **Sauce vinaigrette** moutardée. Parsemer de fines herbes et d'œufs durs hachés. **Sauce vinaigrette** ordinaire. Comme ci-dessus.
HARICOTS BLANCS	PRÉSENTATION: entiers TECHNIQUE: Peuvent provenir de la « desserte ». Cuire selon la méthode des légumes secs. Egoutter entièrement. Il est recommandé d'en faire l'assaisonnement alors qu'ils sont encore tièdes. ASSAISONNEMENT:
— VINAIGRETTE	**Sauce vinaigrette** ordinaire avec oignons ou échalotes finement ciselés et persil haché. Décorer dessus avec anneaux d'oignons.
HARICOTS VERTS	PRÉSENTATION: entiers TECHNIQUE: Cuire à l'anglaise légèrement fermes. Rafraîchir. Egoutter. ASSAISONNEMENT:
— VINAIGRETTE	**Sauce vinaigrette** ordinaire facultativement avec oignons ou échalotes finement ciselés, cerfeuil ou persil haché. Décorer dessus avec anneaux d'oignons.
LENTILLES	PRÉSENTATION: entières TECHNIQUE: Comme les **haricots blancs.** ASSAISONNEMENT:
— VINAIGRETTE	**Sauce vinaigrette** ordinaire. Comme les **haricots blancs.**
POIREAUX	PRÉSENTATION: entiers, tronçons TECHNIQUE: Employer le blanc (de préférence) et une partie des feuilles vertes. Botteler. Cuire à l'anglaise. Rafraîchir. Egoutter entièrement. Dresser en longueur en pliant légèrement les feuilles vertes ou tronçonner seulement le blanc. ASSAISONNEMENT:
— VINAIGRETTE	**Sauce vinaigrette** moutardée. Parsemer de fines herbes et (facultatif) d'œufs durs hachés. **Sauce vinaigrette** ordinaire.
POIVRONS VERTS ou **JAUNES** ou **ROUGES**	PRÉSENTATION: émincés TECHNIQUE: Cuire doucement sans coloration à l'huile (d'olive de préférence), avec ail, thym et sel. Servir tels quels, ou avec une vinaigrette.

DÉNOMINATION DE BASE — APPELLATION DE COMPLÉMENT	TECHNIQUE DE PRÉPARATION ET DE PRÉSENTATION
POMMES DE TERRE	PRÉSENTATION: émincées, en dés TECHNIQUE COMMUNE: Utiliser des pommes à chair ferme (B.F.15). Cuire « en robe des champs » (peuvent provenir de la « desserte »). Peler alors qu'elles sont encore tièdes. Emincer pas trop fines ou en dés. Il est recommandé de les assaisonner alors qu'elles sont encore tièdes. ASSAISONNEMENT:
— PARISIENNE (à la)	Mariner quelques minutes avec vin blanc sec. Adjoindre huile et vinaigre, sel, poivre, cerfeuil et persil hachés. Décorer avec cœurs et feuilles de laitue (facultatif), quartiers d'œufs durs et tomates.
— SALADE (en)	**Sauce mayonnaise** légère (nature ou condimentée). **Sauce vinaigrette** ordinaire. Adjoindre fines herbes hachées, échalotes ou oignons finement ciselés (les échalotes peuvent être cuites au préalable au vin blanc).

LÉGUMES CRUS EN SALADE

CAROTTES	PRÉSENTATION: julienne très fine ASSAISONNEMENT: Huile, jus de citron, sel, poivre, fines herbes ou persil hachés (facultatif, ail haché).
CÉLERI-RAVE	PRÉSENTATION: julienne pas trop fine ASSAISONNEMENT:
— BONNE FEMME	Mélanger en quantité égale avec pommes de reinettes. Moutarde blanche montée à la crème fraîche, jus de citron, sel et poivre.
— RÉMOULADE	**Sauce mayonnaise** moutardée.
CHAMPIGNONS DE PARIS	PRÉSENTATION: émincés TECHNIQUE COMMUNE: Utiliser de préférence des champignons bien fermes et bien blancs. Emincer pas trop finement. Mariner quelques minutes avant l'assaisonnement final avec sel fin, poivre moulu et jus de citron. Egoutter. ASSAISONNEMENT:
— CRÈME (à la)	Mélanger avec crème fraîche et fines herbes.
— SALADE (en)	Mélanger huile d'olive (de préférence) et cerfeuil haché.
CHOUX BLANCS	PRÉSENTATION: julienne fine TECHNIQUE: Dégorger au sel. Egoutter. Presser. ASSAISONNEMENT:
— VINAIGRETTE	**Sauce vinaigrette** ordinaire sans sel.
CHOUX ROUGES	PRÉSENTATION: julienne fine TECHNIQUE: Dégorger au sel et au vinaigre. Egoutter. Presser. ASSAISONNEMENT:
— VINAIGRETTE	Adjoindre huile et poivre. Décorer dessus avec anneaux d'oignons (facultatif). **NOTA.** Les choux rouges peuvent être préparés à l'avance (pour plusieurs jours). Après avoir été dégorgés et pressés, mettre à mariner en pot de grès vernissé, avec gousses d'ail, oignons émincés, feuilles de laurier, thym et grains de poivre. Couvrir avec vinaigrette légère. On peut mettre en place des oignons, des pommes de reinettes émincées. Le vinaigre peut-être remplacé par du vinaigre bouillant, l'huile est ajoutée au moment de l'emploi.

DÉNOMINATION DE BASE — APPELLATION DE COMPLÉMENT	TECHNIQUE DE PRÉPARATION ET DE PRÉSENTATION
CONCOMBRES	PRÉSENTATION: émincés, parfois en petits bâtonnets TECHNIQUE COMMUNE: Dégorger au sel. Egoutter soigneusement. ASSAISONNEMENT:
— CRÈME (à la)	Mélanger avec crème fraîche et jus de citron. Parsemer de cerfeuil haché.
— VINAIGRETTE	**Sauce vinaigrette** ordinaire sans sel. Parsemer de cerfeuil haché.
FENOUILS	PRÉSENTATION: émincés finement TECHNIQUE COMMUNE: Dégorger au sel et jus de citron. Egoutter. ASSAISONNEMENT:
— CRÈME (à la) — MAYONNAISE — VINAIGRETTE	Mélanger avec crème fraîche et poivre moulu. **Sauce mayonnaise** légère condimentée. **Sauce vinaigrette** moutardée. Parsemer de fines herbes hachées. **Sauce vinaigrette** ordinaire. Comme ci-dessus.
POIVRONS	PRÉSENTATION: émincés finement TECHNIQUE: Il est recommandé de les préparer à l'avance. ASSAISONNEMENT:
— VINAIGRETTE	**Sauce vinaigrette** à l'huile d'olive.
RADIS NOIRS	PRÉSENTATION: émincés, julienne pas trop fine TECHNIQUE COMMUNE: Dégorger au sel. Egoutter. Eponger.
— BEURRE (au) — VINAIGRETTE	Servir à part; beurre frais et sel fin. En julienne. Mélanger avec sauce vinaigrette ordinaire. Parsemer de persil haché.
RADIS ROSES — BEURRE (au)	PRÉSENTATION: entiers Servir à part: beurre frais et sel fin.
TOMATES	PRÉSENTATION: émincées, en quartiers TECHNIQUE COMMUNE: Monder ou non. Epépiner (si nécessaire). ASSAISONNEMENT COMMUN: Sauce vinaigrette.
— GÉNOISE (à la)	Emincer. Alterner les tranches de tomates avec quartiers de poivrons jaunes et rouges grillés et parés de leur peau. Assaisonner avec sauce vinaigrette aux anchois. Garnir le bord des raviers avec rondelles de pommes de terre cuites à l'anglaise.
— MADRILÈNE	Emincer. Alterner chaque tranche de tomate, avec une tranche d'œuf dur coupé au coupe-œuf. Parsemer de fines herbes. **NOTA.** Se présentent aussi entières. Emincer que d'un seul côté (verticale). Alterner entre chaque tranche, une tranche d'œuf dur.
— MIMOSA	Emincer. Parsemer de jaunes d'œuf durs passés au gros tamis et fines herbes hachées.
— NIÇOISE (à la)	Emincer. Comme **mimosa.** Quadriller de filets d'anchois à l'huile sur le dessus, et entre les losanges d'anchois une petite olive noire dénoyautée. Décorer avec feuilles de laitue.
— SALADE (en)	Emincer ou en quartiers. Parsemer de fines herbes hachées. Décorer avec cœurs et feuilles de laitue.

LÉGUMES FARCIS

ÉLÉMENTS DE BASE — APPELLATION DE COMPLÉMENT	TECHNIQUE DE PRÉPARATION ET DE PRÉSENTATION
AUBERGINES	**TECHNIQUE:** Supprimer le pédoncule. Evider intérieurement d'un bout à l'autre (peuvent être cannelées au préalable). **ÉLÉMENTS DE LA FARCE ET CUISSON:** Garnir l'intérieur avec un riz à la grecque (voir chapitre « RIZ ») dans lequel on peut adjoindre un hachis de jambon. Cuire doucement sur un fond d'aromates. Laisser refroidir. Tailler en rondelles épaisses et dresser.
CONCOMBRES	**TECHNIQUE:** Tailler en petits tronçons de 5 à 7 cm de longueur environ. **ÉLÉMENTS DE LA FARCE ET CUISSON:** Blanchir fortement ou cuire à la grecque (voir chapitre « LÉGUMES A LA GRECQUE »). Evider délicatement des graines. Toutes les garnitures des tomates leur conviennent (voir plus loin — même chapitre).
COURGETTES	**TECHNIQUE:** Tailler en tronçons des courgettes de forte grosseur. Evider l'intérieur. **ÉLÉMENTS DE LA GARNITURE ET CUISSON:** grecque (voir chapitre « LÉGUMES A LA GRECQUE »). Garnir l'intérieur comme **les aubergines.**
FONDS D'ARTICHAUTS — FRANCILLON — PRINTANIER	**TECHNIQUE COMMUNE:** Tourner les fonds. Cuire dans un blanc (voir chapitre « LES LÉGUMES ») ou à la grecque (voir chapitre « LÉGUMES A LA GRECQUE »). Ouvrir des petites moules. Retirer de leur coquille. Ebarber. Lier avec sauce mayonnaise légère. Garnir. Lier macédoine de légumes bien égouttée avec une sauce mayonnaise ferme, garnir.
POIVRONS	**TECHNIQUE:** Supprimer le pédoncule. Eliminer les semences. **ÉLÉMENTS DE LA FARCE ET CUISSON:** Garnir l'intérieur avec un riz à la grecque (voir chapitre « RIZ ») qui peut être safrané, dans lequel on peut adjoindre un hachis de jambon ou « débris » de poisson poché. Cuire doucement sur un fond d'aromates. Laisser refroidir. Tailler en rondelles épaisses et dresser.
TOMATES — ANTIBOISE (à la) — BEAULIEU — ÉCOSSAISE (à l')	**TECHNIQUE COMMUNE:** Supprimer le pédoncule. Couper aux 3/4 de la hauteur. Evider. Mariner à l'avance avec sel fin, poivre, huile et vinaigre. Retourner avant de garnir. Garnir avec thon à l'huile émietté, œufs durs, câpres, cerfeuil, estragon et persil hachés. Lier avec sauce mayonnaise condimentée à l'essence d'anchois. Dresser avec persil en branches et tranches de citrons cannelés autour. Garnir, comme **à l'Antiboise** avec décors de blancs et de jaunes d'œuf durs. Surmonter d'une olive noire dénoyautée. Décorer avec feuilles de laitue. Garnir de saumon poché émietté. Lier avec sauce mayonnaise. Décorer avec persil en branches.

— GASTRONOME	Garnir avec jambon, filets d'anchois à l'huile, céleri en branches et truffes hachés. Lier avec sauce mayonnaise.
— MONÉGASQUE (à la)	Garnir avec thon à l'huile émietté (facultatif), oignons ciselés et fines herbes hachées. Lier avec sauce mayonnaise. Décorer dessus avec œufs durs passés au tamis.
— MONSEIGNEUR	Garnir de queues de crevettes liées avec sauce mayonnaise. Mettre le couvercle des tomates et piquer dessus une crevette rose. Décorer avec persil en branches.
— MOULES (aux)	Ouvrir des petites moules à la marinière. Retirer de leur coquille. Ebarber. Lier avec sauce mayonnaise serrée. Garnir les tomates. Parsemer dessus de fines herbes hachées. Décorer avec persil en branches et tranches de citrons cannelés autour.
— MURCIA	Garnir avec petits bâtonnets de concombres dégorgés au sel, égouttés et pressés. Assaisonner avec une sauce vinaigrette ordinaire. Adjoindre persil haché.
— PARISIENNE (à la)	Garnir avec un salpicon de homard ou de langouste ou de queues de langoustine. Lier avec sauce mayonnaise. Dresser sur feuilles de laitue.
— PRINTANIÈRE	Garnir avec une macédoine de légumes bien égouttée. Lier avec sauce mayonnaise serrée. Dresser sur feuilles de laitue.
— PROVENÇALE (à la)	Etuver les tomates évidées et assaisonnées pendant 10 minutes environ. Garnir avec une farce composée de persil et ail hachés, oignons ciselés sautés à l'huile; adjoindre tomates concassées, purée de filets d'anchois et mie de pain. Assaisonner. Cuire 10 minutes. Mélanger et laisser refroidir.
— SÉVIGNÉ	Garnir avec viande et champignons hachés. Lier avec sauce mayonnaise. Napper de mayonnaise légère. Décorer dessus de lanières de poivrons tombés à l'huile.
— SUÉDOISE (à la)	Garnir avec œufs durs et filets d'anchois hachés mélangés avec sauce ravigote (voir chapitre « SAUCES FROIDES DIVERSES »).

LÉGUMES MÉLANGÉS (cuits ensemble ou à part)

DÉNOMINATION DE BASE	TECHNIQUE DE PRÉPARATION ET DE PRÉSENTATION
CAPONATA SICILIENNE	Eplucher des aubergines; couper en dés; sauter à l'huile d'olive. Tailler en julienne un cœur de céleri; le blanchir. Emincer de l'oignon; faire blondir; ajouter du sucre et de la purée de tomate. Cuire doucement. Adjoindre des câpres, des olives dénoyautées et du persil haché. Réunir l'ensemble. Mélanger délicatement et laisser mijoter quelques minutes. Dresser en dôme après avoir laissé refroidir. Ajouter des tranches de thon et facultativement de langouste.
COURGETTES ET AUBERGINES BAYELDI	Lames de courgettes et d'aubergines traitées meunière. Dresser dans le plat de service huilé et tapissé d'oignon et d'ail hachés, les lames de courgettes et d'aubergines en les chevauchant et en les intercalant avec des lames de tomates fermes. Assaisonner de sel et de poivre moulu. Cuire à four doux.
MACÉDOINE DE LÉGUMES	Tailler en petits dés et cuire séparément à l'anglaise: carottes, navets, petits pois et haricots verts. Rafraîchir et égoutter entièrement. Lier l'ensemble avec sauce mayonnaise serrée. Dresser. Décorer avec cœurs et feuilles de laitue, œufs durs et tomates mondées.
RATATOUILLE NIÇOISE	Voir chapitre des « LÉGUMES ».

■ G. ŒUFS

Les œufs sont très employés, tant dans le décor qu'en hors-d'œuvre proprement dits. Ils sont utilisés surtout **durs,** mais aussi **pochés** et parfois **mollets.**

DÉNOMINATION DE BASE — APPELLATION DE COMPLÉMENT	TECHNIQUE DE PRÉPARATION ET DE PRÉSENTATION
DURS	
— MAYONNAISE	Couper en deux. Disposer partie intérieure dessous. Napper de sauce mayonnaise légèrement détendue. Décorer à volonté.
— FARCIS	Couper en deux. Passer les jaunes au tamis. Additionner à cette purée de la sauce mayonnaise et, éventuellement, un restant de poisson, de crustacé, etc. Garnir les demi-œufs. Décorer à volonté.
POCHÉS	
— A LA GELÉE	Ils sont toujours dressés dans de petites cocottes, au jambon, à l'estragon. Décorer à volonté.
MOLLETS	Mêmes apprêts que les œufs pochés.

■ H. ŒUFS DE POISSONS

Prélevés avant la ponte dans l'abdomen de la femelle, ils sont égrenés sur un tamis spécial pour les débarrasser de la membrane qui les enveloppe, lavés, salés, fumés (pour certains), parfois pressés pour une certaine qualité.

NOTA. Seuls sont dénommés caviar les œufs d'esturgeon.

DÉNOMINATION DE BASE (ŒUFS DE...)	CARACTÉRISTIQUES D'ORIGINE	TECHNIQUE DE PRÉPARATION ET DE PRÉSENTATION
CAVIAR	BELOUGA NOIR: à gros grains, provient d'une espèce d'esturgeon. BELOUGA GRIS: ne diffère du précédent que par sa couleur. Il provient des pêches de la mer Caspienne. OSETROVA: à grains petits. Provient de l'esturgeon étoilé. SIEVRIOUGA: à grains petits, il peut être vendu frais et légèrement salé. Provient de l'esturgeon commun. PRESSE: mélange de l'osetrova et du sievriouga, il provient d'œufs abîmés par le traitement ou bien fragiles pour être vendus entiers.	Ils sont servis dans leur boîte d'origine (boîte de fer-blanc enduite à l'intérieur d'un vernis spécial), incrustée sur un socle de glace. A part: toasts, pain bis ou blinis (sortes de crêpes épaisses, à pâte fermentée, cuites dans des petites poêles spéciales, se trouvent préparées dans le commerce); beurre; citron; parfois de l'oignon haché.
POUTARGUE	Œufs de mulet (ou de thon). Se fait aussi avec des œufs fumés de cabillaud (Grèce). Hormis la salaison, ils sont fumés pressés en forme de « saucisson » dans leur enveloppe.	Se dressent sur canapés beurrés, accompagnés de citron.
SAUMON	ROSE: prélevés sur les saumons qui remontent les cours d'eau à l'époque du frai. ROUGE: provient des saumons capturés en mer (Alaska, Russie)	Se dressent sur canapés beurrés, accompagnés de citron.
LUMP	Proviennent du lump ou de l'aiglefin, teintés en noir.	Se dressent sur canapés beurrés (de qualité inférieure à tous).

■ I. POISSONS

Ces hors-d'œuvre sont généralement préparés avec des poissons traités industriellement ou avec des produits commerciaux (conserves) ou avec certains poissons frais.

DÉNOMINATION DE BASE — APPELLATION DE COMPLÉMENT	TECHNIQNE DE PRÉPARATION ET DE PRÉSENTATION
ANCHOIS (FILETS D')	**PRÉSENTATION:** Produits de conserves: au sel (entiers étêtés), en filets allongés (à plat) ou roulés marinés à l'huile. TECHNIQUE pour les anchois au sel: laver et dessaler à l'eau courante. Supprimer l'arête et la peau. Eponger soigneusement les filets. Utiliser tels quels ou mettre à mariner de préférence à l'huile d'olive.
— ANCHOIADE	**Filets dessalés** de préférence. Piler au mortier ou dans un récipient demi-circulaire avec gousses d'ail déjà écrasées. Adjoindre à cette purée de l'huile d'olive par petites quantités et un filet de vinaigre. Ajouter une pincée de poivre moulu. Etaler la purée sur des tranches de pain rassi et grillées au four arrosées de quelques gouttes d'huile d'olive. **NOTA.** Les tranches de pain sont parfois tartinées puis, grillées ensuite au four.
— CAPRES (aux)	**Filets allongés.** Dresser en quadrillé. Mettre entre chaque quadrillage, câpres au vinaigre, ou rouler sur eux-mêmes les filets en paupiettes, avec câpres au centre. Aligner sur ravier. Arroser d'huile d'olive. Garnir d'une bordure de persil en branches.
— HUILE D'OLIVE (à l')	**Filets allongés.** Dresser en quadrillé. Arroser d'huile d'olive. Décorer selon le goût avec blancs et jaunes d'œuf durs et persil.
— PAUPIETTES (en)	**Filets roulés** sur eux-mêmes. Dresser harmonieusement en ravier. Décorer avec œufs durs, persil hachés, et câpres au vinaigre. Arroser d'huile d'olive.
— PERSILLADE	**Filets allongés.** Dresser en quadrillé. Saupoudrer de persil frais haché et de câpres au vinaigre. Arroser d'huile d'olive et d'un filet de vinaigre. Garnir le ravier d'une bordure de rondelles d'œufs durs coupés au coupe-œuf.
— POIVRONS (aux)	**Filets allongés.** Dresser en ravier. Alterner les filets avec poivrons grillés pelés et taillés en lanières. Garnir le ravier d'une bordure de jaunes et de blancs d'œufs durs, passés au tamis et de persil haché.
— PORTUGAISE (à la)	**Filets dessalés.** Etaler sur le fond d'un ravier une fondue de tomates à l'huile, sur une couche d'un centimètre environ d'épaisseur. Dresser dessus les filets en quadrillé. Parsemer de câpres au vinaigre et de persil haché. Garnir le ravier d'une bordure de tranches de citron pelé à vif. Arroser légèrement d'huile d'olive.
ANGUILLE FUMÉE	**PRÉSENTATION:** Vendue entière non dépouillée. Couper en petits tronçons ou en filets. Dresser sur serviette ou sur papier gaufré, avec garniture de persil en branches. Servir à part: toasts grillés, beurre frais et citron.

DÉNOMINATION DE BASE — APPELLATION DE COMPLÉMENT	TECHNIQUE DE PRÉPARATION ET DE PRÉSENTATION

HARENGS FRAIS

PRÉSENTATION:

Hormis les harengs frais, tous les autres sujets sont vendus prétraités. Filets de harengs salés (saurs) et fumés, entiers (désarêtés) et dépouillés. Harengs fumés (bouffis) entiers avec têtes et queues, vendus tels quels. Harengs blancs salés et laités (dénommés Roll-Mops), vendus en filets roulés et marinés. Ne subissent aucune préparation.

— DIEPPOISE (à la)

Harengs frais. Préparer une marinade composée pour 10 harengs: 5 dl de vin blanc sec; 3 dl de vinaigre; 10 g de sel; 2 carottes moyennes cannelées émincées en rondelles; 2 oignons moyens taillés en anneaux; thym; laurier; queues de persil et quelques grains de poivre. Faire cuire cette marinade pendant 20 minutes. Verser sur les harengs rangés dans une plaque creuse. Laisser pocher 10 à 12 minutes. Laisser refroidir dans la marinade. Dresser en plat creux avec persil en branches dessus.

— ÉGYPTIENNE (à l')

Harengs frais. Habiller les poissons. Préparer pour 10 harengs une sauce composée de: 5 oignons moyens émincés finement blondis à l'huile. Ajouter 4 gousses d'ail haché, thym et laurier. Adjoindre 250 g de tomates concassées. Mouiller avec un peu d'eau et jus de citron. Saler et poivrer. Laisser cuire pendant 30 minutes environ. Verser ensuite sur les harengs rangés et assaisonnés dans une plaque creuse. Laisser pocher 10 à 12 minutes. Laisser refroidir. Dresser en plat creux.

HARENGS (FILETS DE)
— LIVONIENNE (à la)

Harengs entiers fumés. Lever les filets. Réserver les têtes et les queues. Tailler en quantités égales les filets en dés, ainsi que des pommes de terre cuites à l'eau salée et des pommes fruits légèrement acides. Ajouter cerfeuil, estragon, fenouil et persil hachés. Assaisonner d'huile, de vinaigre et d'une pointe de cayenne. Mélanger l'ensemble. Dresser sur plat en imitant la forme d'un poisson. Rapporter aux extrémités les têtes et les queues. Décorer avec persil en branches.

— MARINÉS A L'HUILE

Filets salés et fumés. Dessaler les filets au lait pendant 12 heures environ. Egoutter. Eponger. Disposer par couches sur plat creux les filets en intercalant successivement une garniture aromatique composée de: carottes cannelées émincées en rondelles; anneaux d'oignons; brindilles de thym; feuilles de laurier fragmentées et quelques grains de poivre. Recouvrir entièrement d'huile. Laisser mariner au frais pendant 48 heures environ. Dresser en ravier avec garniture aromatique et huile. A part, beurre frais.

— RUSSE (à la)

Filets marinés à l'huile ou harengs fumés. Egoutter les filets ou lever les filets de harengs fumés. Détailler les filets en escalopes minces. Dresser en ravier en alternant les filets avec des tranches de pommes de terre cuites à l'eau salée. Assaisonner d'huile et de vinaigre. Saler légèrement et poivrer. Parsemer d'échalotes finement ciselées, d'estragon, et de fenouil hachés.

— SALADE DE...

Filets marinés à l'huile. Egoutter les filets. Couper les filets en lanières. Disposer dans un plat long creux les filets en intercalant des oignons émincés, des tranches de pommes de terre cuites à l'eau salée, des rondelles de cornichons et des pommes fruits émincées. Décorer le dessus avec des rondelles d'œufs durs coupés au coupe-œuf. Verser une sauce vinaigrette ordinaire. Parsemer de persil haché.

DÉNOMINATION DE BASE — APPELLATION DE COMPLÉMENT	TECHNIQUE DE PRÉPARATION ET DE PRÉSENTATION
— SALADE DE POMNES ET DE...	**Filets marinés à l'huile.** Dresser les filets sans marinade ni garniture dans un ravier garni d'une salade de pommes de terre, assaisonner d'une sauce vinaigrette et de persil haché. Décorer le dessus avec des éléments de la garniture de la marinade.
HARENGS ROULÉS ou ROLL-MOPS	**Harengs blancs salés et laités.** Aucune préparation. Vendus en filets roulés autour de cornichons, traversés d'un bâtonnet pour les fixer. Marinés dans une marinade au vin blanc et condimentée. Dresser en ravier tels quels avec la marinade.
MAQUEREAUX (FILETS DE) — HUILE D'OLIVE (à l') — VIN BLANC (au) **MAQUEREAUX MARINÉS** — VIN BLANC (au) — ROUELLES (en)	PRÉSENTATION: Hormis les petits maquereaux frais, tous les autres sont des produits de conserve. Dresser en ravier ou dans leur boîte d'origine. Servir à part: beurre frais pour certaine variété.
MAQUEREAUX FRAIS — DIEPPOISE (à la) — VIN BLANC (au)	Comme les « HARENGS FRAIS A LA DIEPPOISE ». Habiller les poissons. Couper en petits tronçons. Ranger dans une plaque creuse huilée. Arroser avec une marinade composée: d'oignons finement émincés et de vin blanc sec. Assaisonner de sel, poivre en grains, brindilles de thym et feuilles de laurier fragmentées. Faire cuire pendant 20 minutes environ. Verser bouillant sur les maquereaux assaisonnés. Ajouter quelques tranches de citron. Cuire 5 minutes environ. Laisser refroidir dans la marinade. Dresser en ravier avec marinade et garniture.
SARDINES — ACHARDS (aux) — BEURRE (au) — CITRON (au) — CONDIMENTS (aux) — GRILLÉES AU FOUR — HUILE D'ARACHIDE (à l') — HUILE D'OLIVE (à l') — HUILE D'OLIVE ET A LA TOMATE (à l') — RAVIGOTE (à la) — TOMATE (à la) — TRUFFES ET AUX ACHARDS (aux)	PRÉSENTATION: Produits de conserve. Dresser en ravier ou dans leur boîte d'origine. Servir à part selon les variétés du beurre frais.
SAUMON FUMÉ	PRÉSENTATION: Vendu dans le commerce en demi désarêté. Dresser sur planche « habillée ». Servir à part: toasts grillés, beurre frais et citron.
SPRATTS	PRÉSENTATION: Variété de sardines fumées. Vendues telles quelles dans le commerce. Supprimer la tête et la peau. Ranger sur plat. Parsemer d'échalotes finement ciselées et de persil haché. Arroser légèrement d'huile et d'un filet de vinaigre. Laisser mariner 5 à 6 heures. Retourner fréquemment. Dresser sur ravier avec toasts grillés, beurre frais et citron.

DÉNOMINATION DE BASE — APPELLATION DE COMPLÉMENT	TECHNIQUE DE PRÉPARATION ET DE PRÉSENTATION
THON — ACHARDS (aux) — HUILE D'OLIVE (à l') — TOMATE (à la) — NIÇOISE (à la)	**PRÉSENTATION:** Est utilisé le thon rose ou blanc, soit à l'huile ou au naturel ou aux aromates, en tronçons, en filets ou miettes. Dresser en ravier ou dans leur boîte d'origine.
TRUITES FUMÉES	**PRÉSENTATION:** Vendues entières dans le commerce. Dresser entières peau éliminée, sur serviette ou sur papier gaufré avec persil en branches. Servir à part: toasts grillés, beurre frais et citron. Facultativement raifort râpé.

DESSERTE

● **EN COQUILLES « Saumon-Turbot »**

Dresser en coquilles Saint-Jacques, avec macédoine de légumes, sauce mayonnaise, salade verte, tomate, œufs durs, etc.

● **EN SALADE**

Assaisonner le poisson avec vinaigrette ou sauce mayonnaise, câpres, tomates, œufs durs, salade verte, pommes de terre, etc.

● **NOTA.** Certains poissons peuvent être achetés crus et transformés par les soins du Hors-d'œuvrier. Ex.: Hareng, maquereau, thon, etc.

■ J. VIANDES

C'est principalement la desserte qui est utilisée: bœuf bouilli « marmite, pot-au-feu », volaille froide rôtie ou pochée, etc.

● **BŒUF BOUILLI**

En salade. Couper en petits bâtonnets, ou finement émincé, assaisonner de sauce mayonnaise ou de vinaigrette avec câpres, cornichons, tomates, œufs durs, pommes de terre, etc.

● **VOLAILLE**

En salade. Escaloper, assaisonner de sauce mayonnaise, ajouter facultativement câpres, cornichons, tomates, œufs durs, laitue, etc.

■ K. LES BOUCHÉES

Servies en tant que hors-d'œuvre, les bouchées sont, bien entendu, de tailles plus petites que celles servies comme entrée. Elles sont dénommées « Bouchées Mignonnes ».

Ces petites bouchées sont garnies ensuite de compositions diverses: queues de crevettes décortiquées, desserte de poisson ou de crustacé, de volaille, de légumes, etc.

● **TECHNIQUE**

a) Abaisser du feuilletage de 6 à 8 mm d'épaisseur.
b) Couper à l'aide d'un emporte-pièce rond cannelé de petites abaisses de 5 à 6 cm de diamètre.
c) Retourner sur une plaque à pâtisserie légèrement humide.
d) Passer à la dorure (œuf battu) toute la surface des abaisses, à l'aide d'un pinceau. Eviter de faire couler la dorure sur les côtés.
e) Marquer le couvercle en appuyant sur chaque abaisse un emporte-pièce rond uni, plus petit, de 3 à 4 cm de diamètre, sans aller jusqu'au fond de l'abaisse.
f) Mettre à cuire à four chaud (250° environ) pendant 15 minutes environ.
g) Retirer, au terme de la cuisson, les couvercles et extraire la pâte se trouvant à l'intérieur.

● **DRESSAGE**

Garnir avec la garniture déterminant l'appellation. Dresser sur plat rond garni d'un papier gaufré.

DÉNOMINATION	COMPOSITION
A L'AMÉRICAINE	Garnir avec un salpicon de langouste ou de homard à l'américaine.
BÉNÉDICTINE	Garnir avec une brandade de morue.
BOUQUETIÈRE	Garnir avec une macédoine de légumes liée à la béchamel.
DE VOLAILLE	Garnir avec un salpicon de volaille lié à la crème.

● DRESSAGE DES HORS-D'ŒUVRE FROIDS

Les hors-d'œuvre se dressent en raviers de faïence rectangulaires, creux de préférence.
Cette forme permet, soit de les empiler, soit de les aligner plus facilement sur le **« buffet »** ou **« à la voiture »** de la salle.

● 3. LES HORS-D'ŒUVRE CHAUDS

Les hors-d'œuvre chauds ne sont pas servis couramment, en France, conjointement aux hors-d'œuvre froids, comme c'est le cas dans certains pays nordiques de l'Europe.
Ils peuvent être servis individuellement, d'une taille représentant une portion, ou beaucoup plus petits sous forme d'assortiment.
Ce sont presque toujours des préparations à base de pâtes: feuilletée, à foncer, à frire, etc.

● **NOTA.** Pour la préparation de ces différentes pâtes, voir chapitre « UTILISATION DES PATES EN CUISINE ».

■ PATE EMPLOYÉE

Feuilletage (900 g de pâte pour 16 allumettes).

LES ALLUMETTES

Les allumettes sont toujours, comme leur nom l'indique, de petites préparations de forme rectangulaire de 13 cm sur 3 cm, garnies d'appareils divers.

● TECHNIQUE

a) Abaisser deux bandes de feuilletage de 2 à 3 mm d'épaisseur, et de 50 cm sur 15 cm environ.
b) Marquer sur une des deux abaisses, à l'aide du dos d'un couteau, 16 rectangles de 3 cm sur 13 cm.
c) Passer à la dorure (œuf battu) toute la surface de l'abaisse, à l'aide d'un pinceau.
d) Garnir le centre de chaque rectangle avec un bâtonnet d'appareil déterminant l'appellation.
e) Recouvrir avec la deuxième abaisse.
f) Marquer chaque allumette avec le dos d'un couteau.
g) Couper à l'aide d'un grand couteau, les deux abaisses soudées, en un rectangle régulier de 48 cm sur 13 cm.
h) Chiqueter avec le dos d'un petit couteau le pourtour du rectangle.
i) Passer à la dorure toute la surface (éviter de faire couler la dorure sur les côtés).
j) Marquer légèrement de petites stries la surface de chaque allumette, avec le dos d'un couteau.
k) Détailler chaque allumette.
l) Coucher sur une plaque à pâtisserie légèrement mouillée.
m) Mettre à cuire à four chaud (250° environ) pendant 15 à 20 minutes environ.

● DRESSAGE

Dresser sur plat long garni d'un papier gaufré. Au moment de servir, garnir les extrémités du plat avec un bouquet de persil en branches.

DÉNOMINATION	COMPOSITION
AUX ANCHOIS	Garnir avec un beurre d'anchois et filet d'anchois.
AU FROMAGE	Garnir avec une béchamel liée aux jaunes d'œufs, fortement fromagée au gruyère ou au parmesan.
AU JAMBON	Garnir avec une béchamel liée aux jaunes d'œufs additionnée de petits dés de jambon.

■ PATE EMPLOYÉE

Pâte à foncer ou rognures de feuilletage (200 g de pâte pour 8 à 10 barquettes).

LES BARQUETTES

Ce sont de petites tartelettes de forme ovale.
Les garnitures qu'elles peuvent recevoir varient suivant les recettes désirées: queues de crevettes décortiquées, desserte de poisson ou de crustacé, volaille, etc.

● TECHNIQUE

a) Abaisser la pâte de 2 à 3 mm d'épaisseur environ.
b) Couper à l'emporte-pièce ovale cannelé. L'emporte-pièce doit être plus grand que les moules.
c) Foncer les moules.
d) Piquer le fond des abaisses à l'aide d'une fourchette afin d'empêcher la pâte de « cloquer ».
e) Mettre un papier sulfurisé et des noyaux de cerises ou des légumes secs sur chaque barquette.
f) Mettre à cuire à four chaud (250° environ) pendant 12 à 15 minutes environ.
g) Retirer les noyaux et le papier au terme de la cuisson.

● DRESSAGE

Garnir avec la garniture déterminant l'appellation. Dresser sur plat avec papier gaufré et persil en branches.

● VARIANTES

DÉNOMINATION	COMPOSITION
A L'AMÉRICAINE	Garnir avec un salpicon de langouste ou de homard à l'américaine.
DE CREVETTES	Garnir avec queues de crevettes décortiquées mélangées avec une sauce Mornay. Gratiner à la salamandre.
D'HUITRES	Garnir avec huîtres pochées, ébarbées, liées avec une sauce Mornay. Gratiner à la salamandre.

■ PATE EMPLOYÉE

Pâte à frire ou pâte à chou.

LES BEIGNETS

Servis en tant que hors-d'œuvre, les beignets sont des préparations composées de divers éléments préalablement cuits: légumes, poissons, viande, volaille, etc., soit enrobés de pâte à frire, soit mélangés avec une pâte à chou, frits à grande friture.

● TECHNIQUE

Avec la pâte à frire:

a) Suivant les éléments de base: légumes, poissons, etc., les mettre à mariner à l'avance (1 heure environ). Voir chapitre « LES MARINADES », les marinades instantanées.
b) Tremper chaque morceau un par un dans la pâte à frire.
c) Plonger à la friture chaude (180° environ).
d) Egoutter sur un torchon.

Avec la pâte à chou:

a) Mélanger à la pâte à chou les éléments de base.
b) Mettre cet appareil à la cuillère, de la grosseur d'une noix, dans une friture chaude (180° environ).
c) Laisser frire sans y toucher.
d) Au bout de quelques minutes, les beignets surnagent et se retournent d'eux-mêmes.
e) Laisser frire, puis lorsqu'ils sont bien soufflés et bien dorés, les égoutter sur un torchon.

● DRESSAGE

Dresser sur plat rond garni d'un papier gaufré avec persil en branches frit (facultatif).

● VARIANTES

DÉNOMINATION	COMPOSITION
DE CERVELLES	Couper les cervelles en petits quartiers. Enrober dans la pâte à frire.
AU FROMAGE	Pâte à chou fromagée.
PALERMITAINE	Pâte à chou fromagée. Garnir ensuite l'intérieur une fois frite, d'une béchamel fromagée.
PIGNATELLI	Pâte à chou additionnée de dés de jambon et d'amandes effilées, légèrement grillées.

■ PATE EMPLOYÉE

Pâte à crêpes.

LES CRÊPES

Les crêpes servies en hors-d'œuvre sont fourrées, à volonté, de compositions diverses: légumes, poisson, etc.

● TECHNIQUE

a) Faire chauffer les petites poêles. Ces poêles sont spécialement réservées pour la confection des crêpes.
b) Beurrer ou huiler légèrement les poêles.
c) Verser un peu d'appareil dans chaque poêle. Les crêpes doivent être très fines.
d) Tourner les poêles en les basculant pour répartir sur toute leur surface l'appareil.
e) Retourner les crêpes à l'aide d'une spatule ou en les faisant sauter lorsque le premier côté est légèrement doré.
f) Laisser cuire quelques secondes. Débarrasser sur une assiette.

● DRESSAGE

Etaler les crêpes, les garnir avec la garniture déterminant l'appellation, les rouler.
Dresser sur un plat long. Servir chaud sans être desséchées.

● VARIANTES

DÉNOMINATION	COMPOSITION
FLORENTINE	Garnir avec épinards en branches étuvés au beurre. Lier avec une sauce béchamel fromagée. Gratiner.
HONGROISE	Garnir avec un salpicon de champignons et d'oignons sués au beurre. Lier avec une sauce béchamel au paprika.

« Lorsque les crêpes sont garnies, roulées, nappées d'une mornay légère et gratinées, elles portent le nom de Pannequets. »

■ PATE EMPLOYÉE

Pâte feuilletée et pâte à choux.

LES TALMOUSES

Les talmouses peuvent se faire de différentes façons. Généralement elles sont à base de fromage.

1. En tricorne

Pâte feuilletée (900 g de pâte pour 8 talmouses)

● TECHNIQUE

a) Abaisser du feuilletage de 3 à 4 mm environ d'épaisseur.
b) Couper à l'aide d'un emporte-pièce rond cannelé des abaisses de 16 cm de diamètre (ou plus petites).
c) Passer à la dorure (œuf battu) les bords, à l'aide d'un pinceau.

d) Garnir le centre de chaque abaisse d'une grosse noix de béchamel fortement serrée, liée aux jaunes d'œufs et fromagée.
e) Ramener les bords vers le centre en trois parties égales, pour former comme un tricorne.
f) Souder en pressant avec les doigts.
g) Mettre sur une plaque à pâtisserie légèrement humide.
h) Passer toute la surface à la dorure.
i) Mettre à cuire à four chaud (250° environ) pendant 20 minutes environ.

● DRESSAGE

Dresser sur plat rond garni d'un papier gaufré et de persil en branches.

● VARIANTES

DÉNOMINATION	COMPOSITION
FLORENTINE	Garnir avec un appareil, composé d'une béchamel serrée, liée aux jaunes d'œufs, additionnée d'épinards en purée.
AU FROMAGE	Voir technique ci-dessus.
AU JAMBON	Garnir avec un appareil, composé d'une béchamel fortement serrée, liée aux jaunes d'œufs, additionnée de jambon coupé en petits dés.

2. Pont-Neuf

Pâte feuilletée et pâte à chou (450 g de pâte feuilletée et 1/4 de pâte à chou pour 8 talmouses Pont-Neuf).

● TECHNIQUE

a) Abaisser du feuilletage de 1 à 2 mm environ d'épaisseur.
b) Couper à l'aide d'un emporte-pièce rond cannelé des abaisses de 12 cm de diamètre.
c) Foncer des miassons de 9 cm de diamètre.
d) Piquer le fond avec une fourchette pour éviter à la pâte de cloquer pendant la cuisson.
e) Garnir l'intérieur aux 3/4 de la hauteur avec un appareil composé de 1/4 de pâte à chou et de 1/4 de béchamel fortement serrée et fromagée.
f) Abaisser les chutes de feuilletage et découper des petites bandes d'un demi-centimètre de largeur.
g) Disposer sur chaque talmouse deux bandes de pâte en croix.
h) Dorer ensuite toute la surface à l'aide d'un pinceau trempé dans un œuf battu (dorure).
i) Mettre les moules sur une plaque à pâtisserie.
j) Faire cuire à four chaud (250° environ) pendant 20 à 30 minutes.
k) Retirer délicatement, au terme de la cuisson, les talmouses des miassons.

● DRESSAGE

Dresser sur plat rond garni d'un papier gaufré et de persil en branches.

● VARIANTES

DÉNOMINATION	COMPOSITION
BAGRATION	Garnir avec une pâte à chou fromagée. Après cuisson, garnir l'intérieur d'une béchamel fortement serrée et fromagée, à l'aide d'une poche munie d'une petite douille.
MARQUISE	Garnir le fond des tartelettes avant la cuisson d'une béchamel fromagée. Napper le dessus de pâte à chou. Dorer et cuire.

Pour mémoire, nous citerons encore les différents toasts garnis, taillés de formes variées: carrés, ronds, ovales ou rectangulaires, dans du pain de mie (il est préférable d'utiliser du pain légèrement rassis). Ces toasts sont généralement grillés, puis garnis à volonté: œufs brouillés, salpicon de crustacé, de volaille, de moelle de bœuf pochée, etc.
Nous avons encore les quiches, les petits pâtés, les croque-monsieur, les pissaladières, etc.
Il est impossible de citer tous les hors-d'œuvre, la gamme en étant très étendue. Nous nous sommes bornés à en donner seulement les principaux éléments.

PATES FRAICHES ET FARINAGES

Ces pâtes peuvent être réalisées en cuisine. Leur préparation étant fort simple.

PATES FRAICHES

● 1. CLASSIFICATION

CLASSIFICATION	COMPOSITION	VARIÉTÉS	
PATE A NOUILLES	farine œufs entiers sel	TAGLIATELLI: LAZAGNE: VERMICELLE: PATE VERTE: PATE ROUGE:	taillée en lanière d'un demi-centimètre. taillée très large. taillé très fin. avec purée d'épinards ⎤ taillées comme avec purée de tomates ⎦ les autres pâtes.
PATE A RAVIOLI	farine jaunes d'œufs huile eau sel	RAVIOLI: CANNELLONI:	avec farce, taillé en carrés. avec farce, en forme de rouleau.

NOTA: En ce qui concerne les raviolis, il est fréquent d'utiliser une pâte à nouilles.

● 2. TECHNIQUES DE PRÉPARATION

LA PATE A NOUILLES (Tagliatelli)

● **COMPOSITION (pour 8 à 10 personnes)**

400 g de farine (+50 g pour le travail), 4 œufs entiers, 10 g de sel fin, 2 cl d'huile.

● **PRÉPARATION**

a) Disposer sur le marbre 400 g de farine en « fontaine ».
b) Mettre au centre 4 œufs entiers selon la grosseur, et 10 g de sel fin.
c) Mélanger ces ingrédients du bout des doigts, sauf la farine.
d) Ajouter petit à petit la farine en malaxant.
   REMARQUE. La pâte doit être assez dure lorsque toute la farine est incorporée.

e) Laisser reposer 30 minutes environ, afin de permettre à la pâte de perdre son élasticité.
f) Réserver dans un torchon.
   REMARQUE. Le mélange peut être réalisé au batteur-mélangeur électrique.

g) Saupoudrer le marbre d'un peu de farine.
h) Diviser la pâte en 7 ou 8 parties.
i) Abaisser à l'aide d'un rouleau à pâtisserie chaque partie de pâte **en bandes très fines de 1 à 2 mm d'épaisseur** (ou à l'aide d'un laminoir).
j) Saupoudrer largement les bandes de farine.
k) Etendre et laisser sécher les bandes.
   REMARQUE. La pâte doit être sèche, mais pas cassante, pour être taillée.

l) Rouler les bandes sur elles-mêmes en rouleau.

m) Tailler la pâte à l'aide d'un couteau éminceur, en lanières de 4 à 5 mm de largeur.

n) Dévider les nouilles, en les maintenant étalées jusqu'à leur cuisson.

o) Saupoudrer légèrement de farine, afin qu'elles ne se collent pas entre elles.

● **CUISSON** (5 à 6 minutes environ)

a) Mettre dans une russe moyenne (ou dans une casserole moyenne) une quantité suffisante d'eau salée à bouillir + un peu d'huile.

b) Adjoindre les nouilles **dans l'eau bouillante.**

c) Remuer à l'aide d'une fourchette **jusqu'à la reprise de l'ébullition,** afin que les pâtes ne se collent pas entre elles.

d) Laisser cuire **à découvert** pendant 5 à 6 minutes environ.

e) Remuer de temps en temps.

f) Rafraîchir à l'eau courante dès que les nouilles sont cuites.

g) Egoutter ensuite dans une passoire.

REMARQUE. Si les nouilles sont servies aussitôt cuites, les égoutter simplement sans les rafraîchir et les assaisonner.

● **VARIANTES**

DÉNOMINATION	COMPOSITION
LAZAGNE	Nouilles taillées en lanières plus larges (1,5 cm de largeur). Se traitent comme les nouilles.
PATE VERTE	Pâte à nouilles en mélangeant dans la préparation un peu d'épinards frais en purée. Cet élément apportant une certaine quantité d'humidité à la pâte, il est bon de réduire le nombre d'œufs. Cette pâte se traite comme les nouilles fraîches.
PATE ROUGE	Comme la pâte verte, mais en ajoutant un peu de tomate concentrée en place des épinards.
VERMICELLE FRAIS	Tailler en fine julienne comme le vermicelle. Sert de garniture pour les consommés.

EXEMPLE

A l'Italienne :   avec pâte blanche.

A la Napolitaine : avec pâte rouge.

A la Florentine :   avec pâte verte.

● **REMARQUE**

Les recommandations générales données pour les pâtes alimentaires (industrielles) sont les mêmes que pour les pâtes fraîches.
En outre, les principaux accommodements sont identiques.

LA PATE A RAVIOLI (ravioli)

● **COMPOSITION** (pour 100 à 120 pièces environ)

500 g de farine (+50 g pour le travail), 3 jaunes d'œufs, 1 dl d'huile, 2 dl d'eau, 10 à 15 g de sel fin.

● **REMARQUE PRÉLIMINAIRE**

Cette pâte doit être plus molle que la pâte à nouilles.

● **PRÉPARATION**

a) Disposer la farine en fontaine.

b) Mettre au centre les jaunes d'œufs, l'huile, l'eau et le sel.

30,5 cm — ①

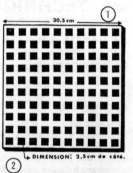

DIMENSION: 2,5 cm de côté.

②

c) Mélanger avec les doigts tous ces éléments, sauf la farine.
d) Incorporer ensuite petit à petit la farine.
e) Laisser reposer la pâte terminée (elle doit être molle), 20 à 30 minutes environ dans un torchon.
f) Diviser la pâte au bout de ce temps de repos en deux parties.
g) Abaisser à l'aide d'un rouleau à pâtisserie la première partie, en une abaisse de 2 mm environ d'épaisseur.
h) Badigeonner de dorure (œuf entier battu) toute la surface de l'abaisse, à l'aide d'un pinceau.
i) Disposer ensuite tous les 4 cm environ sur cette abaisse de petites noix de farce de viande cuite poussée à la poche. Cette farce doit être légère.

EXEMPLE DE FARCE

Epinards blanchis, cervelles ou amourettes pochées, bœuf braisé, maigre de tête de porc (langue et joues), œufs entiers, fromage râpé et assaisonnement. Le tout haché finement.

j) Recouvrir cette première abaisse garnie avec la seconde partie abaissée aux mêmes dimensions et de même épaisseur.
k) Souder les deux abaisses en exerçant une pression avec une règle ou le dos d'un grand couteau sur les intervalles.
l) Diviser la pâte avec une roulette à ravioli, en carrés de 4 cm. Ces ravioli peuvent se faire d'une taille plus petite.
m) Maintenir les ravioli taillés, étalés sur une planche ou sur une plaque, jusqu'à leur cuisson.

● **NOTA.** Les ravioli peuvent être confectionnés en utilisant une planche spéciale formée de petits carrés, ce qui donne un travail plus régulier et plus facile.

● **CUISSON**

a) Mettre dans une russe (casserole) une quantité suffisante d'eau salée à bouillir + un peu d'huile.

b) Mettre les ravioli dès l'ébullition.
c) Cuire 5 minutes environ à cuisson frémissante. Ne pas remuer, mais enfoncer les ravioli dans l'eau.
d) Rafraîchir au terme de la cuisson à l'eau courante.
e) Egoutter délicatement sur une plaque garnie d'un torchon, si les ravioli ne sont pas servis de suite.
f) Assaisonner ensuite, suivant les recettes.

PRINCIPAUX ACCOMMODEMENTS

EXEMPLE

DÉNOMINATION	COMPOSITION
A LA GENEVOISE	Avec une garniture de ris d'agneau braisés, de truffes et de cèpes. Mouiller au fond de veau.
A LA NIÇOISE	Avec une sauce tomate et tomates concassées. Fromage râpé et beurre. Faire gratiner.
AU BOUILLON	Avec de préférence, un excellent bouillon de volaille.

● **VARIANTES**

La pâte à ravioli est employée pour la préparation des **« cannelloni »**.

a) Abaisser la pâte sur une épaisseur de 2 mm.
b) Découper des rectangles de 6 à 8 cm de largeur, sur 8 à 10 cm de longueur.
c) Cuire ces rectangles à l'eau bouillante salée + un peu d'huile, pendant 3 à 5 minutes environ.
d) Rafraîchir aussitôt à l'eau courante.
e) Egoutter sur un torchon.
f) Disposer les rectangles de pâte bien à plat, sur un marbre ou sur une table; saupoudrer au préalable de mie de pain, de chapelure blanche, de gruyère ou de parmesan râpé.
g) Disposer sur chaque abaisse un peu de farce de viande cuite et légère.
h) Rouler en forme de grosse cigarette.
i) Dresser sur un plat à gratin beurré.
j) Mouiller d'un peu de fond de veau tomaté.
k) Saupoudrer de fromage râpé.
l) Arroser d'un peu de beurre fondu.
m) Faire gratiner.

FARINAGES

● 1. CLASSIFICATION

CLASSIFICATION	COMPOSITION
GNOCCHI A LA PARISIENNE	Farine, œufs entiers, beurre, sel fin, poivre de Cayenne, noix de muscade, eau, fromage râpé.
GNOCCHI A LA ROMAINE	Lait, beurre, semoule de blé, œufs entiers et jaunes d'œufs, sel fin, poivre de Cayenne, noix de muscade, fromage râpé.
GNOCCHI A LA PIÉMONTAISE	Pulpe de pommes de terre, farine, œufs entiers et jaunes d'œufs, sel fin, poivre de Cayenne, noix de muscade.
POLENTA	Semoule de maïs blanc ou jaune, eau, beurre, fromage râpé, sel fin.

● 2. TECHNIQUES DE PRÉPARATION

LES GNOCCHI A LA PARISIENNE

● COMPOSITION

Ils sont préparés avec une pâte à chou ordinaire (Voir chapitre « UTILISATION DES PATES EN CUISINE »), nappés d'une sauce béchamel.

● CUISSON (8 à 10 minutes environ)

REMARQUE. Ajouter un peu de gruyère râpé à la pâte à chou terminée.

a) Mettre la totalité de la pâte à choux dans une poche à décorer munie d'une douille unie (numéro 14 ou 16).
b) Maintenir la poche de la main gauche (à pleine main) sur le bord du plat à sauter.
c) Pousser la pâte au-dessus de **l'eau frémissante,** en coupant à l'aide d'un couteau d'office (ou d'une aiguille à brider) des petits bouchons de 2 cm de longueur. **Cette opération doit se faire très rapidement.**
d) Donner de temps en temps au récipient un mouvement circulaire sur lui-même, afin de disperser les gnocchi dans l'eau de cuisson.
e) Laisser pocher **(sans bouillir)** pendant 6 à 8 minutes.
f) Rafraîchir aussitôt à l'eau courante, au terme de la cuisson. Les gnocchi flottent entièrement à la surface de l'eau, lorsqu'ils sont pochés.
g) Egoutter délicatement dans une passoire, **dès leur refroidissement complet.**

● DRESSAGE

a) **Etaler une cuillerée à potage** de sauce béchamel sur le fond d'un plat à gratin.
b) Répartir les gnocchi sur le fond du plat.
c) Napper délicatement le dessus avec le restant de sauce.
d) Saupoudrer de gruyère râpé.
e) Faire fondre du beurre dans une petite sauteuse (ou dans une petite casserole).

f) Arroser le dessus des gnocchi avec ce beurre fondu, afin d'obtenir un gratin régulier. Essuyer le bord du plat.

NOTA. On obtient aussi d'excellents résultats, en mélangeant **délicatement la sauce et les gnocchi** dans un récipient, **avant de les dresser** dans le plat.

g) Mettre à four doux (150° environ — thermostat 4-5) pendant 10 à 15 minutes.
h) **Servir aussitôt gratinés. Les gnocchi doivent être soufflés.**

LES GNOCCHI A LA ROMAINE

● COMPOSITION

1 litre de lait, 100 g de beurre (+50 g pour la finition), 150 à 200 g de semoule de blé, suivant la qualité, 2 œufs entiers, 3 jaunes d'œufs, 150 g de gruyère râpé, sel fin, poivre de Cayenne, noix de muscade, 1 cuillerée à potage d'huile.

● PRÉPARATION (cuisson 12 à 15 minutes environ)

a) Mettre dans une sauteuse moyenne (ou dans une casserole): le lait, 100 g de beurre, une pincée de sel fin, une pointe de poivre de cayenne (ou à défaut du poivre du moulin) et quelques râpures de noix de muscade.
b) Faire bouillir.
c) Jeter en pluie la semoule de blé, lorsque le **lait bout et que le beurre est entièrement fondu,** en remuant à l'aide d'une spatule en bois.
d) Laisser cuire sur le coin du fourneau en remuant constamment.
e) Ajouter au bout de 6 à 8 minutes environ, 2 œufs entiers et 3 jaunes d'œuf **mélangés** au préalable.
f) Travailler (remuer) vigoureusement sur le coin du feu, à l'aide de la spatule.
g) Cuire 3 à 4 minutes.
h) Adjoindre **hors du feu** 50 g de gruyère râpé.
i) Mélanger le tout.
j) Vérifier l'assaisonnement.
k) Huiler légèrement un plat creux (ou une plaque creuse), à l'aide d'un pinceau.
l) Verser la semoule.
m) Egaliser en tassant la surface à l'aide d'une spatule en acier (ou d'une palette).
L'appareil doit être étalé sur deux centimètres environ d'épaisseur.
n) Mettre à refroidir en préservant la surface avec un papier sulfurisé huilé.

● DRESSAGE

a) Démouler délicatement sur un torchon humide, lorsque l'appareil **est complètement refroidi.**
b) Détailler les gnocchi en faisant le minimum de « chutes », à l'aide d'un emporte-pièce rond uni de 5 à 6 cm de diamètre environ.
c) Beurrer le fond des plats de service (plats longs ou ronds et creux de préférence — plats à gratin), avec 20 g de beurre ramolli.
d) Disposer soigneusement les gnocchi en les chevauchant légèrement.
e) Saupoudrer chaque plat de 50 g de gruyère râpé.
f) Faire fondre 30 g de beurre dans une petite sauteuse (ou dans une petite casserole).
g) Arroser le dessus des gnocchi avec ce beurre fondu, afin d'obtenir un gratin régulier. Essuyer le bord des plats.

REMARQUE. Les gnocchi peuvent être détaillés au couteau en forme de losange.

a) Faire gratiner soit à four chaud (200° environ — thermostat 6-7) pendant 5 minutes environ, soit sous « la salamandre ». Ne pas les dessécher.
b) Servir aussitôt dorés et chauds.
Facultativement servir avec une sauce tomate à part ou couler de la crème fraîche dans les alvéoles formées avant de gratiner.

LES GNOCCHI A LA PIÉMONTAISE

● COMPOSITION

500 g de pulpe de pommes de terre, 100 g de farine, 1 œuf entier, 1 jaune d'œuf, 100 g de gruyère râpé, 25 g de beurre, sel fin, poivre du moulin, noix de muscade.

- **PRÉPARATION**

a) Cuire les pommes de terre comme pour une purée, ou bien, de préférence, au four avec leur pelure.
   REMARQUE. Si les pommes de terre sont cuites comme pour une purée, il est recommandé de les tenir assez fermes, et de les mettre aussitôt égouttées dans une petite plaque à débarrasser, et de les laisser quelques minutes à l'entrée d'un four chaud pour enlever une partie de l'humidité.
b) Passer la pulpe au tamis.
   RECOMMANDATION. Passer la pulpe en tapant, à l'aide d'un pilon à purée, de haut en bas, et non en appuyant sur le pilon en lui donnant un mouvement circulaire, ce qui risque de rendre la pulpe élastique (elle corde).
c) Travailler celle-ci alors qu'elle est encore chaude, avec le beurre. Lier ensuite avec les œufs.
d) Ajouter la farine et l'assaisonnement. Cette « pâte » doit être bien homogène.
e) Diviser sur le marbre, la pâte en petites boules de la grosseur d'une noix.
f) Rouler ces noix sur le marbre saupoudré de farine.
g) Aplatir sur le dos d'une fourchette pour former des stries.
h) Réserver sur une planche ou sur une plaque.

- **CUISSON**

a) Mettre dans une russe (casserole) une quantité suffisante d'eau salée à bouillir.
b) Mettre en immersion les gnocchi dès l'ébullition. **Ne pas remuer.**
c) Laisser pocher à découvert 10 minutes environ.
d) Egoutter délicatement au terme de la cuisson avec une araignée et les disposer sur une plaque garnie d'un torchon, s'ils sont servis de suite.

- **DRESSAGE**

a) Beurrer le fond d'un plat à gratin.
b) Disposer les gnocchi dedans.
c) Saupoudrer de gruyère râpé.
d) Arroser de quelques gouttes de beurre fondu.
e) Faire gratiner au four.

Ces gnocchi peuvent être accommodés avec un jus de veau tomaté ou avec une sauce tomate et gratinés ensuite.

LA POLENTA

Enfin, pour terminer ce chapitre sur les pâtes et les farinages, il y a la « Polenta », qui est préparée avec de la semoule de maïs blanc ou jaune.

- **COMPOSITION**

Pour 1 litre d'eau, 200 à 250 g de semoule de maïs suivant la qualité, 50 g de beurre, 50 g de gruyère râpé, ou de préférence du parmesan, sel fin.

- **PRÉPARATION**

a) Mettre l'eau à bouillir.
b) Saler.
c) Jeter en pluie lorsque l'eau bout la semoule de maïs en remuant à l'aide d'une petite spatule en bois, pour éviter les grumeaux.
d) Cuire en remuant constamment sur le coin du feu.
e) Ajouter au terme de la cuisson, 15 à 20 minutes suivant la qualité de la semoule, le beurre et le fromage.
f) Verser l'appareil dans une terrine ou un légumier, s'il est servi en tranches, ou bien dans un plat creux comme les gnocchi à la romaine s'il est détaillé.

- **DRESSAGE**

En certaines circonstances, la polenta est refroidie, détaillée en tranches et colorée au beurre. Ces tranches sont dressées sur un plat beurré, saupoudrées de fromage râpé, arrosées de quelques gouttes de beurre fondu.
La polenta est servie comme garniture pour « l'aiguillette braisée ».

PATES ALIMENTAIRES INDUSTRIELLES

- Les pâtes alimentaires (industrielles) sont fabriquées avec des semoules de blés durs très riches en gluten (ce composant étant une matière azotée, insoluble dans l'eau). Elles sont servies soit en « Entrée», soit en « Garniture ».

● TECHNIQUES DE PRÉPARATIONS

Toutes ces préparations peuvent s'adapter aux différentes pâtes: lazagnes, macaroni, nouilles, spaghetti, etc.

● CUISSON

a) Mettre à bouillir dans une russe moyenne (ou dans une casserole moyenne) une quantité suffisante d'eau salée.

REMARQUE. Ce récipient doit être préparé à l'avance.

b) Adjoindre les pâtes **(sans les casser – pour les spaghetti), dans l'eau bouillante.**

c) Remuer à l'aide d'une fourchette **jusqu'à la reprise de l'ébullition,** afin que les pâtes ne se collent pas entre elles.

d) Laisser cuire **à découvert.**

e) Remuer de temps en temps.

f) Egoutter dans une passoire au terme de leur cuisson.

REMARQUE. Les pâtes sont cuites lorsqu'elles cèdent sous la pression des doigts. Néanmoins , elles doivent conserver une certaine élasticité.

g) Passer la passoire sous l'eau bouillante, afin d'éliminer une partie de l'amidon et éviter aux pâtes de coller.

● NOTA. Le temps de cuisson est variable en fonction de la forme et de la qualité de la semoule employée. Plus une pâte est longue à cuire, meilleure elle est.

— Elles doublent, en moyenne, de volume.
— Elles doivent gonfler sans s'écraser.
— Elles ne doivent pas troubler l'eau de cuisson.
— Elles ne doivent pas coller entre elles.

REMARQUE PARTICULIÈRE

Il est courant de cuire les pâtes à l'avance, ceci afin de faciliter le travail et pour répondre aux exigences d'un service toujours rapide. Dès qu'elles sont cuites (les tenir assez fermes « al dente »), les rafraîchir à l'eau courante pour arrêter la cuisson, puis les égoutter. Pour les réchauffer, il suffit de les mettre dans une passoire et de les plonger quelques secondes dans une russe (ou dans une casserole) d'eau bouillante salée (dénommée « chauffante ») et de les préparer suivant les recettes données plus loin.

● RECOMMANDATIONS GÉNÉRALES

Réservées à un emploi ultérieur, il est recommandé de débarrasser les pâtes sur une plaque percée garnie d'un torchon, pour éviter tout contact avec le métal, et permettre à l'humidité des pâtes d'être absorbée (une certaine quantité d'eau se trouve encore dans celles-ci, et risque de les ramollir), ou dans une terrine au fond de laquelle on a mis une assiette retournée.

Il faut éviter de les réserver **en immersion dans l'eau froide.** Ce procédé les détrempe et nuit considérablement à leur qualité.

En outre, il faut compter par personne 60 à 80 g environ de pâtes crues, suivant la qualité et le format.

PRINCIPAUX ACCOMMODEMENTS

Dans la pratique courante, les pâtes sont généralement servies nature. La garniture, la sauce ou le fromage (gruyère ou parmesan) sont servis à part. Le mélange s'effectue devant le client.

Les différents procédés d'accommodements sont, en général, issus de **« spécialités italiennes ».**

● EXEMPLES

DÉNOMINATION	COMPOSITION
A LA BOLOGNESE	Dés de filets de bœuf sautés avec des oignons finement ciselés, mouillés avec un peu de fond de veau lié et tomates concassées. Fromage râpé.
A L'ITALIENNE	Avec beurre et fromage râpé.
A LA MILANAISE	Avec une garniture de julienne de jambon, de champignons de Paris, de langue écarlate et de truffes. Le tout sué au beurre et déglacé au madère, ou au marsala, additionné de fond de veau tomaté. Fromage râpé, beurre et tomate concassée.
A LA NAPOLITAINE	Avec une sauce tomate et tomates concassées. Fromage râpé.
A LA NIÇOISE	Avec oignons finement ciselés, sués à l'huile avec une pointe d'ail et tomates concassées, fromage râpé et beurre.
A LA PIÉMONTAISE	Avec une garniture de julienne de truffes (truffes blanches du Piémont) et de champignons. Fromage râpé.
A LA SICILIENNE	● A. Avec oignons finement ciselés, sués au beurre, et une purée de foies de volaille. Le tout lié avec un peu de velouté. Fromage râpé et beurre. ● B. Avec une julienne de volaille, de jambon, de truffes et de champignons de Paris, légèrement liée avec un peu de velouté. Fromage râpé.

●

ŒUFS

● 1. CLASSIFICATION

CATÉGORIE	DÉNOMINATION	CARACTÉRISTIQUE
ŒUFS D'OISEAU	CANE OIE PLUVIER POULE VANNEAU	Les œufs d'oiseau les plus utilisés en cuisine sont ceux de **POULES DOMESTIQUES,** parfois de canes et d'oies. Ceux de vanneaux et de pluviers sont toujours servis sous leur dénomination propre.

● 2. CARACTÉRISTIQUES DE FRAICHEUR

	ÉLÉMENTS	CARACTÉRISTIQUE DES DIFFÉRENTS ÉLÉMENTS	
		EN LES MIRANT	EN LES CASSANT
ŒUF FRAIS	BLANC	Coloration blanche à peine rosée.	Se tient avec le jaune, il est bien globuleux.
	JAUNE	Aspect d'une sphère sombre, bien au centre du blanc.	A une forme demi-sphérique, bien au centre du blanc.
	CHAMBRE A AIR	Presque inexistante.	
ŒUF NON FRAIS	BLANC	Coloration foncée.	A tendance à s'étaler, il est presque fluide.
	JAUNE	D'une densité moindre que le blanc, il tend alors à se déplacer et à adhérer à la coquille.	S'étale au moindre choc.
	CHAMBRE A AIR	Volume plus important.	

● **NOTA.** Le mirage consiste à placer l'œuf devant une source de lumière. Cette opération a pour but de vérifier la position du jaune, la couleur du blanc et le volume de la chambre à air.

● 3. TECHNIQUES DE PRÉPARATION

GROUPE	DIFFÉRENTES CUISSONS UTILISÉES	PIÈCES SERVIES A LA CARTE
1er GROUPE	**ŒUFS CUITS AVEC LEUR COQUE** COQUE - DURS - MOLLETS	2 par personne
2e GROUPE	**ŒUFS CUITS DURS HORS DE LEUR COQUE ET NON MÉLANGÉS** COCOTTE - FRITS - POCHÉS - POÊLÉS - PLAT	2 par personne
3e GROUPE	**ŒUFS CUITS HORS DE LEUR COQUE ET MÉLANGÉS** BROUILLÉS - OMELETTES	3 par personne

■ A. 1er GROUPE: ŒUFS CUITS AVEC LEUR COQUE

● **RECOMMANDATIONS PRÉLIMINAIRES**

Ces différentes préparations nécessitent l'emploi d'œufs très frais, surtout pour les œufs à la coque, et, condition essentielle, s'assurer que la coquille est **sans** fêlures.

ŒUFS A LA COQUE

● Cette cuisson vise à cuire l'œuf dans sa coque jusqu'à demi-coagulation du blanc, le jaune restant liquide.

● **TECHNIQUE (cuisson 3 minutes)**

a) Mettre dans une petite casserole de l'eau à bouillir.
b) Plonger les œufs délicatement dans l'eau bouillante, à l'aide d'une petite écumoire ou d'une cuillère.
c) Compter 3 minutes dès la reprise de l'ébullition.
d) Sortir aussitôt de l'eau bouillante.
e) Servir dans un petit légumier ou une timbale, rempli d'eau chaude, mais pas bouillante.
f) Servir immédiatement.

REMARQUE: Les œufs coque se servent tels quels, sans aucune garniture. Ils ne peuvent subir aucune transformation.

ŒUFS MOLLETS

● Cette cuisson a pour but de coaguler entièrement le blanc et de garder au jaune son aspect crémeux.

● **TECHNIQUE (cuisson 5 minutes)**

a) Mettre à bouillir dans une petite casserole de l'eau.
b) Vérifier les œufs. **Eviter ceux fêlés.**
c) **Plonger délicatement ensemble** les œufs, dès que l'eau bout, à l'aide d'une écumoire (ou en les mettant dans une petite passoire).

d) Laisser **bouillir pendant 5 minutes.**
e) Sortir rapidement au terme de cette cuisson les œufs de l'eau, à l'aide d'une écumoire et les plonger dans l'eau froide (ou mettre le récipient sous l'eau courante). **Les rafraîchir entièrement.**
f) Débarrasser **délicatement** les œufs de leur coque.

   REMARQUE. Afin d'éviter pendant cette opération **d'écorcher le blanc,** et d'obtenir de bons résultats, il est recommandé de les écaler **en maintenant les œufs dans l'eau,** et à retirer **par petits morceaux** leur coque.

g) Réserver les œufs écalés dans une calotte (ou dans un récipient inoxydable) avec de l'eau froide.

● VARIANTES

DÉNOMINATION	COMPOSITION
HENRI IV	Dresser en croustade. Napper les œufs de sauce béarnaise.
INDIENNE	Dresser sur un tampon de riz pilaff. Napper les œufs de sauce curry.
MONTROUGE	Dresser sur une grosse tête de champignon de Paris étuvé au beurre. Napper de sauce suprême additionnée d'une purée de champignons.
SANS GÊNE	Dresser sur un fond d'artichaut. Napper de sauce bordelaise. Mettre sur le dessus une lame de moelle de bœuf pochée.

ŒUFS DURS

● Cette cuisson prolongée permet d'obtenir une solidification totale de l'œuf. La préparation apparaît insignifiante, mais elle nécessite quand même une certaine application.

● TECHNIQUE (cuisson 10 minutes)

a) Mettre à bouillir dans une petite casserole de l'eau.
b) Vérifier les œufs. **Eviter ceux fêlés.**
c) **Plonger délicatement ensemble** les œufs, dès que l'eau bout, à l'aide d'une écumoire (ou en les mettant dans une petite passoire).
d) Laisser **bouillir pendant 10 minutes.**
e) Sortir rapidement au terme de cette cuisson les œufs de l'eau, à l'aide d'une écumoire et les plonger dans l'eau froide (ou mettre le récipient sous l'eau courante). **Les rafraîchir entièrement.**

   REMARQUE: Ils sont conservés avec leur coque, puis écalés au moment de l'emploi.
   C'est principalement le « Garde-manger » et le « Hors-d'œuvrier » qui les utilisent.

● VARIANTES

DÉNOMINATION	COMPOSITION
AURORE	Préparer comme les œufs Chimay. Napper d'une sauce béchamel tomatée. Glacer. Saupoudrer de jaunes d'œufs hachés.
CHIMAY	Couper les œufs par la moitié dans le sens de la longueur. Extraire le jaune, le passer au tamis. Incorporer le même volume de Duxelles. Farcir les blancs. Napper d'une sauce Mornay. Glacer.
PORTUGAISE	Couper les œufs par la moitié. Dresser sur des demi-tomates cuites à l'huile. Napper d'une sauce tomate.
TRIPE	Couper les œufs en rondelles. Napper avec une sauce béchamel soubisée.

● **NOTA.** A part quelques recettes chaudes, les œufs durs sont surtout consommés froids, principalement en hors-d'œuvre, accompagnés de sauce mayonnaise. Passés au tamis, ils permettent de réaliser la garniture « mimosa ».

ŒUFS COCOTTE

● Cette cuisson a pour but de coaguler le blanc en conservant le jaune liquide. Il est nécessaire d'employer de petites cocottes en porcelaine à feu, réservées à cet effet.

● **TECHNIQUE (cuisson 5 à 6 minutes)**

REMARQUE

Utiliser de préférence, des cocottes en porcelaine à feu.

a) Beurrer à l'aide d'un pinceau, l'intérieur des cocottes avec du beurre en « pommade ».
b) Assaisonner légèrement le fond de sel fin.
c) Casser par cocotte un œuf, **sans crever le jaune.**
d) Mettre sur le fond d'un plat à sauter (ou autre récipient à bord peu haut) un morceau de papier de même taille que le récipient.

   REMARQUE. Ce papier évite à l'eau de cuisson de sauter dans les cocottes au moment de l'ébullition.

e) Mettre les cocottes dans le plat à sauter.
f) Emplir le récipient d'**eau bouillante, jusqu'à mi-hauteur des cocottes.**
g) Cuire sur le fourneau à couvert, ou à four doux (150° environ — thermostat 4-5) à découvert.
h) Compter 5 à 6 minutes environ de cuisson.

REMARQUE. Les œufs cocotte peuvent recevoir **avant** ou **après** la cuisson de nombreuses garnitures.

● **VARIANTES**

DÉNOMINATION	COMPOSITION
BORDELAISE	**Avant** la cuisson, le fond des cocottes est garni de rondelles de moelle de bœuf pochée. Au terme de la cuisson, mettre autour un cordon de sauce bordelaise.
CRÈME	**Après** cuisson, mettre autour un cordon de crème réduite.
PÉRIGUEUX	**Après** cuisson, mettre autour un cordon de sauce Périgueux.
PORTUGAISE	**Avant** la cuisson, le fond des cocottes est garni de tomates concassées. Au terme de la cuisson, mettre autour un cordon de sauce tomate.

ŒUFS FRITS

● Cette cuisson vise à cuire uniquement le blanc; le jaune devant rester crémeux.

● **TECHNIQUE (cuisson 1 minute environ)**

RECOMMANDATION

Il est recommandé de n'utiliser que des **œufs très frais.** Afin d'obtenir de bons résultats, **n'en faire frire qu'un seul à la fois.**

a) Mettre à chauffer 5 dl d'huile dans une petite poêle ronde.
b) **Casser séparément** les œufs **sans crever le jaune,** sur des petites assiettes (ou dans des ramequins).
c) Mettre une petite spatule en bois dans l'huile chaude, afin d'éliminer de celle-ci toute l'humidité du bois.

   REMARQUE. Cette humidité risque, pendant la cuisson, de coller le blanc d'œuf à la spatule.

d) **Faire glisser délicatement** le premier œuf dans la friture très chaude (200° environ). Au contact de l'huile, le blanc se coagule et « crépite ».

e) Laisser frire **sans y toucher** pendant 3 secondes environ.

f) **Ramener rapidement** le blanc sur le jaune, de manière à l'**enrober complètement.**

g) « Mouler » l'œuf (lui donner approximativement sa forme naturelle) en le roulant sur le bord de la poêle avec la spatule.

   RECOMMANDATION. Ce travail doit s'exécuter **avec rapidité et avec beaucoup de prudence.** Maintenir pendant l'exécution la poêle par la queue.

h) **Laisser cuire en tout 1 minute environ.**

i) Egoutter sur un torchon (ou sur un papier absorbant) à l'aide d'une petite écumoire.

j) Assaisonner de sel fin.

k) Répéter les mêmes opérations lorsqu'il y a plusieurs œufs à frire.

● NOTA. Les œufs frits sont toujours servis sur un petit croûton de pain de mie frit ou sauté de même forme, accompagnés de persil en branches frit, et fréquemment de bacon grillé ou de jambon sauté.

ŒUFS POCHÉS

● Au terme de la cuisson, seul le blanc est solidifié, le jaune reste liquide.

● **RECOMMANDATION PRÉLIMINAIRE**

L'eau de cuisson ne doit jamais être salée. Le sel liquéfie l'albumine du blanc.

● **TECHNIQUE** (cuisson 3 minutes)

a) Mettre dans un plat à sauter (ou autre récipient à bord peu haut) de l'eau.

b) Ajouter du vinaigre (blanc de préférence). Compter 1 dl de vinaigre pour 2 l d'eau.

c) Faire bouillir.

d) Casser délicatement les œufs **séparément** dans des ramequins (ou dans des bols ou autres petits récipients), **sans crever les jaunes.**

e) Déposer **délicatement** (et rapidement) les œufs un par un, **dans l'eau frémissante.**

f) Laisser pocher 3 minutes. **Ne pas faire bouillir.**

g) Préparer pendant ce temps une petite calotte (ou autre récipient) avec de l'**eau froide.**

h) Egoutter soigneusement au terme de la cuisson les œufs, à l'aide d'une petite écumoire.

i) **Déposer** dans l'eau froide.

j) Retirer ensuite si cela est nécessaire, les filaments de blanc pouvant subsister sur les œufs.

k) Réserver les œufs dans l'eau froide et au frais.

REMARQUE. Si les œufs sont servis chauds, il est nécessaire de les plonger quelques secondes dans l'eau bouillante salée.

● **VARIANTES**

DÉNOMINATION	COMPOSITION
AURORE	Dresser en croustade. Napper de sauce aurore.
BÉNÉDICTINE	Dresser sur croustade garnie d'une petite tranche de jambon de Paris. Napper de sauce hollandaise. Surmonter d'une lame de truffe.
BRAGANCE	Dresser sur une tomate étuvée au beurre. Napper de sauce béarnaise.
A LA GELÉE	Cette préparation est très courante, principalement l'été. Dresser dans de petits ramequins garnis de jambon de Paris. Décorer à volonté de feuilles d'estragon blanchies, de truffes ou de tomate. Enrober le tout de gelée. Servir très froid.

ŒUFS POÊLÉS

● Cette cuisson permet d'obtenir une demi-coagulation du blanc sans cuire le jaune.

● **TECHNIQUE** (cuisson 2 à 4 minutes)

a) Faire chauffer une noix de beurre dans une petite poêle.
b) Casser les œufs sur une assiette.
c) Faire glisser dans la poêle bien chaude.
d) Assaisonner les blancs de sel fin.
e) Cuire doucement sur le coin du feu.
f) Glisser les œufs sur une assiette.

● VARIANTES

DÉNOMINATION	COMPOSITION
BEURRE NOIR	Après cuisson, glisser les œufs sur une assiette. Arroser avec un beurre noir additionné d'un filet de vinaigre.
DIABLE	Les retourner en cours de cuisson. Glisser sur une assiette. Arroser d'un beurre noisette additionné d'un filet de vinaigre.
ESPAGNOLE	Couper les œufs cuits à l'emporte-pièce. Dresser sur des demi-tomates grillées. Garnir d'oignons frits.
RACHEL	Couper les œufs cuits à l'emporte-pièce. Dresser sur un croûton de pain de mie frit, de la même grandeur. Surmonter le jaune d'une lame de moelle de bœuf pochée et d'une lame de truffe. Autour un cordon de fond de veau lié.

ŒUFS AU PLAT

● Cette cuisson permet d'obtenir une demi-coagulation du blanc sans cuire le jaune.

● **TECHNIQUE** (cuisson 3 à 4 minutes).

a) Mettre dans le fond de chaque plat à œuf (porcelaine à feu ou en inox) 5 g environ de beurre.
b) Assaisonner de sel fin et de poivre du moulin.

REMARQUE. L'assaisonnement s'opère au fond du récipient et non sur les œufs. Le sel laisse en fondant des traces sur le jaune, sous forme de « points blancs ».

c) Mettre les plats à chauffer.
d) Casser séparément les œufs (deux pièces par personne) sur une assiette **sans crever le jaune.**
e) Faire glisser doucement les œufs dans les plats.
f) Laisser cuire doucement jusqu'à coagulation du blanc, qui prend une teinte laiteuse. Le jaune doit conserver son « miroitement ».

● **NOTA.** Au terme de la cuisson, les œufs au plat peuvent être servis nature, ou recevoir différentes garnitures.

● VARIANTES

DÉNOMINATION	COMPOSITION
BACON	Garnir avec une tranche de bacon sautée à la poêle.
BERCY	Garnir avec une petite saucisse chipolata grillée. Mettre autour du plat un cordon de sauce tomate.
PORTUGAISE	Garnir sur les blancs d'un petit bouquet de tomates concassées. Mettre autour du plat un cordon de sauce tomate.
TURQUE	Garnir sur les blancs avec un bouquet de foies de volailles sautés au beurre, liés avec un peu de fond de veau lié. Mettre autour du plat un cordon de fond de veau lié.

ŒUFS BROUILLÉS

● Ils peuvent être comparés à une crème d'œufs lorsqu'ils sont bien réalisés. Ils doivent rester moelleux et crémeux. Malgré une préparation des plus facile, ils demandent une attention permanente pendant leur cuisson.

● TECHNIQUE (cuisson variable selon la quantité des œufs)

a) Beurrer à l'aide d'un pinceau, les parois d'une sauteuse avec du beurre en « pommade » (ramolli).

b) Casser avec soin les œufs dans une terrine (ou autre récipient inoxydable).

c) Assaisonner de sel fin et de poivre du moulin.

d) Battre et mélanger les œufs à l'aide d'une fourchette (ou d'un fouet pour les grandes quantités).

e) Verser les œufs battus dans le récipient de cuisson.

f) Faire chauffer **progressivement** les œufs, **en les remuant constamment** à l'aide d'une petite spatule en bois.

RECOMMANDATION. Eviter une chaleur trop vive qui risque de coaguler instantanément les œufs. Ils doivent rester **moelleux et crémeux.**

g) Décoller les œufs qui cuisent sur les parois et sur le fond du récipient.

h) **Cuire doucement** sur le coin du feu **en remuant toujours.**

i) Retirer la sauteuse du feu dès que les œufs atteignent **une consistance crémeuse.**

j) **Débarrasser aussitôt** dans une terrine (ou dans un autre récipient inoxydable).

k) Travailler à la spatule.

l) Adjoindre quelques noix de beurre frais divisées en petits morceaux.

m) Mélanger avec les œufs.

n) Vérifier l'assaisonnement.

● **NOTA.** Certains professionnels ajoutent un peu de crème fraîche avec le beurre.

REMARQUE

Pour cuire des grandes quantités d'œufs brouillés, il est recommandé de les cuire au bain-marie.

● VARIANTES

Les œufs brouillés reçoivent de nombreuses garnitures. Ils sont dressés en timbale, en croustade, en feuilleté, et même en petite brioche.

DÉNOMINATION	COMPOSITION
AUX CHAMPIGNONS	Garnir de petits dés de champignons sautés au beurre.
AUX CREVETTES	Garnir de queues de crevettes décortiquées.
AUX CROUTONS	Garnir avec de petits dés de pain de mie frit au beurre. Autour croûtons frits en dents de loup.
AUX POINTES D'ASPERGES	Garnir avec de petites pointes d'asperges. Au centre, un petit bouquet de pointes d'asperges.

ŒUFS EN OMELETTE

● Cette cuisson vise à cuire intégralement les œufs sans perdre de vue qu'une omelette doit rester moelleuse et parfois « baveuse » lorsque le client le désire.

● **TECHNIQUE** (cuisson variable selon la quantité des œufs qui composent l'omelette)

a) Casser avec soin les œufs dans une sébille en bois réservée à cet effet (ou autre récipient inoxydable).

b) Assaisonner de sel fin et de poivre du moulin.

c) Battre les œufs **juste pour les mélanger** (sans excès). **Ne pas les battre trop longtemps.**

   RECOMMANDATION. Avant de confectionner les omelettes, s'assurer de la propreté parfaite de la poêle. Celle-ci dans le cas contraire, peut être la cause d'échec au terme de la préparation.

d) Mettre à chauffer dans une poêle ronde une noix de beurre.

e) Mettre la poêle en plein feu (sur feu vif).

f) Verser les œufs **dans le beurre chaud,** mais non brûlé.

g) **Décoller rapidement,** à l'aide d'une fourchette, les œufs qui commencent à se coaguler sur les bords de la poêle, en les ramenant vers le centre.

h) Continuer cette opération toujours en plein feu, jusqu'à consistance désirée: baveuse, à point ou bien cuite.

i) Laisser la poêle quelques secondes sur le feu au terme de la cuisson voulue, **sans remuer les œufs.**

j) Pencher ensuite la poêle avec la main gauche, puis de la droite munie de la fourchette rouler l'omelette sur le coin opposé à la queue de la poêle.

k) Donner de la main droite un petit coup sec sur la main gauche (tenant la queue de la poêle), l'omelette se déplace et se roule plus correctement.

l) Rectifier légèrement la forme avec la fourchette.

m) Renverser sur un plat long de grandeur proportionnée avec l'omelette, légèrement beurré au préalable.

n) Corriger si cela est nécessaire la régularité de la forme, qui doit être en « fuseau ».

o) Servir aussitôt, après avoir « lustrer » la surface avec du beurre en pommade à l'aide d'un pinceau, afin de lui donner un aspect brillant.

REMARQUE

Les omelettes sont confectionnées pour 1, 2, 3, 4 personnes, ce qui est un maximum pour réaliser une belle omelette. Selon la quantité, « l'Entremétier » chargé de les préparer, utilise des poêles de différentes dimensions. Ces poêles sont réservées **uniquement** à leur confection.

● **VARIANTES**

Les omelettes reçoivent de très nombreuses garnitures, **avant** ou **après** la cuisson. En outre, elles peuvent être **roulées** ou **plates** suivant la recette.

DÉNOMINATION	COMPOSITION
AUX FINES HERBES	Mélanger dans les œufs battus un peu de fines herbes: cerfeuil, ciboulette, estragon hachés.
AU FROMAGE	Mélanger dans les œufs battus du fromage râpé.
AU JAMBON	Mélanger dans les œufs battus du jambon coupé en julienne ou en petits dés.
AUX FOIES DE VOLAILLE	L'omelette terminée et roulée, l'ouvrir légèrement sur le dessus et la garnir avec des foies de volailles sautés au beurre, liés avec un peu de fond de veau lié.
AMÉRICAINE	Fourrer l'intérieur de tomates concassées. Garnir le dessus de petites tranches de bacon sautées ou grillées.
ESPAGNOLE	Mélanger avec les œufs une garniture composée de tomates concassées, de poivrons doux et d'oignons émincés finement fondus au beurre ou à l'huile, et de persil haché. L'omelette est plate.
PAYSANNE	Mélanger avec les œufs des pommes de terre et des petits lardons coupés en dés, sautés au beurre, de l'oseille ciselée, fondue au beurre, et des fines herbes. L'omelette est plate.

POISSONS

● Les poissons occupent dans l'alimentation une place aussi importante que les viandes de boucherie.

● 1. CLASSIFICATION

GROUPE	NOMBRE DE FILETS	POISSONS DE MER		POISSONS D'EAU DOUCE	
POISSONS PLATS ou **RHOMBOIDAUX**	QUATRE FILETS	BARBUE LIMANDE RAIE SOLE TURBOT TURBOTIN	fig. 1 fig. 2 fig. 3 fig. 4 } fig. 5		
	DEUX FILETS	DAURADE SAINT-PIERRE	fig. 6 fig. 7		
POISSONS RONDS ou **FUSIFORMES**	DEUX FILETS	BAUDROIE COLIN CONGRE ÉPERLAN GRONDIN HARENG MAQUEREAU MERLAN MULET RASCASSE ROUGET BARBET SARDINE THON VIVE	fig. 8 fig. 9 fig. 10 fig. 11 fig. 12 fig. 13 fig. 14 fig. 15 fig. 16 fig. 17 fig. 18 fig. 19 fig. 20 fig. 21	ALOSE ANGUILLE BROCHET CARPE GOUJON SAUMON TRUITE	fig. 22 fig. 23 fig. 24 fig. 25 fig. 26 fig. 27 fig. 28

● **NOTA.** Si nous devions étudier toutes les espèces existantes, cet ouvrage ne suffirait pas. Nous nous bornerons donc à examiner seulement les principaux poissons employés couramment en cuisine.

FIG. 1

FIG. 2

FIG. 4

FIG. 5

● 2. CARACTÉRISTIQUES DE LA FRAICHEUR

- **Odeur :** Faible de marée (sauf la raie qui présente parfois une légère odeur ammoniaquée) pour les poissons de mer; d'herbes aquatiques pour les poissons d'eau douce.
- **Corps :** Rigide, ferme, aspect brillant.
- **Œil :** Clair; vif; brillant; convexe; il occupe toute la cavité orbitaire.
- **Peau :** Tendue; bien adhérente et bien teintée.
- **Ecailles :** Brillantes; fortement adhérentes à la peau.
- **Opercules :** difficiles à soulever.
- **Branchies :** Brillantes; humides; rose ou rouge-sang; néanmoins, les branchies de certains poissons de mer ont une teinte moins accentuée, tirant sur le bistre, ex.: turbot.
- **Chair :** Ferme et élastique à la pression du doigt; blanche ou rose (rouge pour le thon); légers reflets irisés ou satinés à la coupe (gros poissons de mer).

NOTA. L'inspection sanitaire des produits de la mer, en application de la loi n° 65 543 du 8 juillet 1965, est confiée aux agents de la Direction des Services Vétérinaires au Ministère de l'Agriculture et du Développement Rural.

● 3. PRÉPARATIONS PRÉLIMINAIRES

Dès leur livraison en cuisine, les poissons sont confiés au « Plongeur » qui se charge immédiatement de les rendre propres à l'emploi, c'est-à-dire de les **« habiller »**: couper les nageoires, gratter les écailles, vider en supprimant les branchies, et, pour certains poissons, enlever la peau, exemple: la sole. Ils sont ensuite lavés à grande eau. (Certains gros poissons sont généralement vidés, parfois étêtés, chez le poissonnier.)
Les filets de certaines espèces sont levés à l'avance (par le Garde-manger), mis à dégorger à l'eau courante pour qu'ils soient plus blancs, exemple: barbue, sole, etc.

NOTA. Les poissons de mer livrés dans le commerce sont fréquemment éviscérés sur les lieux de pêche, afin d'obtenir toutes les garanties optimales de conservation pendant le stockage sur glace vive et lors du transport.

330

FIG. 3

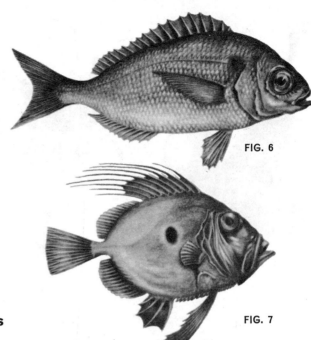

FIG. 6

FIG. 7

 HABILLAGE DES POISSONS USUELS

REMARQUE

Cette technique découle de cinq préparations distinctes (selon la variété du poisson traité).

HABILLER (ébarber, écailler, vider, laver)

REMARQUE

Seuls, les poissons de mer sont vidés sur les lieux de pêches.

BARBUE - TURBOT - TURBOTIN

● **ÉBARBER**

a) Supprimer à l'aide d'une paire de ciseaux, les nageoires du pourtour, en partant de la nageoire caudale (queue).

b) Eliminer aussi les petites nageoires pectorales situées de chaque côté des opercules, ainsi que la pelvienne située sous la tête.

● **ÉCAILLER** (Le turbotin n'a pas d'écailles, quant à la barbue toujours traitée en filets la peau est supprimée.)

● **VIDER**

a) Soulever les opercules, et à l'aide des ciseaux couper les branchies (ouïes) **sans couper** la partie attenante à la tête.

b) Vider du côté peau noire. Retirer ce qui subsiste.

c) Inciser à l'aide d'un couteau d'office et par l'ouverture pratiquée pour le vidage, la membrane située le long de l'arête interne, et éliminer avec le doigt la partie sanguinolente qui s'y trouve.

● **LAVER**

a) Laver à l'eau courante. Vérifier soigneusement l'intérieur.

COLIN

● **ÉBARBER**

a) Supprimer à l'aide d'une paire de ciseaux, les nageoires dorsales, les anales, ainsi que les pelviennes et pectorales, en partant de la nageoire caudale (queue).

● **ÉCAILLER**

a) Supprimer les écailles à l'aide d'un couteau, d'une valve de coquille Saint-Jacques ou d'un écailleur en partant de la queue et en remontant vers la tête. Les écailles étant imbriquées de la tête vers la queue.

331

FIG. 8

FIG. 9

FIG. 12

● **VIDER**

a) Soulever les opercules, et à l'aide des ciseaux couper les branchies (ouïes) **sans couper** la partie attenante à la tête.

b) Vider après avoir incisé la partie ventrale (de la tête à la partie anale).

c) Eliminer avec les doigts la membrane (peau fine) noirâtre qui « tapisse » l'intérieur abdominal.

d) Arracher avec les doigts la membrane située tout le long, et sous l'arête centrale, ainsi que le sang qui s'y trouve.

● **LAVER**

a) Laver soigneusement à l'eau courante. Vérifier l'intérieur s'il ne subsiste pas de parties noirâtres ou sanguinolentes.

MERLAN

● **ÉBARBER**

a) Supprimer à l'aide d'une paire de ciseaux, les nageoires dorsales, les anales, ainsi que les pelviennes et pectorales, en partant de la nageoire caudale (queue).

● **VIDER**

a) Prendre le poisson dans la main gauche, l'épine dorsale (dos) dans le creux de la main, la queue vers soi.

b) Soulever l'opercule gauche avec l'index et le glisser dessous.

c) Soulever à l'aide de l'index droit le deuxième opercule, et le passer par-dessus les branchies (ouïes), à la manière d'un crochet.

d) Arracher délicatement les branchies. Pour ce travail s'aider seulement des index et des pouces, et **ne pas arracher la partie attenante à la tête.**

e) Vider en partie par les opercules. Eviter de crever le ventre ou d'élargir l'ouverture déjà existante.

f) Pratiquer si cela est nécessaire, une légère incision de deux centimètres environ à la partie anale, pour vider et laver plus facilement l'intérieur.

● **LAVER**

a) Laver soigneusement à l'eau courante.

b) Eponger l'intérieur et l'extérieur à l'aide d'un torchon ou d'un papier absorbant.

FIG. 10   FIG. 11

FIG. 13   FIG. 14

SOLE (portion)

● ÉBARBER

a) Supprimer à l'aide d'une paire de ciseaux, les nageoires du pourtour, en partant de la nageoire caudale (queue).

b) Eliminer aussi les petites nageoires pectorales situées de chaque côté des opercules, ainsi que la pelvienne située sous la tête.

● ARRACHER

a) Poser la sole **sur la peau blanche,** la queue vers soi. A l'aide d'un couteau, pratiquer une petite incision sur la nageoire caudale. **Maintenir du bout des doigts de la main gauche l'extrémité** de la queue.

b) Gratter avec la lame du couteau en allant vers la tête, afin de décoller légèrement la peau.

c) Attraper cette peau du bout des doigts (et parfois avec un torchon afin que le poisson ne glisse pas).

d) Tirer vers la tête pour arracher entièrement la peau.

● ÉCAILLER

a) Poser la sole sur le dos (côté où se trouvait la peau éliminée). **Maintenir du bout des doigts de la main gauche l'extrémité de la queue.**

b) Eliminer à l'aide d'un couteau d'office (ou d'un couteau à filets de sole) les écailles. **Gratter de la caudale vers la tête,** les écailles étant imbriquées de la tête vers la queue.

● VIDER

a) Poser la sole **sur la peau blanche.** A l'aide d'un couteau pratiquer sur le côté droit (à 1 cm du bord) une incision de 4 à 6 cm de long.

b) Retirer à l'aide de la pointe d'un couteau d'office, les parties internes sanguinolentes et noirâtres, ainsi que les « poches à œufs » (selon les périodes).

c) Arracher les branchies (ouïes), avec la pointe du couteau.

● LAVER

a) Laver soigneusement à l'eau courante. Vérifier s'il ne subsiste aucun déchet à l'intérieur.

SOLE (filets)

REMARQUE. Cette sole subit les mêmes opérations préliminaires que la sole portion: ébarber, arracher **les deux peaux.** Elle est vidée **après avoir levé les filets.**

FIG. 15

FIG. 16

FIG. 1

TRUITE

- **ÉBARBER**

a) Supprimer à l'aide d'une paire de ciseaux, les nageoires dorsales, les anales, ainsi que les pelviennes et pectorales, en partant de la nageoire caudale (queue).

- **VIDER**

a) Prendre le poisson dans la main gauche, l'épine dorsale (dos) dans le creux de la main, la queue vers soi.
b) Pratiquer à l'aide d'un couteau d'office, une incision de 2 cm environ de la partie anale vers la tête.
c) Détacher le boyau (intestin) central, à l'aide de la pointe du couteau.
d) Soulever ensuite l'opercule gauche avec l'index et le glisser dessous.
e) Soulever à l'aide de l'index droit le deuxième opercule, puis avec le pouce arracher délicatement les branchies (ouïes). **Ne pas arracher** la partie attenante à la tête.
f) Vider en partie par les opercules.
g) Terminer à l'aide du couteau d'office, le vidage par la partie anale, en tirant sur le boyau central si celui-ci n'a pas été éliminé.
h) Racler ensuite à l'aide du manche d'une cuillère à café, l'intérieur (par l'incision anale) le long et sous l'arête centrale, afin d'éliminer les parties sanguinolentes qui subsistent.

- **LAVER**

a) Laver soigneusement et **rapidement** à l'eau courante, en passant le manche de la cuillère à l'intérieur. Ne pas laisser séjourner dans l'eau.

• 4. STOCKAGE

C'est au garde-manger que les poissons sont réservés rangés par catégories, soit dans un coffre ou un bac, soit dans des tiroirs métalliques inclus dans l'installation frigorifique (voir chapitre « Installation »). Seules les truites (vendues généralement vivantes) sont mises dans des bacs aménagés spécialement, dénommés « viviers ».

- **NOTA.** Il est à noter que la raie est le seul poisson qui est cuit dès sa livraison pour être réservé. Celle-ci ne supportant pas le séjour sur la glace.

La glace pilée (ou broyée) est toujours employée comme agent de conservation. Les poissons sont isolés de la glace par des toiles ou des torchons. Quotidiennement, la glace, les poissons, les toiles, sont rincés à l'eau courante afin de prévenir tout début d'altération. Ce travail est effectué chaque matin par le « Garçon de cuisine ».

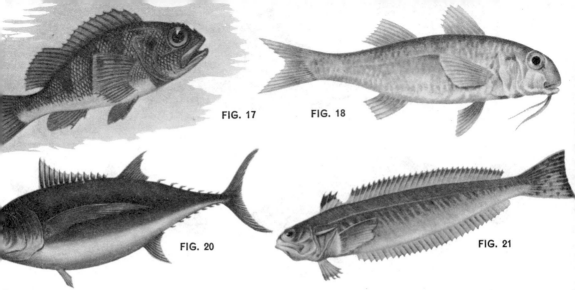

FIG. 17   FIG. 18

FIG. 20   FIG. 21

Il faut noter qu'un séjour trop prolongé sur la glace enlève aux poissons une partie de leur saveur, et que certains sujets supportent mal le stockage sur la glace (merlan, rouget, sardine, poissons d'eau douce...), alors que d'autres (barbues, sole, turbot...) se conservent assez bien plusieurs jours.

● 5. LEVER DES FILETS

Il est nécessaire, pour lever les filets des poissons, d'utiliser un couteau à lame flexible et pointue dénommé « filet de sole », (voir chapitre « LES COUTEAUX DE CUISINE »).

■ A. LES POISSONS PLATS — QUATRE FILETS (sauf la raie)

LES FILETS DE SOLE ●

● **TECHNIQUE:**

RECOMMANDATION PRÉLIMINAIRE

Cette technique se pratique à l'aide d'un couteau à filets de sole. Il est maintenu à plat et à pleine main. Le pouce légèrement allongé dans le prolongement de la lame et posé sur la virole.

a) Poser la sole (ou la barbue) sur la planche à découper, la caudale vers soi.

b) Inciser à l'aide du couteau à filets de sole, la chair le long de l'arête centrale, de la tête à la queue. **Bien contourner la tête.**

c) Glisser la lame et ciseler sous la chair du filet de gauche, en la maintenant bien à plat.

d) Pratiquer une incision, à 1 cm du bord gauche du filet en suivant les petites arêtes du tour (barbes), afin de « lever » (détacher) ce premier filet.

   REMARQUE. Le filet à lever se trouve toujours à gauche (opposé à la lame du couteau).

e) Tourner le poisson d'un demi-tour sur lui-même. La tête se trouve vers soi.

f) Glisser la lame sous le second filet et ciseler entre l'arête et la chair. Bien contourner la tête, et lever entiè-rement ce deuxième filet comme le premier.

g) Retourner le poisson sur l'autre face. Procéder comme pour les deux premiers filets.

h) **Supprimer les « barbes » qui peuvent encore subsister sur le bord extérieur des filets,** ainsi que les **parties sanguinolentes et noires.**

i) Aplatir les filets du côté chair, à l'aide d'une batte à côtelettes légèrement humide.

j) Retirer de l'arête les parties internes et sanguinolentes.

k) Mettre dans une calotte les filets et l'arête à dégorger à l'eau courante.

FIG. 22

F

FIG. 25

FIG. 26

LES FILETS DE BARBUE, TURBOT, TURBOTIN

● **TECHNIQUE:**

REMARQUE. La technique est identique à celle des filets de sole. La peau est seulement éliminée après cette opération.

PARER ET DÉTAILLER LES FILETS:

a) Poser à plat un filet sur la peau, le côté queue vers soi.

b) Pratiquer à l'aide d'un couteau à filets de sole, une petite incision sur la chair, à l'extrémité du filet (côté queue). **Maintenir le filet par la peau, du bout des doigts de la main gauche.**

c) Donner au couteau **un mouvement de scie** pour ciseler et séparer la chair de la peau. Maintenir la peau dégagée sur la planche à découper.

d) Pousser devant soi **en donnant le même mouvement** au couteau, afin de dégager entièrement le filet de la peau. **Celle-ci est toujours maintenue par la main gauche.**

e) Procéder de même avec les trois autres filets.

f) Eliminer les parties sanguinolentes et noires des filets, ainsi que les « barbes » situées sur le bord extérieur.

g) Détailler les filets en portions.

h) Aplatir légèrement à l'aide d'une batte à côtelette humide.

i) Mettre les filets et l'arête dans une calotte (ou dans un autre récipient).

j) Laisser dégorger à l'eau courante pendant 30 minutes environ.

■ B. LES POISSONS RONDS — DEUX FILETS

NOTA. La daurade et le saint-pierre, qui sont des poissons plats, mais qui possèdent seulement deux filets, se préparent comme les poissons ronds.

LES FILETS DE MERLAN, MAQUEREAU, COLIN...

● **TECHNIQUE**

a) Poser le poisson, l'épine dorsale (dos) tournée vers la droite, la nageoire caudale (queue) vers soi.

b) Inciser à l'aide d'un couteau à filets de sole chaque côté de l'arête centrale, de la tête jusqu'à la caudale.

c) Suivre délicatement l'arête de la tête vers la caudale, pour le premier filet.

d) Détacher (lever) ce filet de la tête, couper derrière l'opercule.

e) Suivre délicatement l'arête centrale.

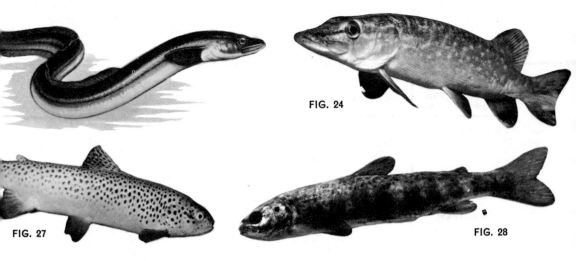

FIG. 24

FIG. 27

FIG. 28

f) Couper ensuite le long de la partie ventrale pour séparer entièrement le filet.
g) Retourner le poisson, la nageoire dorsale à droite, mais la tête se trouve alors vers soi.
h) Suivre une seconde fois l'arête.
i) Couper derrière l'opercule. Séparer ensuite entièrement de l'arête.
j) Eponger l'intérieur des filets à l'aide d'un torchon (ou d'un papier absorbant).
k) Eliminer en même temps la membrane noire qui subsiste parfois sur la partie ventrale.
l) Parer les filets si cela est nécessaire.

LES POISSONS DÉSARÊTÉS: GROS ÉPERLAN, MERLAN

● TECHNIQUE

a) Poser le poisson, l'épine dorsale (dos) tournée vers la droite, la nageoire caudale (queue) vers soi.
b) Inciser à l'aide d'un couteau à filets de sole chaque côté de l'arête centrale, de la tête jusqu'à la caudale.
c) Séparer l'arête centrale des deux filets, sans inciser la partie ventrale (les deux filets doivent être attenants entre eux.
d) Sectionner l'arête à l'aide d'une paire de ciseaux, avant la nageoire caudale et derrière la tête, afin de l'éliminer entièrement.
e) Poser le poisson ouvert et à plat.
f) Eponger l'intérieur à l'aide d'un torchon (ou d'un papier absorbant).
g) Eliminer en même temps la membrane noire qui subsiste parfois à l'intérieur.

LES POISSONS PLATS DÉSARÊTÉS: SOLE, BARBUE, TURBOT (pour farcir)

● TECHNIQUE

a) Poser le poisson côté peau blanche sur la table. La peau grise a été supprimée pour la sole.
b) Inciser au centre la chair, le long de l'arête centrale (de la tête à la queue).
c) Inciser ensuite en glissant la lame du couteau entre l'arête et le filet (de gauche), pour détacher celui-ci jusqu'à la naissance des petites arêtes qui prolongent l'arête centrale. (Ne pas couper le filet des bords extérieurs.)
d) Tourner le poisson d'un demi-tour sur lui-même (la tête se trouve alors vers soi), pour lever le deuxième filet.
e) Procéder comme pour le premier.
f) Supprimer l'arête centrale, la sectionner à la tête; la couper des petites arêtes du tour à l'aide d'une paire de ciseaux, puis la dégager des filets du dessous avec précaution.

6. TECHNIQUES DE PRÉPARATION

TECHNIQUE DE PRÉPARATION ET DE CUISSON	PORTION	FILETS	TRONÇONS DARNES	GROSSES PIÈCES	PETITES PIÈCES
A L'ANGLAISE	ÉPERLAN MERLAN SOLE	BARBUE MERLAN SAINT-PIERRE SOLE TURBOT TURBOTIN			
BRAISER		LOTTE THON	THON	ALOSE BARBUE BROCHET CARPE SAUMON TURBOT TURBOTIN	
AU BLEU	TRUITE				
FRIRE	LIMANDE MERLAN SOLE	BARBUE MERLAN SOLE TURBOTIN	ANGUILLE COLIN		ÉPERLAN GOUJON
GRILLER	DAURADE HARENG MAQUEREAU ROUGET SARDINE SOLE	BARBUE SOLE TURBOT TURBOTIN	ANGUILLE COLIN SAUMON TURBOT TURBOTIN THON	ALOSE BARBUE DAURADE TURBOT TURBOTIN	SARDINE
MEUNIÈRE	LIMANDE MERLAN ROUGET SOLE TRUITE	BARBUE DAURADE SAINT-PIERRE SOLE TURBOTIN	COLIN SAUMON		
AU PLAT	MERLAN SOLE	DAURADE SAINT-PIERRE		DAURADE	
POCHER	SOLE	BARBUE SOLE TURBOTIN	BARBUE COLIN RAIE SAUMON THON TURBOT	BARBUE BROCHET SAUMON TURBOT TURBOTIN	
EN SAUCE	SOLE TRUITE	BARBUE COLIN LOTTE SOLE THON TURBOTIN	ANGUILLE COLIN TURBOTIN	TURBOTIN	

● **NOTA.** Les **tronçons** sont des morceaux prélevés principalement sur les gros poissons plats; ex.: turbot, barbue, etc., et destinés à une personne. Les **darnes** sont des morceaux prélevés principalement sur les gros poissons ronds, ex.: colin, saumon, etc., et destinés à une personne.

A L'ANGLAISE

Préparation et cuisson qui s'appliquent:
— aux poissons portions,
— aux filets.

● TECHNIQUE (pour les filets)

a) Préparer l'anglaise: œufs entiers assaisonnés de sel fin et de poivre du moulin; ajouter un peu d'huile et mélanger le tout comme une omelette. (Par économie, on peut ajouter un peu d'eau froide ou un blanc d'œuf.)

b) Disposer ensuite sur une table, en partant de la gauche, une plaque avec un peu de farine, l'anglaise, puis une plaque avec de la mie de pain fraîche ou à défaut de la chapelure.

c) Passer le premier filet dans la farine. Secouer légèrement pour enlever l'excédent de farine.

d) Tremper ensuite dans l'anglaise (maintenir le filet du bout des doigts). Bien égoutter.

e) Rouler dans la mie de pain, taper sur le filet avec la paume de la main pour la faire adhérer.

f) Egaliser les bords du filet avec la partie plate d'une lame de couteau ou d'une spatule.

g) Marquer d'un quadrillage le côté de la chair, avec la partie non tranchante d'un couteau.

h) Mettre le filet sur une plaque ou sur un plat.

i) Répéter les mêmes opérations pour chaque filet.

j) Réserver jusqu'à la cuisson.

● TECHNIQUE (pour les poissons désarêtés)

a) Préparer l'anglaise, la farine et la mie de pain comme aux filets.

b) Ouvrir le poisson en le mettant bien à plat.

c) Pour le paner procéder comme aux filets.

d) Quadriller la partie intérieure du poisson, avec la partie non tranchante d'un couteau.

e) Réserver jusqu'à la cuisson.

● CUISSON

a) Mettre dans une poêle ovale une noix de beurre et un peu d'huile, pour éviter au beurre de brûler trop rapidement.

b) Faire chauffer doucement.

c) Poser les filets ou la pièce entière, la partie quadrillée en premier lieu dans le beurre chaud.

d) Laisser cuire doucement sur le coin du feu.

e) Retourner délicatement au bout de 4 à 5 minutes, lorsque le premier côté est bien doré, à l'aide d'une spatule.

f) Laisser cuire le second côté 3 à 4 minutes environ.

REMARQUE

Faire cuire doucement sur le coin du feu. Eviter d'obtenir une trop forte coloration.

● DRESSAGE

a) Dresser les filets ou la pièce entière sur plat long.

b) Disposer un citron historié à chaque extrémité du plat et un peu de persil frais en branches.

c) Servir avec beurre maître d'hôtel à part, en saucière, ou en rondelle, sur les filets ou la pièce.

● VARIANTES

DÉNOMINATIONS	COMPOSITION
DEJAZET	Servir avec beurre d'estragon et feuilles d'estragon blanchies.
GOURMANDE	Servir avec sauce béarnaise et lames de truffe sur chaque filet ou sur chaque poisson désarêté.
RICHELIEU	Servir avec beurre maître d'hôtel et lames de truffe.

BRAISER

Cuisson qui s'applique de préférence aux grosses pièces. Elle peut se réaliser soit au **vin blanc,** soit au **vin rouge.**

- **CUISSON (au vin blanc)**

a) Employer de préférence pour la cuisson un récipient muni au fond d'une grille. (Ceci permettra de retirer le poisson plus facilement sans le briser, lorsqu'il sera braisé.)
b) Beurrer largement le fond du récipient.
c) Assaisonner de sel fin et de poivre du moulin.
d) Ajouter échalotes, oignons et carottes finement émincés.
e) Coucher le poisson sur ce fonçage. Pour les poissons plats, la peau noire au-dessous; les poissons ronds, l'épine dorsale à gauche. Assaisonner légèrement le poisson.
f) Mouiller à mi-hauteur de la pièce avec du fumet de poisson et du vin blanc.
g) Préserver le dessus avec un papier sulfurisé beurré.
h) Mettre à cuire au four.
i) Arroser fréquemment en cours de cuisson. Le temps de cuisson est fonction de l'importance de la pièce.
j) Retirer la pièce au terme de la cuisson. Pour les poissons plats, ébarber. C'est-à-dire supprimer sur la partie circulaire les petites arêtes qui prolongent l'arête centrale. Pour les poissons ronds, retirer la peau.
k) Réserver au chaud sur un plat beurré.
l) Passer la cuisson au chinois sans fouler la garniture.
m) Faire réduire aux 4/5 dans une sauteuse.
n) Remuer fréquemment pour éviter à la réduction d'attacher au fond de la sauteuse.
o) Arrêter de faire réduire lorsque la réduction prend une teinte plus foncée et une consistance sirupeuse.
p) Ajouter de la crème fraîche.
q) Faire réduire une seconde fois, presque de moitié.
r) Adjoindre un peu de velouté de poisson.
s) Passer au chinois étamine.
t) Monter au beurre hors du feu, en l'incorporant petit à petit dans la sauce.
u) Vérifier l'assaisonnement.

- **CUISSON (au vin rouge)**

Première formule

a) Braiser le poisson comme au vin blanc, mais remplacer celui-ci par du vin rouge et par un fumet qui a été mouillé en partie avec du vin rouge.
b) Passer au chinois fin au terme de la cuisson.
c) Faire réduire aux 4/5 dans une sauteuse.
d) Remuer fréquemment pour éviter à la réduction d'attacher au fond de la sauteuse.
e) Arrêter de faire réduire lorsque la réduction prend une consistance sirupeuse.
f) Ajouter un peu de fond de veau lié.
g) Faire réduire une seconde fois.
h) Passer au chinois étamine.
i) Monter au beurre hors du feu, en l'incorporant petit à petit dans la sauce par un mouvement de rotation.
j) Vérifier l'assaisonnement.

Deuxième formule

a) Braiser comme ci-dessus.
b) Passer le fond de braisage au chinois au terme de la cuisson.
c) Faire bouillir et lier avec un beurre manié.
d) Laisser réduire légèrement.
e) Passer au chinois étamine.
f) Monter au beurre hors du feu, en l'incorporant petit à petit dans la sauce, par un mouvement de rotation.
g) Vérifier l'assaisonnement.

- **DRESSAGE**

a) La pièce étant bien égouttée (ébarber les poissons plats, retirer la peau aux poissons ronds), la dresser sur un plat de grandeur appropriée et convenablement beurré. Les poissons plats sont placés la peau blanche dessus, les poissons ronds la nageoire dorsale vers la droite.

b) Saucer légèrement la pièce. Eventuellement garnir avec les éléments concordants à l'appellation.

c) Servir le reste de la sauce en saucière.

AU BLEU

Cuisson s'appliquant exclusivement à la truite vivante.

- **PRÉPARATION PRÉLIMINAIRE**

a) Assommer, vider par les ouïes.

b) Mettre la truite dans un récipient.

c) Arroser de vinaigre. Le limon, matière visqueuse qui recouvre le corps du poisson, prend alors, au contact du vinaigre, une teinte bleuâtre, d'où le nom « au bleu ».

- **CUISSON**

a) Préparer un court-bouillon composé de carottes cannelées émincées, bracelets d'oignons, persil en branches, sel, un peu de thym, de laurier et poivre en grains.

b) Cuire 20 minutes environ.

c) Verser la truite et une partie du vinaigre dans la cuisson. Le contact de l'eau bouillante provoque un éclatement de la chair non mortifiée. La truite prend alors une forme tourmentée, recourbée.

- **DRESSAGE**

a) Poser la truite dans un petit plat creux en terre, ou de préférence, dans une petite saumonière bimétal.

b) Ajouter un peu de court-bouillon.

c) Adjoindre quelques pluches de persil frais.

d) Servir à part en saucière du beurre fondu et quelques pommes vapeur ou à l'anglaise.

FRIRE

Cuisson qui s'applique:
— aux poissons portions,
— aux filets,
— aux darnes - tronçons,
— aux petites pièces (fritures).

- **CUISSON**

REMARQUE

La préparation et la méthode de cuisson sont identiques pour tous les poissons. Seuls diffèrent la température de la friture et le temps de cuisson.

a) Mettre dans une petite plaque à débarrasser (ou dans un autre plat creux) du lait ou de la bière.

b) Saler au **sel fin.**

c) Mettre les poissons bien essuyés dans cette plaque.

d) Egoutter ensuite soigneusement, puis les rouler délicatement dans la farine.

e) Secouer légèrement afin d'enlever l'excès de farine.

NOTA. Après avoir été correctement farinées, les petites pièces (fritures) sont mises sur un tamis et secouées fortement pour enlever l'excès de farine.

f) Plonger les poissons dans la friture chaude (180°) pour les poissons portions: limandes, merlans, soles, darnes, tronçons, etc., afin d'obtenir une cuisson régulière exempte de carbonisation. Pour les petites pièces: éperlans, goujons, filets, etc., plonger dans la friture très chaude (200°), afin d'obtenir une cuisson rapide et des poissons croustillants.

g) Laisser frire jusqu'à ce que les poissons remontent à la surface.

h) Egoutter à l'aide d'une araignée ou retirer le panier s'ils ont été mis dessus.

i) Poser délicatement les poissons sur une plaque à débarrasser garnie d'un linge (ou d'un papier absor-bant).

j) Saupoudrer légèrement de sel fin en retournant les poissons sans les briser.

● DRESSAGE

REMARQUE

Les poissons longs et les tronçons sont dressés sur plat long plat.
Les fritures et les darnes sont dressées sur plat rond plat.

a) Disposer un papier gaufré (de taille et de forme adéquates) sur le plat de service.

b) Placer les poissons longs la **tête légèrement sur la gauche du plat, et dans la diagonale de celui-ci.**
Disposer les fritures en **« buissons ».**
Dresser les darnes en **couronne.**

c) Garnir les plats avec citrons historiés et bouquets de persil en branches frit.

● VARIANTES

Certains poissons de préférence en filets: merlans, soles, turbotins, etc., peuvent être panés à l'anglaise ou enrobés de pâte à frire.
Traités ainsi, ils sont accompagnés d'une **sauce tomate** ou d'une **sauce tartare** ou d'un **beurre composé.**

GRILLER

Cuisson qui s'applique:
— aux poissons portions entiers,
— aux filets,
— aux darnes-tronçons,
— aux grosses pièces,
— aux petites pièces.

● PRÉPARATION PRÉLIMINAIRE

RECOMMANDATION

● Les pièces **sont soigneusement épongées.** Elles sont ensuite mises « à mariner » (voir chapitre « LES MARINADES - INSTANTANÉES, utilisées pour les poissons grillés) avant d'être grillées.

● Pour les poissons ayant séjourné sur la glace, il est préférable de les mettre à mariner après le « quadril-lage » des pièces — présentation agréable.

● D'autre part, afin d'obtenir de meilleurs résultats dans le quadrillage (pour éviter à la peau des poissons de coller sur le gril) — bel aspect de présentation — il est recommandé de fariner les pièces avant de les huiler. Ce qui n'exclu pas que certains poissons gras demandent à être particulièrement farinés: maque-reaux, harengs, rougets, etc.

● CUISSON

REMARQUE

Tous les poissons subissent la **même technique de cuisson.** Seul diffère le temps de cuisson selon la nature, le volume et la forme de la pièce.
Il est fréquent aussi de **quadriller seulement** les gros poissons: bar, daurade, mulet, turbotin, etc., et terminer la cuisson au four. Ce principe s'applique aussi aux autres poissons: portions, darnes, tronçons, etc., pour faciliter le « service » et éviter l'attente. Les poissons sont mis au four à la commande.

a) Huiler les barreaux ou la plaque du gril à l'aide d'un pinceau.

b) Poser les poissons sur le gril chaud, pour les petites pièces; sur gril à feu modéré pour les grosses pièces; sur gril très chaud lorsque les pièces sont seulement quadrillées puis terminées au four.
NOTA. Tous les poissons plats (sauf la daurade et le Saint-Pierre qui se posent comme les poissons ronds) sont posés sur la peau blanche en premier; les poissons ronds-longs sont posés l'épine dorsale à gauche.

c) Badigeonner fréquemment les pièces en cours de cuisson, à l'aide d'un pinceau huilé.

d) Donner un quart de tour aux poissons pour opérer le quadrillage effectué par les barreaux ou les rainures du gril.

   REMARQUE. Les différentes manipulations des poissons sur le gril, s'effectuent à l'aide d'une spatule en acier, ou d'une fourchette (en piquant près de la tête, entre les deux filets), ou simplement avec les mains.

e) Assaisonner la face crue de sel fin et de poivre du moulin.

f) Huiler la face crue avant de retourner les poissons.

g) Retourner délicatement au bout d'un « laps de temps » déterminé par la nature des pièces.

h) Assaisonner la face cuite.

i) Quadriller le second côté en répétant les mêmes opérations que le premier.

● DRESSAGE

a) Poser les poissons sur un plat long, légèrement beurré, pour les poissons plats et ronds; sur un plat rond plat pour les darnes. Le plat peut être garni facultativement en place d'être beurré, d'un papier gaufré de même dimension que le plat.

REMARQUE

Les poissons sont disposés:
— pour les poissons plats: côté peau blanche visible, la tête légèrement placée sur la gauche du plat, dans la diagonale de celui-ci;
— pour les poissons ronds-longs: l'épine dorsale tournée vers la droite, la tête légèrement placée sur la gauche du plat;
— pour les darnes: le premier côté quadrillé visible, disposées en couronne.

b) Lustrer (badigeonner) la surface des poissons avec un peu de beurre clarifié, à l'aide d'un pinceau, afin de les rendre « plus brillants ».

c) Disposer du côté tête un petit bouquet de persil en branches frais.

d) Garnir le plat avec citrons « historiés ».

e) Servir à part la sauce ou le beurre composé.

● VARIANTES

● Les poissons grillés sont toujours accompagnés soit d'une sauce béarnaise, Choron, moutarde, etc., soit d'un beurre composé: maître d'hôtel, d'anchois, etc.

● Certains sont au préalable panés (passés au beurre fondu, puis dans la mie de pain fraîche) avant d'être grillés. Ex.: le filet de turbotin Saint-Germain

MEUNIÈRE

● CUISSON

Cuisson qui s'applique:
— aux poissons portions,
— aux filets,
— aux darnes-tronçons.

a) Eponger la pièce pour enlever l'excès d'humidité.

b) Assaisonner des deux côtés, sel fin et poivre du moulin.

c) Passer dans la farine. Secouer légèrement pour enlever l'excès de farine.

d) Mettre à cuire dans une poêle ovale (réservée uniquement à la cuisson des poissons meunière) avec un peu de beurre et d'huile, pour éviter au beurre de brûler trop rapidement.

e) Poser délicatement le poisson dans le beurre et l'huile chaude.

   REMARQUE. Tous les poissons plats sont posés la peau blanche en premier. Les poissons ronds sont posés l'arête dorsale à gauche.

f) Cuire doucement pendant 5 minutes environ sur le coin du feu.

g) Retourner sur l'autre face à l'aide d'une spatule, lorsque le premier côté est bien doré.

h) Laisser cuire ensuite 5 minutes sur le second côté.

REMARQUE

Il est fréquent, pour les pièces assez épaisses: merlan, rouget, etc., de terminer la cuisson au four.

● DRESSAGE

a) Au terme de la cuisson, disposer la pièce sur un plat préalablement beurré, afin d'éviter au poisson d'attacher.

REMARQUE. Tous les poissons plats sont disposés sur le plat de service, la peau blanche sur le dessus. Les poissons ronds sont posés sur l'épine dorsale à droite.

b) **Au moment de servir,** mettre dans une petite poêle un morceau de beurre. Faire chauffer.

c) Arroser le poisson avec un petit jus de citron.

d) **Surveiller attentivement** le beurre. Dès qu'il commence à prendre une couleur noisette, le verser sur le poisson, il doit alors mousser.

e) Placer sur le poisson une rondelle de citron pelé à vif saupoudrée d'un peu de persil haché.

REMARQUE

Le bord du plat peut être festonné à l'avance de demi-tranches de citron cannelé.

● VARIANTES

Les poissons meunière peuvent être garnis: de champignons, de queues de crevettes décortiquées, de courgettes frites, de tomates, etc.

AU PLAT

Cuisson qui s'applique:
— aux poissons portions,
— aux filets,
— aux darnes-tronçons,
— aux grosses pièces,
— etc.

● CUISSON

a) Beurrer largement le plat de cuisson. Ce plat sert aussi de plat de service.

b) Poser le poisson.

c) Assaisonner de sel fin et de poivre du moulin.

d) Mouiller la pièce à mi-hauteur avec du fumet de poisson et du vin blanc sec.

e) Commencer la cuisson à couvert sur le feu.

f) Terminer à découvert au four. Arroser fréquemment.

Au terme de la cuisson, celle-ci doit être réduite et sirupeuse, et doit glacer le poisson.

● DRESSAGE

Le poisson est toujours servi dans son plat de cuisson.

POCHER

Cuisson qui s'applique:
— aux poissons portions,
— aux filets,
— aux darnes-tronçons,
— aux grosses pièces.

Selon la chair et la provenance du poisson (de mer ou d'eau douce), quatre techniques de cuisson sont employées.

● CUISSON

Colin, sole

a) Mouiller le poisson à hauteur **à l'eau froide.**

b) Ajouter un citron pelé à vif et taillé en tranches.

c) Assaisonner de gros sel.

d) Porter à ébullition.

e) Laisser frémir sur le coin du feu.

344

Barbue, turbot

a) Mouiller le poisson à hauteur **à l'eau froide.** S'il s'agit d'un poisson plat entier, la peau noire dessous.
b) Ajouter un citron pelé à vif et taillé en tranches.
c) Assaisonner de gros sel.
d) Adjoindre un peu de lait bouilli froid. Le lait a pour but d'obtenir une chair plus blanche.
e) Porter à ébullition.
f) Laisser frémir sur le coin du feu.

Brochet

a) Préparer un court-bouillon composé: d'eau, de sel, de vinaigre, de carottes et d'oignons émincés, d'un bouquet garni, poivre en grains.
b) Porter à ébullition.
c) Laisser cuire environ 20 minutes.
d) Laisser refroidir au terme de la cuisson. Ce court-bouillon a pour but de parfumer les chairs des poissons d'eau douce, toujours fades.
e) Mouiller le poisson à hauteur.
f) Porter à ébullition.
g) Laisser frémir sur le coin du feu.

Saumon

a) Mouiller le poisson à hauteur **à l'eau froide.**
b) Ajouter un citron pelé à vif et taillé en tranches.
c) Adjoindre un bouquet garni.
d) Assaisonner de gros sel.
e) Porter à ébullition.
f) Laisser frémir.

REMARQUE

Il est recommandé de mettre dans le court-bouillon des poissons d'eau douce, 10 minutes avant la fin de la cuisson, quelques grains de poivre.

● RECOMMANDATIONS GÉNÉRALES

— Il faut toujours mouiller les poissons à pocher avec un court-bouillon froid ou de l'eau froide.
— Ne jamais plonger les poissons à cuire dans une cuisson bouillante, ce qui provoque une contraction superficielle de la chair, et empêche la pénétration de la chaleur à l'intérieur et retarde la cuisson. Pour les gros sujets, elle provoque un éclatement de la chair qui nuit à la présentation.
— Porter progressivement à l'ébullition.
— Le temps de pochage est fonction de l'importance de la pièce traitée.
— Opérer la cuisson à une température voisine de 95° environ (léger frémissement).
— Eviter de mettre dans le court-bouillon du saumon du vinaigre, celui-ci pouvant atténuer la couleur caractéristique de ce poisson.
— Les poissons pochés servis froids sont refroidis dans leur court-bouillon. Débarrassés ensuite de leur peau.

● DRESSAGE

a) Egoutter soigneusement la pièce.
b) Dresser dans le plat de service sur serviette, avec persil en branches et citron pour les poissons de mer. Pommes vapeur, ou à l'anglaise, à part.
Sauce d'accompagnement: hollandaise, mousseline, beurre fondu, beurre blanc, etc.

EN SAUCE

Cuisson qui s'applique:

— aux poissons portions,
— aux filets,
— aux darnes-tronçons,
— aux grosses pièces.

● TECHNIQUE

a) Beurrer une plaque à poisson.
b) Assaisonner de sel fin et de poivre du moulin.
c) Parsemer d'échalotes finement ciselées.

d) Ajouter éventuellement la garniture: champignons, tomates concassées, persil haché, etc.
e) Poser le poisson ou les filets dégorgés au préalable à l'eau courante et bien épongés.
f) Assaisonner à nouveau le poisson.
g) Mouiller à mi-hauteur avec vin blanc et fumet de poisson.
h) Couvrir d'un papier sulfurisé beurré (ou d'une feuille d'aluminium) pour préserver le dessus du poisson pendant la cuisson.

● CUISSON

a) Porter à ébullition sur le feu.
b) Terminer la cuisson à four doux.
c) Passer au chinois étamine au terme de la cuisson.
● **NOTA.** Plusieurs formules sont employées pour confectionner la sauce. Nous en citerons deux parmi les meilleures.

Première formule

d) Mettre la cuisson dans une sauteuse.
e) Faire réduire la cuisson en plein feu.
f) Surveiller attentivement la réduction. De temps en temps donner quelques petits coups de fouet, afin d'éviter qu'elle attache au fond du récipient.
g) Laisser réduire jusqu'aux 4/5.
h) **REMARQUE.** La réduction prend alors une légère teinte plus foncée et plus onctueuse.
i) Ajouter de la crème fraîche.
j) Laisser réduire une seconde fois. Remuer de temps en temps pour éviter à la sauce d'attacher au fond du récipient.
k) Laisser réduire la crème presque de moitié.
l) Vérifier la liaison avec le dos d'une cuillère. La sauce doit être nappante, elle enveloppe entièrement la cuillère.
m) Retirer alors la sauteuse du feu.
n) Incorporer ensuite dans la sauce du beurre en parcelles, par un mouvement de rotation du récipient.
o) Vérifier l'assaisonnement.

Deuxième formule

Reprendre la première formule jusqu'à la réduction de la crème fraîche et ajouter un peu de velouté de poisson. Terminer ensuite de la même façon.

REMARQUE

Certains professionnels ajoutent aux sauces poisson un peu de sauce hollandaise. Cette méthode a de nombreux partisans. Par cette adjonction, ils obtiennent des sauces qui colorent très rapidement sous la salamandre (glaçage), mais elles se dissocient au moindre bouillonnement.

● DRESSAGE

a) Dresser le poisson ou les filets sur le plat de service beurré.
   REMARQUE. La peau de certains poissons, comme la truite, le colin, est retirée délicatement après la cuisson.
b) Garnir éventuellement le dessus avec la garniture.
c) Mettre le plat quelques secondes à chauffer au four, avec un papier sulfurisé beurré dessus (afin d'éviter au poisson ou aux filets de sécher).
d) Napper de sauce à l'aide d'une cuillère ou d'une petite louche.

REMARQUE

Certaines préparations sont parfois glacées sous la salamandre.
Un fleuron posé sur le bord du plat les accompagne facultativement.

● VARIANTES

Toutes ces sauces dites **vin blanc** reçoivent des garnitures suivant les recettes désirées: queues de crevettes décortiquées, moules, champignons, truffes, etc.

CRUSTACÉS

● Les crustacés comme les coquillages n'occupent pas une place prépondérante dans l'alimentation, par le fait de leur prix élevé.

● 1. CLASSIFICATION

CRUSTACÉS DE MER		CRUSTACÉ D'EAU DOUCE	
ARAIGNÉE DE MER	fig. 1	ÉCREVISSE	fig. 8
CREVETTE	fig. 2		
ÉTRILLE	fig. 3		
HOMARD	fig. 4		
LANGOUSTE	fig. 5		
LANGOUSTINE	fig. 6		
TOURTEAU	fig. 7		

● 2. CARACTÉRISTIQUES DE FRAICHEUR

Ils doivent être achetés **bien vivants, bien vigoureux,** à l'exception des langoustines qui sont livrées en caissettes sur de la glace, et des crevettes qui peuvent être cuites. Choisir de préférence les sujets les plus lourds, à équivalence de taille. Les homards et les tourteaux doivent avoir leurs pinces. La chair d'un sujet mort se liquéfie, elle s'écoule sous forme d'un liquide transparent mucilagineux.

FIG. 1

FIG. 2

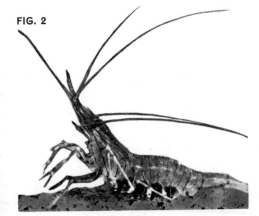

FIG. 3

347

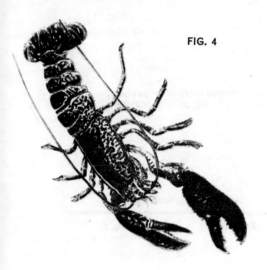

FIG. 4

FIG. 5

• 3. TECHNIQUES DE PRÉPARATION

Tous les crustacés que nous donnons sont traités par les mêmes préparations de base. Seul le temps de cuisson reste fonction de leur importance.

TECHNIQUES DE PRÉPARATION ET DE CUISSON	CRUSTACÉS DE MER	CRUSTACÉ D'EAU DOUCE
AMÉRICAINE	ÉTRILLE HOMARD LANGOUSTE LANGOUSTINE	ÉCREVISSE
BISQUE	ÉTRILLE HOMARD LANGOUSTE LANGOUSTINE	ÉCREVISSE
FRIRE	LANGOUSTINE	
POCHER (au court-bouillon et servis froids)	ARAIGNÉE DE MER CREVETTE ÉTRILLE HOMARD LANGOUSTE LANGOUSTINE TOURTEAU	ÉCREVISSE
GRILLER	HOMARD LANGOUSTE	

A L'AMÉRICAINE

● PRÉPARATION PRÉLIMINAIRE

Nous avons pris comme exemple le homard, qui en est le type même pour ce genre de préparation. La technique est donnée pour 800 à 900 g de homard pour 2 personnes.

FIG. 6

FIG. 7

a) Laver le homard à l'eau courante. Le brosser si cela est nécessaire.
b) Tronçonner la queue aux articulations.
c) Fendre le coffre en deux, dans le sens de la longueur.
d) Couper les pattes. Fendre le test des pinces pour faciliter l'extraction de la chair après la cuisson.
e) Retirer la poche membraneuse, à hauteur de la tête, qui contient la substance pierreuse.
f) Recueillir et réserver au frais les intestins et le corail (partie verte qui se trouve dans le coffre) dans une terrine.

● **CUISSON**

a) Assaisonner les tronçons de sel fin et de poivre du moulin.
b) Faire chauffer dans un plat à sauter 5 cl d'huile et une noix de beurre environ.
c) Faire sauter vivement les tronçons en plein feu, jusqu'à ce que la carapace ait pris une couleur rouge incarnat.
d) Dégraisser (retirer la matière grasse) en penchant le plat à sauter.
e) Faire suer, parallèlement dans une sauteuse, avec un peu d'huile, une Mirepoix (100 g de rouge de carotte et 50 g d'oignon taillés en petits dés).
f) Ajouter cette Mirepoix dans le homard.
g) Adjoindre 2 cuillerées à potage d'échalotes finement ciselées. Mélanger le tout.
h) Mettre 3 à 4 gousses d'ail écrasées.
i) Flamber avec 5 cl de cognac.
j) Mouiller de 2 dl de vin blanc et de 2 dl environ de fumet de poisson.
k) Ajouter 2 à 3 tomates fraîches concassées, 1 cuillerée à potage de tomate concentrée, un petit bouquet garni et une pointe de poivre de Cayenne.
l) Laisser cuire à couvert 20 minutes environ.
m) Décanter au terme de la cuisson (retirer les tronçons de homard sur un plat, les réserver au chaud).
n) Réduire le fond de cuisson du tiers de son volume.
o) Lier ce fond avec les intestins et le corail qui auront été travaillés au préalable avec 50 g de beurre, une pincée d'estragon haché et une cuillerée à potage de farine.
p) Cuire encore quelques minutes.
q) Passer la sauce au chinois étamine.
r) Ajouter hors du feu 50 g de beurre environ.
s) Vérifier l'assaisonnement.
t) Verser la sauce sur les morceaux de homard.
u) Maintenir au chaud.
v) Saupoudrer de cerfeuil et d'estragon hachés au moment de servir.

REMARQUE

Le homard peut être servi décortiqué, ce qui facilite le service et évite aux convives de se salir les doigts.

BISQUE

FIG. 8

Voir chapitre « LES POTAGES ».

FRIRE

Procéder comme les poissons frits.
Voir chapitre « LES POISSONS ».

POCHER

(au court-bouillon et servis froids)

Tous les crustacés servis froids doivent être mis à cuire dans un court-bouillon en ébullition et fortement aromatisé, sauf les crevettes qui demandent une cuisson différente.

● CUISSON

(tous les crustacés sauf les crevettes)

a) Réunir dans un récipient, pour 5 litres environ de court-bouillon: 5 litres d'eau et 1/4 de litre de vinaigre.
b) Ajouter 400 à 500 g de carottes et autant de gros oignons émincés.
c) Saler à raison de 75 à 80 g de gros sel.
d) Adjoindre du thym, du laurier et quelques queues de persil.
e) Faire bouillir 20 minutes environ.
f) Plonger ensuite les sujets (lavés au préalable) dans le court-bouillon bouillant.
g) Cuire environ 20 à 30 minutes par kilo.

  REMARQUE. Les langoustines et les écrevisses étant plus petites que l'ensemble des autres crustacés demandent moins de temps de cuisson, soit 10 à 12 minutes d'ébullition.

h) Ajouter 20 g de poivre en grains dix minutes avant la fin de la cuisson.
i) Laisser refroidir au terme de la cuisson les crustacés dans leur court-bouillon.

Crevettes

a) Mettre dans un récipient, pour 5 litres d'eau, 150 g environ de gros sel, du thym et du laurier.

  REMARQUE. Il est préférable, lorsque les possibilités s'y prêtent, de faire cuire les crevettes à l'eau de mer passée au chinois fin ou à l'étamine.

b) Faire bouillir.
c) Jeter les crevettes.

  REMARQUE. Il est courant, afin de faire reprendre l'ébullition plus rapidement, de plonger au milieu des crevettes qui viennent d'être mises en cuisson le rond du fourneau ou un pique-feu rougi.

d) Egoutter les crevettes dès la reprise de l'ébullition.

GRILLER

● CUISSON

a) Fendre le crustacé vivant en deux, dans le sens de la longueur. Briser légèrement le test des pinces lorsqu'il s'agit d'un homard.
b) Assaisonner de sel fin et de poivre du moulin.
c) Arroser d'huile.
d) Faire griller doucement, en comptant 15 minutes environ pour un crustacé de 400 à 500 g.
e) Servir avec beurre fondu ou autres sauces de poissons grillés.

COQUILLAGES

● Les coquillages se divisent en deux groupes, différenciés par leur coquille.

● 1. CLASSIFICATION

GROUPE	COQUILLAGES DE MER		COQUILLAGE TERRESTRE	
BIVALVES	COQUE	fig. 1		
	HUITRE	fig. 2		
	MOULE	fig. 3		
	PALOURDE	fig. 4		
	PRAIRE	fig. 5		
	SAINT-JACQUES	fig. 6		
UNIVALVES	BIGORNEAU	fig. 7	ESCARGOT	fig. 9
	ORMEAU	fig. 8		

● 2. CARACTÉRISTIQUES DE FRAICHEUR

● Les coquillages se consomment obligatoirement dans un parfait état de fraîcheur, et surtout bien sains.

TRÈS IMPORTANT

● Rejeter systématiquement tous les coquillages bivalves entrouverts, qui ne se referment pas au moindre toucher ou à la percussion.
Eliminer ceux pleins de vase ou putréfiés qui restent fermés.
● **NOTA.** Les Saint-Jacques ainsi que les pétoncles survivent plusieurs jours, bien que leurs coquilles soient ouvertes.
● Odeur agréable.
● Rétraction du bord du manteau (franges du pourtour) après ouverture. C'est l'indice que l'animal est bien vivant.
● Son mat au lavage, brassage dans l'eau (moules coques).
Tous les emballages des coquillages doivent être munis d'une étiquette de garantie de salubrité délivrée par l'INSTITUT SCIENTIFIQUE ET TECHNIQUE DES PÊCHES MARITIMES portant la date d'expédition ainsi que le numéro du calibre.

FIG. 1

FIG. 2

FIG. 3

● 3. TECHNIQUES DE PRÉPARATION

■ A. LES COQUILLAGES BIVALVES DE MER

LES COQUES

● **PRÉPARATION PRÉLIMINAIRE**

a) Ne se grattent pas. Les laver simplement, plusieurs fois à grande eau, en les brassant vigoureusement pour les débarrasser des grains de sable qu'elles renferment.
b) Les égoutter aussitôt lavées. Ne pas les laisser séjourner trop longtemps dans l'eau, elles risquent de s'ouvrir et de rejeter en partie leur eau de mer.

● **CUISSON**

Elles se traitent surtout « à la marinière », comme les moules (voir plus loin).

● **DRESSAGE**

Elles sont servies en timbales, ou en soupières, parfois débarrassées de leur coquille supérieure.

● **VARIANTES**

Décortiquées, elles peuvent être servies dans les hors-d'œuvre, assaisonnées de sauce mayonnaise.

LES HUITRES

● **PRÉPARATION PRÉLIMINAIRE (crues)**

a) Ne se grattent pas, et ne se lavent pas avant de les ouvrir.
b) Ne les ouvrir qu'au moment de les servir, à l'aide d'un couteau spécial (couteau à huîtres).
c) Glisser la lame avec force en partant du talon de l'huître (charnière des valves).
d) Rompre le ligament.
e) Couper le muscle adducteur.
f) Lever le couvercle.
g) Eliminer les petites écailles qui peuvent se produire pendant l'ouverture.

● **DRESSAGE**

Elles sont servies sur un lit de glace pilée, accompagnées de citron ou d'une sauce échalote: vinaigre et échalote finement ciselée, et de tartines de pain de seigle beurrées.

FIG. 4   **FIG. 5**

● **PRÉPARATION PRÉLIMINAIRE (cuites)**

a) Les ouvrir comme ci-dessus.
b) Décoller délicatement l'animal de sa coquille concave.
c) Réserver dans une terrine.

● **CUISSON**

Les pocher rapidement avec leur eau de mer, un peu de vin blanc et d'échalote finement ciselée. Les ébarber. La cuisson est fréquemment réservée pour confectionner la sauce. Elles sont presque toujours gratinées.

● **DRESSAGE**

Les huîtres sont dressées dans leurs coquilles concaves nettoyées et brossées au préalable.

LES MOULES

● **PRÉPARATION PRÉLIMINAIRE**

a) Gratter à l'aide d'un couteau d'office et débarrasser soigneusement les balanes (genre de petits crustacés) et les serpules (genre de petits verts vivant dans un tube calcaire), fixées sur les coquilles.
b) Arracher le byssus (faisceau de filaments fixateurs).
c) Mettre les moules dans un grand récipient.
d) **Laver plusieurs fois à grande eau.**
e) **Brasser vigoureusement,** afin de les débarrasser du sable qu'elles renferment.
f) Egoutter les moules à chaque lavage, à l'aide d'une araignée (ou d'une écumoire ou avec les mains), afin de les séparer du sable qui se dépose au fond du récipient.
g) Egoutter ensuite dans une passoire.

   REMARQUE. Ne pas les laisser séjourner très longtemps dans l'eau. Elles risquent de s'ouvrir et de rejeter en partie leur eau de mer.

h) Les réserver au frais jusqu'au moment de leur cuisson.

● **CUISSON**

Les différentes recettes qui leur sont applicables découlent, presque toutes, de la formule dite « à la marinière ».

a) Mettre les moules bien égouttées dans une russe (ou dans une casserole).
b) Ajouter du vin blanc.
c) Adjoindre de l'échalote finement ciselée ainsi que du persil haché.
d) Assaisonner de poivre du moulin.
e) Ajouter du beurre coupé en morceaux.
f) **Cuire à couvert** (avec un couvercle) et en plein feu **pendant 6 à 8 minutes environ.**
g) Remuer ou faire sauter délicatement de temps en temps en cours de cuisson.
h) Retirer du feu lorsque les moules s'entrouvrent largement.

FIG. 6  FIG. 7

- **DRESSAGE**

a) Dresser les moules à l'aide d'une écumoire, dans les «timbales» ou soupières ou bi-métaux de service.

b) Débarrasser de leur coquille supérieure les moules situées sur le dessus.

c) Ajouter au fond de cuisson (bouillant) du beurre, en l'incorporant par petits morceaux par un mouvement de rotation du récipient.

d) **Laisser reposer la cuisson** ainsi préparée 1 à 2 minutes, afin de permettre au sable qui peut subsister de se déposer au fond.

e) Verser doucement la cuisson sur les moules, à l'aide d'une petite louche. **Eviter de mettre le fond.**

f) Saupoudrer de persil haché au départ.

g) Servir bien chaud.

- **VARIANTES**

Parfois elles sont décortiquées, ébarbées pour être servies en « pilaf », en beignets ou comme garniture pour poissons en sauce.
Elles sont parfois consommées crues.

LES PALOURDES

- **PRÉPARATION**

Elles s'ouvrent sensiblement comme les huîtres et se consomment comme celles-ci.

LES PRAIRES

- **PRÉPARATION**

Elles s'ouvrent et se consomment comme les huîtres.

LES SAINT-JACQUES

- **PRÉPARATION PRÉLIMINAIRE**

a) Tenir les coquilles la partie concave dans le creux de la main, la charnière opposée à soi.

b) Introduire **avec précaution** la lame **(rigide)** d'un couteau entre les deux coquilles.

c) Décoller (en grattant) la « noix » (partie blanche et comestible) qui adhère sur la coquille plate (couvercle). Cette coquille se soulève toute seule lorsque la noix est décollée.

   REMARQUE. Il est parfois nécessaire, lorsque les coquilles sont ouvertes, de les passer sous l'eau pour éliminer une partie du sable qui s'y trouve.

d) Décoller (détacher) délicatement à l'aide d'une cuillère à potage, les noix qui adhèrent sur les coquilles creuses.

FIG. 8

FIG. 9

e) Mettre les Saint-Jacques au fur et à mesure dans une calotte (ou autre récipient).

f) Eliminer avec précaution (afin de ne pas abîmer les noix) à l'aide des doigts, la membrane et les franges qui entourent les noix, ainsi que la partie noirâtre (sorte de petite boule).

g) Réserver aussi la partie orangée dénommée « corail » (sorte de petite « langue ») qui est très développée à une certaine période de l'année.

h) Nettoyer (toujours avec les mains) soigneusement noix et coraux à **plusieurs eaux,** afin de les séparer du sable qui se dépose au fond du récipient.

i) Laisser dégorger à l'eau courante pendant 20 minutes environ.

j) Brosser et laver avec précaution les coquilles creuses (valves concaves), ayant une taille raisonnable de 12 cm environ de diamètre, de la charnière au bord extérieur. Ces coquilles sont conservées pour le dressage des Saint-Jacques, lorsque ces dernières ont reçu leur apprêt culinaire ou pour le service de toutes préparations chaudes ou froides, dites « en coquilles ».

● CUISSON

Elle relève de trois procédés: POCHER, SAUTER, GRILLER.

Pocher (cuisson 5 minutes environ)

a) Egoutter dans une passoire les Saint-Jacques, **avec les mains,** afin de les séparer du sable qui s'est déposé au fond du récipient.

b) Mettre les noix et les coraux dans une sauteuse (ou dans une casserole) avec des échalotes ciselées, un petit bouquet garni, du vin blanc et du fumet de poisson (ou d'eau).

c) Assaisonner de sel fin et de poivre du moulin.

d) Cuire doucement à couvert pendant 5 à 6 minutes environ.

e) Débarrasser avec la cuisson dans un récipient en inox (ou dans une terrine).

● DRESSAGE

Il faut, pour dresser une coquille, plusieurs noix et coraux.

a) Couper les noix en tranches, perpendiculairement aux fibres de la chair (c'est-à-dire en rondelles).

b) Escaloper les coraux s'ils sont gros.

c) Garnir l'intérieur d'une valve concave de noix et de coraux détaillés. Mettre au préalable un peu de sauce d'accompagnement au fond.

d) Ajouter la garniture sous forme de queues de crevettes décortiquées, de moules pochées ébarbées, de champignons de Paris escalopés et pochés, etc.

e) Napper de la sauce d'accompagnement.

f) Faire gratiner ou glacer sous la salamandre.

Sauter

a) Assaisonner de sel fin et de poivre du moulin les noix et les coraux.

b) Passer dans la farine.

c) Secouer sur un tamis pour enlever l'excédent de farine.

d) Faire sauter dans une poêle, avec une noix de beurre et un peu d'huile, pour éviter au beurre de brûler trop rapidement.

e) Cuire comme un poisson meunière (voir chap. « LES POISSONS »).

- **DRESSAGE**

Dresser dans une coquille ou dans un petit légumier.

- **VARIANTES**

DÉNOMINATION	COMPOSITION
BORDELAISE	Sauter avec échalotes finement ciselées.
PROVENÇALE	Sauter avec persillade.

Griller

Selon le goût, l'occasion et les produits employés, les brochettes peuvent être diversifiées.
a) Embrocher soigneusement noix et corail sur brochette spéciale. Les noix sont piquées dans le sens diamètre.
b) Intercaler selon les préparations, de grosses moules (d'Espagne, de corde, ...) ou d'huîtres pochées, de tête de champignon, de filet de poisson à chair ferme (turbot, lotte, ...) de queues de langoustines décortiquées...
c) Mariner avec huile, citron, thym, laurier, assaisonnement.
   REMARQUE. Selon les préparations on peut ajouter: curry, safran, paprika, sauce de soja, etc.
d) Cuire comme un poisson grillé.

- **DRESSAGE**

Dresser sur plat avec brochettes; sauce d'accompagnement à part: béarnaise, choron, beurre blanc, etc.

■ B. LES COQUILLAGES UNIVALVES DE MER

LES BIGORNEAUX

- **PRÉPARATION**

Ils se préparent comme les coques.
En général, les bigorneaux vendus sur les marchés sont toujours cuits.

- **DRESSAGE**

Ils sont dressés en raviers et servis froids, accompagnés de tartines de pain de seigle beurrées.

- **NOTA.** Pour les consommer, on les extrait de leur coquille avec une épingle.

LES ORMEAUX

- **PRÉPARATION PRÉLIMINAIRE**

a) Décoller l'animal de sa coquille.
b) Laver simplement plusieurs fois à grande eau, en les brassant vigoureusement, pour les débarrasser du sable qu'ils renferment.
c) La chair étant coriace, celle-ci demande à être longuement battue à l'aide d'une batte ou d'un pilon.

- **CUISSON**

a) Escaloper les noix.
b) Assaisonner de sel fin et de poivre du moulin.
c) Passer dans la farine.
d) Les secouer sur un tamis pour enlever l'excédent de farine.
e) Faire sauter dans une poêle, comme un poisson meunière.

- **DRESSAGE**

Dresser dans un petit légumier.

■ C. LES COQUILLAGES UNIVALVES TERRESTRES

LES ESCARGOTS

Nous ne saurions terminer ce chapitre sans parler de l'escargot, mollusque terrestre.

Deux espèces d'escargots sont couramment utilisées:

— **Les escargots de Bourgogne.** Grosses coquilles jaunes fauve avec spirales. Le manteau (corps) est plus ou moins tacheté ou veiné.
— **Les petits gris.** Petites coquilles gris fauve veinées de brun. Le manteau est de teinte unie.

● RECOMMANDATION

Il est préférable d'utiliser des escargots operculés, c'est-à-dire qui ont obturé leur coquille, pour passer l'hiver, ou les faire jeûner 15 jours, au maximum, dans des cagettes ou des paniers, placés dans un endroit sec et aéré, mais sans courant d'air.

● PRÉPARATION PRÉLIMINAIRE

a) Brasser les escargots avec du gros sel et un peu de farine, les faire dégorger pendant environ 2 heures, les laver plusieurs fois, à grande eau, afin de faire disparaître toute mucosité.
b) Plonger 5 minutes environ dans l'eau bouillante.
c) Egoutter sans les rafraîchir.
d) Sortir ensuite l'animal de sa coquille, à l'aide d'une aiguille ou d'un instrument pointu. De la main gauche tenir la coquille, lui faire faire un demi-tour vers l'extérieur, tandis que la droite, munie de l'aiguille, accomplit un mouvement contraire, vers soi, en sortant l'animal.

● CUISSON

a) Mettre les escargots en cuisson dans un récipient.
b) Mouiller à hauteur, moitié vin blanc, moitié eau.
c) Assaisonner de sel et de poivre en grains écrasés.
d) Ajouter un bouquet garni et 1 ou 2 clous de girofle.
e) Cuire pendant 1 heure 1/4 à 3 heures, suivant la grosseur des escargots.
f) Ecumer fréquemment.
g) Laisser refroidir au terme de la cuisson dans le court-bouillon.
h) Laver les coquilles parallèlement à cette cuisson.
i) Mettre à bouillir les coquilles dans de l'eau contenant un peu de cristaux de soude (facultatif) pendant une 1/2 heure environ.
j) Rincer soigneusement à l'eau courante.
k) Egoutter les coquilles, puis les sécher.

● DRESSAGE

Les escargots sont de préférence consommés farcis avec un beurre d'escargots (voir « BEURRE COMPOSÉ »).

● **NOTA.** La forme de la coquille ne favorise pas son nettoyage, nous recommandons vivement l'utilisation de petits pots individuels en terre ou en faïence d'un entretien très facile.
a) Mettre dans chaque coquille une petite noisette de beurre d'escargots.
b) Introduire l'escargot dans sa position normale.
c) Boucher totalement la coquille par un dernier apport de beurre. Ne pas trop enfoncer l'escargot à l'intérieur de la coquille.
d) Disposer les escargots farcis sur un plat à escargots ou escargotière.
e) Mettre les escargots à chauffer au four à chaleur vive au moment de les servir.
f) Servir tel quel.

● La viande de boucherie est certainement l'une des premières nourritures essentielles de l'homme.

● En France, nous élevons un cheptel de races sélectionnées qui nous fournit des viandes de boucherie d'une valeur incontestée, grâce à la richesse de notre sol et à sa situation géographique.

● 1. ABATTOIR

Lieu où sont sacrifiés les animaux.
Actuellement la répartition des abattoirs modernes est la suivante (d'après le BI Min. Agr. n° 396 du 18 janvier 1969):

— **Abattoirs publics** (abattoirs communaux) mis à la disposition des bouchers et des charcutiers.
— **Abattoirs privés** (abattoirs industriels).

● NOTA. Il est à noter les **tueries particulières** (locaux d'abattage annexes de boucherie de détail) dont la fermeture est en cours. Leur activité ne représente plus que le dixième des abattoirs contrôlés.

● 2. ABATTAGE

L'abattage consiste à donner la mort aux animaux.
Il y a quelques années, la mise à mort des bœufs était faite à l'aide d'un coup de masse sur le sommet du crâne. La bête aussitôt abattue, le crâne était martelé à l'emplacement de la cervelle afin d'activer l'anesthésie. L'abattage est fait de plus en plus de nos jours avec un pistolet automatique à tige percutante placé sur l'os frontal, qui fonctionne à la manière d'un merlin, et provoque une mort foudroyante.
Un autre procédé d'abattage, électrique celui-là, a été également mis au point ces dernières années:

— pour les bovins: électrocution en caisson,
— pour les ovins et les veaux: conducteurs placés sur la région temporale,
— pour les porcins: de chaque côté de la nuque.

Après l'abattage les animaux subissent: la SAIGNÉE, l'HABILLAGE puis l'ÉVISCÉRATION.

● 3. DISTRIBUTION DE LA VIANDE

On entend par **distribution de la viande,** la série d'opérations dont la viande fait l'objet: de l'ÉLEVEUR au CONSOMMATEUR.
Le parcours à effectuer n'est pas simple. Il existe de multiples voies **(l'abattoir en constitue le centre);** elles constituent plus communément des « CIRCUITS ».

On en distingue CINQ:

— Le circuit vivant ou vif.
— Le circuit forain ou mort.
— Le circuit des abattoirs industriels.
— Le circuit coopératif (SICA — Société d'intérêts collectifs agricoles).
— Le circuit local ou rural.

En fait, deux d'entre eux, seulement, présentent pour notre étude un intérêt primordial:

— LE CIRCUIT VIVANT ou VIF — **animaux sur pied.**
— LE CIRCUIT FORAIN ou MORT — **viande en carcasse.**

LE CIRCUIT VIVANT ou VIF

Circuit des animaux abattus sur les lieux de consommation et dans les abattoirs municipaux (La Mouche, La Madrague, etc.).

SCHÉMATISATION DU CIRCUIT

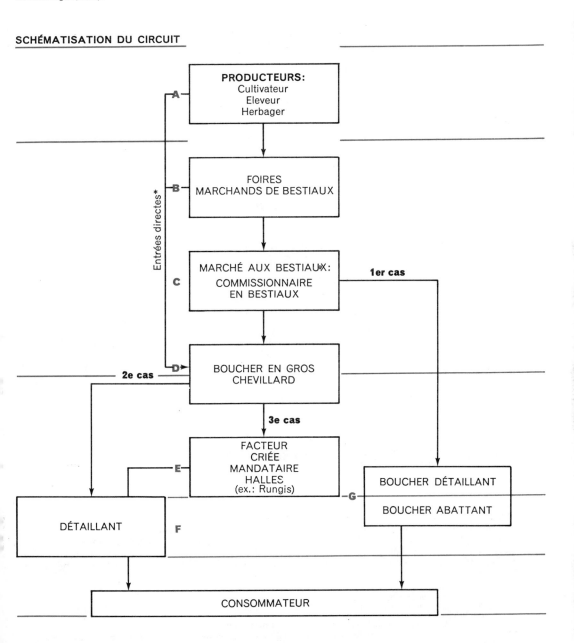

* **Entrées directes:** Animaux achetés par le CHEVILLARD sur les lieux mêmes de production: à la ferme, chez l'ÉLE-VEUR ou l'HERBAGER d'une part, sur les FOIRES ou au MARCHAND DE BESTIAUX d'autre part. Il va directement dans les bouveries ou les bergeries des abattoirs, sans passer par les marchés aux vivants.

■ A. PRODUCTION

D'où vient la viande?

1. La viande vient de chez les PRODUCTEURS:
   Ex. = un CULTIVATEUR **A** qui fait de la polyculture.
2. La viande vient de chez l'ÉLEVEUR **A** :
   Ex. = grandes régions d'élevages — herbages, pâturages, pacages, pâtis, causses, garrigues...
3. La viande vient de chez l'HERBAGER ou EMBOUCHEUR-ÉLEVEUR **A** :
   il est possesseur d'herbages dans lesquels il fait engraisser du bétail qu'il a acheté « maigre » au cultivateur, qu'il revend lorsqu'il est « bon à partir » (gras, sans excès).

REMARQUE

Au stade de la production, comme nous le verrons plus loin au stade du REGROUPEMENT, peut intervenir
le MARCHAND DE BESTIAUX **B**, qui en tant qu'EMBOUCHEUR peut dans la même semaine acheter et
revendre le bétail (afin d'engraisser les bêtes).
Suivant la demande, et les besoins, les animaux sont vendus à d'autres cultivateurs ou aux bouchers *****.

* Voir « REGROUPEMENT ».

■ B. REGROUPEMENT — CIRCULATION

Que deviennent les bêtes lorsqu'elles ont été élevées?

1. Elles sont achetées par le MARCHAND DE BESTIAUX **B** qui les revend au BOUCHER EN GROS ou au
   CHEVILLARD **D** (voir « Entrées directes »). Parfois, il groupe le bétail destiné à la boucherie, pour l'expé-
   dier à son compte vers n'importe quel lieu de vente (foires, grands centres de consommation).
   Souvent, il est aidé dans son importante tâche d'intermédiaire-commerçant, par des « rabatteurs ».
   Il achète et vend à l'estime (ou travers).
2. Elles sont regoupées dans des FOIRES **B**. Sur celle-ci, intervient entre le marchand de bestiaux et le rabat-
   teur, le boucher rural.

Il faut aussi mentionner les MARCHÉS AUX BESTIAUX des GRANDES VILLES **C** où intervient le COMMIS-
SIONNAIRE EN BESTIAUX **C** *; il n'est pas propriétaire des animaux qu'il vend pour le compte de ses
clients — expéditeurs, chevillards ou bouchers abattants; il est rétribué à la commission par tête de bétail; il
estime la valeur bouchère du bétail suivant les cours du jour (les fluctuations des cours suivent chez le
mandataire, le facteur, le chevillard).

* Profession libérale pouvant être exercée par tout possesseur d'une clientèle d'expéditeurs. Il se tient sur les Marchés.

■ C. TRANSFORMATION — DISTRIBUTION

A qui les bêtes sont-elles vendues?

Elles finissent par être vendues au BOUCHER ABATTANT **G** (1er cas) ou au BOUCHER EN GROS ou CHEVIL-
LARD **D**
Ils achètent au marché le bétail qui leur est nécessaire.
Propriétaires de leur marchandise, ils sont donc enclins au bénéfice ou à la perte.
Ils abattent les animaux (bœuf, veau, mouton) sur les « chaînes d'abattage »; vendent les carcasses au poids
(seul le prix au kilo est débattu) au BOUCHER DÉTAILLANT **F** (2e cas), ou transportent celles-ci chez un
FACTEUR **E** * (3e cas) — à la CRIÉE — ou chez un MANDATAIRE **E** ** (3e cas) — seulement aux HALLES —
ils sont tous deux chargés de les vendre au BOUCHER DÉTAILLANT **F**

* FACTEUR: Possède un « poste » à la criée.
  Il a les mêmes charges que le MANDATAIRE DES HALLES. Sa profession tend de plus en plus à disparaître au profit
  du MANDATAIRE.
  Il peut faire la coupe des carcasses et vendre en **pièces détachées** (1/2 gros).
** MANDATAIRE: Possède un « poste » aux Halles, où il est chargé de vendre — au cours du jour — la viande de ses
  expéditeurs.
  Il vend des carcasses entières ou coupées.
  Il est responsable de la marchandise dont il a la charge, mais n'en est pas propriétaire. Néanmoins, il a la possibilité
  d'acheter de la viande et de la vendre.
  Il est « ducroire » (il peut vendre à crédit).

◼ D. CONSOMMATION

Une fois transformée par le CHEVILLARD **D**, dans les HALLES et à la CRIÉE **E** voir directement par le BOU-CHER ABATTANT-DÉTAILLANT **G**, la viande est commercialisée; vendue au BOUCHER DÉTAILLANT **F** elle est propre à la consommation.

Nous pouvons mentionner pour mémoire, à côté des INTERMÉDIAIRES cités ci-dessus:

- LE TRANSPORTEUR DE VIANDE: « meneur » de viandes. Payé au kilo de carcasse et tarif suivant la distance.
- LE PORTEUR: charge les véhicules à l'intérieur des Halles.
- LE BOUCHER dit DES RANGS: se tient dans un pavillon des Halles.
  Fait le demi-gros et le détail. Fournit les pièces détachées de plus faible importance (tranche, semelle, cuisseau, etc.).
  Il possède une clientèle de collectivités (cantines, restaurants), de bouchers.
  Il apparaît quelquefois comme intermédiaire à la suite du MANDATAIRE.
- LE COMMISSIONNAIRE EN VIANDE: a des possibilités plus étendues que le MANDATAIRE.
  Il peut acheter des animaux vivants ou avoir des herbages; abattre ses animaux en province et venir vendre les carcasses sur Paris — en général pour le « pourtour des Halles » ou « périmètre ».
  Il peut aussi vendre des carcasses à la commission pour le compte d'expéditeurs.
  Fait de l'import-export.
- LE BOUCHER EXPÉDITEUR ou EXPÉDITEUR: boucher des région d'élevage. Achète plus d'animaux qu'il en a besoin; les abat, expédie son surplus de carcasses, de triperie aux FACTEURS, MANDATAIRES et TRIPIERS en gros des grandes villes (consommation élevée).
- L'ACHETEUR pour COLLECTIVITÉS ou pour BOUCHERS DÉTAILLANTS: spécialisé dans les achats « à l'affût de la bonne affaire ».
  Il opère pour les grosses entreprises.

LE CIRCUIT FORAIN ou MORT

Circuit de la viande en carcasse. Celle-ci est commercialisée — comme il a été dit plus haut — dans les Halles et les criées (Vaugirard), ainsi que chez les mandataires du pourtour.

SCHÉMATISATION DU CIRCUIT

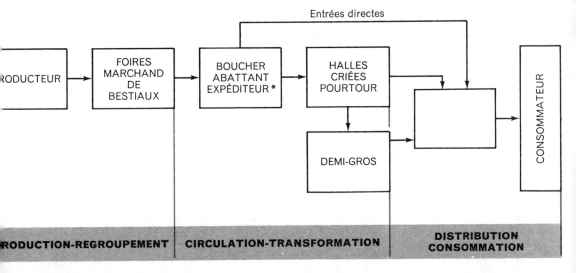

* Le BOUCHER ABATTANT-EXPÉDITEUR, expédie également la triperie chez les tripiers en gros des Halles et du pourtour.

Grâce aux moyens techniques dont disposent la profession de la boucherie, avec l'utilisation du froid et les moyens de transports dont elle dispose, favorisent en partie à prix de revient égal, une plus grande extension du CIRCUIT MORT aux dépens du CIRCUIT VIF.
En outre, ce dernier subit de plus en plus — de nos jours — la concurrence par le CIRCUIT DIRECT des abattoirs industriels (voir plus loin « CIRCUIT DES ABATTOIRS INDUSTRIELS »).
Du producteur au consommateur, la diversité des intermédiaires, les transports souvent longs et compliqués se trouvent ainsi réduits.

LE CIRCUIT DES ABATTOIRS INDUSTRIELS

Les ABATTOIRS INDUSTRIELS sont des abattoirs privés qui transforment les animaux et les carcasses.
Ils effectuent des opérations d'abattage, de coupe, de découpe, de désossage, de conditionnement (mise en caisses ou en barquettes).
Ils reçoivent des viandes de différentes provenances et les commercialisent à des clients très divers.
Ils possèdent des locaux de stockage réfrigérés, recueillent et utilisent les sous-produits (sang, glandes, etc.).
Lorsque ces abattoirs sont sur les lieux de production, ils expédient également des carcasses à vendre aux Halles ou à la criée.

SCHÉMATISATION DU CIRCUIT

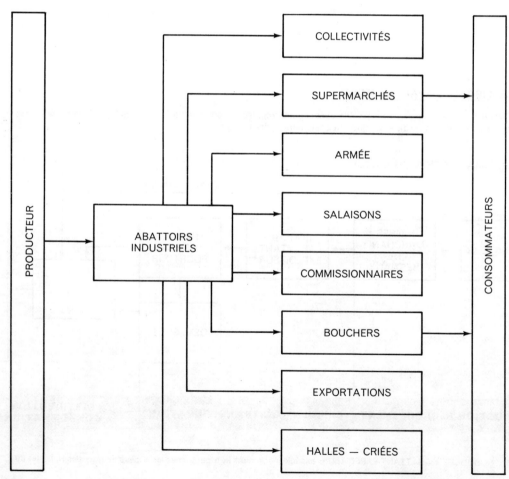

LE CIRCUIT COOPÉRATIF (SICA)

Circuit groupant des agriculteurs faisant abattre leurs animaux dans leurs abattoirs (coopératifs). Ils vendent leurs animaux sous forme de carcasses, et ne sont payés que lorsque la viande a été vendue au « prorata » (selon le prix fixé).
Ils ne travaillent que les animaux de leurs adhérents, et sont groupés sous la dénomination de: SOCIÉTÉ d'INTÉRÊTS COLLECTIFS AGRICOLES.

SCHÉMATISATION DU CIRCUIT

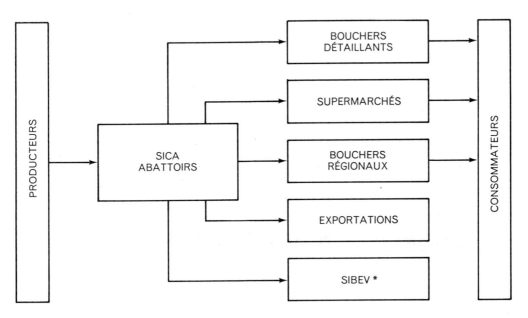

* Société interprofessionnelle du bétail et des viandes.

LE CIRCUIT LOCAL

L'un des circuits les plus courts: c'est-à-dire celui dont la transaction sur les animaux en carcasses est limitée au maximum.

SCHÉMATISATION DU CIRCUIT

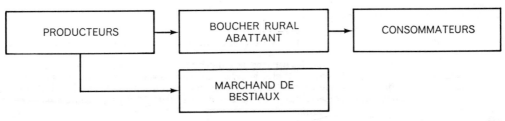

● 4. CONTROLE SANITAIRE

Aucune viande ne peut être livrée à la consommation sans avoir satisfait aux obligations légales du « Contrôle (Service) sanitaire ». Celui-ci a lieu **après l'abattage :**

— En province, par un vétérinaire-inspecteur local, désigné par les préfets.

— A Paris, par des vétérinaires-inspecteurs (employés d'Etat) employés par la direction des Services vétérinaires de la Préfecture de Paris et du Département de la Seine.

L'inspection des viandes en France a défini les bases législatives suivantes:

1. Loi du 21 juin 1898, interdit de livrer à la consommation du public la chair d'animaux morts de maladie, quelle qu'elle soit (art. 27), ainsi que la consommation des animaux qui ont contracté certaines maladies contagieuses.

2. Loi du 7 juillet 1933, rend obligatoire l'inspection des viandes dans tous les abattoirs et les tueries.

Les vétérinaires-inspecteurs apposent sur chaque quartier (quartiers avants et arrières) ou sur toute la longeur du corps, une estampille à l'aide d'un tampon simple ou à roulette.

La viande jugée inapte à la consommation est saisie, parfois détruite: viandes dangereuses par maladies microbiennes; viandes fiévreuses; viandes contaminées par les parasites; viandes insuffisamment nutritives; viandes répugnantes, putréfaction...

Il arrive que ces bêtes sont utilisées par les équarrisseurs, les jardins zoologiques et les cirques, où elles sont distribuées pour la nourriture des bêtes fauves.

● 5. DÉTERMINATION DE LA QUALITÉ

Après avoir satisfait aux obligations légales du Contrôle sanitaire, la viande de boucherie est classée par qualités. Les prix minima et maxima sont fonction des qualités définies par l'appréciation du vendeur et de l'acheteur.

PRINCIPAUX CRITÈRES DÉFINISSANT LA QUALITÉ :

LA RACE: Certaines étant supérieures à d'autres.

LE SEXE: Facteur primordial de la qualité.

L'AGE: un sujet âgé, fatigué, donne une chair plus nerveuse que les jeunes.

L'ÉTAT D'AMAIGRISSEMENT: Certaines contrées étant plus favorables que d'autres.

LE TRAVAIL FOURNI: Bœuf de trait, vache laitière, etc.

Ces qualités ne sont pas, bien entendu, exactement les mêmes pour le bœuf, le veau, le mouton et le porc.

EXEMPLE

La chair du bœuf et du mouton doit être bien **rouge.**
La chair du veau doit être bien **blanche.**
La chair du porc doit être **légèrement rosée.**

Avant d'être livrée à la consommation, la viande doit subir aussitôt après l'abattage un temps de repos, dénommé « maturation ». Elle a pour but de laisser les chairs se détendre après la rigidité cadavérique ou rigor-mortis.

Ce temps de maturation est variable suivant les espèces de viandes (20 heures environ pour le bœuf), les saisons, etc., et se fait en chambre froide, entre + 1° et + 4° C. La viande conservée à + 2° pendant une semaine environ, devient plus tendre. « La viande est rassise (mûre ») au-delà de ce laps de temps elle s'attendrit encore, mais elle perd une partie de sa saveur et de sa couleur. La limite de conservation est d'environ 5 semaines.

6. DÉTERMINATION DE LA CATÉGORIE

Selon l'emplacement des muscles (morceaux) dans la bête, ceux-ci sont classés en **trois catégories** (sauf pour le porc).
Chaque catégorie détermine **en général** le traitement culinaire qui peut être appliqué :

CATÉGORIE	EMPLACEMENT DES MORCEAUX	TRAITEMENT
1re CATÉGORIE	Parties postérieures (cuisses) et dorsales.	GRILLADES, ROTIS
2e CATÉGORIE	Parties antérieures (épaules) et flancs.	SAUTÉS, BRAISÉS
3e CATÉGORIE	Jambes, collier, poitrine.	BOUILLIS

● **NOTA.** Beaucoup de personnes confondent QUALITÉ et CATÉGORIE. La qualité n'étant que la classification qui détermine la valeur des fibres musculaires de la bête.

7. GÉNÉRALITÉS DU DÉTAIL

Le détail de chacune des bêtes que nous allons voir relève principalement du travail du « Boucher », dont le but commercial n'est pas tout à fait le même que celui recherché par le restaurateur.
Nous nous bornerons donc à ne citer, en détail, dans les chapitres suivants, que les morceaux qui nous intéressent particulièrement.

8. RECOMMANDATIONS POUR L'ACHAT

Nous ne saurions trop attirer l'attention sur la nécessité de n'acheter que des viandes de parfaite qualité. Celles-ci, malgré leur prix d'achat plus élevé, présentent des avantages compensateurs qu'il ne faut pas oublier : meilleur goût, excellent rendement à la cuisson, etc.

BŒUF

- De toutes les viandes de boucherie, la meilleure est celle du bœuf, dont la chair est la plus succulente.
- Le bœuf est l'animal mâle de l'espèce bovine ayant subi la castration, ce qui neutralise son sexe:
  - La chair de taureau est moins savoureuse, elle est plus dure.
  - La chair de vache est peu recommandée dans les bas morceaux. Par contre, la chair de jeune vache âgée de 4 à 5 ans est de bonne qualité dans la première catégorie.
- Il est bien entendu que la viande de bœuf vendue chez le boucher **n'est pas toujours issue du bœuf,** elle provient parfois de taureau et de vache.
- Pour que la viande de bœuf soit bonne, il faut qu'elle soit fournie par des sujets âgés de 3 à 4 ans, engraissés à l'herbage. C'est du mois de mai à mi-décembre que la chair est la plus savoureuse.
- C'est en général notre pays qui occupe le premier rang sur le plan européen pour la qualité du bœuf. Plusieurs races sont très estimées: Normande, Limousine, Charolaise, Nivernaise, etc.

● 1. CARACTÉRISTIQUES DE LA QUALITÉ

L'aspect général des muscles (morceaux) est un indice irréfutable de la qualité, ainsi que la couleur de la graisse et de la chair.

QUALITÉ	ASPECT DE LA CHAIR	ASPECT DE LA GRAISSE
PARFAITE	Ferme, dense, d'une couleur rouge vif.	Abondante autour des organes principaux (rognons, cœur). Elle forme entre les muscles et dans ceux-ci des veines larges — marbrures — ou fines — le persillé.
INFÉRIEURE	Lâche, d'une teinte rouge foncé ou légèrement décolorée.	Peu abondante autour des muscles et des organes principaux (rognons, cœur). Le persillé est inexistant dans la chair. D'une couleur jaune foncé, elle provient souvent d'une bête maigre et épuisée.

● 2. DÉTAIL DU BŒUF

Le bœuf est détaillé suivant une **coupe classique,** appelée « COUPE DE PARIS ».

- **Il est toujours fendu en deux,** dans le sens de la longueur, après avoir éliminé la tête et les pieds.
- Il est détaillé ensuite **en quartiers.**
- Puis **en morceaux** pour le détail.

Le bœuf comprend 4 QUARTIERS (le 5e étant les abats) répartis de la manière suivante:

A.	B.
1. UN DEMI-BŒUF ou CREUX (sauf l'épaule) dénommé « côté fausse queue » (côté gauche de la bête)	**3. UNE ÉPAULE GAUCHE** avec demi-collier
2. UN DEMI-BŒUF ou CREUX (sauf l'épaule) dénommé « côté queue » (côté droit de la bête)	**4. UNE ÉPAULE DROITE** avec demi-collier

■ A. LE DEMI-BŒUF ou CREUX

Il comprend:
- **LE PAN**
- **LE CAPARAÇON**

LE PAN est formé:

   I. **DE LA CUISSE** (membre postérieur).

   II. **DE L'ALOYAU** (partie lombaire comprenant les six dernières demi-vertèbres).

   III. **DU TRAIN DE COTES** (toute la partie dorsale comprenant les 13 demi-vertèbres dorsales et l'extrémité des 11 côtes).

	DÉTAIL	CAT.	EMPLACEMENT DES MORCEAUX DE DÉTAIL SUR L'ANIMAL	UTILISATIONS CULINAIRES
I. LA CUISSE				
LA JAMBE	La crosse.	3	A l'extrémité de la jambe.	CONSOMMÉS POT-AU-FEU
	LE GITE le bout de gîte le milieu de gîte le joint de gîte.		Entre la crosse et le globe.	
LE GLOBE	Le tende de tranche.	1	La partie interne du globe, sur l'os du bassin.	ROTIS GRILLADES
	La tranche grasse.		A la partie antérieure du globe. Comprend la rotule.	
	La semelle ou le gîte à la noix.		Sur le dessus du globe. Morceau légèrement rectangulaire.	Recommandés pour BŒUF MODE et DAUBE

● **NOTA.** En boucherie, la cuisse à laquelle on a supprimé la jambe porte, de par sa forme, le nom de « globe ».

	DÉTAIL	CAT.	EMPLACEMENT DES MORCEAUX DE DÉTAIL SUR L'ANIMAL	UTILISATIONS CULINAIRES
II. L'ALOYAU	L'aloyau est situé de la pointe de la hanche à la troisième côte. Il comprend **deux parties:**			
LE RUMPSTEAK	L'aiguillette de rump-steak.	1	Sur le dessus à la partie externe.	ROTIS BRAISÉS
	Le rumpsteak.		Sous l'aiguillette de rumpsteak.	ROTIS GRILLADES
	L'aiguillette baronne.	2	A la pointe du rumpsteak.	BRAISÉS SAUTÉS
L'ALOYAU DÉHANCHÉ	Le faux-filet ou contre-filet.	1	Sur la partie externe.	ROTIS GRILLADES
	Le filet.		Situé sous la partie lombaire, le long des vertèbres. La queue du filet (partie plate) part de la première côte.	ROTIS SAUTÉS GRILLADES

● **NOTA.** En règle générale, le boucher coupe l'aloyau à trois côtes.

DÉTAIL	CAT.	EMPLACEMENT DES MORCEAUX DE DÉTAIL SUR L'ANIMAL	UTILISATIONS CULINAIRES
III. LE TRAIN DE COTES		Le train de côtes est situé sur toute la partie dorsale. Il comprend 11 côtes. Il est formé de trois parties:	
Le milieu de train de côtes.	1	Formé de cinq côtes couvertes. Il est situé sur la première partie du train de côtes attenant aux faux-filet ou contre-filet.	ROTIS GRILLADES
Le train de côtes découvert ou basses-côtes.	1	Formé de trois côtes. Il est situé sur la première partie du train de côtes.	ROTIS GRILLADES
La surlonge.	2	Formée (en principe) des deux premières côtes ou des trois premières. Elle est située au début du train de côtes découvert.	BRAISÉS

LE CAPARAÇON

est formé:

I. DU PIS

II. DU PLAT DE COTES

III. DE LA BAVETTE

DÉTAIL	CAT.	EMPLACEMENT	UTILISATIONS
I. LE PIS		Le pis est la partie comprise entre la pointe du sternum et l'extrémité du flanchet (sous la cuisse). Il se divise en **4 morceaux.**	
Le flanchet.	3	Comprend la bavette de flanchet. Il est situé à l'extrémité du pis, sous la cuisse.	CONSOMMÉS POT-AU-FEU
Le tendron.	3	Comprend toute la partie postérieure du sternum, il fait suite au flanchet.	SAUTÉS BEEFSTEAK POT-AU-FEU
Le milieu de poitrine.	3	Faisant suite au tendron.	SAUTÉS BEEFSTEAK POT-AU-FEU
Le gros bout.	3	Situé à la partie antérieure du sternum.	SAUTÉS BEEFSTEAK POT-AU-FEU
II. LE PLAT DE COTES		Le plat de côtes est toute la partie située entre le pis (moins le flanchet) et le train de côtes. Il comprend:	
Le plat de côtes découvert.	2	Situé sous l'épaule, il comprend l'extrémité des côtes du train de côtes découvert.	POT-AU-FEU
Le plat de côtes couvert.	2	Faisant suite au plat de côtes découvert, il comprend l'extrémité des côtes du milieu de train de côtes.	POT-AU-FEU
III. LA BAVETTE		La bavette est située dans le prolongement du plat de côtes couvert. Elle contient l'extrémité des deux dernières côtes. Elle comprend:	
La bavette à beefsteak ou bavette d'aloyau.	2	Située à la partie interne.	POT-AU-FEU
La bavette à pot-au-feu.	2	Située sur la partie comprenant les deux extrémités des côtes couvertes.	POT-AU-FEU

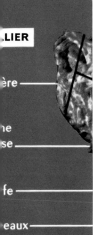

LIER

ère ——

ne
se ——

fe ——

eaux——

ÉPAU

BAVETTE

couvert ——

découvert ——

■ B. L'ÉPAULE

Elle comprend:

- LE COLLIER
- LE PALERON (OU RAQUETTE)

DÉTAIL		CAT.	EMPLACEMENT DES MORCEAUX DE DÉTAIL SUR L'ANIMAL	UTILISATIONS CULINAIRES
LE COLLIER			Le collier est, suivant les besoins, vendu désossé ou non. Désossé, il se divise en deux parties:	
Le deuxième talon ou veine maigre.		3	Situé sur la partie supérieure.	POT-AU-FEU
La veine grasse.			Située sur la partie inférieure.	
LE PALERON ou RAQUETTE			Le paleron est formé de tout le membre antérieur du bœuf. Il se divise en six morceaux:	
LA JAMBE	La crosse.	3	A l'extrémité de la jambe.	CONSOMMÉS POT-AU-FEU
	LES GITES le bout le milieu le joint		Entre la crosse et la charolaise.	
LA CHAROLAISE			Faisant suite à la jambe, après le joint de gîte.	POT-AU-FEU
LE DERRIÈRE DE PALERON	Le milieu de paleron. La pointe de paleron.		Situés sur toute la largeur du sommet du paleron.	SAUTÉS POT-AU-FEU
LA GRIFFE		2	Située entre l'épaule et le collier.	POT-AU-FEU
LES JUMEAUX	à beefsteak. à pot-au-feu.		Situés sur le bord antérieur de l'épaule. Formés de deux muscles presque indentiques.	POT-AU-FEU SAUTÉS
LA MACREUSE	à beefsteak. à pot-au-feu.		Située sous l'omoplate.	POT-AU-FEU BRAISÉS

● **NOTA.** Le boucher, pour son usage personnel, prélève sur la partie interne du derrière du paleron un morceau très apprécié dénommé « pièce parée ». Ce morceau relie l'épaule au corps de l'animal et sert souvent au boucher à déterminer la qualité de la bête entière.

● 3. PRÉPARATIONS PRÉLIMINAIRES

Les différents morceaux de détail du bœuf, que nous venons de voir, subissent avant leur cuisson différentes opérations préliminaires, propres à leur catégorie et à leur destination culinaire.
D'une manière générale, la viande est préalablement:

- **DÉSOSSÉE:** Suppression des os.
- **DÉNERVÉE:** Suppression d'une grande partie des nerfs.
- **DÉGRAISSÉE:** Elimination d'une grande partie de la graisse.
- **FICELÉE:** Certains morceaux, principalement les grosses pièces, demandent à être maintenus pendant leur cuisson, ce qui permet, en outre, une meilleure présentation des pièces traitées.
- **PIQUÉE:** A l'aide d'une aiguille à piquer, on introduit, en les alternant sur la surface de la viande (principalement sur le filet), de petits bâtonnets de lard gras, ce qui permet de nourrir la viande pendant sa cuisson.
- **LARDÉE:** A l'aide d'une lardoire, on introduit à l'intérieur de la viande (principalement les grosses pièces braisées), de gros bâtonnets de lard gras, ce qui permet de nourrir la viande pendant sa cuisson, et la rend moins sèche.
- La viande de bœuf est servie soit détaillée en pièces de différentes formes et de grandeur: châteaubriand, tournedos, entrecôte, steak, beefsteak, etc.; soit en grosses pièces entières: filet, contre-filet, rumpsteak, etc.

● 4. TECHNIQUES DE PRÉPARATION

La viande de bœuf subit différents apprêts culinaires, propres à la « catégorie » à laquelle appartient chaque morceau.

Ces différents apprêts correspondent à six modes de cuisson qui comportent, parfois, une préparation préliminaire et une technique de cuisson propre.

CES SIX MODES DE CUISSON SONT:

- ■ BŒUF GRILLÉ
- ■ BŒUF ROTI
- ■ BŒUF SAUTÉ (petites pièces)
- ■ BŒUF SAUTÉ ESTOUFFADE (en sauce)
- ■ BŒUF BRAISÉ
- ■ BŒUF POCHÉ

■ *BŒUF GRILLÉ*

CHOIX DES MORCEAUX

CAT.	DÉNOMINATION CULINAIRE	POIDS PAR PERSONNE	CARACTÉRISTIQUES
1	CHATEAUBRIAND	200 à 300 g toujours servi pour 2 personnes	Prélevé dans la partie la plus importante du **filet.** Le poids est fonction de la classe de l'établissement.
	FILET GRILLÉ		Prélevé dans la partie la moins épaisse du **filet** et légèrement aplati.
	TOURNEDOS		Prélevé dans la partie la moins large du **filet.**
	ENTRECOTE	150 g	Prélevée dans le **contre-filet,** Souvent traitée sous le nom d'entrecôte minute, tranche finement coupée et aplatie, ce qui n'exclut pas qu'il est fréquent de traiter des entrecôtes épaisses pour deux ou trois personnes.
	STEAK		Prélevé dans le **contre-filet** taillé en grosse tranche de deux personnes, coupée ensuite perpendiculairement en deux morceaux réguliers.
	RUMPSTEAK		Prélevé sur le **rumpsteak,** taillé en tranche épaisse en fonction du nombre de personnes.
1-2	BEEFSTEAK	100 à 120 g	Prélevé dans tous les morceaux de la **cuisse,** sauf dans la semelle ou les gîtes. Il est certain que nous ne servons pas en restauration des morceaux que le boucher utilise. Ex.: onglet, hampe, bavette, araignée, etc., ils sont réservés à l'office (personnel) et aux collectivités.
	HAMBOURG STEAK	150 g	C'est un steak haché, principalement constitué par les morceaux de viande d'une grosseur insuffisante pour être servis, et par certains morceaux (préalablement dénervés): tête de contre-filet, etc.

- **RECOMMANDATIONS PRÉLIMINAIRES**

Les barreaux du gril doivent être rigoureusement **propres** et bien **chauds.**

- **Les grosses pièces**

grosse entrecôte, rumpsteak, châteaubriand, etc., doivent être **saisies,** puis **cuites à feu modéré.**

- **Les petites pièces**

filet, tournedos, steak, etc., doivent être **saisies,** puis maintenues à la **même intensité de chaleur.**

- **CUISSON**

a) Huiler légèrement les barreaux ou la plaque du gril à l'aide d'un pinceau.
b) Mettre les pièces sur une plaque ou sur un plat.
c) Huiler légèrement.
   REMARQUE. Les pièces de mouton étant grasses par elles-mêmes, les huiler très légèrement.
d) Poser sur le gril dans la diagonale des barreaux.
e) Laisser cuire quelques minutes, ou quelques secondes, selon le volume, la forme et la cuisson désirée: « bleu », saignant, à point, bien cuit.
f) Donner aux pièces un quart de tour sur elles-mêmes, en les déplaçant à l'aide d'une spatule en acier (ou avec la main). Cette opération marque le quadrillage effectué par les barreaux du gril.
g) Assaisonner (la face crue) de sel fin et de poivre du moulin.
h) Retourner les pièces sur l'autre face, selon la préférence de cuisson.
i) Quadriller le second côté comme le premier.
j) Retirer les pièces du gril, au terme de la cuisson désirée sur une plaque ou sur un plat.
k) Assaisonner le premier côté quadrillé.

- **DRESSAGE**

REMARQUE

- Les pièces longues sont **dressées sur plat long :** entrecôte, rumpsteak, etc.
- Les pièces rondes et les côtes sont **dressées sur plat rond :** châteaubriand, filet, tournedos, côte, etc.
- La garniture, selon les cas, est dressée avec la viande ou généralement à part.

a) Dresser sur plat de service. **Le premier côté quadrillé sur le dessus (partie visible).**
b) « Lustrer » (badigeonner) à l'aide d'un pinceau trempé dans le beurre clarifié, la surface visible des pièces.
c) Disposer un bouquet de cresson.
d) Servir à part la sauce ou le beurre d'accompagnement.
e) Envoyer en même temps la garniture.

- **GARNITURES**

Les garnitures, qui s'imposent généralement pour les grillades, sont toutes les variétés de pommes traitées par la friture ou autres garnitures de légumes frais.

- **SAUCES**

Toutes les sauces émulsionnées et beurres composés servis généralement en saucière (ou parfois sur la grillade): béarnaise, choron, beurre maître d'hôtel, etc.

CHOIX DES MORCEAUX

CAT.	DÉNOMINATION CULINAIRE	POIDS PAR PERSONNE	CARACTÉRISTIQUES
1	CONTRE-FILET	120 à 150 g	Comme son nom l'indique, il fait partie du contre-filet ou faux-filet. Il est prélevé sur l'**aloyau déhanché.**
	FILET	150 g	Prélevé, comme son nom l'indique, sur le filet, situé sous l'**aloyau déhanché.** Il est paré à vif.
	RUMPSTEAK	120 à 150 g	Prélevé, comme son nom l'indique, sur une partie du **rumpsteak,** sous l'aiguillette de rumpsteak.
	COTE DE BŒUF TRAIN DE COTES	150 g	Prélevée à cinq côtes dans le **train de côtes.** Débarrassée de sa couverture et des os de la partie dorsale (échine). Les côtes sont raccourcies. Elle est toujours servie à la salle à la voiture (chaude) ou au buffet (froide), détaillée devant le client par le « Trancheur ».
	ROASTBEEF	120 g	Tout morceau de bœuf destiné à être rôti peut porter cette appellation. Il est prélevé dans le **tende de tranche,** la **tranche grasse,** l'aiguillette de rump-steak. Il ne doit pas être préparé trop gros, afin de faciliter sa cuisson. Ces rôtis sont réservés à la moyenne restauration.

PRÉPARATION PRÉLIMINAIRE

REMARQUE

Il n'est pas recommandé de « barder » les pièces à rôtir, si nous considérons que celles-ci doivent être toujours saisies et colorées pour former la « croûte rissolée » extérieure.

● A. Contre-filet

a) Décoller, à l'aide d'un couteau à désosser, la membrane graisseuse qui le recouvre, **en partant de la partie la plus épaisse (partie dorsale).**

b) Supprimer (dénerver) les parties nerveuses.

c) Retourner la pièce de l'autre côté, et enlever à nouveau les parties nerveuses.

d) Remettre la membrane graisseuse dans sa position initiale. Si elle est trop grasse, supprimer en épaisseur une partie de la graisse.

e) Maintenir la pièce en forme à l'aide de quelques tours de ficelle.

● B. Côte de bœuf ou train de côtes

a) Supprimer les os des vertèbres dorsales (désosser).
b) Raccourcir (scier) légèrement les os des côtes.
c) Dégager entièrement les extrémités des côtes.
d) Supprimer les parties nerveuses (dénerver).
e) Maintenir en forme avec quelques tours de ficelle (ficeler), entre chaque côte.

● C. Filet

a) Supprimer la « chaîne » située tout le long du filet.
b) Eliminer une partie de la « queue » (partie plate du filet).

   REMARQUE. Ces morceaux sont réservés pour une autre utilisation.

c) Supprimer toutes les parties nerveuses (dénerver) à l'aide d'un petit couteau de boucher.
d) Eliminer toute la graisse (dégraisser).
e) Détailler dans un morceau de lard gras frais, des petits bâtonnets de 3 à 4 cm de longueur et de 3 à 4 mm de section.
f) Mettre ces bâtonnets dans un petit récipient (bol) avec quelques morceaux de glace vive, afin de raffermir le lard et faciliter le « piquage ».
g) Prendre une aiguille à piquer (petit modèle).
h) Introduire dans l'orifice, l'extrémité d'un bâtonnet.
i) Piquer légèrement la surface dans le sens des fibres musculaires (sur la longueur du filet). Ressortir sur 1,5 cm.
j) Détacher le bâtonnet de l'aiguille.
k) Répéter cette opération sur toute la surface de la pièce, de manière à alterner les bâtonnets en quinconce et espacés les uns des autres de 2,5 à 3 cm.

● **NOTA.** Ces bâtonnets de lard gras, permettent de « nourrir » en matière grasse la viande pendant sa cuisson et la rendent plus moelleuse.

● D. Roastbeef, rumpsteak

a) Supprimer toutes les parties nerveuses (dénerver).
b) Eliminer toute la graisse (dégraisser).
c) Maintenir en forme avec quelques tours de ficelle (ficeler).

● REMARQUES PRÉLIMINAIRES

Il est nécessaire avant de mettre les pièces à rôtir, de prendre certaines précautions élémentaires:

— Chaleur du four en fonction avec **la nature et le volume** de la pièce (voir poids aussi. Voir chapitre « INDICATIONS PRATIQUES DES TEMPS DE CUISSON POUR LES ROTIS »).
— Isolement de la plaque à rôtir avec quelques os concassés et de parures (de même nature que la pièce), afin qu'elle ne se trouve pas trop en contact direct avec la graisse et le jus.
— Les os et les parures peuvent être saisis légèrement à l'avance.
— Utiliser une plaque à rôtir proportionnée avec la pièce à traiter.

● CUISSON

a) Mettre dans une plaque à rôtir, de grandeur proportionnée, avec la pièce à traiter, des parures et des os concassés.
b) Mettre la pièce dessus.
c) Ajouter un morceau de beurre (et un filet d'huile facultatif).
d) Mettre à four très chaud (250° environ — thermostat 8-9), afin d'opérer un saisissement de la viande (ou rapidement en plein feu — à feu vif).
e) Régler la température (200° à 220° — thermostat 6-7) du four qui doit être moins intense, dès que la viande est saisie sur toutes les faces.

f) Assaisonner de sel fin et de poivre du moulin à la mi-cuisson environ.

g) Arroser fréquemment avec la graisse de cuisson.

REMARQUE. Le temps de cuisson est fonction **de la forme, de la grosseur et de la qualité** de la viande.

h) Sortir la plaque du four au terme de la cuisson.

i) Retirer la pièce (sans la piquer). La maintenir au chaud sur une plaque à débarrasser (ou sur un plat).

REMARQUE. Il est recommandé de poser la pièce sur une assiette (ou sur deux assiettes) retournée ou sur une petite grille adéquate, afin que la viande n'ait pas de contact avec le jus qui en sort.

● CONFECTION DU JUS

a) Mettre sur le feu la plaque à rôtir ayant servi à cuire la pièce.

b) « Caraméliser » (colorer légèrement) les sucs fixés au fond de la plaque si cela est nécessaire. **Faire attention à ne pas les brûler, ce qui rendrait « amer » le jus.**

c) Dégraisser en partie.

d) Déglacer avec un peu de fond de veau brun clair (ou à défaut avec de l'eau froide). Mouiller avec le double du volume à obtenir.

e) Laisser réduire presque de moitié.

REMARQUE. On compte un peu plus de 1 dl de jus fini pour 4 personnes.

f) Vérifier l'assaisonnement et si cela est nécessaire la couleur.

REMARQUE. La couleur du jus est accentuée par l'adjonction **en faible quantité** de « caramel ».

g) Passer le jus au chinois, dans un petit bain-marie.

h) Maintenir au chaud.

● DRESSAGE

Pièces servies entières à la salle (tranche réalisée devant le client):

a) Dresser sur plat long plat. Maintenir au chaud à l'entrée du four.

b) Disposer un bouquet de cresson à une des extrémités du plat.

c) Arroser d'un peu de jus et de beurre noisette.

d) Servir le jus à part en saucière.

Pièces découpées en cuisine (tranchées au moment de servir):

a) Mettre un peu de jus sur le fond du plat. Maintenir au chaud.

b) Poser les tranches bien alignées au centre du plat.

c) Disposer un bouquet de cresson à une des extrémités du plat.

d) Servir un peu de jus à part en saucière.

● NOTA. Ne jamais arroser la viande rôtie avec le jus. La garniture est servie soit à part, soit disposée autour de la pièce.

● GARNITURES

La garniture est servie à part en légumier ou autour de la pièce en bouquets ou aux extrémités du plat.

DÉNOMINATION	COMPOSITION
BOUQUETIÈRE	Tous les légumes disposés par bouquets autour de la pièce.
DUBARRY	Bouquets de choux-fleurs moulés, nappés de sauce Mornay et gratinés, et pommes fondantes.
RICHELIEU	Champignons et tomates farcis de purée de champignons, pommes fondantes et laitues braisées. Disposer autour de la pièce en alternant les légumes.

■ BŒUF SAUTÉ (petites pièces)

CHOIX DES MORCEAUX

CAT.	DÉNOMINATION CULINAIRE	POIDS PAR PERSONNE	CARACTÉRISTIQUES
1	TOURNEDOS	150 g	Prélevé dans la partie la moins large du **filet** (paré à vif et chaîne supprimée), il est taillé de 2 cm environ d'épaisseur maintenu en forme à l'aide d'une ficelle.
	ENTRECOTE		Prélevée dans le **contre-filet.**
	RUMPSTEAK (parfois)		Prélevé sur le **rumpsteak.**
	STEAK dénommé aussi SIRLOIN STEAK		Prélevé dans le **contre-filet.**
1-2	HAMBOURG STEAK		C'est un steak haché, principalement constitué par les morceaux de viande d'une grosseur insuffisante pour être servis, et par certains morceaux (préalablement dénervés): tête de contre-filet, etc.

● **REMARQUE PRÉLIMINAIRE**

Cette technique est principalement appliquée aux tournedos, qui en sont le type même.

● **CUISSON**

REMARQUE

Se cuisent « à la commande » quelques minutes avant de les servir.

a) Prélever sur un filet paré les tournedos.

b) Maintenir en forme avec un tour de ficelle.

    REMARQUE. Les tournedos peuvent être bardés facultativement.

c) Mettre à chauffer dans un plat à sauter (ou dans une sauteuse), une noix de beurre et un filet d'huile.

d) Etaler les tournedos sur une plaque (ou sur un plat).

e) Assaisonner les deux faces de sel fin et de poivre du moulin.

f) Poser les tournedos dans la matière grasse chaude.

g) **Cuire rapidement en les saisissant en plein feu** (à feu vif).

h) Retourner les pièces de l'autre côté à l'aide d'une spatule, au bout de quelques minutes, selon la cuisson désirée: « bleu », saignant, à point, bien cuit.

i) Terminer la cuisson (selon la préférence).

    REMARQUE. La confection de la sauce est réalisée **dès la cuisson des tournedos terminée.**

j) Retirer les tournedos au terme de leur cuisson.

k) Réserver au chaud sur un plat.

l) Dégraisser légèrement le plat à sauter, en basculant la graisse dans un petit récipient.

m) Déglacer avec au choix: du vin blanc ou du vin rouge, du cognac, du madère, du porto, etc. Ce déglaçage est en rapport avec la sauce d'accompagnement et l'appellation.

n) Laisser réduire 1 à 2 minutes environ.

o) Adjoindre un peu de fond de veau lié.

p) Laisser réduire 4 à 5 minutes **pour assurer une parfaite dissolution des sucs caramélisés.**

q) Retirer le plat à sauter du feu.

r) Incorporer petit à petit en parcelles, du beurre frais, par un mouvement de rotation du récipient.

s) Vérifier l'assaisonnement.

REMARQUE

Les tournedos sont dressés sur croûtons de pain de mie frits, nappés au préalable d'un peu de « glace de viande », afin d'empêcher ceux-ci d'absorber le jus qui s'échappe de la viande, ou sur « croquettes », composées avec l'un, ou avec les éléments qui concourent à la garniture.

a) Déficeler les tournedos.
b) Disposer les croûtons sur un plat rond de service.
c) Poser sur chacun d'eux un tournedos.
d) Napper de sauce chaque tournedos à l'aide d'une cuillère à potage.
e) Ranger autour, en les alternant, les garnitures si elles sont composées.

● VARIANTES

DÉNOMINATION	COMPOSITION
CHOISY	Déglacer au vin blanc et fond de veau lié. Garnir avec laitues braisées (voir chapitre « LES LÉGUMES ») et pommes château.
DUROC	Echalotes, champignons émincés. Déglacer au vin blanc et fond de veau lié. Garnir sur le dessus de tomates concassées, autour pommes cocotte.
HELDER	Déglacer au madère et fond de veau lié. Cordon de sauce béarnaise sur le dessus avec un bouquet de tomates concassées. Garnir de pommes parisienne.

■ BŒUF SAUTÉ ESTOUFFADE (en sauce)

CHOIX DES MORCEAUX

CAT.	DÉNOMINATION CULINAIRE	POIDS PAR PERSONNE	CARACTÉRISTIQUES
2	BOURGUIGNON ESTOUFFADE	150 à 200 g	Tous les morceaux prélevés pour ces différents sautés sont pris dans la **pointe de paleron,** les **jumeaux,** le **gîte à la noix,** etc., et dans les **entames** de pièces dénommées **« faux morceaux ».** Ils sont taillés à raison de 75 g à 100 g par morceau.

Le type même de cette technique est l'estouffade de bœuf bourguignonne.

● CUISSON

a) Couper des lardons, les blanchir et les rissoler dans le récipient de cuisson.
b) Faire dorer les morceaux de viande dans la graisse de fonte.
c) Ajouter carottes et oignons en grosse Mirepoix, laisser suer.
d) Singer et laisser cuire quelques instants au four.
e) Mouiller moité vin rouge et moitié fond brun.
f) Ajouter bouquet garni et ail écrasé.
g) Cuire doucement à couvert, et de préférence au four, 3 heures environ.
h) Décanter au terme de la cuisson.
i) Adjoindre une garniture de petits oignons glacés et de champignons escalopés et sautés.

● DRESSAGE

Servir en timbale ou cocotte bimétal.

● VARIANTE

DÉNOMINATION	COMPOSITION
ESTOUFFADE CHABLISIENNE	Mouiller au vin blanc, supprimer les lardons.

■ BŒUF BRAISÉ

CHOIX DES MORCEAUX

CAT.	DÉNOMINATION CULINAIRE	POIDS PAR PERSONNE	CARACTÉRISTIQUES
1	AIGUILLETTE DE RUMPSTEAK		Prélevé, comme son nom l'indique, dans l'aiguillette de rumpsteak, morceau triangulaire situé sur le **rumpsteak.** Elle est toujours traitée entière.
2	BŒUF MODE	200 g	Prélevé dans le **paleron désossé**, la **macreuse**, la **culotte**, le **gîte à la noix**, etc. Tous les braisés sont généralement lardés dans le sens de la longueur, et marinés avant leur traitement.

PRÉPARATION PRÉLIMINAIRE

RECOMMANDATION

Les lardons sont assaisonnés de sel fin; de poivre du moulin; arrosés de cognac; parsemés de persil haché. Mis ensuite à mariner pendant 1 heure environ au frais, en les retournant fréquemment, avant de les utiliser.

a) Dénerver; dégraisser légèrement la pièce à traiter.

b) Larder la viande: à l'aide d'une lardoire, introduire de part en part à l'intérieur de la pièce parallèlement aux fibres musculaires de la chair, de gros bâtonnets de lard gras frais de 1 cm environ de section.

● **NOTA.** Cette opération permet de **« nourrir »** en matière grasse la viande pendant sa cuisson, et la rend plus moelleuse.

c) Mettre la pièce à mariner au frais (voir chapitre « LES MARINADES - MARINADES CRUES ») pendant 5 à 6 heures.

d) Retourner la viande délicatement et fréquemment.

● **NOTA.** La marinade a pour but d'attendrir les fibres musculaires de la viande et de l'aromatiser.

● **RECOMMANDATION PRÉLIMINAIRE: MATÉRIEL EMPLOYÉ**

Il s'avère nécessaire d'utiliser pour la cuisson un ustensile dénommé « BRAISIÈRE », (ou un récipient à fond épais) de dimension proportionnée au volume de la pièce mise en traitement, munie d'un couvercle s'emboîtant correctement dessus, afin de la fermer hermétiquement.

REMARQUE

Un procédé ancestral était utilisé pour la « conduite » des braisés: il consistait à poser la braisière de cuisson sur une paillasse de braise incandescente. Le couvercle du récipient étant creux, recevait lui aussi de la braise rouge. La pièce ainsi mise en traitement cuisait doucement et régulièrement.

● **CUISSON**

a) Egoutter la pièce de la marinade.

b) Réserver la garniture aromatique d'une part, la marinade d'autre part.

c) Eponger la viande à l'aide d'une serviette, afin d'éliminer toute humidité.

d) Mettre de l'huile à chauffer dans le récipient de cuisson.

e) Rissoler la viande sur toutes les faces.

f) Retirer la pièce ainsi que l'huile ayant servi au rissolage.

g) Faire suer pendant 10 minutes environ dans le même récipient, les légumes de la marinade.

h) Placer ensuite la pièce sur ce fonçage.

i) Mouiller avec la marinade et du fond brun clair. La pièce doit être légèrement recouverte.

j) Assaisonner. Tenir compte de la réduction de la sauce pendant la cuisson.

k) Porter doucement à ébullition.

l) Couvrir hermétiquement le récipient.

m) Continuer lentement la cuisson au four.

REMARQUE. Le temps de cuisson est déterminé par la **forme** et le **volume** de la pièce.
En outre, le fond de braisage, après la cuisson, se trouve considérablement réduit.
Il est donc recommandé de retourner fréquemment la pièce en cours de cuisson, afin d'éviter à la partie située hors de la sauce de dessécher, et de conserver ainsi au « braisé » toutes ses caractéristiques de **« moelleux »** et de **« fondant ».**

n) Laisser cuire jusqu'au moment où, quand on pique la pièce à l'aide d'une aiguille à brider, celle-ci pénètre à l'intérieur sans résistance.

o) Retirer avec précaution la viande. La réserver sur un plat.

p) Passer la sauce au chinois sans fouler.

q) Faire réduire.

r) Dégraisser complètement; écumer.

s) Vérifier l'assaisonnement.

t) Lier la sauce (si celle-ci est insuffisamment liée) avec un peu de fécule de pommes de terre ou d'arrow-root diluée avec un peu de vin blanc ou rouge, ou du madère.

● FINITION

REMARQUE

Lorsqu'elles sont servies entières (servies « à la voiture »), les viandes rouges braisées sont toujours
« glacées ».
Cette opération n'est pas nécessaire lorsque les pièces sont servies détaillées.

a) Mettre la pièce sur un plat à l'entrée d'un four doux (200° environ).

b) Arroser légèrement la viande avec un peu de fond (sauce) de cuisson.

c) Recommencer l'opération toutes les 30 secondes environ avec le fond réduit par la chaleur situé dans le plat, jusqu'à ce que la pièce soit entièrement recouverte d'une pellicule brillante formée par la concentration de la sauce qui se dépose sur la surface.

d) Retirer la pièce du four lorsque le but est atteint.

● DRESSAGE

Dresser la pièce légèrement saucée sur un plat creux. Servir la sauce à part, en saucière. Suivant la recette, dresser la garniture avec la viande, ou à part.

● VARIANTES

DÉNOMINATION	COMPOSITION
BŒUF A LA BOURGUIGNONNE	Compléter avec une garniture composée de champignons de Paris, escalopés sautés au beurre; lardons blanchis rissolés; petits oignons glacés à brun; persil haché.
A LA FLAMANDE	Dresser. Entourer de boules de choux braisés; carottes et navets tournés glacés; pommes à l'Anglaise; tranches de lard cuit avec les choux; rondelles de saucisson.
A LA MODE ou BOURGEOISE	Adjoindre à la cuisson pieds de veau désossés. Aux trois quarts de la cuisson, adjoindre les pieds détaillés en petits carrés; carottes tournées glacées; petits oignons glacés. Compléter la cuisson. Dresser au terme de la cuisson avec les éléments de la garniture, disposés autour en bouquets.

■ BŒUF POCHÉ

CHOIX DES MORCEAUX

CAT.	DÉNOMINATION CULINAIRE	POIDS PAR PERSONNE	CARACTÉRISTIQUES
2-3	PLAT DE COTES POT-AU-FEU, etc.	150 à 200 g	Les morceaux utilisés pour les viandes bouillies sont prélevés toujours sur le **plat de côtes couvert** et **découvert,** le **tendron,** la **macreuse,** la **bavette à pot-au-feu,** le **milieu de paleron,** etc.

● RECOMMANDATIONS PRÉLIMINAIRES

Le type même de ce procédé en est le « pot-au-feu ». La cuisson est identique à la première opération du « consommé de bœuf » (voir chapitre « LES POTAGES »).

● CUISSON

a) Maintenir en forme la pièce à traiter avec quelques tours de ficelle.
b) Mettre dans une marmite.
c) Mouiller à hauteur à l'eau froide.
d) Faire blanchir.
e) Rafraîchir à l'eau courante dès la première ébullition.
f) Remettre la pièce à l'eau froide (compter 1 litre d'eau environ par livre de viande).
g) Adjoindre les légumes de la garniture aromatique: carottes, navets, poireaux, céleri.

> **REMARQUE.** Lorsque cette garniture est servie comme légume, les navets peuvent être cuits à part, car ils communiquent parfois un goût trop prononcé au bouillon, les légumes sont tournés en forme de grosses olives, mis séparément dans des sacs de mousseline; les poireaux sont ficelés en botte, ainsi que les branches (ou les cœurs) de céleris, ce qui permet de les retirer plus facilement lorsqu'ils sont cuits, et de ne pas les mélanger entre eux.

h) Ajouter 1 ou 2 gros oignons, dont un piqué de 1 ou 2 clous de girofle, d'un petit bouquet garni et de 1 ou 2 gousses d'ail.
i) Saler au gros sel.
j) Faire partir l'ébullition.
k) **Ecumer et dégraisser fréquemment** pendant la cuisson.
l) Laisser cuire **doucement et régulièrement** à découvert sur le coin du feu, pendant 4 à 5 heures environ.
m) Retirer les légumes au fur et à mesure de leur cuisson. Les réserver au chaud, dans un récipient avec un peu de consommé. Ne pas les mélanger.
n) Retirer la viande au terme de sa cuisson. La maintenir au chaud comme les légumes.

REMARQUE

Le fond de pochage est passé délicatement à l'étamine humide ou, à défaut, au chinois étamine. Il peut être utilisé pour la confection du consommé (voir chapitre « LES POTAGES »).

● DRESSAGE

a) Dresser la pièce (détaillée ou non) au centre d'un grand plat.
b) Disposer autour les légumes en les alternant en bouquets.

> **REMARQUE.** Parfois figure dans cette garniture des choux. Etant donné leur goût caractéristique, et la conservation du consommé plus difficile, il est recommandé de les cuire à part, à l'anglaise (eau salée).

c) Ajouter les choux et des pommes à l'anglaise.
d) Arroser le tout d'un peu de cuisson.
e) Servir à part, suivant les cas: gros sel, cornichons, raifort râpé, etc.

VEAU

- Le veau est ainsi appelé depuis sa naissance jusqu'à son sevrage, moment où il n'est plus nourri au lait.

- Il est destiné à la consommation après avoir été alimenté exclusivement de lait et de quelques farinages (veau dénommé « veau blanc ou veau de lait »). Il est abattu alors âgé de 6 à 8 semaines.

- Consommé toute l'année, c'est principalement du mois de mai au mois de septembre que sa chair est la plus blanche et la plus tendre. En général, les veaux provenant des régions du centre de la France, Allier, Corrèze, Creuse, jouissent d'une très grande renommée.

1. CARACTÉRISTIQUES DE LA QUALITÉ

Comme pour le bœuf, l'aspect général des muscles (morceaux) est un indice irréfutable de la qualité, ainsi que la couleur de la graisse et de la chair.

QUALITÉ	PROVENANCE	ASPECT DE LA GRAISSE	ASPECT DE LA CHAIR
PARFAITE	Viande provenant de jeunes veaux non encore sevrés.	Nettement blanche, ferme et abondante autour des rognons.	Blanche, légèrement rosée, avec des reflets irisés. Elle présente une certaine élasticité sous la pression du doigt, tout en étant légèrement ferme.
INFÉRIEURE	Viande provenant de veaux dénommés « broutards », c'est-à-dire sevrés trop tôt et nourris en pâturage.	Moins blanche, grisâtre chez les jeunes veaux, peu abondante autour des rognons.	Franchement rosée, un peu rouge, filandreuse et sèche.
	Viande provenant de veaux trop jeunes.		Molle, flasque et un peu fade.

• 2. DÉTAIL DU VEAU

Le veau est détaillé :

— **EN ENTIER**, après avoir éliminé la tête et les pieds.
— **EN DEMI**, coupé en deux dans le sens de la longueur.
— **EN PAN**, coupe du demi-gros des Halles de Paris.
— **EN BASSE** ou **DEVANT**, coupe du demi-gros des Halles de Paris.
— **EN MORCEAUX**, pour le détail.

■ *LE DEMI-VEAU*

il comprend :

le PAN

la BASSE ou le DEVANT

le PAN est formé :

I.   du **CUISSEAU** (membre postérieur) ;
II. de la **LONGE** (partie lombaire) ;
III. du **CARRÉ** (d'une fraction de la partie dorsale, comprenant une partie **du** carré couvert (côtes premières).

	DÉTAIL	CAT.	EMPLACEMENT DES MORCEAUX DE DÉTAIL SUR L'ANIMAL	UTILISATIONS CULINAIRES
I. LE CUISSEAU				
LA JAMBE	La crosse.	3	A l'extrémité de la jambe.	FONDS BLANCS SAUTÉS OSSO-BUCCO
	Le jarret.		Entre la crosse et le cuisseau raccourci.	
LE CUISSEAU	La noix.		A la partie interne du cuisseau, sur l'os du bassin.	
	La sous-noix.		Sur le dessus du cuisseau, à la partie externe et sous la noix.	ESCALOPES, ROTIS, POÊLÉS
	La noix pâtissière.	1	A la partie antérieure du cuisseau.	
	La culotte.		Située sur le dessus du cuisseau en prolongation de la noix.	POÊLÉS, SAUTÉS
	Le quasi.		Situé entre la sous-noix et la longe.	POÊLÉS
II. LA LONGE	Elle correspond au filet et aux faux-filet du bœuf (aloyau déhanché).			
		1	Part de la pointe de la hanche jusqu'aux côtes premières.	POÊLÉS

DEM

Cuisseau

Culotte

Longe

Côte
premiè

Carr
couve

Côte
secon

Carré

Bas
de Ca

Côte
découver

Colle

DÉTAIL	CAT.	EMPLACEMENT DES MORCEAUX DE DÉTAIL SUR L'ANIMAL	UTILISATIONS CULINAIRES
III. LE CARRÉ		Cette partie du carré couvert est située dans le prolongement de la longe. Il est coupé à 8 côtes, dont 5 premières.	
5 COTES PREMIÈRES	1	Dans le prolongement de la longe, de la 13e à la 9e côte.	SAUTÉS, POÊLÉS
3 COTES SECONDES		De la 8e à la 6e côtes.	

LA BASSE OU LE DEVANT

est formé :

I. du BAS de CARRÉ (deuxième partie dorsale comprenant la deuxième partie du carré et de tout le carré découvert);

II. de l'ÉPAULE (membre antérieur);

III. du COLLIER de COLLET (partie du cou);

IV. de la POITRINE (partie ventrale).

I. LE BAS DE CARRÉ		Cette partie du carré comprend:	
les 5 côtes du carré découvert qui, détaillé, donne les côtes découvertes.	1	Situé sous l'épaule dans le prolongement du collier.	SAUTÉS POÊLÉS

II. L'ÉPAULE		comprend:		
LA JAMBE	La crosse	3	A l'extrémité de la jambe.	FONDS BLANCS SAUTÉS
	Les gîtes		Entre la crosse et l'épaule.	
L'ÉPAULE		2	Faisant suite au jarret.	BLANQUETTES SAUTÉS ROTIS

III. LE COLLIER OU LE COLLET	correspond à la veine grasse et à la veine maigre du bœuf. Il correspond à la 3e catégorie.

IV. LA POITRINE		se divise en quatre parties:	
LE FLANCHET		Situé entre la cuisse et le tendron.	SAUTÉS
LE TENDRON		Comprend tout le sternum.	BRAISÉS POÊLÉS
LA POITRINE	2	Située sur toute la partie antérieure du sternum.	BLANQUETTES FARCIES SAUTÉS
LE HAUT DE COTES		Situé à l'extrémité du carré couvert, entre celui-ci et le tendron.	SAUTÉS

● 3. PRÉPARATIONS PRÉLIMINAIRES

Les différents morceaux de détail du veau que nous venons de voir subissent, avant leur cuisson, différentes opérations préliminaires, propres à leur catégorie et à leur destination culinaire.
D'une manière générale, la viande est préalablement:

- **DÉSOSSÉE:** Suppression des os.
- **DÉNERVÉE:** Suppression d'une partie des nerfs.
- **DÉGRAISSÉE:** Elimination d'une partie de la graisse.
- **FICELÉE:** Certains morceaux, principalement les grosses pièces, demandent à être maintenus pendant leur cuisson, ce qui permet, en outre, une meilleure présentation des pièces traitées.

La viande de veau est servie soit détaillée en pièces de différentes formes et de grandeurs: escalope, médaillon, côte, piccata, etc.; soit en grosses pièces entières: noix, carré, longe, rognonnade, selle, etc.

● 4. TECHNIQUES DE PRÉPARATION

La viande de veau subit différents apprêts culinaires, propres à la « catégorie » à laquelle appartient chaque morceau et correspondant à quatre modes de cuisson:

- **■ VEAU GRILLÉ (petites pièces)**
- **■ VEAU SAUTÉ (en sauce) et PRÉPARATIONS DIVERSES**
- **■ VEAU POËLÉ (pièces rôties)**
- **■ VEAU SAUTÉ (petites pièces)**

■ *VEAU GRILLÉ (petites pièces)*

CHOIX DES MORCEAUX

CAT.	DÉNOMINATION CULINAIRE	POIDS PAR PERSONNE	CARACTÉRISTIQUES
1	COTE	200 g	Prélevée sur le **carré** (5 premières et 3 secondes), l'os de l'échine est supprimé, seul l'os de la côte (os du manche) subsiste. Celui-ci est raccourci, dégagé à son extrémité.
	ESCALOPE (dénommée aussi) PAILLARDE ou MINUTE DE VEAU	150 à 200 g	Prélevée sur la **noix** qui a été débarrassée au préalable du dessus (panoufle). Elle est tranchée perpendiculaire aux fibres musculaires de la viande, puis aplatie à l'aide d'une batte.

● RECOMMANDATIONS PRÉLIMINAIRES

Les barreaux du gril doivent être rigoureusement propres et bien chauds. Néanmoins, le feu doit être modéré pour permettre à la viande de cuire complètement sans dessécher.

● **CUISSON**

a) Huiler légèrement la pièce à l'aide d'un pinceau, ainsi que les barreaux du gril.

b) Poser la pièce dessus.

c) Donner au bout de quelques minutes, suivant l'importance de la pièce, un quart de tour sur elle-même, en la déplaçant à l'aide d'une spatule. Cette opération marquera le quadrillage effectué par les barreaux du gril.

d) Assaisonner de sel fin.

e) Retourner la pièce pour quadriller le second côté.

f) Procéder comme au premier.

● **DRESSAGE**

a) Dresser les escalopes sur plat long, les côtes sur plat rond.

b) Lustrer la surface avec du beurre clarifié à l'aide d'un pinceau.

c) Disposer un petit bouquet de cresson en bout de plat (pour plat long), au centre (pour plat rond, les pièces étant dressées en couronne).

d) Servir presque toujours avec du beurre maître d'hôtel.

● **GARNITURES**

Garnir principalement avec des légumes verts: haricots verts, petits pois, etc.

■ *VEAU POÊLÉ (pièces rôties)*

CHOIX DES MORCEAUX

CAT.	DÉNOMINATION CULINAIRE	POIDS PAR PERSONNE	CARACTÉRISTIQUES
1	CUISSEAU		Il est servi entier à la salle par le trancheur
	NOIX		Pièce du cuisseau. C'est le morceau noble du veau par excellence.
	SOUS-NOIX NOIX PATISSIÈRE SOUS-NOIX	150 à 200 g	Pièces du cuisseau.
	LONGE		Pointe de la hanche jusqu'aux côtes premières.
	SELLE	200 à 250 g	Elle est constituée des deux longes non séparées.
	ROGNONNADE	150 à 200 g	Longe cuite avec son rognon.
	CARRÉ	200 à 250 g	Il comprend les 5 côtes premières et les 3 côtes secondes.
2	L'ÉPAULE	150 à 200 g	Elle est assez rarement traitée entière.

● RECOMMANDATIONS PRÉLIMINAIRES

● A. Cuisseau
a) Supprimer l'os du quasi situé à la base du cuisseau.
b) Raccourcir l'os de la crosse, le dénuder légèrement.

REMARQUE
Pour faciliter la cuisson et diminuer l'importance de la pièce, lever la noix qui sera réservée, à d'autres préparations, l'os qui se trouve dans le cuisseau, sous la noix, sera coupé de moitié.

● B. Noix
a) Enlever le dessus de noix « culotte ».
● **NOTA.** Le dessus de noix est surtout employé, coupé en morceaux, dans les blanquettes, fricassées sautés, etc.

● C. Noix pâtissière
a) Supprimer l'os qui se trouve à l'extrémité de ce morceau.

● D. Sous-noix
a) Dénerver légèrement.

● E. Longe
a) Désosser entièrement sans séparer.
b) Supprimer le nerf de la partie dorsale.
c) Dégraisser le dessus du filet mignon.
d) Rouler et ficeler.

● F. Selle
a) Rogner le flanchet de manière qu'il se joigne bord à bord en couvrant les filets mignons.
b) Dégraisser les filets mignons.
c) Supprimer les parties nerveuses situées sous la selle sur l'ossature.

● G. Rognonnade
a) Préparation préliminaire de la longe (voir longe).
b) Dégraisser un rognon de veau, le couper en deux sur la longueur.
c) Aplatir légèrement la longe.
d) Poser à l'intérieur, sur le filet mignon et bout à bout, les deux demi-rognons.
e) Rouler, ficeler soigneusement pour enfermer les rognons.

● H. Carré
a) Eliminer les os des vertèbres, partie dorsale.
b) Dégager l'extrémité des os « manches ».
c) Enlever le nerf dorsal.
d) Ficeler entre chaque côte pour maintenir le carré en forme.

● I. Epaule
a) Eliminer l'os de la palette.
b) Supprimer l'os central.
c) Enlever l'os du jarret.
d) Dégraisser.
e) Rouler, ficeler.
● **NOTA.** La cuisson du veau étant assez longue, il est plus fréquemment traité poêlé que rôti, ainsi il reste plus moelleux.

● RECOMMANDATIONS PRÉLIMINAIRES

Il est recommandé d'utiliser pour la cuisson un récipient de dimensions proportionnées au volume de la pièce.

386

- **CUISSON**

a) Poser la pièce sur un fonçage d'os concassés et de parures.
b) Assaisonner de sel fin et de poivre du moulin.
c) Mettre sur le dessus un morceau de beurre.
d) Mettre au four.
e) Faire colorer toutes les faces à découvert.
f) Ajouter une garniture aromatique de carottes et d'oignons taillés en quartiers, et d'un petit bouquet garni. Adjoindre 1 ou 2 tomates fraîches coupées en quartiers.
g) Laisser cuire à couvert.
h) Arroser fréquemment.
i) Au terme de la cuisson, retirer la pièce et la maintenir au chaud.
j) Déglacer le fond avec un peu de vin blanc.
k) Laisser réduire.
l) Mouiller légèrement de fond de veau.
m) Laisser réduire 10 à 15 minutes.
n) Passer la sauce au chinois (sans fouler).
o) Dégraisser.
p) Remettre la pièce au four quelques minutes, en l'arrosant très fréquemment d'un peu de sauce, pour lustrer la surface d'une couche brillante.

- **DRESSAGE**

Dresser la pièce légèrement saucée sur un plat. Servir la sauce à part, en saucière. Suivant la recette, dresser la garniture avec la viande ou à part.

- **GARNITURES**

Toutes les garnitures de légumes.

■ *VEAU SAUTÉ (petites pièces)*

CHOIX DES MORCEAUX

CAT.	DÉNOMINATION CULINAIRE	POIDS PAR PERSONNE	CARACTÉRISTIQUES
	COTE	200 g	Prélevée sur le **carré** (5 premières et 3 secondes), l'os de l'échine est supprimé, seul l'os de la côte (os du manche) subsiste. Celui-ci est raccourci, dégagé à son extrémité.
1	ESCALOPE		Prélevée sur la **noix** qui a été débarrassée au préalable du dessus (panoufle). Elle est tranchée perpendiculaire aux fibres musculaires de la viande, puis aplatie à l'aide d'une batte.
	GRENADIN	150 à 200 g	Prélevé sur la **noix pâtissière** ou la **sous-noix**, coupé en deux sur la longueur. Il est taillé ensuite en médaillon de 2 cm environ d'épaisseur piqué de lard gras.
	PICCATA		Prélevée sur la **sous-noix**, la **noix** ou la **noix pâtissière**. **Petite escalope.** Elle est servie à raison de 3 pièces par personne.
	MÉDAILLON		Prélevé, comme le grenadin, sur la **noix pâtissière** ou la **sous-noix**.

● CUISSON

a) Assaisonner les pièces, sur les deux faces, de sel et de poivre du moulin.

b) Faire chauffer dans une sauteuse, ou un plat à sauter, un peu de beurre et d'huile.

c) Fariner les pièces, bien les tapoter pour enlever l'excès de farine.

d) Cuire doucement, la coloration sera fonction de la préparation à brun, ou à blanc; dans ce dernier cas, les pièces devront à peine blondir.

e) Réserver, au terme de la cuisson, les pièces sur le plat de service.

f) Déglacer le récipient de cuisson avec vin blanc, porto, madère, xérès, etc., fond de veau brun lié pour les préparations à brun et crème pour les préparations à blanc.

g) Faire réduire quelques minutes.

h) Monter au beurre hors du feu.

i) Vérifier l'assaisonnement.

● DRESSAGE

a) Dresser les pièces en couronne sur plat rond, pour les médaillons, grenadins, côtes, piccata. Pour les escalopes, les chevaler sur plat long.

b) Saucer et, éventuellement, disposer sur le pourtour les garnitures.

● VARIANTES

DÉNOMINATION	COMPOSITION
CHASSEUR	Echalotes hachées, champignons émincés, déglacer au vin blanc et fond de veau lié.
GISMONDA	Assaisonner au paprika. Paysanne de champignons et truffes. Déglacer au vin blanc, crème. Garnir avec petites tomates étuvées.

■ VEAU SAUTÉ (en sauce) et PRÉPARATIONS DIVERSES

CHOIX DES MORCEAUX

CAT.	DÉNOMINATION CULINAIRE	POIDS PAR PERSONNE	CARACTÉRISTIQUES
2-3	SAUTÉ DE VEAU CHASSEUR	150 g	Les morceaux de ces différentes préparations sont prélevés dans l'**épaule,** la **poitrine** désossée et le **dessus de noix** à raison de 70 à 75 g par morceau.
	BLANQUETTE		
	FRICASSÉE		

SAUTÉ DE VEAU CHASSEUR

● **CUISSON**

a) Mettre à chauffer dans le récipient de cuisson un morceau de beurre et un peu d'huile.

b) Mettre les morceaux à revenir (rissoler). Les remuer de temps en temps.

c) Lorsque les morceaux sont rissolés, égoutter la graisse en basculant la sauteuse, en prenant soin de poser un couvercle dessus pour maintenir les morceaux.

d) Ajouter de l'échalote ciselée. Faire suer légèrement.

e) Déglacer avec du vin blanc.

f) Laisser réduire 3 à 4 minutes.

g) Mouiller avec du fond de veau lié, tomaté.

h) Adjoindre un peu d'ail écrasé et un petit bouquet garni.

i) Assaisonner de sel et de poivre du moulin.

j) Porter à ébullition. Remuer de temps en temps.

k) Laisser cuire doucement à couvert, sur le coin du feu, ou au four, pendant 1 heure environ.

l) Retirer le récipient du feu au terme de la cuisson (de la viande).

m) Retirer les morceaux de veau à l'aide d'une petite écumoire et d'une fourchette (décanter). Les réserver au chaud dans une timbale.

n) Passer la sauce au chinois sur la viande.

o) Vérifier l'assaisonnement.

p) Adjoindre en garniture des champignons escalopés sautés.

● **DRESSAGE**

Servir en timbale avec persil haché au départ.

BLANQUETTE DE VEAU A L'ANCIENNE

● **PRÉPARATION PRÉLIMINAIRE**

Mettre les morceaux de viande à dégorger à l'eau froide, 6 heures à l'avance.

● **CUISSON**

a) Mettre les morceaux de veau dans une russe (casserole).

b) Mouiller à hauteur à l'eau froide.

c) Porter à ébullition. Laisser bouillir 1 à 2 minutes.

d) Mettre à rafraîchir à l'eau courante.

e) Egoutter les morceaux.

f) Réunir dans une russe la viande avec une garniture aromatique composée: de carottes, d'oignons (piqués de 1 ou 2 clous de girofle), de poireaux, d'une branche de céleri, d'un bouquet garni et de 2 ou 3 gousses d'ail.

g) Mouiller à hauteur de fond blanc ou d'eau.

h) Saler au gros sel.

i) Porter à ébullition.

j) Laisser cuire doucement à couvert sur le coin du feu, pendant 45 à 60 minutes, selon la qualité de la viande.

k) Décanter au terme de la cuisson (retirer les morceaux de viande à l'aide d'une petite écumoire et d'une fourchette). Les réserver au chaud dans une timbale.

l) Passer la cuisson au chinois (sans fouler la garniture).

m) Confectionner avec ce fond un velouté (voir chapitre « LES SAUCES », le velouté de veau).

n) Réunir dans une terrine, ou dans une calotte, des jaunes d'œufs et de la crème fraîche (3 jaunes et 1 dl de crème pour 1 litre 1/2 environ de velouté). Mélanger à l'aide d'un fouet.

o) Verser petit à petit, dessus, le velouté bouillant.

p) Vérifier l'assaisonnement.

q) Passer la sauce au chinois étamine sur la viande.

r) Adjoindre une garniture de petits oignons glacés à blanc (voir chapitre « LES LÉGUMES », petits oignons glacés à blanc) et de champignons escalopés pochés (voir chapitre « LES LÉGUMES », champignons escalopés pochés).

s) Mélanger délicatement.

● DRESSAGE

Servir en timbale. S'accompagne rituellement de riz pilaf.

FRICASSÉE DE VEAU A L'ANCIENNE

● CUISSON

a) Mettre à chauffer dans le récipient de cuisson un morceau de beurre.

b) Assaisonner les morceaux de sel fin et de poivre du moulin.

c) Mettre les morceaux dans le beurre chaud.

d) Faire raidir les chairs sans coloration.

e) Ajouter de l'oignon ciselé.

f) Laisser étuver quelques minutes.

g) Singer (fariner) de 50 g de farine par litre de fond blanc. Mélanger à l'aide d'une petite écumoire.

h) Mouiller avec du fond blanc (voir chapitre « LES SAUCES », le fond de veau blanc).

i) Ajouter un petit bouquet garni, assaisonner légèrement.

j) Mélanger pour obtenir un mélange parfait du fond blanc avec la farine.

k) Porter à ébullition et laisser cuire doucement à couvert pendant 50 à 60 minutes environ.

l) Décanter au terme de la cuisson (retirer les morceaux de viande à l'aide d'une petite écumoire et d'une fourchette). Les réserver au chaud dans une timbale.

m) Faire réduire la cuisson avec de la crème fraîche, ou la lier avec des jaunes d'œufs et de la crème (procéder comme la blanquette).

n) Vérifier l'assaisonnement.

o) Passer la sauce au chinois étamine sur la viande.

p) Adjoindre une garniture de petits oignons glacés à blanc et de champignons escalopés pochés (voir chapitre « LES LÉGUMES »).

q) Mélanger délicatement.

● DRESSAGE

Servir en timbale. S'accompagne rituellement de riz pilaf.

MOUTON

Dans la classification culinaire, l'espèce ovine se présente sous trois formes:

■ **A. LE MOUTON**

■ **B. L'AGNEAU**

■ **C. L'AGNEAU DE LAIT**

■ *A. LE MOUTON*

Le mouton, comme le bœuf, est l'animal mâle de l'espèce ovine, ayant subi la castration, ce qui neutralise son sexe:
— La chair de bélier est moins savoureuse et possède une odeur forte.
— La chair de brebis donne une viande grasse et de qualité inférieure.
Il est bien entendu que la viande de mouton vendue chez le boucher **n'est pas toujours issue du mouton,** elle provient parfois de bélier et de brebis.
C'est en automne et en hiver que la chair du mouton a le plus de saveur. L'été, période correspondant à la tonte, donne à sa chair un goût prononcé de suint qui s'extériorise davantage avec la cuisson de la viande.
On tue le mouton vers l'âge d'un an et demi à deux ans (il se dénomme alors « Antenais »), où il parvient à son entier développement pour sa consommation.
En France, les meilleurs moutons destinés à la boucherie sont ceux dits « de pré-salé », nourris dans les pâturages en bordure de la Manche (Coutances) et de l'océan Atlantique. Certaines régions sont renommées comme étant les meilleures productrices: la Seine-et-Marne, la Seine-et-Oise, le Berry, le Bénévent, etc.

■ *B. L'AGNEAU*

L'agneau est le jeune mouton sevré, tué vers l'âge de quatre à cinq mois, alors qu'il n'a pas encore atteint son entier développement.

■ *C. L'AGNEAU DE LAIT*

L'agneau de lait est le tout jeune mouton, non encore sevré, nourri exclusivement avec le lait de sa mère. Son élevage est très développé dans les régions de Pauillac et de la Gironde.
Il est tué vers l'âge de six semaines. Il se consomme principalement du mois de décembre au mois de mai environ.

● 1. CARACTÉRISTIQUES DE LA QUALITÉ

QUALITÉ	PROVENANCE	ASPECT DE LA CHAIR	ASPECT DE LA GRAISSE
PARFAITE	MOUTON	Ferme, dense, d'une couleur rouge foncé.	Dure, blanche, abondante autour des rognons.
	AGNEAU	Ferme, moins dense, d'une couleur rouge pâle.	Blanche, ferme, abondante autour des rognons.
	AGNEAU DE LAIT	Blanche, molle, d'une couleur légèrement rosée.	Toute proportion gardée, elle est presque inexistante.
INFÉRIEURE	MOUTON PARFOIS D'UN BÉLIER	Molle, d'une couleur rouge foncé.	Moins blanche, moins importante autour des muscles et des rognons.
	AGNEAU	Molle, flasque, d'une couleur légèrement rosée.	Presque inexistante autour des muscles et des rognons.
	AGNEAU DE LAIT	Molle, flasque, d'une couleur légèrement rosée.	Presque inexistante autour des muscles et des rognons.

● 2. DÉTAIL DU MOUTON

Le mouton et l'agneau se débitent de la même manière. Seul l'agneau de lait est généralement vendu en entier avec sa fressure (poumons, foie, rate et cœur).

Le mouton est détaillé :

— **EN ENTIER,** après avoir éliminé la tête et les pieds.
— **EN DEMI,** coupé en deux dans le sens de la longueur, la queue restant sur le côté gauche.
— **EN MORCEAUX,** pour le détail.

LE DEMI-MOUTON

Comme nous pouvons le constater au tableau ci-dessous, le demi-mouton comprend :

LE GIGOT	**LE CARRÉ**	**LE COLLET**	**LE HAUT DES COTELETTES**
LE FILET	**L'ÉPAULE**	**LA POITRINE**	

REMARQUE

Certains de ces morceaux, lorsqu'ils sont **doublés** (c'est-à-dire non séparés de leur double), sont désignés sous un nom différent :

— DEUX GIGOTS   =   **culotte de mouton ou double.**
— DEUX FILETS ENTIERS   =   **selle anglaise.**
— DEUX SELLES   =   **selle double.**
— DEUX GIGOTS et la SELLE   =   **baron.**
— DEUX CARRÉS, DEUX POITRINES   =   **coffre.**

DEMI-

Côtelettes
dans le fil

Côtelettes
premières

Côtelettes
secondes

Côtelettes
découverte

DÉTAIL		CAT.	EMPLACEMENT DES MORCEAUX DE DÉTAIL SUR L'ANIMAL	UTILISATIONS CULINAIRES
LE GIGOT			Il représente la cuisse entière.	ROTIS
LE FILET			Situé à la partie lombaire et comprenant cinq vertèbres.	
LE CARRÉ	Les côtes premières.	1	Faisant suite au filet et se composant de 13 côtes: — 5 côtes premières (les plus estimées) sur le carré couvert;	ROTIS GRILLADES
	Les côtes secondes.		— 3 côtes secondes, sur le carré couvert;	
	Les côtes découvertes.		— 5 côtes découvertes, sur le carré découvert.	
L'ÉPAULE		2	Elle représente tout le membre antérieur.	ROTIS
LE COLLET			Correspond au collier du bœuf.	SAUTÉS NAVARINS
LA POITRINE		3	Partie ventrale.	
LE HAUT DES COTELETTES			Situé au milieu de la longueur des côtes, entre la poitrine et le carré couvert et découvert.	

● 3. PRÉPARATIONS PRÉLIMINAIRES

Les différents morceaux de détail du mouton que nous venons de voir subissent, avant leur cuisson, différentes opérations préliminaires, propres à leur catégorie et à leur destination culinaire.

D'une manière générale, la viande est préalablement:

- DÉSOSSÉE: Suppression des os. Certains morceaux ne le sont qu'en partie: carré entier, selle, gigot, côtelettes, etc.
- DÉGRAISSÉE: Suppression d'une partie de la graisse.
- PARÉE: Suppression de la peau (épiderme) de certaines pièces: carré, selle.
- FICELÉE: Certains morceaux demandent à être maintenus pendant leur cuisson, cela permet en outre une meilleure présentation des pièces traitées: gigot, épaule, roulée, etc.

La viande de mouton est servie soit détaillée en pièces de différentes formes: côtelette, mutton-chop, noisette, sauté, etc.; soit en grosses pièces entières: carré, épaule, gigot, selle, etc.

● 4. TECHNIQUES DE PRÉPARATION

La viande de mouton subit différents apprêts culinaires propres à la « catégorie » à laquelle appartient chaque morceau et correspondant à trois modes de cuisson.

- ■ **MOUTON GRILLÉ**
- ■ **MOUTON ROTI**
- ■ **MOUTON SAUTÉ**

■ *MOUTON GRILLÉ*

CHOIX DES MORCEAUX

CAT.	DÉNOMINATION CULINAIRE	POIDS PAR PERSONNE	CARACTÉRISTIQUES
1	COTES ou COTELETTES	150 à 200 g	Prélevées sur le **carré,** taillées pas trop minces, dégraissées légèrement, l'os de l'échine est supprimé, seul l'os de la côte (os du manche) subsiste. Celui-ci est raccourci, dégagé à son extrémité afin de recevoir après cuisson une papillotte. Elles sont servies en restauration à raison de deux pièces par personne.
	LAMB-CHOP	200 à 250 g	Prélevé sur la **selle,** coupé en tranche sur toute sa largeur, comprend généralement une vertèbre (il se dénomme aussi « binocle »).
	MUTTON-CHOP	200 à 250 g	Prélevé sur le **filet** (selle coupée en deux) de 5 cm environ d'épaisseur.
	NOISETTES dénommées aussi Mignonnettes	150 à 200 g	Prélevées sur les **filets** de la selle, elles sont presque toujours servies à raison de deux pièces par personne.

● PRÉPARATION PRÉLIMINAIRE

● A. Côtes ou côtelettes

a) Supprimer, en l'arrachant, la peau parcheminée (épiderme) qui recouvre le carré et les os des vertèbres, partie dorsale du carré (côtes premières et secondes du carré).

b) Couper les pièces entre chaque côte.

c) Dégager l'extrémité de l'os (le manche) de la côte.

d) Le raccourcir légèrement en coupant en biseau.

e) Dégraisser superficiellement.

f) Aplatir très légèrement.

● B. Lamb-chop

a) Supprimer, en l'arrachant, la peau parcheminée (épiderme) qui recouvre la selle.
b) Couper les panoufles (flanchet) juste pour qu'elles se rejoignent sous les filets mignons.
c) Rouler sur elles-mêmes.
d) Couper en tranche entre deux vertèbres sur toute la largeur de la selle.
e) Dégraisser légèrement.
f) Fixer les panoufles roulées à l'aide d'une brochette. Cette opération permet de maintenir en forme la pièce pendant et après sa cuisson.

● C. Mutton-chop

a) Supprimer, en l'arrachant, la peau parcheminée (épiderme) qui recouvre la selle.
b) Couper les panoufles (flanchet) juste pour qu'elles se rejoignent sous les filets mignons.
c) Couper la selle en deux sur la longueur, le long de la moelle épinière.

REMARQUE. Cette dernière opération peut se faire en glissant une aiguille à l'intérieur de l'épine dorsale, ce qui permet de suivre régulièrement au couteau (ou au couperet) et de séparer la selle en deux parties égales.

d) Supprimer une partie de l'os de l'échine.
e) Rouler les panoufles sur elles-mêmes.
f) Couper en pièce de 5 cm environ d'épaisseur.
g) Dégraisser légèrement.
h) Fixer la panoufle roulée à l'aide d'une brochette, en traversant de part en part la pièce.

● D. Noisettes

REMARQUE

Elle est prélevée sur les filets de la selle. (Elles se font plus couramment sauter, voir « BŒUF », petites pièces sautées, tournedos.)

a) Supprimer, en l'arrachant, la peau parcheminée (épiderme), qui recouvre la selle, couper les panoufles.
b) Lever les filets.
c) Dégraisser légèrement.
d) Couper en médaillons (tranches) de 2 à 3 cm d'épaisseur.
e) Aplatir légèrement à l'aide d'une batte.

● RECOMMANDATIONS PRÉLIMINAIRES

Ces recommandations sont identiques à celles des pièces de bœuf grillées.

● CUISSON

a) Procéder comme les grillades de bœuf (voir « BŒUF »).
b) Presque au terme de la cuisson, faire griller la partie grasse (dos) de la pièce.

● DRESSAGE

a) Retirer la brochette qui maintient le flanchet roulé, pour le lamb-chop et le mutton-chop.
b) Dresser comme les grillades de bœuf.

● GARNITURES

Toutes les pommes de terre traitées à la friture ou, généralement, tous les légumes verts.

■ *MOUTON ROTI*

CHOIX DES MORCEAUX

CAT.	DÉNOMINATION CULINAIRE	POIDS PAR PERSONNE	CARACTÉRISTIQUES
1	GIGOT		Il est toujours servi entier, détaillé à la salle par le « Trancheur » à la voiture. Parfois, pour des raisons de service, il est entièrement désossé et ficelé.
	DOUBLE	250 g	Formé des **deux gigots** non séparés. C'est une belle pièce de grand service.
	SELLE		Formée des **deux filets** non séparés, elle est servie pour six personnes.
	CARRÉ		Il comprend principalement tout le **carré couvert** soit huit côtes.
2	ÉPAULE	150 à 200 g	Elle est toujours traitée entière, désossée, roulée ou non et ficelée.

● PRÉPARATION PRÉLIMINAIRE

● A. Gigot

a) Supprimer l'os du quasi (situé à la base du gigot).
b) Raccourcir l'os du « manche » et le dénuder entièrement de la chair qui le recouvre.

    REMARQUE. Cet os peut être garni après cuisson, pour la présentation, avec une « manchette à gigot ».

c) Dégraisser légèrement.
d) Maintenir en forme avec quelques tours de ficelle.

REMARQUE

Parfois, pour des raisons de service, le gigot est entièrement désossé. Dans ce cas, les deux os qui composent le gigot (hormis l'os du quasi) sont extraits en évitant de l'ouvrir. Il est ensuite dégraissé et ficelé.

● B. Double

a) Supprimer l'os du quasi des deux gigots.
b) Raccourcir l'os des deux « manches » et les dénuder entièrement de la chair qui les recouvre.
c) Dégraisser légèrement.
d) Maintenir solidement les deux gigots rapprochés par quelques tours de ficelle.

● C. Selle

a) Supprimer, en l'arrachant, la peau parcheminée (épiderme) qui recouvre la selle.
b) Couper les panoufles (flanchet) juste pour qu'elles se rejoignent bout à bout sous les filets mignons.
c) Dégraisser légèrement.

d) Supprimer les parties nerveuses situées sous la selle.

e) Piquer l'épine dorsale tout le long, à l'aide de la pointe d'un couteau.

f) Ramener les panoufles sous la selle.

g) Maintenir en forme avec quelques tours de ficelle.

● **D. Carré**

a) Supprimer, en l'arrachant, la peau parcheminée (épiderme) qui recouvre le carré.

b) Eliminer les vertèbres, partie dorsale, afin de faciliter le découpage après la cuisson.

c) Dégager l'extrémité de l'os (le manche) de chaque côte.

d) Raccourcir légèrement.

e) Dégraisser.

● **E. Epaule**

a) Eliminer l'os de la palette.

b) Supprimer, sans l'ouvrir, l'os central.

c) L'os de la jambe, qui subsiste, est raccourci.

d) Dégraisser légèrement.

e) Maintenir en forme avec quelques tours de ficelle.

● **REMARQUES PRÉLIMINAIRES**

Ces remarques sont identiques à celles des pièces de bœuf rôties (voir « BŒUF »).

● **CUISSON**

a) Mettre dans une plaque à rôtir, de grandeur proportionnée avec la pièce à traiter, des parures et des os concassés.

b) Mettre la pièce dessus.

c) Ajouter un morceau de beurre. Adjoindre un peu de fleur de thym.

d) Procéder ensuite comme le bœuf rôti (voir « BŒUF », cuisson).

REMARQUE

Facultativement, avant de déglacer la plaque pour confectionner le jus, ajouter un peu d'ail écrasé.

● **DRESSAGE**

a) Déficeler.

b) Dresser comme les pièces de bœuf rôties (voir « BŒUF », dressage).

● **GARNITURES**

Toutes les garnitures de légumes.

■ *MOUTON SAUTÉ*

CHOIX DES MORCEAUX

CAT.	DÉNOMINATION CULINAIRE	POIDS PAR PERSONNE	CARACTÉRISTIQUES
2-3	CASSOULET NAVARIN, etc.	150 à 250 g	Tous les morceaux prélevés pour ces différents sautés sont pris dans **l'épaule, le collier, la poitrine, les faux morceaux,** etc. Dans les collectivités, les sautés sont uniquement réalisés avec des morceaux de troisième catégorie. Les morceaux sont taillés à raison de 75 à 100 g par morceau.

REMARQUE

Le « navarin aux pommes » étant le type classique de ces sautés, nous le prendrons comme exemple.

NAVARIN AUX POMMES

● **CUISSON (45 à 50 minutes environ)**

a) Faire chauffer dans une sauteuse un peu d'huile.

b) Mettre les morceaux de viande à revenir (rissoler) dès que l'huile est chaude. Les remuer de temps en temps.

c) Egoutter la graisse lorsque les morceaux sont rissolés, en basculant la sauteuse. Prendre soin de poser un couvercle dessus pour maintenir les morceaux.

d) Ajouter des oignons ciselés grossièrement. Les faire suer légèrement avec la viande.

e) Singer (saupoudrer de farine). Enrober les morceaux en remuant, à l'aide d'une petite écumoire (ou d'une spatule en bois).

f) Mettre au four 4 à 5 minutes pour assurer une légère coloration à la farine.

g) Sortir la sauteuse du four. Mouiller les morceaux à hauteur avec de l'eau.

h) Adjoindre un peu de tomate concentrée, d'ail écrasé et un petit bouquet garni.

i) Assaisonner de gros sel et de poivre du moulin.

j) Porter à ébullition. Cuire à couvert à four chaud (200° environ - thermostat 6-7).

k) Sortir la sauteuse du four au bout de 40 à 50 minutes environ de cuisson, ce qui représente les 3/4 de la cuisson.

l) Retirer les morceaux de viande à l'aide d'une petite écumoire et d'une fourchette, en éliminant la garniture. Mettre les morceaux dans une autre sauteuse identique.

m) Ajouter des pommes de terre tournées et blanchies.

n) Passer la sauce au chinois sur la viande et les pommes de terre.

o) Vérifier l'assaisonnement si nécessaire.

p) Porter à ébullition. Préserver le dessus avec un papier sulfurisé (ou une feuille d'aluminium) de même dimension que le récipient.

q) Terminer la cuisson à couvert, au four, pendant 15 à 20 minutes, ce qui doit assurer la cuisson complète de la viande et des pommes de terre.

● **DRESSAGE**

a) Sortir la sauteuse du four au terme de la cuisson.

b) Dresser la viande dans un légumier.

c) Ajouter aux pommes de terre des petits oignons glacés à brun (voir chapitre « LES LÉGUMES », petits oignons glacés à brun).

d) Mettre si possible la garniture sur la viande.

e) Adjoindre la sauce.

f) Parsemer d'un peu de persil haché.

● **VARIANTES**

DÉNOMINATION	COMPOSITION
PRINTANIER	Adjoindre, au moment du dressage, des carottes et des navets tournés en olive et glacés, des petits pois et des haricots verts cuits à l'anglaise.

PORC

● Le porc est le neutre de son genre. Le mâle se dénomme « verrat », la femelle « truie ».

● Le porc est tué en général après avoir atteint en moyenne le poids de 150 kg. Le jeune porcelet appelé culinairement « cochon de lait » est sacrifié vers l'âge de 6 semaines, alors qu'il atteint le poids de 5 à 15 kg.

● En général, les porcs de Large-White (Yorkshire ou York). Blanc de l'Ouest (fusion des races normande et craonnaise), Landrace français (originaire du Danemark), Piétrain (originaire de Belgique), jouissent d'une très grande renommée.

● La consommation de la chair de porc est très répandue, tant à l'état frais que sous forme de salaison ou de charcuterie.

● 1. CARACTÉRISTIQUES DE LA QUALITÉ

L'aspect général des muscles (morceaux) est un indice irréfutable de la qualité, ainsi que la couleur de la graisse et de la chair.

QUALITÉ	ASPECT DE LA CHAIR	ASPECT DE LA GRAISSE
PARFAITE	La chair est blanche légèrement rosée.	La graisse (dénommée lard) située sous la peau (couenne) est ferme, blanche, ainsi que celle se trouvant dans la région abdominale et se dénommant « panne ».
INFÉRIEURE	La chair est de couleur plus foncée. La surface de la coupe est humide (porc de laiterie).	La graisse est molle, légèrement foncée.

REMARQUE

Les morceaux du porc ne sont pas classés par catégories comme ceux du bœuf, du veau et du mouton.

● 2. DÉTAIL DU PORC

Le porc est détaillé :

— **EN DEMI,** fendu en deux dans le sens de la longueur, après avoir éliminé la tête.

— **EN MORCEAUX,** détail des demis.

— **EN LONGE,** morceau allongé comprenant tous les éléments nobles du porc détaillés en rôtis ou en côtelettes.

■ *LE DEMI-PORC*

Il comprend :

I. LA CUISSE	**III. L'ÉPAULE**
II. LA LONGE	**IV. LA POITRINE**

DÉTAIL		EMPLACEMENT DES MORCEAUX DE DÉTAIL SUR L'ANIMAL	UTILISATIONS CULINAIRES
I. LA CUISSE			
LE PIED LE JAMBONNEAU DE DERRIÈRE LE JAMBON		Ils représentent tout le membre postérieur.	PANNES SALAISONS ROTIS
II. LA LONGE			
LA POINTE DE FILET		Située entre le filet et le jambon.	SALAISONS ROTIS
LE FILET		Partie lombaire.	
LE CARRÉ	les côtes premières.	Faisant suite au filet.	ROTIS, POÊLÉS GRILLADES
L'ÉCHINE	les côtes secondes ou les côtes d'échine.	Va de la tête aux côtes premières en comprenant le cou.	
LE TRAVERS		Bandelette étroite allant du cou au jambon et correspondant au haut de côtelettes du mouton.	
III. L'ÉPAULE			
LE PIED LE JAMBONNEAU DE DEVANT LA PALETTE		Elle représente tout le membre antérieur.	PANNES SALAISONS
LE PLAT DE COTES		Situé à l'extrémité des côtes et comprend le sternum entier.	SALAISONS
IV. LA POITRINE			
		Partie ventrale.	SALAISONS

● 3. PRÉPARATIONS PRÉLIMINAIRES

Ce sont principalement le carré, l'échine, le filet, la pointe de filet et le jambon (qui prend aussi le nom de cuisseau à l'état frais) qui sont traités.

Ces morceaux sont livrés découennés, sauf le jambon.

D'une manière générale, la viande est préalablement:

● DÉGRAISSÉE: Suppression en partie de la graisse de couverture (sauf le jambon, cette opération n'étant faite qu'au cours de la cuisson).

● DÉSOSSÉE: Certains morceaux ne le sont qu'en partie: le cuisseau, le carré. D'autres le sont complètement: le filet, la pointe de filet, etc.

● FICELÉE: Afin de maintenir les grosses pièces en forme pendant la cuisson, et permettre en outre une meilleure présentation des pièces traitées.

La viande de porc est servie soit détaillée en pièce: côte; soit en grosses pièces entières: cuisseau, carré, filet, etc.

DEMI-

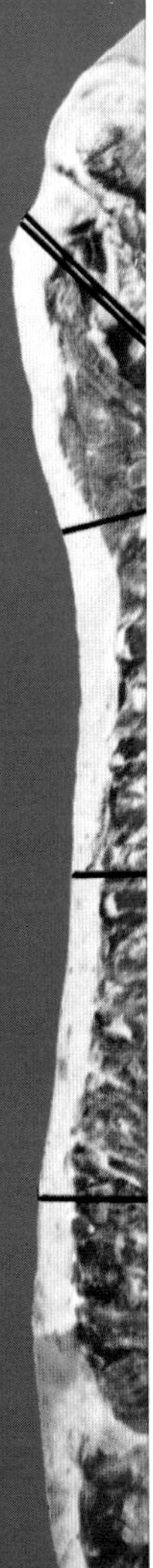

• 4. TECHNIQUES DE PRÉPARATION

La viande de porc est traitée sous trois formes :

■ I.   PORC FRAIS

■ II. PORC EN SALAISON

■ III. PORC EN CHARCUTERIE

Elle subit différents apprêts culinaires.

TECHNIQUE DE CUISSON	DÉNOMINATION CULINAIRE	POIDS PAR PERSONNE	CARACTÉRISTIQUES
I. PORC FRAIS			
GRILLÉ	COTE	200 à 250 g	Prélevée sur le **carré,** l'os de l'échine est supprimé, seul l'os de la côte (os du manche) subsiste. Celui-ci est raccourci, dégagé à son extrémité.
SAUTÉ			Comme les côtes grillées.
ROTI	CUISSEAU	150 à 200 g	Préparé soit entier, l'os du quasi est supprimé, soit entièrement désossé et détaillé.
	CARRÉ	200 g	Il comprend tout le **carré couvert.** Se prépare comme le carré de veau.
	FILET LONGE	150 à 200 g	Entièrement désossé et ficelé comme la longe de veau.
II. SALAISON			
POCHÉ	CARRÉ JAMBONNEAU JAMBON PALETTE POITRINE		**Salaison sec :** les morceaux sont frottés au sel marin (sel gris) additionné en quantité déterminée de salpêtre pulvérisé, puis ils sont disposés sur des claies pour faciliter l'écoulement de la saumure.
			Salaison en saumure : traités comme le salage à sec, les morceaux sont piqués avec une aiguille munie d'une pompe spéciale permettant d'injecter de la saumure à l'intérieur des chairs. Les morceaux sont ensuite mis dans des récipients (baquets à saumure en ciment, munis sur le fond d'une grille) remplis de saumure (eau, sel marin, salpêtre et cassonade brune). Une planchette est disposée sur les morceaux pour les empêcher de surnager. ● **NOTA.** Cette viande peut être fumée ensuite.
III. CHARCUTERIE			
	PATÉS SAUCISSONS GALANTINES RILLETTES etc.		La charcuterie est la transformation de la chair du porc sous forme de préparations différentes les unes des autres. Celles-ci faisant l'objet d'une étude tout à fait spéciale, nous ne nous y arrêterons donc pas.

■ *A. PORC FRAIS*

PORC GRILLÉ

● **RECOMMANDATIONS PRÉLIMINAIRES**

Les barreaux du gril doivent être rigoureusement propres et bien chauds. Néanmoins, le feu doit être modéré pour permettre à la viande de cuire complètement sans dessécher.

● **CUISSON**

La cuisson est identique à celle des côtes de veau grillées (voir chapitre « VEAU »).

● **DRESSAGE**

a) Dresser en couronne sur plat rond.
b) Disposer au centre un bouquet de cresson.

● **GARNITURES**

Toutes les garnitures de pommes de terre: frites, sautées, mousseline, etc.

PORC SAUTÉ

● **CUISSON**

a) Assaisonner de sel fin et de poivre du moulin.
b) Faire chauffer dans une sauteuse ou un plat à sauter un peu de beurre.
c) Cuire doucement.
d) Rissoler sans faire dessécher.
e) Réserver, au terme de la cuisson, sur le plat de service. Maintenir au chaud.
f) Déglacer le récipient de cuisson avec du vin blanc. Faire réduire.
g) Terminer la sauce, généralement avec une sauce piquante, charcutière, etc.

● **DRESSAGE**

a) Dresser comme les côtes grillées.
b) Napper de la sauce d'accompagnement.

● **GARNITURES**

Toutes les garnitures de pommes de terre: sautées, mousseline, etc.

PORC ROTI

● **NOTA.** La cuisson du porc étant assez longue, il est plus fréquemment traité poêlé que rôti, ainsi il reste plus moelleux.

● **CUISSON**

La cuisson est identique à celle du veau poêlé (voir chapitre « VEAU »).

● **DRESSAGE**

Dresser la pièce légèrement saucée sur un plat. Servir le jus de rôti à part, en saucière.

● **GARNITURE**

Toutes les garnitures de légumes, mais principalement avec pommes mousseline et compote de pommes légère (apple sauce).

B. SALAISON

PORC POCHÉ

● RECOMMANDATIONS PRÉLIMINAIRES

Avant l'emploi des viandes de salaison, selon le degré de salage, il est courant de mettre les morceaux à dessaler plusieurs heures à l'eau courante avant leur cuisson, sauf pour la poitrine salée, lorsqu'elle est destinée à la confection des lardons, ainsi que les pièces fumées.

● CUISSON

CARRÉ, JAMBONNEAU, PALETTE, etc.

Procéder comme le bœuf poché (voir chapitre « BŒUF »). Ne pas faire blanchir et ne pas mettre de garniture aromatique.

● JAMBON SALÉ, OU FUMÉ, SERVI CHAUD

a) Pocher aux 3/4 après avoir supprimé l'os du quasi.
b) Débarrasser de sa couenne et de l'excédent de graisse qui le recouvre.
c) Terminer la cuisson au four, sur un fonçage de carottes, oignons coupés en quartiers et bouquet garni.
d) Retirer le jambon au terme de la cuisson.
e) Dégraisser le fond.
f) Déglacer avec porto ou xérès, ou marsala, etc., vin correspondant à l'appellation donnée.
g) Laisser réduire.
h) Ajouter du fond de veau lié. Laisser réduire.
i) Passer la sauce au chinois. Vérifier l'assaisonnement.
j) Glacer ensuite le jambon au four en l'arrosant fréquemment avec son fond.

REMARQUE

Une autre formule (la plus utilisée) est employée pour glacer le jambon: le saupoudrer de sucre glace et le mettre à four chaud pour caraméliser la surface, ce qui lui donne un aspect brillant.

● CARRÉ, JAMBONNEAU, PALETTE, POITRINE

Ces pièces sont parfois pochées avec des légumes (choux, carottes, navets, etc.) pour la préparation des potées. Lorsqu'elles sont fumées, elles peuvent être cuites dans la choucroute.

● GARNITURE

Toutes les garnitures de légumes, principalement: épinards, pommes mousseline, laitues braisées, etc.

C. CHARCUTERIE

La charcuterie étant une branche différente de la cuisine et faisant l'objet d'une étude particulière, nous n'en parlerons donc pas.

TRIPERIE

● Les abats de boucherie sont les organes principaux des bêtes abattues. Ils sont vendus principalement par le Tripier, exception faite pour les abats de porcs, vendus et transformés exclusivement par le Charcutier et les rognons de veau par le Boucher.

CLASSIFICATION	MOUTON ET AGNEAU	PORC
■ A. LES ABATS ROUGES		
LE CŒUR	Il est parfois vendu avec le foie, les poumons et la rate. Ils forment ce que l'on appelle « la fressure ».	b
LE FOIE	Il est formé de deux lobes et d'un lobule. D'un goût assez médiocre, il est peu recherché.	Il est formé de quatre lobes et d'un lobule goût assez inférieur, il est principalement pour la confection des pâtés.
LA LANGUE	La plus petite, elle se prépare comme celle de veau.	Généralement elle est utilisée en charcuterie la confection du fromage de tête, sorte de pâté paré avec la tête entière (sauf la cervelle).
LES POUMONS	Ne sont pas utilisés en restauration. Parfois conjointement avec le cœur et le foie, émincés et sautés.	Ne sont pas utilisés en restauration.
LES ROGNONS	En forme de haricot légèrement rond uni, ils sont recouverts d'une membrane légèrement transparente, enveloppée de graisse ferme. Ils sont servis généralement à raison de deux pièces par personne.	En forme de haricot plat uni, ils sont reco d'une membrane légèrement transparente, loppés de graisse. Ils ont une odeur urineuse chair plus grasse que les autres rognons saveur légèrement douce. Ils sont servis à rai deux pièces par personne.
■ B. LES ABATS BLANCS		
LES AMOURETTES		
LA CERVELLE	La plus petite de toutes les cervelles utilisées en cuisine.	Elle se présente comme celle du veau.
LES PIEDS	Ils sont vendus parfois blanchis.	Ils sont principalement préparés en charcut
LES RIS	Mêmes caractéristiques que ceux de veau, ils ne se trouvent que chez l'agneau. Ils sont plus petits et d'une forme allongée.	
LA TÊTE		Généralement utilisée en charcuterie po confection du « fromage de tête ».

● **NOTA.** Tous ces abats cités ci-dessus n'ont pas la même valeur culinaire. Certains sont très recherchés pour leur qualité et leur finesse.

● 1. CLASSIFICATION

Les abats de boucherie se classent en deux groupes et comprennent:

■ **A. LES ABATS ROUGES**   ■ **B. LES ABATS BLANCS**

RACTÉRISTIQUES

BŒUF	VEAU
s peu utilisé en restauration vu sa qualité. Il est principa- ent employé pour l'office (personnel), ou il compose un économique.	D'une qualité plus recherchée que celui du bœuf.
st formé d'un seul lobe. Moins délicat que celui du veau, il d'un goût inférieur. Peu utilisé en restauration, il sert prin- lement pour l'office (personnel.)	Il est formé d'un lobe et d'un lobule. C'est le plus délicat et le plus estimé de tous les foies de boucherie.
est toujours vendue entière lorsqu'elle est fraîche ou e, au détail ou entière lorsqu'elle est traitée « à l'écarlate ». tte préparation particulière est réalisée par le charcutier, est alors servie froide.)	Elle est plus délicate que celle du bœuf. Elle est vendue géné- ralement conjointement avec la tête, et se sert avec celle-ci.
sont pas utilisés en restauration.	Ne sont pas utilisés en restauration.
erement ovales, ils sont formés de plusieurs lobes, recou- s d'une membrane légèrement transparente, enveloppés raisse ferme. Leur chair est très coriace.	Légèrement ovales, ils sont formés de plusieurs lobes, recou- verts d'une membrane légèrement transparente, enveloppés de graisse ferme. Ce sont les plus délicats et les plus estimés de tous les rognons. Ils sont servis généralement à raison d'une pièce par personne.
représentent la moelle épinière.	Elles représentent la moelle épinière.
lus grosse et la moins délicate de toutes les cervelles.	La plus fine et la plus délicate de toutes les cervelles.
ont utilisés exclusivement à la préparation des tripes.	Ils sont toujours vendus débarrassés de leurs poils.
	Ils représentent la partie la plus délicate et la plus recherchée de tous les abats de boucherie. Situés à la partie inférieure du cou, les ris (thymus) ne se trouvent que chez les jeunes animaux. D'une consistance un peu molle, à chair légèrement blanche, ils se composent de deux parties: de la gorge (partie non comestible) et de deux noix séparées (parties comestibles) d'une forme légèrement arrondie. Très estimés, ils sont utilisés à de nombreuses préparations.
s, la cervelle, la langue, les joues, le museau et le palais utilisés dans la tête. Le museau et le palais sont préparés ralement froids à la vinaigrette.	Elle est vendue entière, désossée ou non, ou détaillée en morceaux.

● 2. TECHNIQUES DE PRÉPARATION

● **REMARQUE PRÉLIMINAIRE**

Toutes les préparations préliminaires sont valables aussi bien pour le bœuf, le veau, le mouton, l'agneau et le porc.

■ A. LES ABATS ROUGES

LE CŒUR

● **PRÉPARATION PRÉLIMINAIRE**

a) Retirer les caillots de sang situés dans les cavités du cœur.
b) Détailler suivant les besoins: en tranches ou émincé.

REMARQUE

Il peut aussi se cuire en entier.

● **CUISSON**

Il peut être braisé en entier (principalement le cœur de bœuf), comme le bœuf braisé (voir chapitre « LE BŒUF »). Sauté rapidement à la poêle, en tranches ou émincé (cœur de veau et cœur de mouton) avec une persillade.

LE FOIE

● **PRÉPARATION PRÉLIMINAIRE**

a) Supprimer (simplement avec le bout des doigts) la peau (mince pellicule transparente qui recouvre entièrement le foie), **seulement la partie à détailler.**

   REMARQUE. Cette peau est éliminée au fur et à mesure des besoins. Par ce procédé le foie durant son stockage ne noircit pas, il est à l'abri de l'air, et se conserve plus longtemps.

b) Détailler en tranches ou en fines lamelles. Couper de préférence légèrement en biais.

RECOMMANDATION

Réserver toujours au frais le foie, sur une plaque garnie d'un torchon ou d'une serviette.

● **CUISSON**

a) Saler les deux faces.
b) Passer dans la farine.

   REMARQUE. Le foie étant très humide, la farine permet de mieux saisir les tranches. En outre, ne pas fariner trop à l'avance, la farine risque de se détremper et de former « pâte ».

c) Taper légèrement entre les mains pour enlever l'excédent de farine.
d) Sauter, à la poêle avec un morceau de beurre et un peu d'huile.
e) Cuire légèrement rosé.
f) Servir avec un beurre noisette ou une sauce lyonnaise, sauce Bercy, etc.

● **VARIANTES**

Le foie se prépare aussi émincé en fines lamelles et sauté, ou bien grillé (comme une grillade) avec tranches de bacon grillé. Il est courant de le servir avec des pommes à l'anglaise.

LA LANGUE

● PRÉPARATION PRÉLIMINAIRE

a) Eliminer le cornet (larynx) et les « fagoues » (thymus).
b) Mettre à dégorger à l'eau courante, 6 à 7 heures environ.
c) Egoutter.
d) Mettre la langue dans un récipient suffisamment grand.
e) Mouiller à hauteur à l'eau froide.
f) Faire partir l'ébullition.
g) Laisser bouillir (blanchir) 5 minutes environ.
h) Rafraîchir à l'eau courante.
i) Egoutter.
j) Supprimer (éplucher) toute la peau rugueuse recouvrant la langue.

● CUISSON

REMARQUE

La langue peut être pochée ou braisée. Dans un cas comme dans l'autre, elle est toujours cuite entière, puis détaillée ensuite.

● **Langue de bœuf (pochée)**

Procéder comme le bœuf poché (voir chapitre « LE BŒUF »).

● **Langue de bœuf (braisée)**

Procéder comme le bœuf braisé (voir chapitre « LE BŒUF »), en supprimant le lardage et la marinade.

● **Langue de veau, de mouton (pochée)**

Voir plus loin la tête de veau.

● SAUCES

Chasseur, piquante, tomate, etc.

● GARNITURES

Bourgeoise, jardinière, pommes mousseline, etc.

LES ROGNONS

● PRÉPARATION PRÉLIMINAIRE

a) Retirer (au fur et à mesure de leur utilisation) la graisse qui les recouvre.

   REMARQUE. Ce procédé évite aux rognons de « noircir » au contact de l'air, et permet de les conserver plus longtemps.
b) Supprimer la membrane transparente qui les recouvre.
c) Couper en deux dans le sens de la longueur.
d) Eliminer toute la partie blanchâtre (bassinet) et nerveuse située au centre des rognons (principalement pour les rognons de bœuf et de veau).

● **Les rognons de bœuf**

Sont toujours détaillés en lamelles.

- **Les rognons de veau**

Sont traités entiers ou détaillés en lamelles suivant les recettes.

- **Les rognons de mouton et de porc**

Sont ouverts en deux sur la longueur, sans être séparés, pour être ensuite embrochés (à l'aide d'une brochette), afin de les maintenir pendant leur cuisson.

- **CUISSON**

- **Rognons de bœuf (braisés)**

a) Saisir à la poêle les rognons.
b) Egoutter dans une passoire (pour les grosses quantités).
c) Mettre les rognons dans un récipient avec des échalotes finement ciselées et suées au beurre au préalable.
d) Déglacer avec vin blanc ou vin rouge.
e) Laisser réduire.
f) Mouiller à hauteur les rognons avec du fond de veau tomaté lié.
g) Saler et poivrer.
h) Adjoindre un bouquet garni.
i) Laisser cuire doucement sur le coin du feu ou au four 1 heure à 1 1/2 heure environ.
j) Ajouter au terme de la cuisson, des champignons de Paris escalopés et sautés au beurre.

- **Rognons de veau (sautés)**

REMARQUE

Il est courant, dans la grande restauration, de traiter les rognons de veau entiers, à raison d'une pièce par personne. Ils sont préparés à la salle devant le client.

- **CUISSON**

a) Faire chauffer dans une sauteuse, un peu d'huile (ou de beurre).
b) Saisir le rognon sur toutes ses faces.
c) Mettre le rognon dans une timbale ou une cocotte.
d) Servir avec, à part, un peu de fond de veau lié.
   Il est ensuite pris en charge par la salle qui le prépare suivant les différentes recettes: flambé, à la crème, etc.

- **Rognons de mouton, de porc (grillés)**

REMARQUE

C'est généralement grillés que ces rognons sont traités.
Procéder comme une viande grillée (voir chapitre « LE BŒUF »). Servir avec du beurre maître d'hôtel.

■ B. LES ABATS BLANCS

LES AMOURETTES

Mêmes préparations que la cervelle. Elles sont généralement utilisées comme élément de garniture dans les bouchées, les vol-au-vent...

LA CERVELLE

● **PRÉPARATION PRÉLIMINAIRE**

a) Mettre à dégorger à l'eau courante 6 à 7 heures environ.

b) Débarrasser délicatement avec les doigts des membranes et des parties sanguinolentes qui la recouvrent.

   REMARQUE. La cervelle de bœuf est plus difficile à « éplucher » que les autres.

c) Laisser dégorger encore 1 heure environ.

● **CUISSON**

a) Mouiller la cervelle à hauteur avec de l'eau froide.

b) Ajouter un peu de vinaigre.

c) Assaisonner au gros sel.

d) Adjoindre un bouquet garni.

e) Faire partir l'ébullition.

f) Ecumer.

g) Laisser frémir 10 minutes (pour le veau, le mouton et le porc), et 15 minutes (pour le bœuf).

h) Débarrasser délicatement, au terme de la cuisson dans une terrine ou un bahut inoxydable.

i) Laisser refroidir dans la cuisson.

j) Réserver dans la cuisson jusqu'à l'utilisation.

● **VARIANTES**

DÉNOMINATION	COMPOSITION
MEUNIÈRE	Tailler en tranches. Fariner. Procéder comme un poisson meunière.
AU BEURRE NOIR	Comme meunière, le beurre plus cuit avec un filet de vinaigre.
FRITOTS, BEIGNETS	Couper en dés. Mariner (voir chapitre « LES MARINADES INSTANTANÉES »). Passer dans la pâte à frire. Cuire à la friture. Servir avec sauce tomate, sauce Tartare, etc.

Taillées en petits dés, les cervelles peuvent servir comme élément de garniture dans les bouchées, les vol-au-vent...

LES PIEDS

● **PRÉPARATION PRÉLIMINAIRE**

● **Pieds de veau**

a) Désosser. Suppression de l'os du pied.

b) Mettre à dégorger à l'eau courante 6 à 7 heures environ.

c) Egoutter.

d) Mettre dans un récipient suffisamment grand.

e) Mouiller à hauteur à l'eau froide.

f) Faire partir l'ébullition.

g) Laisser bouillir (blanchir) 5 minutes environ.

h) Rafraîchir à l'eau courante.

i) Egoutter.

● **NOTA.** Les pieds de veau sont aussi utilisés à la confection du bœuf à la mode, et des gelées (voir chapitre « LES GELÉES »).

● **Pieds de mouton**

● PRÉPARATION PRÉLIMINAIRE

Ils sont vendus blanchis.

a) Flamber.
b) Détacher avec la pointe d'un couteau la petite touffe de poils qui subsiste entre les deux sabots.
c) Faire sauter les deux sabots.
d) Désosser. Suppression de l'os du pied.
e) Faire blanchir à nouveau.

● CUISSON

a) Diluer, dans un récipient suffisamment grand, un peu de farine avec de l'eau froide (1 cuillerée à potage par litre d'eau).
b) Ajouter un jus de citron.
c) Saler au gros sel.
d) Faire partir l'ébullition en remuant fréquemment à l'aide d'une spatule, pour éviter à la farine d'attacher au fond du récipient.
e) Mettre les pieds.
f) Couvrir d'une serviette.
g) Laisser cuire à couvert suivant les pieds, 2 à 3 heures environ.

REMARQUE

Ils sont réservés dans leur cuisson.

● SAUCES

Ils sont servis avec sauce vinaigrette, gribiche, poulette, etc.

LES RIS

● PRÉPARATION PRÉLIMINAIRE

a) Mettre les ris à dégorger à l'eau courante pendant 6 heures.
b) Egoutter dans une passoire, au bout de ce laps de temps.
c) Mettre les ris dans **un récipient suffisamment grand.**
d) Mouiller à **l'eau froide** à 4 ou 5 cm au-dessus des ris.
e) Faire bouillir en plein feu (à feu vif), pendant 3 à 4 minutes.
f) Rafraîchir ensuite rapidement à l'eau courante.
g) Egoutter dans une passoire.
h) Supprimer délicatement, avec les mains, les parties nerveuses et cartilagineuses des « noix », sans abîmer celles-ci.
i) Disposer soigneusement les ris **sur une seule couche** dans une petite plaque à débarrasser garnie d'un torchon.
j) Recouvrir d'un deuxième torchon (ou replié le premier par-dessus).
k) Mettre sur le dessus une planchette (ou une plaque) légèrement plus petite que celle contenant les ris.
l) Poser sur cette planchette (ou sur cette plaque), un poids qui doit être en rapport avec la quantité de ris traités, afin de ne pas les écraser.
m) Réserver au frais et sous presse quelques heures environ.
● **NOTA.** Cette opération de « presse » a pour but d'éliminer une grande partie de l'eau se trouvant dans les ris après le blanchiment et le rafraîchissement, et de leur donner une forme régulière.

- **CUISSON**

REMARQUE

Les ris sont généralement braisés à brun ou à blanc (c'est-à-dire sans coloration superficielle).

a) Piquer la surface, dans le sens de la longueur, de petits bâtonnets de lard gras, en les alternant en quinconce.

b) Procéder comme le veau poêlé (voir chapitre « LE VEAU »).

- **GARNITURES**

Ils admettent toutes les garnitures de légumes, particulièrement les petits pois et les pointes d'asperges.

- **VARIANTES**

Ils sont utilisés (principalement les ris d'agneau) pour les différentes garnitures de bouchées, vol-au-vent. Blanchis et escalopés, les ris de veau peuvent être sautés, grillés, panés, etc.

LA TÊTE

REMARQUE

C'est principalement la tête de veau qui est préparée en cuisine.

- **PRÉPARATION PRÉLIMINAIRE**

a) Désosser en pratiquant une incision tout le long de la tête, du haut du front au-dessous du museau.

b) Couper de chaque côté la peau et la chair, en suivant l'os de la tête.

c) Dégager entièrement la langue de la mâchoire inférieure.

d) Fendre la boîte crânienne en deux, pour extraire la cervelle sans l'abîmer.

e) Mettre à dégorger la tête et la langue à l'eau courante, 6 à 7 heures environ.

    REMARQUE. La cervelle est traitée à part (voir plus haut « LA CERVELLE »), mais elle est servie avec la tête.

f) Egoutter.

- **CUISSON**

a) Mettre dans un récipient suffisamment grand la tête et la langue.

b) Mouiller à hauteur à l'eau froide.

c) Faire partir l'ébullition.

d) Laisser bouillir (blanchir) 5 minutes environ.

e) Rafraîchir à l'eau courante.

f) Egoutter. Citronner la tête avec un demi-citron, pour l'empêcher de noircir.

g) Détailler la tête en portion.

h) Eliminer le cornet (larynx) et les parties non comestibles de la langue, ainsi que toute la peau rugueuse qui la recouvre.

REMARQUE

La tête et la langue sont cuites ensemble. Procéder comme les pieds.
Retirer la langue avant la fin de la cuisson de la tête, cette dernière étant plus longue à cuire.

- **SAUCES**

Elle est servie tiède avec sauce vinaigrette, gribiche, etc.

- **NOTA.** Pour le service, la langue et la cervelle sont détaillées en portions et servies avec la tête.

VOLAILLES

● Le nom de volaille détermine l'ensemble des « Oiseaux de basse-cour ».

● 1. CLASSIFICATION

GROUPE	CATÉGORIE		VARIÉTÉS
VOLAILLE A CHAIR BLANCHE	POULET	fig. 1	CHAPON POULARDE POULET DE GRAIN POULET REINE POUSSIN
	DINDE	fig. 2	DINDE DINDONNEAU
VOLAILLE A CHAIR NOIRE	CANARD	fig. 3	BARBARIE NANTAIS ROUENNAIS
	OIE	fig. 4	OIE
	PIGEON	fig. 5	PIGEONNEAU
	PINTADE	fig. 6	PINTADEAU

FIG. 2

FIG. 1

FIG. 3

• 2. CARACTÉRISTIQUES DE QUALITÉ

■ *VOLAILLE A CHAIR BLANCHE*

LE POULET

Le poulet est une jeune volaille employée à divers stades d'engraissement: poussin, poulet de grain, poulet reine, poularde, chapon. Le temps nécessaire à leur engraissement n'est pas fixe; il est fonction de la race et de la nourriture.

Le poulet de bonne qualité se reconnaît aux caractéristiques suivantes:
— Les pattes sont grosses.
— L'ergot est à peine formé.
— Le cou est charnu.
— La peau est blanche, son grain est fin au toucher. On aperçoit sous celle-ci des veines grasses.
— Le bréchet est flexible (os formant la poitrine des volailles) à sa partie inférieure.

Le poussin

Au sens propre du mot, le poussin est le jeune poulet sortant de l'œuf, nouvellement éclos. Dans ce sens, il n'est pas utilisé en cuisine, en raison de sa chair non encore formée. Culinairement, on désigne sous ce nom de très jeunes poulets de 8 à 10 semaines. Leur poids est d'environ 600 g.

Le poulet de grain

Caractérise le poulet de 1 kg, mais cette appellation ne peut être employée que pour des poulets élevés au grain.

Le poulet reine

Est un poulet qu'un début d'engraissement rend plus rond que le poulet de grain. Son poids est de 1,400 kg environ.

La poularde

La poularde est une jeune poule qui arrive à maturité, engraissée par gavage.
Elle se distingue à la grosseur du cou et des pattes, ainsi qu'aux éperons ou ergots à peine formés, par opposition aux vieilles poules dont le cou est allongé, les pattes maigres avec des éperons durs et bien plantés.

Un sujet de bonne qualité doit avoir:
— La peau fine et blanche.
— Le bréchet flexible.
— Le croupion est bien blanc avec une boule de graisse remontant sur le dos. Son poids varie de 1,800 kg à 2 kg, et même plus.

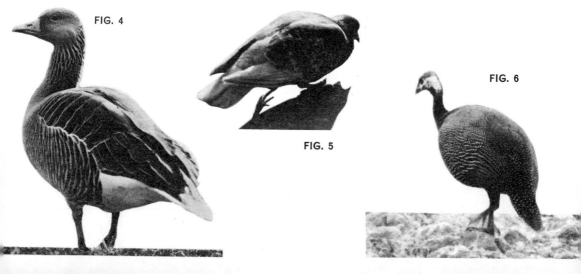

FIG. 4

FIG. 5

FIG. 6

Le chapon

Le chapon est un jeune coq, châtré avant d'être gavé. Ce procédé permet d'obtenir de très grosses pièces dont la valeur culinaire est relative. Son poids varie de 1,800 kg à 2 kg.

LA DINDE

Elle porte le nom de dindonneau jusqu'à 9 mois.
La chair de la femelle est plus recherchée que celle du mâle. La femelle se différencie du mâle aux caractéristiques suivantes:
— Elle porte des éperons.
— Sous la gorge, elle ne possède pas de petit toupet de crin, mais un petit morceau de chair.
— Sa taille est plus petite.
— Ses pattes doivent être noires; seule la couleur des pattes est l'indice de l'âge, donc de sa jeunesse.
Son poids varie entre 3,500 kg et 5 kg. Il existe des sujets mâles beaucoup plus gros, mais il n'est pas recommandé de les employer en cuisine.

■ *VOLAILLE A CHAIR NOIRE*

LE CANARD

Le canard de bonne qualité se reconnaît à la flexibilité du bec qui doit se plier facilement et à la souplesse de la chair de l'aileron.
Le canard nantais fournit une bête à chair fine et savoureuse. Son poids dépasse rarement 2 kg vers l'âge de 4 mois, où il atteint sa pleine maturité.
Le canard de Barbarie, plus en chair que le nantais, est moins estimé. Son poids varie de 2 à 3 kg.
Le canard rouennais, contrairement aux autres canards, n'est pas saigné, mais étouffé, ce qui donne à sa chair une analogie avec celle du gibier. Sa chair est battue pendant l'agonie de la bête, ainsi, le sang se répartit dans les chairs avant de se coaguler, ce qui lui confère une teinte rouge. Son poids varie de 2,500 kg à 3 kg.

L'OIE

On fait peu de cas de l'oie en cuisine (sauf sous forme de confits). L'oie est tendre jusqu'à l'âge de 14 mois, et se reconnaît aux caractéristiques suivantes:
— Bec flexible.
— Os de la poitrine peu développé.
— Peau blanche ou légèrement rosée.

LE PIGEON

Il porte le nom de **pigeonneau** jusqu'à l'âge de 6 à 7 mois. C'est à cet âge qu'il est utilisé en cuisine.
Le pigeon de bonne qualité se reconnaît aux caractéristiques suivantes:
— Les pattes sont grosses.
— La peau du ventre est légèrement rosée.
— Le bréchet est flexible.
— Son corps est recouvert d'un fin duvet.
Son poids varie de 250 à 600 g.

LA PINTADE

Elle porte le nom de **pintadeau** jusqu'à 3 mois. A 6 mois, elle atteint la taille d'un faisan.
La pintade de bonne qualité se reconnaît aux caractéristiques suivantes:
— Le bréchet est flexible.
— La peau est rougeâtre si elle n'a pas été saignée, blanche si elle l'a été.

3. PRÉPARATIONS PRÉLIMINAIRES DE TOUTES LES VOLAILLES

● Toutes les volailles doivent subir avant l'emploi les mêmes préparations préliminaires (sauf la dinde et le canard qui subissent en plus d'autres préparations).

● Lorsqu'elles sont livrées dans le commerce, les volailles sont « effilées » à partir du cloaque (les boyaux - intestins - ont été enlevés), pour éviter tout risque d'altération. Il ne reste plus qu'à extraire le gésier, le foie, la rate, le cœur, les poumons, le jabot (sauf pour les palmipèdes), le tube digestif et le tube respiratoire. Ces opérations se dénomment « LE VIDAGE », et ce travail est réalisé par le « Rôtisseur ».

● Lorsque ces organes sont extraits, il est nécessaire de supprimer les parties non comestibles que certains contiennent. Exemple: pour le foie, le fiel; pour le gésier, la poche à grains.

Seuls le foie et le gésier sont conservés à d'autres usages que nous donnerons à la fin de ce chapitre.

Nous pouvons prendre, à titre d'exemple, le poulet comme sujet de démonstration.

Première opération (flambage)

a) Eliminer (plumer) les plumes qui subsistent fréquemment sur les ailerons.

b) Ecarter les ailes et les pattes.

c) Maintenir la volaille par la tête et les pattes bien tendues (fig. 1).

d) Flamber au contact d'une flamme sur toutes les faces, afin d'en supprimer le duvet qui parfois subsiste sur la peau après le plumage.

e) Retourner rapidement sur toutes les faces.

f) Flamber **soigneusement et rapidement** les pattes et les doigts, afin de retirer plus facilement la peau qui les recouvre sous forme « d'écailles ».

   REMARQUE. Ne pas laisser trop longtemps les pattes et les doigts au contact de la flamme, ce qui risque de les cuire, augmente la difficulté à supprimer la peau et nuit par la suite à la présentation.

g) Supprimer cette peau, alors qu'elle **est encore tiède.**

h) Vérifier qu'il ne subsiste plus de petites plumes, duvet et petits « tubes à plumes ». Les retirer, s'il y a lieu, à l'aide de la pointe d'un couteau d'office.

Deuxième opération (vidage)

a) Poser la volaille sur la poitrine, la tête vers soi. Dans la main gauche prendre le cou par dessous, la peau bien tendue.

b) Fendre cette peau à l'aide d'un couteau éminceur, sur toute sa longueur, de la colonne vertébrale à la tête (fig. 2).

c) **Dégager entièrement,** avec la main, **le cou de la peau** (fig. 3).

d) Couper la peau **sous la tête** (fig. 3a).

e) Sectionner le cou **à sa base,** au ras de la colonne vertébrale (fig. 3b).

FIG. 1   FIG. 2

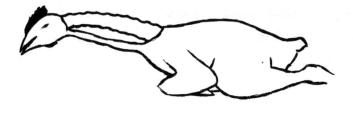

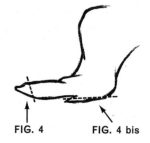

FIG. 3

FIG. 4   **FIG. 4 bis**

f) Couper la tête. Réserver le cou sur une assiette.

g) Parer (couper) de 1 cm l'extrémité des ailerons (doigts) (fig. 4).

h) Supprimer également le petit doigt de chaque côté des ailerons (fig. 4 bis).

i) Prendre, de la main gauche, la volaille par une patte. La poser bien tendue, les doigts bien écartés, sur le bord de la planche à découper.

j) Couper entièrement les doigts au ras de la patte, en laissant seulement le plus grand (fig. 5). Eliminer l'ongle de ce doigt (fig. 5 bis).

k) Procéder de même pour l'autre patte.

> **REMARQUE.** Pour les pattes, une autre présentation peut être employée: pour la pintade, tous les doigts subsistent, les ongles seuls sont éliminés (fig. 6).
>
> Si la volaille est coupée à la cuisine, les pattes sont sectionnées avant la jointure (fig. 6 bis), les ailerons sont coupés.
>
> Si la volaille est présentée entière devant les convives, les ailerons et les pattes parés subsistent. Ainsi, la volaille est plus présentable. Par surcroît, la position des ailerons au bridage lui assurera plus de stabilité sur le plat de service.

l) Poser la volaille sur le ventre, les pattes vers soi. Avec les doigts, détacher (décoller) de la peau du cou les glandes, parfois la graisse, le tube digestif (œsophage) et le tube respiratoire (fig. 7).

m) Détacher ensuite le jabot (premier estomac situé à la base de la peau (à la gorge). **Couper le tout à la base** près de la poitrine.

n) Laisser la volaille sur le ventre, les pattes vers la gauche. La maintenir fermement de la main gauche par le dos. Introduire par le cou l'index de la main droite (fig. 8). Décoller avec, les poumons (situés de chaque côté du dos, juste à l'entrée de l'orifice).

o) Retourner la volaille sur le dos, les pattes vers soi, lorsque les poumons sont décollés. Couper la « bague anale » (« cloaque ») (fig. 9).

p) Elargir légèrement l'ouverture de 3 à 4 cm environ pour le vidage proprement dit (fig. 10).

q) Maintenir la volaille de la main gauche. Avec les doigts de la main droite, retirer la graisse située autour de l'orifice anal.

r) Extraire délicatement, du bout des doigts, et en les décollant des parois internes, le gésier, le foie (en évitant de crever la vésicule biliaire), le cœur, ainsi que les deux poumons (fig. 11).

> **REMARQUE.** Tout, en principe, doit venir d'un seul coup si les poumons ont été bien décollés au préalable.

FIG. 8   **FIG. 9**

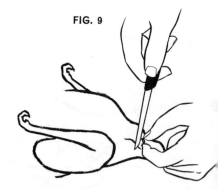

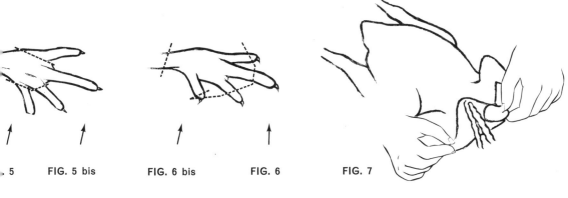

FIG. 5 bis   FIG. 6 bis   FIG. 6   FIG. 7

s) La volaille est alors prête pour être bridée: **pour rôtir** ou **en cocotte.**

Troisième opération (bridage)

● VOLAILLE A ROTIR

a) Placer la volaille **sur le dos,** les ailes vers la gauche (fig. 12). A l'aide d'une aiguille à brider et de 50 cm environ de ficelle, piquer **aux jointures des pilons et des gras-de-cuisses** (fig. 13).

b) Traverser la volaille de part en part. Tirer sur la ficelle.

c) Retourner la volaille **sur le ventre,** les ailes toujours à gauche.

d) Ramener les extrémités des ailerons (doigts sur le dessus).

e) Rabattre la peau du cou **du côté du dos** (pour fermer l'orifice du cou).

f) **Piquer et traverser en haut de l'aileron entre les deux os** (radius et cubitus).

g) Piquer dans la peau en passant l'aiguille **par-dessus l'extrémité** (doigts) **de l'aileron.**

h) Passer l'aiguille sous la colonne vertébrale. Sortir de l'autre côté en piquant dans la peau (fig. 14).

i) Passer **par-dessus la deuxième extrémité de l'aileron** (doigts). Piquer en même temps dans l'aileron entre les deux os (radius et cubitus).

j) Traverser l'aileron. Tirer la ficelle.

k) Attacher les deux extrémités de cette première bride. **Serrer et couper la ficelle pas trop courte.**

l) Placer la volaille **sur le dos, les pattes bien allongées** vers la droite.

m) Piquer et passer la ficelle de la deuxième bride **près de la jointure du gras-de-cuisse.**

    REMARQUE. Cette jointure, très visible, est située légèrement au bas du dos, et forme comme une « petite bosse ».

n) Traverser de part en part jusqu'à la jointure opposée. Tirer la ficelle.

o) Repiquer dans les flancs (fig. 15) (sous l'extrémité du bréchet), en passant la ficelle **par-dessus les pattes allongées** (fig. 15 bis).

p) Tirer la ficelle. Attacher les deux extrémités de cette deuxième bride. **Bien serrer et couper la ficelle pas trop courte** (fig. 16).

FIG. 10   FIG. 11

FIG. 12

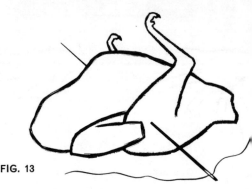

FIG. 13

q) Préserver l'extrémité des pattes avec un papier sulfurisé (ou une feuille d'aluminium) légèrement beurré ou huilé.

r) Ficeler pour maintenir l'ensemble.

● **VOLAILLE EN « ENTRÉE »** (fig. 17)

a) Procéder comme pour la première bride de la volaille à rôtir.

b) Placer la volaille sur le dos pour la deuxième bride, les pattes vers la droite. **Les plier le long des pilons.**

c) Piquer **près de la jointure du gras-de-cuisse,** comme la volaille à rôtir.

d) Traverser de part en part jusqu'à la jointure opposée. Tirer la ficelle.

e) Repiquer dans les flancs (sous l'extrémité du bréchet), en passant la ficelle **par-dessus les pattes repliées le long des pilons.**

f) Tirer la ficelle. Attacher les deux extrémités de cette deuxième bride. **Bien serrer et couper la ficelle pas trop courte.**

PRÉPARATION DES ABATS (poularde, poulet et canard)

a) Séparer le foie des abats.

b) Eliminer soigneusement à l'aide d'un couteau d'office, la vésicule biliaire **sans la crever.** Réserver le foie au frais sur une assiette ou dans un bol.

RECOMMANDATION. La vésicule biliaire, ayant touché au foie, laisse parfois sur celui-ci des traces verdâtres. Il est nécessaire d'éliminer, à l'aide d'un couteau, toutes ces traces.

e) Séparer le gésier des viscères. A l'aide d'un couteau d'office, éliminer toute la graisse et la peau le recouvrant.

d) Fendre par le milieu une des deux « noix » (parties charnues), jusqu'à la membrane interne (pour le gésier de la poularde et du poulet).

e) Retourner délicatement avec les doigts, le gésier à l'envers, pour extraire et éliminer la « poche » renfermant les graines et les petits graviers.

f) Couper ensuite la peau située de chaque côté des « noix ». Réserver au frais.

REMARQUE. Il est parfois nécessaire de nettoyer le gésier à l'eau courante.

g) Eliminer, pour le gésier de canard, toute la graisse et la peau le recouvrant.

h) Couper les deux « noix » situées de chaque côté, en suivant soigneusement la « poche » contenant les graines et les petits graviers. Réserver au frais.

● Les abattis comprennent: le cou et les ailerons.

● Le **cou,** les **ailerons** et les **noix de gésier** sont utilisés dans les « petites marmites Henri IV »; les sautés d'abattis (destinés à l'office, personnel).

● Le **foie** permet de confectionner des garnitures pour les œufs: omelettes chasseur, œufs brouillés aux foies de volaille, etc. Pour la préparation des brochettes de foies de volaille; pilaf de foies de volaille; terrines de foies de volaille, etc. En période du gibier, il est employé pour la farce à gratin (voir chapitre « LES FARCES »).

418

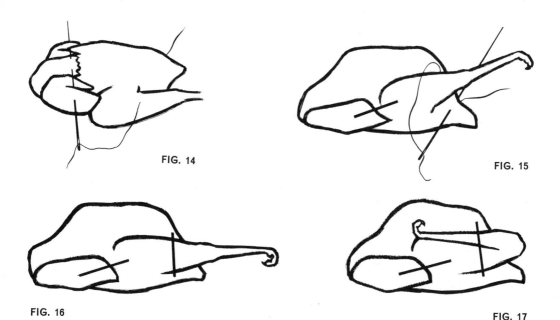

FIG. 14

FIG. 15

FIG. 16

FIG. 17

• 4. PRÉPARATIONS PRÉLIMINAIRES PARTICULIÈRES A CERTAINES VOLAILLES

LE CANARD

a) Poser le canard, une fois vidé, **sur la poitrine,** les pattes vers soi.

b) Prendre dans la main gauche « le croupion » (extrémité postérieure) par-dessous, en tendant la chair.

c) Pratiquer au centre, à l'aide d'un couteau d'office, une petite incision de 2 à 3 cm sur le dessus de ce croupion.

d) Couper délicatement sur la gauche pour extraire une petite glande graisseuse (grosse comme un « haricot »).

e) Tourner le canard les ailes vers soi. Inciser de l'autre côté du croupion, afin d'extraire la seconde glande.

REMARQUE. Ces deux glandes sont éliminées, car elles risquent lors de la cuisson de communiquer un goût désagréable au canard et au jus.

f) Placer le canard **sur le dos,** les pattes vers soi.

g) Rabattre la peau du cou sur la poitrine afin de bien dégager l'orifice.

h) Pratiquer, à l'aide d'un couteau d'office, **une incision de chaque côté de l'os situé à l'avant de la poitrine.**

REMARQUE. Cet os en forme de « V », dénommé « fourchette », est formé des deux clavicules soudées à leur extrémité inférieure.

i) Glisser dans les deux incisions les deux pouces.

j) Décoller de la chair l'os, en faisant glisser les pouces sur celui-ci.

REMARQUE. Ce travail se fait très facilement. La chair se détache de l'os sans forcer.

k) Déjointer l'os de chaque côté de ses articulations.

REMARQUE. La suppression de cet os permet de couper plus aisément les filets de la poitrine (aiguillettes), lorsque le canard est découpé devant les convives.

l) Le canard est alors prêt pour être bridé.

LA DINDE

Les cuisses sont toujours dénervées. Supprimer les nerfs du pilon en pratiquant une incision sur la partie interne de la patte. Les nerfs mis à nus sont extraits un par un.
La fourchette est éliminée comme celle du canard. Cette opération a pour but de faciliter le découpage après la cuisson.

● 5. TECHNIQUES DE PRÉPARATION

TECHNIQUES DE CUISSON	VOLAILLES POUVANT ÊTRE TRAITÉES	
	A CHAIR BLANCHE	A CHAIR NOIRE
GRILLER	POULET DE GRAIN POULET REINE POUSSIN	PIGEONNEAU
POCHER	POULARDE POULET REINE	
POÊLER	CHAPON DINDONNEAU POULARDE POULET REINE	CANARD PINTADE
ROTIR	CHAPON DINDE POULARDE POULET DE GRAIN POULET REINE	CANARD OIE PIGEON PINTADE
SAUTER	POULET REINE	

GRILLER (fig. 18)

● PRÉPARATION PRÉLIMINAIRE

REMARQUE

Après avoir été flambées et vidées, les volailles subissent après cette technique un découpage particulier, propre à cette méthode de cuisson:

a) Couper les pattes à **mi-hauteur (entre les pilons et les doigts).**

b) Pratiquer, à l'aide d'un couteau d'office, de chaque côté des flancs (dans la peau sous l'extrémité du bréchet) une petite incision de 1 à 2 cm environ.

c) Glisser **l'articulation des pattes et des pilons** dans ces incisions (trousser).

d) Poser sur une planche à découper, **la volaille sur le dos.**

e) Maintenir fermement la volaille (sur la poitrine) de la main gauche. Glisser à l'intérieur la lame d'un couteau éminceur (ou autre gros couteau) par l'ouverture, jusqu'à l'orifice de la poitrine.

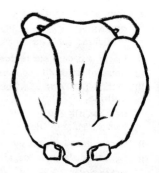

FIG. 18

f) **Fendre tout le long de la colonne vertébrale.**

g) Ouvrir entièrement (comme « un livre »).

h) Supprimer la colonne vertébrale, à l'aide du gros couteau, ainsi que les petits os de la carcasse (cage thoracique) à l'aide d'un couteau d'office.

i) Rabattre les ailerons sur le dos (ou les supprimer).

j) Aplatir la volaille à l'aide d'une batte à côtelette.

k) Réserver sur un plat jusqu'à la cuisson.

● **NOTA.** Les volailles traitées « à la crapaudine » sont coupées horizontalement depuis la pointe de l'estomac jusqu'à la jointure des ailes, sans séparer les deux parties; ouvertes, puis aplaties.

● CUISSON

a) Huiler légèrement les barreaux ou la plaque du gril à l'aide d'un pinceau.

b) Mettre la volaille sur une plaque ou sur un plat.

c) Huiler légèrement la pièce sur les deux faces.

d) Poser la volaille (côté peau) sur le gril chaud **(sans excès).**

e) Laisser cuire **à feu modéré** en arrosant d'huile de temps en temps, afin de ne pas dessécher la chair mise en contact avec le gril.

f) Donner au bout d'un laps de temps, déterminé par la nature et le volume de la pièce, un quart de tour afin d'opérer le quadrillage.

g) Assaisonner le dessus (côté interne de la volaille) de sel fin et de poivre du moulin.

h) Laisser cuire. **Arroser fréquemment.**

i) Retourner et quadriller le deuxième côté comme le premier.

j) Assaisonner la première face quadrillée.

k) Laisser cuire le temps nécessaire.

REMARQUE

Pour faciliter le travail, il est fréquent de terminer la cuisson à four chaud, lorsque le quadrillage est effectué sur les deux côtés.

● DRESSAGE

a) Dresser la pièce sur un plat long.

b) Mettre autour la garniture déterminant l'appellation.

c) Arroser au moment de servir d'un beurre noisette.

d) Adjoindre un bouquet de cresson à l'extrémité du plat.

e) Servir à part la sauce en fonction de l'appellation. Dans la majorité des cas, celle-ci est une sauce diable ou une sauce tartare.

● **NOTA.** Différentes méthodes sont employées en fonction de l'appellation.
Par exemple: pour les volailles dites « à l'Américaine » ou « à la Diable », il est d'usage de les moutarder et de les passer dans la mie de pain fraîche, dès qu'elles ont été grillées, avant de terminer leur cuisson au four. Comme il est possible de les moutarder et de les paner après leur cuisson. Plusieurs formules étant employée.

POCHER

● PRÉPARATION PRÉLIMINAIRE

Brider la volaille en « entrée », c'est-à-dire les pattes rabattues le long des cuisses (voir fig. 17).

● CUISSON

REMARQUE

La poularde peut être mise (facultativement) à dégorger à l'eau courante pendant 3 à 4 heures environ.

a) Mettre la poularde dans une russe moyenne (ou dans un autre récipient de 28 à 30 cm environ de diamètre, avec des abattis (ou à défaut avec des os de veau concassés).

b) Mouiller à l'eau froide, à 1 ou 2 cm environ au-dessus de la pièce.

c) Faire bouillir pendant 1 à 2 minutes.

d) Mettre à rafraîchir à l'eau courante.

e) Egoutter la poularde, ainsi que les abattis (ou les os de veau).

f) Couper un citron en deux.

g) Frotter toute la surface de la poularde avec un demi-citron.

   REMARQUE. Le citron permet de maintenir la chair de la poularde blanche, après sa cuisson.

h) Mettre la poularde avec les abattis (ou les os de veau) dans le récipient déjà utilisé (et propre).

i) Mouiller de 4 litres environ de fond de veau blanc **(froid),** ou à défaut d'eau.

j) Saler au gros sel.

k) Adjoindre une garniture aromatique composée de: carottes, gros oignons dont un piqué d'un ou deux clous de girofle, poireaux, branche de céleri, petit bouquet garni et quelques gousses d'ail.

l) Faire bouillir.

m) Ecumer fréquemment à l'aide d'une écumoire, en cours de cuisson.

n) Laisser cuire **doucement à couvert** sur le coin du feu, pendant 40 à 50 minutes environ, **selon la qualité de la volaille.**

o) Vérifier la cuisson en piquant une fourchette entre le pilon et le gras-de-cuisse. Soulever la pièce et faire basculer sur une assiette le « fond » qui se trouve à l'intérieur. La volaille est cuite lorsque ce « fond » ne présente aucune trace « sanguinolente ».

p) Retirer délicatement la pièce aussitôt cuite.

q) Recouvrir la volaille d'un linge ou d'une étamine (ou l'envelopper d'une feuille d'aluminium).

r) Mettre la poularde sur un plat creux.

s) Adjoindre un peu de fond chaud.

t) Maintenir au chaud.

u) Passer le fond au chinois, **sans fouler** la garniture aromatique.

v) Réserver le fond. Celui-ci permet s'il y a lieu, de confectionner la sauce d'accompagnement.

● **DRESSAGE**

Le dressage des volailles pochées est en rapport avec le caractère de la dénomination.

POÊLER

● **PRÉPARATION PRÉLIMINAIRE**

FIG. 19

a) Brider la volaille en « entrée », c'est-à-dire les pattes rabattues le long des cuisses (fig. 17).

b) Barder d'une tranche (barde) de lard gras frais (fig. 19) maintenue à l'aide de deux tours croisés de ficelle, pour protéger la poitrine pendant la cuisson, sauf pour les canards.

● **CUISSON**

a) Assaisonner de sel fin et de poivre du moulin.

b) Mettre la volaille, sur une cuisse, dans un récipient de dimensions proportionnées au volume de la pièce à traiter. Garnir au préalable le fond du récipient d'abattis de volaille concassés.

c) Mettre sur le dessus de la pièce un morceau de beurre.

d) Mettre au four à découvert.

e) Faire colorer la surface.

f) Ajouter facultativement une petite garniture aromatique: carottes, gros oignons taillés en quartiers, et un bouquet garni.

g) Couvrir. Arroser fréquemment.

h) Mouiller légèrement, en cours de cuisson, lorsque la pièce est dorée et presque cuite, avec du vin blanc, du xérès, du porto, etc., et du fond sous un faible volume.

i) Vérifier la cuisson en piquant une fourchette entre le pilon et le gras-de-cuisse. Soulever la pièce et faire basculer sur une assiette le jus qui se trouve à l'intérieur. La volaille est cuite lorsque ce jus ne présente aucune trace « sanguinolente ».

j) Retirer la pièce aussitôt cuite. La maintenir au chaud.

k) Passer le jus au chinois, sans fouler la garniture.

l) Dégraisser légèrement.

m) Vérifier l'assaisonnement du jus.

● **DRESSAGE**

a) Dresser la volaille sur un plat long, après l'avoir débridée.

b) Entourer de la garniture déterminant l'appellation.

c) Saucer légèrement la pièce.

d) Servir le restant de jus à part, en saucière.

ROTIR

● **PRÉPARATION PRÉLIMINAIRE**

a) Brider les volailles en laissant les pattes allongées (fig. 16).

   REMARQUE. Le canard est bridé en rentrant le « croupion » à l'intérieur. Il est bridé ensuite comme le poulet.

b) Préserver l'extrémité des pattes avec un papier sulfurisé (ou une feuille d'aluminium), pour qu'elles ne noircissent pas pendant la cuisson.

● **CUISSON**

a) Assaisonner la volaille de sel fin et de poivre du moulin, sur la face ainsi qu'à l'intérieur.

b) Coucher la volaille sur une cuisse, dans une sauteuse (ou dans une plaque à rôtir).

c) Disposer autour le cou concassé et le gésier vidé.

d) Mettre sur le dessus un morceau de beurre.

e) Mettre à four chaud (200° environ — thermostat 6-7).

f) **Arroser fréquemment** en cours de cuisson avec le beurre.

g) Retourner la pièce sur la deuxième cuisse, presque au tiers de la cuisson.

● **REMARQUE.** Le temps de cuisson est bien entendu, fonction de la catégorie de la volaille mise à rôtir.

h) Piquer délicatement, à l'aide d'une fourchette, à la jointure de la cuisse (entre le pilon et le gras-de-cuisse) ou sous l'aile.

i) Laisser cuire sur la deuxième cuisse. Compter le même temps que pour la première. Arroser.

j) Mettre ensuite la volaille sur le dos.

k) Terminer la cuisson pour obtenir une coloration parfaite de la poitrine et une cuisson totale.

l) Vérifier la cuisson en piquant une fourchette entre le pilon et le gras-de-cuisse. Soulever la pièce et faire basculer sur une assiette le jus qui se trouve à l'intérieur. La volaille est cuite lorsque ce jus ne présente aucune trace « sanguinolente ».

m) Retirer la pièce. La maintenir au chaud sur une plaque.

● **CONFECTION DU JUS**

a) Mettre sur le feu la plaque à rôtir (ou la sauteuse) ayant servi à cuire la volaille.

b) « Caraméliser » (colorer légèrement) les sucs fixés au fond de la plaque si cela est nécessaire. **Faire attention à ne pas les brûler, ce qui rendrait « amer » le jus.**

c) Dégraisser presque en partie, en basculant la graisse dans un petit récipient.

d) Déglacer avec un peu d'**eau froide** (ou de préférence avec du fond de veau brun clair).

e) Laisser réduire presque de moitié.

   REMARQUE. On compte un peu plus de 1 dl de jus fini pour 4 personnes.

f) Vérifier l'assaisonnement et si cela est nécessaire la couleur.

   REMARQUE. La couleur du jus est accentuée par l'adjonction en **faible quantité** de « caramel ».

g) Passer le jus au chinois, dans un petit bain-marie.

h) Maintenir au chaud.

REMARQUE. Ajouter facultativement au moment de servir, un peu de beurre noisette.

● **DRESSAGE**

a) Débrider la volaille. Retirer délicatement le papier sulfurisé (ou la feuille d'aluminium) de l'extrémité des pattes, pour le poulet.

b) Dresser sur plat long plat. Poser la volaille sur le dos.

c) Arroser d'un peu de jus.

d) Mettre à fondre dans une petite poêle un morceau de beurre.

e) **Surveiller attentivement** le beurre. Au moment où il commence à prendre une couleur « noisette », le verser (en partie) sur la volaille.

f) Ajouter facultativement un peu de beurre noisette dans le jus.

g) Disposer à l'arrière de la volaille (côté pattes), un bouquet de cresson.

h) Servir en même temps le jus en saucière.

SAUTER

● PRÉPARATION PRÉLIMINAIRE

Première formule

Si la pièce est traitée **en plat du jour** (préparée à l'avance):

a) Eliminer (couper entièrement) à l'aide d'un gros couteau (ou à défaut d'un couteau éminceur) les ailerons, en les coupant **avant la jointure de l'aile** (proprement dite). Les réserver sur une assiette.

b) Eliminer aussi les pattes, en les coupant **après la jointure, à l'extrémité des pilons.**

c) Poser (sur une planche à découper) le poulet sur une cuisse, **les ailes vers la droite.**

d) Couper la première cuisse **entre le gras-de-cuisse et la carcasse,** jusqu'à la jointure de la hanche.

REMARQUE. Lever en même temps avec la cuisse, le « sot l'y laisse », à l'aide d'un couteau d'office.

e) Sectionner la jointure de la hanche.

f) Tirer **doucement** sur la cuisse afin de la séparer entièrement de la carcasse, en maintenant le poulet.

g) Pratiquer de même pour l'autre cuisse.

h) Poser le poulet sur le dos, **les ailes vers la gauche.**

i) Maintenir fermement de la main gauche, le poulet par les ailes, légèrement levées.

j) Eliminer toute la carcasse: **couper en biais, de l'extrémité du bréchet jusqu'au-dessous des ailes.**

k) Déjointer les ailes du haut de la carcasse.

l) Couper de chaque côté de la carcasse, afin de la séparer des ailes, à l'aide d'un gros couteau.

m) Réserver la carcasse avec les ailes.

n) Aplatir légèrement, à l'aide d'une batte à côtelettes (ou avec la partie plate d'une lame d'un gros couteau), les deux ailes attenantes.

o) Séparer les ailes, **en coupant le bréchet juste au milieu.**

p) Eliminer délicatement des ailes, à l'aide d'un couteau d'office, les petits os de la cage thoracique.

q) Ne laisser **subsister que l'os des ailes.**

r) Réserver les ailes sur une petite plaque (ou sur un plat). Les petits os sont mis avec la carcasse et les abattis.

s) Eliminer l'os des gras-de-cuisses: à l'aide d'un petit couteau, **gratter** la chair autour de l'os, afin de le dégager entièrement jusqu'à la jointure du pilon.

t) Couper l'articulation.

u) Ne laisser **subsister que l'os du pilon.**

v) Dégager de leur chair, l'extrémité de chaque os, des ailes et des cuisses, pour la présentation (« manchonner ») (fig. 20).

REMARQUE. L'extrémité des os (manches) reçoit en finition une petite « papillotte ».

w) Réserver les quarts sur une plaque (ou sur un plat) jusqu'à la cuisson.

FIG. 20

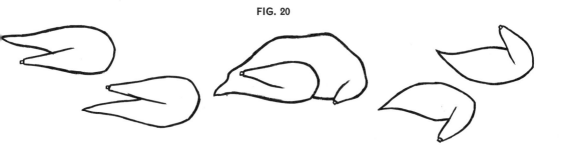

| **Deuxième formule** |

Si la pièce est traitée au moment, **à la carte** (préparée « à la commande »).

REMARQUE

Procéder comme la première formule jusqu'à **« s ».**

s) Couper les cuisses en deux — séparer les gras de cuisses des pilons (fig. 21 et 21 bis).
t) Couper les ailes en deux — séparer les ailerons des suprêmes (filets) (fig. 22 et 22 bis).
u) Parer légèrement le dos de la carcasse (colonne vertébrale). La couper en deux — partie supérieure et partie inférieure (fig. 23).
v) Dégager de leur chair, l'extrémité de chaque os des ailes et des pilons, pour la présentation (« manchonner »).

Ce qui fait au total:
10 morceaux, dont 8 consommables.

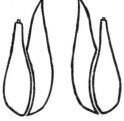

FIG. 21   FIG. 21 bis   FIG. 22   FIG. 22 bis   FIG. 23

● **CUISSON**

dite « à brun »

a) Mettre à chauffer dans un grand plat à sauter un morceau de beurre.
b) Etaler sur une plaque (ou sur un plat) les morceaux de volaille.
c) Assaisonner les deux faces de sel fin et de poivre du moulin.
d) Passer ensuite dans la farine.
e) Secouer légèrement afin d'enlever l'excès de farine.
f) Mettre les morceaux **côté peau en premier,** dans le beurre chaud.
g) Faire colorer (dorer) les chairs sur les deux faces.
h) Laisser cuire doucement à couvert à four chaud.
i) Retirer les ailes et les suprêmes en premier.

j) Achever la cuisson des cuisses qui demandent plus de temps.

k) Retirer les derniers morceaux au terme de leur cuisson.

l) Dégraisser légèrement le récipient, en basculant la graisse dans un petit récipient.

m) Laisser sur le feu.

n) Déglacer le récipient avec du vin ou de l'alcool.

o) Laisser réduire 1 à 2 minutes environ.

p) Adjoindre du fond de veau lié.

q) Laisser réduire quelques minutes **pour assurer une parfaite dissolution des sucs caramélisés.**

r) Vérifier l'assaisonnement.

s) Passer la sauce au chinois, dans un petit bain-marie à sauce.

t) Monter au beurre: incorporer petit à petit en parcelles, par un mouvement de rotation du récipient.

● CUISSON

dite « à blanc »

REMARQUE

Procéder comme ci-dessus en supprimant la farine. Ne pas faire colorer les morceaux; les maintenir blanc. Ajouter à la place du fond de veau lié, de la crème fraîche et un peu de velouté de volaille.

● **NOTA.** Différents éléments interviennent dans la préparation et la finition de la sauce. Ils sont en rapport avec le caractère de l'appellation.

● VARIANTES

DÉNOMINATION	COMPOSITION
POULET (à brun) **CHASSEUR**	Champignons émincés et échalotes ciselées. Flamber cognac. Déglacer vin blanc. Réduire. Mouiller fond brun. Ajouter cerfeuil et estragon hachés. Napper.
DUROC	Comme ci-dessus avec tomates concassées en plus.
A L'ESTRAGON	Déglacer vin blanc. Réduire. Ajouter sauce demi-glace à l'estragon. Napper. Décorer avec feuilles d'estragon blanchies.
POULET (à blanc) **PETIT DUC**	Déglacer crème fraîche et demi-glace blonde. Réduire. Monter au beurre. Adjoindre lames de truffes et morilles étuvées au beurre. Napper.

● DRESSAGE

à la carte

a) Disposer les deux morceaux de carcasse bout à bout, au centre d'un plat rond.

b) Poser de biais de chaque côté, et face à face, les deux gras-de-cuisse.

c) Poser les pilons sur les gras de cuisse. L'os de ceux-ci repose sur le bord du plat.

d) Mettre sur les morceaux de carcasse les deux morceaux de poitrine (filets).

e) Poser les ailerons comme les pilons, l'os reposant sur le bord du plat.

f) Saucer ensuite les morceaux.

g) Mettre des papillotes sur les os des pilons et des ailerons qui reposent sur le bord du plat.
Les parties laissées libres sur le plat permettent de recevoir, s'il y a lieu, la ou les garnitures accompagnant la volaille.

en plat du jour

a) Dresser les quarts en timbale, l'os des pilons et des ailes vers le centre.

b) Saucer les morceaux.

c) Ajouter s'il y a lieu la garniture.

● **NOTA.** Il faut différencier, dans les volailles sautées, les fricassées, les coqs au vin, qui sont des préparations tout à fait particulières.

GIBIER

● Le gibier est l'ensemble des animaux vivant à l'état naturel que l'on chasse, à période fixe au cours de l'automne et de l'hiver. Les dates d'ouvertures et de fermetures sont fixées chaque année.
Ce n'est que pendant cette période que le gibier peut figurer sur la carte des restaurants.

● 1. CLASSIFICATION

GROUPE		VARIÉTÉS
GIBIER A PLUME		Alouette, bécasse, bécassine, becfigue, caille, canards (col vert, macreuse, pilet, sarcelle), faisan, gélinotte, grive, perdreau, perdrix, pigeon ramier, ortolan, vanneau.
GIBIER A POIL	**GROS GIBIER**	Chamois, chevreuil, sanglier (marcassin).
	PETIT GIBIER	Garenne, lièvre.

● 2. TECHNIQUES PRÉLIMINAIRES

GIBIER A PLUME

PLUMER - VIDER	Col vert, faisan, gélinotte, macreuse, perdreau, perdrix, pilet, pigeon ramier, sarcelle.
PLUMER - NE PAS VIDER	Alouette (mauviette), becfigue, bécasse, bécassine, caille, grive, ortolan, vanneau.

FAISAN   GRIVE

ALOUETTE

CAILLE

COLVERT

PIÈCES VIDÉES

a) Plumer avec soin.

b) Flamber la pièce sur toutes ses faces, au contact d'une flamme, afin d'en supprimer le duvet qui subsiste encore sur la peau après le plumage.

c) Poser sur une planche à découper la pièce sur la poitrine, la tête vers soi.

d) Prendre dans la main gauche le cou par-dessous, la peau bien tendue.

e) Fendre cette peau sur toute sa longueur, de la colonne vertébrale à la tête.

f) Elargir l'ouverture.

g) Dégager entièrement le cou de la peau, puis le couper à sa base, au ras de la colonne vertébrale.

h) Couper la peau à la moitié de sa longueur.

i) Parer l'extrémité des ailerons.

j) Retirer les deux tubes (digestif et respiratoire) de la peau du cou, ainsi que le jabot (sauf pour le gibier aquatique), en prenant bien soin de ne pas le crever.

k) Couper la bague anale.

l) Elargir légèrement l'ouverture pour le vidage.

m) Maintenir la pièce de la main gauche. De la droite, en retirer délicatement les intestins, le gésier, le foie, en évitant de crever le fiel, le cœur, ainsi que les deux poumons.

n) Brider comme le poulet (voir chapitre « LES VOLAILLES »).

PERDREAU   **PIGEON RAMIER**   **VANNEAU**

PIÈCES NON VIDÉES (après avoir été plumées, flambées)

a) Extraire le gésier à l'aide d'une aiguille à brider en piquant dans le flanc.
b) Supprimer les yeux lorsque la tête subsiste pour certains gibiers. Ex.: bécasse.
c) Brider. (Les pattes, très longues chez certains sujets, sont nouées entre elles.)
d) Traverser le corps avec le bec (lorsqu'il est long) de part en part, à la hauteur des cuisses, ou rentrer la tête à l'intérieur du corps, à l'emplacement où a été extrait le gésier. Ex.: bécasse.
e) Barder la poitrine d'une barde (tranche) de lard gras frais, maintenue par une ficelle. (La caille, avant d'être bardée, est entourée d'une feuille de vigne.)

REMARQUE

L'intérieur de la bécasse (intestins, foie...) est flambé, et concourt à son apprêt final. Cette opération se fait en salle devant le client: « bécasse flambée ».

3. TECHNIQUES DE PRÉPARATION

CHOIX DES PIÈCES

TECHNIQUES DE CUISSON	GIBIERS POUVANT ÊTRE TRAITÉS
ROTIES	Alouette (mauviette), bécasse, bécassine, becfigue, caille, col vert, faisan, gélinotte, grive, macreuse, perdreau, pigeon ramier, pilet, sarcelle, ortolan.
EN SALMIS	Bécasse, bécassine, col vert, faisan, gélinotte, perdreau, vanneau.
EN TERRINES ET PATÉS	Alouette (mauviette), bécasse, faisan, grive, vanneau, perdrix.

PIÈCES ROTIES

● PRÉPARATION PRÉLIMINAIRE

Barder la poitrine d'une barde (tranche) de lard gras frais, maintenue par une ficelle, pour la protéger pendant la cuisson des atteintes trop violentes du feu.

REMARQUE

Selon le traitement culinaire appliqué, certains sujets, comme le faisan, sont parfois truffés sous la peau avant d'être bridés.

● CUISSON

Cette technique s'applique uniquement aux jeunes sujets. Elle est identique à la cuisson de la volaille rôtie (voir chapitre « LES VOLAILLES »).
Presque au terme de la cuisson, la barde de lard est retirée pour laisser colorer légèrement la poitrine. En outre, le récipient de cuisson doit être de préférence déglacé à l'eau froide, ainsi le jus obtenu garde tout son caractère.

• DRESSAGE

Ces gibiers sont très souvent dressés sur un canapé de pain de mie frit, farci de farce à gratin (voir chapitre « LES FARCES »).

Il est courant de dresser les sujets ayant un beau plumage (exemple: le faisan) « EN VOLIÈRE ». C'est-à-dire les ailerons, le cou, et la queue sont coupés avec le plumage, et fixés sur un croûton, ce qui donne l'illusion que la pièce est reconstituée.

Le plat est garni à son extrémité d'un bouquet de cresson, à part une garniture de pommes chips, ou gaufrettes. Le jus est servi en saucière.

PIÈCES EN SALMIS

Cette technique s'applique aux jeunes sujets dont la taille est suffisante pour être découpée.

• CUISSON (après avoir été plumée, flambée, vidée et bridée)

a) Mettre la pièce à rôtir (voir plus haut).

b) Cuire « vert cuit », c'est-à-dire que la cuisson doit être incomplète.

c) Retirer la pièce.

d) Détailler en quarts.

e) Supprimer la peau et la carcasse. Réserver les quarts au chaud.

f) Hacher la peau et la carcasse.

g) Préparer d'autre part une Mirepoix composée de carottes, d'oignons et d'échalotes taillés en petits dés.

h) Faire suer au beurre dans une sauteuse.

i) Ajouter la peau et la carcasse hachées.

j) Faire suer le tout.

k) Flamber avec un peu de cognac.

l) Mouiller avec du vin rouge. Faire réduire au 9/10.

m) Adjoindre du fond de veau lié.

n) Laisser cuire 30 minutes environ.

o) Passer la sauce au chinois fin.

p) Faire réduire légèrement.

q) Vérifier l'assaisonnement.

r) Préparer des têtes de champignons de Paris tournées (les sauter au beurre), et des lames de truffe.

• DRESSAGE

a) Dresser les quarts de gibier dans un plat creux beurré.

b) Arroser d'un peu de porto ou de cognac.

c) Faire chauffer au four en préservant avec un papier beurré.

d) Ajouter la garniture de champignons et de truffes.

e) Napper de sauce.

f) Servir avec des croûtons de pain de mie frits tartinés de foie gras ou de farce à gratin (voir chapitre « LES FARCES »).

PIÈCES EN TERRINES ET PATÉS

• PRÉPARATION PRÉLIMINAIRE

Ces préparations permettent d'utiliser parfois les pièces trop dures pour être rôties.

Elles sont entièrement désossées.

Leurs chairs sont mises à mariner.

Les parties nerveuses (les cuisses) sont hachées avec du porc (maigre et gras), parfois avec du veau, pour constituer la farce.

Les filets de la poitrine sont détaillés en bâtonnets ou en petits cubes.

Les bâtonnets sont rangés dans le sens de la longueur, alors que les petits cubes sont mélangés dans la farce.

• CUISSON

Ces terrines et pâtés sont réalisés dans des récipients en terre, dénommés « terrines à pâtés », et cuits au bain-marie au four.

1. CLASSIFICATION

GIBIER A POIL

GROS GIBIER	Chamois, chevreuil, sanglier (marcassin).
PETIT GIBIER	Garenne, lièvre.

2. PRÉPARATIONS PRÉLIMINAIRES

GROS GIBIER	Vendu en quartiers.	DÉPOUILLER
PETIT GIBIER	Vendu entier.	DÉPOUILLER - VIDER

GROS GIBIER

a) Dépouiller, c'est-à-dire retirer les poils et la peau en même temps, à l'aide d'un couteau.

b) Détailler en fonction de l'emploi.

● **NOTA**. Dans la majorité des cas, ils sont mis à mariner (voir chapitre « LES MARINADES »).

PETIT GIBIER (ex.: lièvre)

a) Suspendre le lièvre à deux crochets par les pattes de derrière.

b) Mettre dessous un récipient ou une plaque pour recevoir la peau et les intestins.

c) Supprimer la peau en partant de la partie arrière (de l'extrémité de l'abdomen), après l'avoir incisée près des pattes.

d) **Dépouiller délicatement** en tirant sur la peau vers la tête.

e) Enlever avec soin les parties intestinales.

f) Jeter peau et intestins.

g) Mettre à la place du récipient (ou de la plaque) un petit bol (ou une terrine).

h) Recueillir le sang qui se trouve parfois dans la gorge et près des poumons (cage thoracique).

i) Adjoindre un filet (2 cl environ) de vinaigre de vin pour qu'il ne coagule pas.

j) Conserver soigneusement dans un autre petit récipient le foie, dont le fiel a été éliminé avec soin, ainsi que les parties verdâtres touchées par celui-ci.

k) Mettre avec le foie, les poumons ainsi que le cœur.

l) Réserver tous ces éléments au frais.

m) Découper le lièvre en morceaux (réguliers autant que possible). Eliminer la tête et les pattes.

n) Réunir les morceaux dans une terrine de grandeur proportionnée, afin de les mettre à mariner (voir chapitre « LES MARINADES »).

SANGLIER

CHEVREUIL

GARENNE

LIÈVRE

3. TECHNIQUES DE PRÉPARATION

A. GROS GIBIER

TECHNIQUES DE CUISSON		CHOIX DES MORCEAUX
GIBIERS	ROTIS	Cuissot ou gigue. Jambon (pour le sanglier).
	SAUTÉS	Noisettes (prélevées dans la selle). Côtelettes (prélevées dans le carré).
	CIVET	Epaule détaillée. Poitrine détaillée.

ROTIS

● CUISSON

a) Sortir la pièce de la marinade.
b) Eponger (facultativement, la piquer de lard gras).
c) Procéder comme les viandes rôties (voir chapitre « LE BŒUF »).

● **NOTA.** Tenir la chair rosée, sauf pour le sanglier et le marcassin qui doivent être cuits comme le porc.

● DRESSAGE

Ces pièces rôties sont presque toujours accompagnées d'une sauce poivrade (sauce préparée avec la marinade) et une garniture de purée de marrons ou de pommes reinettes étuvées au beurre, ou d'une purée de céleris, etc.

SAUTÉS (petites pièces)

● CUISSON

a) Sauter vivement dans un plat à sauter avec beurre et huile.

   REMARQUE. Ces petites pièces peuvent être légèrement marinées.
b) Assaisonner.
c) Dégraisser et déglacer, au terme de la cuisson dans la majorité des cas, avec de la sauce poivrade (voir chapitre « LES SAUCES »).
d) Faire légèrement réduire.
e) Monter la sauce au beurre frais hors du feu. Vérifier l'assaisonnement.

● DRESSAGE

a) Mettre les pièces sur un plat rond.
b) Napper délicatement de sauce à l'aide d'une cuillère.
c) Poser sur le côté du plat un croûton de pain de mie frit, sauté (par pièce) tartiné de foie gras ou de farce à gratin (voir chapitre « LES FARCES »).
d) Garnir soit de purée de marrons, soit de pommes reinettes étuvées au beurre, ou d'une purée de céleris.

EN CIVET

● PRÉPARATION PRÉLIMINAIRE

a) Détailler en morceaux réguliers, du poids de 100 g environ, les épaules et la poitrine.

b) Mettre les morceaux à mariner quelques heures dans une marinade au vin rouge.
(Voir chapitre « LES MARINADES »).

● CUISSON

a) Sortir les morceaux de la marinade.

b) Eponger (ou égoutter à fond).

c) Réserver la marinade après l'avoir passée, ainsi que la garniture aromatique.

d) Faire blanchir des lardons de poitrine salée.

e) Les faire rissoler dans un petit rondeau. Réserver sur une assiette.

f) Mettre ensuite les morceaux à rissoler dans la graisse de fonte des lardons.

g) Ajouter les légumes de la garniture aromatique.

h) Faire suer. Dégraisser ensuite.

i) Saupoudrer d'un peu de farine (singer).

j) Mettre quelques minutes au four pour colorer légèrement la farine.

k) Mouiller avec la marinade.

l) Compléter le mouillement avec du vin rouge de même qualité que la marinade.

m) Assaisonner de sel et de poivre du moulin.

n) Porter à ébullition.

o) Terminer la cuisson à couvert au four.

p) Au terme de la cuisson, décanter (retirer les morceaux, passer la sauce au chinois dans un autre récipient).

q) Faire prendre l'ébullition.

r) Terminer la sauce en la liant avec du sang de porc.

RECOMMANDATION

Cette sauce ne doit plus bouillir lorsqu'elle est liée au sang.

● DRESSAGE

a) Dresser les morceaux (maintenus au chaud pendant la finition de la sauce) en légumier.

b) Ajouter une garniture de petite têtes de champignons sautées au beurre, de petits oignons glacés à brun et de petits lardons, mis en réserve au début de la cuisson.

c) Napper de sauce passée au chinois fin.

d) Disposer autour des croûtons de pain de mie sautés.

■ B. PETIT GIBIER

Ce gibier est presque toujours traité en civet. Ex.: « lièvre à la française ».

● CUISSON (variant entre 1 h. 30 et 2 heures selon l'âge du lièvre)

REMARQUE

La cuisson se réalise en plusieurs temps.

a) Egoutter dans une passoire les morceaux de lièvre. Eliminer la garniture.

b) Supprimer (éponger) l'excès d'humidité avec **un torchon bien propre** (ou avec un papier absorbant).

c) Réserver le vin de la marinade.

d) Maintenir le tout au frais.

e) Mettre à chauffer dans une grande sauteuse (ou dans un petit rondeau) de l'huile et du beurre, afin de faciliter le rissolage.

f) Faire sauter des petits lardons **sans les dessécher** dès que la matière grasse est chaude.

g) Egoutter à l'aide d'une écumoire, sur une petite plaque à débarrasser (ou sur un plat creux). Les réserver.

h) Sauter ensuite dans la graisse de fonte les lardons et des champignons escalopés, pendant 6 à 8 minutes.

i) Réserver les champignons avec les lardons sur un plat.

j) Maintenir le récipient **au chaud** avec la graisse restante.

k) Mettre les morceaux de lièvre à sauter.

l) Faire dorer régulièrement sur toutes les faces en les retournant à l'aide d'une fourchette (ou d'une écumoire).

m) Ajouter une mirepoix de carottes et d'oignons.

n) Laisser suer pendant 3 à 4 minutes environ.

o) Saupoudrer de farine (singer).

p) Remuer les morceaux à l'aide d'une écumoire, afin de les enrober de farine.

q) Mettre à four chaud pendant 4 à 5 minutes pour assurer une légère coloration de la farine.

r) Sortir le récipient du four.

s) Mouiller avec la marinade.

REMARQUE. Si besoin est, ajouter du vin rouge, afin de compléter le mouillement.

t) Ajouter de l'ail haché et un bouquet garni.

u) Assaisonner de sel et de poivre du moulin.

v) Faire bouillir sur le fourneau.

w) Cuire doucement à couvert sur le coin du feu.

REMARQUE. Le temps de cuisson est variable. Il est fonction de l'âge du lièvre.

● LIAISON DE LA SAUCE

a) Passer le foie au tamis, afin d'obtenir une purée.

b) Hacher le cœur et les poumons, à l'aide d'un gros couteau (ou au hachoir électrique).

c) Réunir ces éléments avec le sang dans une petite calotte.

d) Ajouter du Cognac.

e) Mélanger.

● TERMINER LA SAUCE

a) Décanter le civet dans un récipient identique au premier, sans passer le fond.

b) Adjoindre sur les morceaux la garniture (lardons, champignons et des petits oignons glacés à brun) bien égouttée.

c) Maintenir les morceaux de lièvre au chaud.

d) **Faire bouillir** le fond de cuisson.

e) **Verser petit à petit sur la liaison** une louche de fond, en mélangeant à l'aide d'un petit fouet à sauce.

REMARQUE. La liaison doit se faire progressivement, afin d'éviter au sang de se coaguler trop brutalement (il forme dans la sauce des petits « grains »).

f) Mettre la liaison dans le fond.

g) Mélanger à l'aide du fouet en montant progressivement la température **jusqu'à la première ébullition.**

h) Passer aussitôt la sauce sur les morceaux, au chinois étamine, en foulant à l'aide d'une petite louche.

i) Maintenir sans bouillir le civet sur le coin du feu.

j) Vérifier l'assaisonnement ainsi que la liaison et la couleur.

REMARQUE. La sauce doit être onctueuse, nappante et d'une couleur lie de vin foncée.

k) Dresser en prenant soin de mettre la garniture sur les morceaux.

Il est fréquent aussi de traiter d'un seul morceau la partie des reins appelée « RABLE », située entre la première côte et la jointure des cuisses.
Le râble est finement piqué de lard gras mariné.
Il est toujours rôti comme les petites pièces de gros gibier.
Le récipient de cuisson permet de préparer la sauce d'accompagnement final, dans la plupart des cas.
Le lièvre est utilisé pour la préparation de terrines et de pâtés.

LÉGUMES

● Les apprêts culinaires des légumes sont nombreux et variés.

● Certaines techniques préliminaires sont à respecter pour leur cuisson. Nous les donnerons au fur et à mesure pour chaque légume.

● Certains d'entre eux subissent l'opération du « BLANCHIMENT ». Le blanchiment des légumes a deux buts bien différents:
— Pour certains, il vaut une cuisson complète: les épinards, les haricots verts, les petits pois, etc., en général tous les légumes verts.
— Pour d'autres, il a pour but de supprimer l'âcreté: les choux, les salades, les navets, etc.

● Par contre, les légumes nouveaux, ou printaniers, **ne doivent jamais être blanchis.**

● Les légumes verts, dans la mesure du possible, doivent **cuire rapidement** à l'eau bouillante salée et **à découvert** peu de temps avant d'être servis.

● ARTICHAUTS

Les artichauts se consomment **cuits entiers** ou **en fonds,** rarement **crus.**

■ *TECHNIQUES DE PRÉPARATION*

A. ARTICHAUTS CUITS ENTIERS

● PRÉPARATION PRÉLIMINAIRE

a) Arracher la tige. Autant que possible **ne pas la couper,** car certains filaments situés dans la tige subsisteraient dans le fond.

b) Couper à l'aide d'une paire de ciseaux la pointe des feuilles (visibles) situées autour.

c) Couper régulièrement l'artichaut aux 2/3 de sa hauteur.

d) Laver à grande eau.

e) Préparer une tranche de citron pelée à vif.

f) Poser l'artichaut sur la planche de travail (« à découper »).

g) Disposer la tranche de citron à l'emplacement de la tige, afin d'éviter que cette partie noircisse pendant la cuisson.

h) Croiser la ficelle du côté du fond.

i) Ficeler pour maintenir les feuilles pendant la cuisson.

● **CUISSON**

a) Mettre de l'eau salée à bouillir.

b) Plonger les artichauts dans l'eau bouillante.

c) Laisser cuire à découvert.

d) Constater l'à-point de cuisson, en piquant le fond à l'aide d'une aiguille à brider (ou détacher une feuille de l'intérieur).

e) Rafraîchir au terme de la cuisson, à l'eau courante.

f) Egoutter sur une passoire ou sur un tamis.

● **DRESSAGE**

a) Enlever en bouquet les feuilles du centre.

b) Eliminer le foin de l'intérieur.

c) Replacer les feuilles retirées en les inversant, les pointes à l'intérieur de l'artichaut, ce qui forme une corolle.

d) Garnir l'intérieur de cette corolle d'un petit bouquet de persil en branches.

Servis chauds, les réchauffer au moment de l'emploi, ils sont accompagnés d'une sauce: hollandaise, mousseline, vinaigrette, beurre fondu, etc.

Servis froids, avec une sauce vinaigrette.

B. ARTICHAUTS EN FONDS

● PRÉPARATION PRÉLIMINAIRE

RECOMMANDATION PRÉLIMINAIRE

Cette technique particulière se pratique à l'aide d'un couteau d'office, d'un couteau éminceur et d'une cuillère à légumes (ronde à pommes noisettes).

a) Mettre une calotte d'eau froide.

b) Ajouter le jus d'un ou de plusieurs citrons (selon la quantité de fonds).

c) Maintenir fermement de la main gauche, les artichauts sur le bord de la table, afin **d'arracher les tiges** (queues) **d'un mouvement brusque** de la main droite. Casser la tige au ras des feuilles. Cette opération entraîne avec la queue, les filaments fixés (parfois) dans les fonds.

d) Couper à l'aide d'un couteau d'office, les petites feuilles situées à la base des fonds. **Tourner autour de ceux-ci.**

e) Citronner à l'aide d'un demi-citron, les fonds, afin de les maintenir blanc.

f) Parer (tourner) **entièrement les fonds des feuilles latérales** (ne laisser que celles du centre), en ne conservant seulement que la partie charnue (fond proprement dit).

g) Citronner une seconde fois.

REMARQUE. Il est important de citronner les fonds pendant les différentes opérations. Ceux-ci noircissent rapidement au contact de l'air.

h) Couper à leur base les feuilles du centre, à l'aide d'un couteau éminceur. Les fonds apparaissent entièrement parés de leurs feuilles.

i) Donner aux fonds à l'aide du couteau d'office, une forme régulière, en éliminant les parties verdâtres (bases des feuilles) qui peuvent encore subsister.

j) Citronner.

k) **Eliminer entièrement le foin** (poils) de l'intérieur des fonds, à l'aide d'une cuillère à légumes (à pommes noisettes) ou à défaut avec le bout d'une petite cuillère à café.

l) Racler ensuite légèrement, l'intérieur pour accentuer la profondeur des fonds.

REMARQUE. Cette méthode qui est excellente, est facultative. Le foin pouvant être retiré **après la cuisson des fonds.**

m) Citronner une dernière fois les fonds.

n) Mettre dans l'eau citronnée au fur et à mesure de leur finition, afin qu'ils ne noircissent pas.

● **CUISSON** (variable selon la qualité - technique établie pour 8 fonds)

a) Préparer la cuisson des fonds dans une sauteuse moyenne (ou dans une casserole): 1,5 litre d'eau, le jus d'un citron, 5 cl d'huile et un peu de gros sel.

    REMARQUE. En place de cette cuisson, on peut en préparer une, dite « blanc », composée d'une cuillerée à potage de farine diluée pour un litre d'eau froide, d'un jus de citron et de gros sel.

b) Faire bouillir rapidement (pour la deuxième méthode donnée en remarque).

c) Remuer fréquemment jusqu'à l'ébullition, à l'aide d'une spatule, afin d'éviter à la farine d'attacher au fond du récipient.

d) Mettre dans cette cuisson les fonds **bien lavés** et égouttés.

e) Cuire avec un papier sulfurisé sur le dessus, afin de maintenir les fonds dans la cuisson.

    REMARQUE. Le temps de cuisson est variable, selon la qualité et la grosseur des fonds.

f) Constater l'à-point de cuisson en piquant un fond à l'aide d'une aiguille à brider (ou avec la pointe d'un couteau d'office).

g) Débarrasser au terme de leur cuisson dans un légumier en inox (ou dans une terrine), les fonds avec leur cuisson.

● **NOTA.** Les fonds sont aussi dénommés « CŒURS D'ARTICHAUTS ». Ils sont servis soit entiers, remplis fréquemment d'une garniture, soit escalopés dans les garnitures composées.

● **VARIANTES**

DÉNOMINATION	COMPOSITION
Fonds entiers, garnis ou non	
FAVORITE	Garnir les fonds avec des pointes d'asperges étuvées au beurre. Napper de sauce Mornay. Saupoudrer de fromage râpé. Gratiner au four ou à la salamandre.
FLORENTINE	Garnir les fonds avec des épinards en branches sautés au beurre. Napper de sauce Mornay. Saupoudrer de fromage râpé. Gratiner au four ou à la salamandre.
GRATINER	Retourner les fonds sur un plat. Napper de sauce Mornay. Saupoudrer de fromage râpé. Gratiner au four ou à la salamandre.
Fonds escalopés (élément de garnitures composées)	
ARMENONVILLE	Avec des pommes cocotte, tomates concassées et haricots verts.
CHATELAINE	Avec des pommes château, tomates mondées et céleris braisés.
MASCOTTE	Avec pommes cocotte et lames de truffe.

Les fonds sont aussi utilisés en hors-d'œuvre « A LA GRECQUE » (voir chapitre « LES HORS-D'ŒUVRE »).

C. ARTICHAUTS CRUS ENTIERS

Lorsqu'ils sont jeunes et bien tendres, ils sont accompagnés d'une sauce vinaigrette, ou simplement de sel. Ils figurent sous cette forme parmi les « CRUDITÉS ».

● ASPERGES

Les asperges, **vertes** et **blanches,** ne se consomment que **cuites.**

■ *TECHNIQUES DE PRÉPARATION*

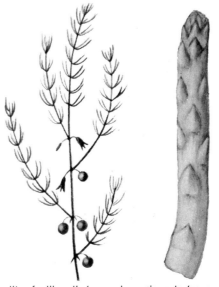

A. ASPERGES VERTES

● PRÉPARATION PRÉLIMINAIRE

a) Couper imperceptiblement l'extrémité des pointes.

b) Supprimer délicatement, à l'aide du dos d'un couteau, les petites feuilles situées sur la partie verte (sous la pointe).

c) Peler la partie blanche, à l'aide d'un couteau économe, en partant de la naissance de la partie verte vers le pied.

REMARQUE. Les asperges étant très cassantes, les peler bien à plat, sur une table, en les tenant par le pied.

d) Laver délicatement.

e) Réunir en bottillons de 6 à 8 pièces, suivant leur grosseur.

f) Ficeler de quelques tours de ficelle.

g) Couper les bottillons de même longueur côté pied.

B. ASPERGES BLANCHES

● PRÉPARATION PRÉLIMINAIRE

a) Peler en partant de la base de la pointe.

b) Procéder comme aux asperges vertes, à partir de d).

● CUISSON (vertes et blanches)

a) Mettre de l'eau salée à bouillir.

b) Mettre avec soin en immersion au moment de l'ébullition.

c) Elles sont cuites lorsque la pointe cède sous la pression du pouce et de l'index, ne pas tenir compte de la tige.

RECOMMANDATION. Elles ne doivent jamais être trop cuites, mais légèrement fermes.

● DRESSAGE

a) Egoutter les asperges si elles sont servies chaudes, sinon, les rafraîchir avec soin pour ne pas casser les pointes.

b) Chaudes ou froides, les égoutter sur un torchon.

c) Dresser sur plat long, garni d'une serviette ou d'un papier gaufré, par vagues décroissantes. Parfois il est fait usage d'une grille conçue spécialement pour leur dressage.

d) Garnir de persil en branches.

e) Servir à part la sauce d'accompagnement. **Exemple :** hollandaise, mousseline, maltaise, vinaigrette, etc.

● **NOTA.** Il est recommandé de cuire les asperges au fur et à mesure des besoins.
Elles se servent soit en hors-d'œuvre, soit en légume.

439

DÉNOMINATION	COMPOSITION
GRATIN	Napper seulement les pointes avec une sauce Mornay. Saupoudrer de fromage râpé. Gratiner au four ou à la salamandre.
ITALIENNE	Saupoudrer de fromage râpé les pointes seulement. Verser dessus un beurre noisette.
POLONAISE	Saupoudrer les pointes avec des œufs **durs** et du persil hachés. Faire revenir dans une poêle avec du beurre, de la mie de pain fraîche. Verser sur les pointes.

C. AUTRES PRÉPARATIONS

Les asperges sont aussi utilisées dans la préparation des **potages:**

CRÈME ARGENTEUIL	avec asperges vertes
CRÈME COMTESSE	avec asperges blanches

● **NOTA.** Il existe une variété de petites asperges vertes dont on utilise surtout les pointes pour les garnitures. **Exemple:** œufs brouillés, omelettes, etc.

● AUBERGINES

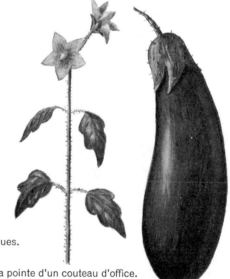

Les aubergines se consomment **toujours cuites,** en **demi-farcies** ou **détaillées.**

■ *TECHNIQUES DE PRÉPARATION*

A. AUBERGINES FARCIES

● PRÉPARATION PRÉLIMINAIRE

REMARQUE. Utiliser de préférence des aubergines longues.

a) Fendre en deux l'aubergine sur toute sa longueur.
b) Cerner la chair tout autour à 2 ou 3 mm des bords, avec la pointe d'un couteau d'office.
c) Ciseler le milieu de la chair pour faciliter sa cuisson et pouvoir la retirer plus facilement.
d) Plonger dans une friture chaude. Cuire 4 à 5 minutes environ.
e) Egoutter sur un torchon (ou sur un papier absorbant).
f) Gratter à l'aide d'une cuillère la chair, qui se détache très facilement de la peau.
g) Conserver la peau, elle servira de réceptacle.

● CUISSON (à l'égyptienne)

a) Hacher la chair des aubergines.
b) Ajouter un peu d'oignon finement ciselé et cuit à l'huile.
c) Assaisonner de sel et de poivre du moulin.
d) Mélanger le tout.
e) Garnir les pelures (les peaux).
f) Arroser d'un filet d'huile.
g) Cuire au four 10 à 15 minutes environ.

h) Sortir au terme de la cuisson les aubergines, et ranger sur le dessus quelques tranches de tomates sautées à l'huile.

i) Saupoudrer de persil haché.

● **NOTA.** Il existe d'autres recettes pour réaliser les aubergines farcies.

B. AUBERGINES DÉTAILLÉES

● PRÉPARATION PRÉLIMINAIRE

RECOMMANDATION. Les aubergines ne doivent pas être épluchées trop à l'avance, elles noircissent rapidement.

a) Supprimer le pédoncule à l'aide d'un couteau d'office.

b) Eplucher à l'aide d'un couteau économe.

En fonction de leur préparation, elles sont taillées **en rondelles minces** ou **épaisses, en éventail** ou **en quartiers.**

● CUISSON

A. Taillées en rondelles

● BEIGNETS ORLY

a) Tailler les aubergines en rondelles.

b) Assaisonner de sel fin et de poivre du moulin.

c) Tremper les tranches dans la pâte à frire (voir chapitre « UTILISATION DES PATES EN CUISINE ET EN PATISSERIE »).

d) Cuire à la friture chaude.

e) Egoutter.

f) Dresser sur un plat.

g) Servir immédiatement accompagnés d'une sauce tomate à part. Les aubergines, si elles attendent, ramollissent.

● A LA NIÇOISE

a) Tailler les aubergines en rondelles.

b) Passer à la farine.

c) Sauter à l'huile.

d) Séparément, faire sauter à l'huile des tranches de tomates et de poivrons, le temps de cuisson n'étant pas le même.

e) Mélanger délicatement le tout.

f) Ajouter une pointe d'ail.

g) Assaisonner de sel fin et de poivre du moulin.

h) Ajouter au moment de servir un peu de fines herbes hachées.

B. Taillées en éventail

● FRITES

REMARQUE. Utiliser des aubergines longues.

a) Tailler (couper) à l'aide d'un couteau à filets de sole, du côté opposé au pédoncule, des tranches de 5 milli-mètres environ d'épaisseur. Ne pas couper jusqu'au bout. Les « lamelles » doivent être attenantes.

b) Donner à l'aubergine taillée, à l'aide de la paume de la main, un mouvement circulaire pour écarter légè-rement les tranches, et former entre elles comme un éventail.

c) Assaisonner de sel fin et de poivre du moulin.

d) Passer à la farine.

e) Cuire à la friture chaude.

f) Egoutter.

g) Dresser sur un plat.

h) Servir immédiatement.

En outre, elles sont utilisées pour la réalisation de la « RATATOUILLE NIÇOISE ». Elles sont détaillées en quartiers.

● CARDONS

Les cardons sont toujours consommés **cuits**.
Seules les côtes sont utilisées.

■ *TECHNIQUES DE PRÉPARATION*

● PRÉPARATION PRÉLIMINAIRE

a) Eliminer les branches dures (principalement les premières).
b) Peler chaque côte de toutes les filandres à l'aide d'un couteau économe.
c) Citronner au fur et à mesure pour les empêcher de noircir.
d) Tronçonner les branches en morceaux de 6 à 8 cm environ de longueur.
e) Mettre dans une eau acidulée de citron ou, à défaut, de vinaigre.

● CUISSON

a) Préparer une cuisson dite « blanc », composée d'une cuillerée de farine diluée par litre d'eau froide, d'un jus de citron et de 6 à 8 g de sel, ou dans une eau citronnée salée, additionnée d'huile ou de graisse de rognon de veau hachée grossièrement.
b) Faire prendre l'ébullition dans les deux cas.
c) Mettre les cardons bien lavés et égouttés.
d) Laisser cuire 1 h. 1/2 à 2 heures environ.
e) Constater « l'à-point » de cuisson lorsque les cardons cèdent sous la pression du pouce et de l'index.
f) Débarrasser, de préférence, dans un bahut émaillé ou un récipient en terre, jusqu'à leur utilisation.

● VARIANTES

DÉNOMINATION	COMPOSITION
AU GRATIN	Egoutter les cardons. Etuver au beurre. Napper de sauce Mornay. Saupoudrer de fromage râpé. Gratiner au four ou à la salamandre.
AU JUS	Egoutter les cardons. Etuver au beurre. Couvrir à hauteur avec du jus de veau lié réduit. Faire bouillir quelques minutes. Beurrer. Dresser en légumier.

● CAROTTES

Les carottes se consomment **cuites** ou **crues**.

■ *TECHNIQUES DE PRÉPARATION*

● PRÉPARATION PRÉLIMINAIRE

a) Eliminer leurs extrémités, à l'aide d'un couteau d'office.
b) Peler ensuite sur toute la longueur, à l'aide d'un couteau économe.
c) Laver à grande eau. **Ne pas laisser les carottes dans l'eau,** les égoutter aussitôt...

En fonction de leur utilisation, elles sont:

Emincées en rondelles (carottes Vichy)

a) Poser sur la planche à découper une ou deux carottes (selon la grosseur).
b) Maintenir le légume de la main gauche, **les doigts repliés dessus.**
c) Tailler en tranches plus ou moins grosses, **en faisant glisser la lame le long des phalanges** de la main gauche. **A chaque coupe,** la main gauche opère **un mouvement de recul.**

Cannelées et émincées en rondelles (pour garniture aromatique, court-bouillon, etc.)

RECOMMANDATION PRÉLIMINAIRE

Cette technique se pratique toujours à l'aide d'un couteau à canneler (ou canneleur), et d'un couteau éminceur ou de préférence d'un couteau à filets de sole. Le couteau à canneler est maintenu à pleine main. Le pouce est indépendant des autres doigts. Celui-ci prend appui sur le légume à canneler.

a) Pratiquer **tout le long et autour** de chacune, des petites cannelures à l'aide d'un couteau à canneler.
b) Emincer finement à l'aide d'un couteau éminceur, en rondelles de 2 mm environ d'épaisseur.
● **NOTA.** L'éminçage est aussi réalisé à l'aide d'une mandoline.

Tournées en olives (carottes glacées)

RECOMMANDATION PRÉLIMINAIRE

Cette technique se pratique à l'aide d'un couteau d'office.
Le pouce (droit) doit être indépendant des autres doigts.
Celui-ci est placé et prend appui à la base du légume à tourner.
Le couteau est maintenu par les quatre autres doigts.

a) Couper les légumes en tronçons (bouchons) de 3 à 4 cm.
b) Couper les tronçons **sur la longueur suivant leur grosseur, en deux,** en **trois** ou en **quatre parties** (taille approximative d'un pouce).
c) Maintenir le légume du bout des doigts, **entre le pouce droit et l'index gauche.** Ces deux doigts servent de pivot. Le couteau d'office maintenu par les quatre doigts de la main droite.
d) Partir avec le couteau du sommet de la carotte.
e) Donner un léger mouvement circulaire au couteau vers le pouce droit, pour donner à cette première coupe une forme légèrement arrondie.
f) Tourner légèrement le légume lorsque le couteau revient au sommet.
g) Répéter les mêmes opérations pour « tourner » le légume (arrondir les angles), et lui donner ainsi la forme d'une « olive » légèrement oblongue.

REMARQUE. Les parures sont réservées, et servent éventuellement pour un potage ou pour une garniture aromatique (fond brun, fond blanc, etc.).

Taillées en bâtonnets (un des éléments de la jardinière)

a) Couper à l'aide d'un couteau éminceur (ou de préférence à l'aide d'un couteau à lame fine — couteau à filets de sole) les carottes en tronçons de 2,5 à 3 cm environ de longueur.
b) Tailler chaque tronçon en petits bâtonnets réguliers de 3 à 4 mm environ de côté.
c) Tailler chaque tronçon en tranches de 3 à 4 mm environ d'épaisseur.
d) Tailler ensuite en bâtonnets réguliers de même section.
e) Relaver les carottes. Les égoutter dans une passoire.
f) Réserver jusqu'au moment de leur cuisson.

Taillées en julienne (potage julienne Barblay, crudités, etc.)

REMARQUE

Cette technique se réalise à l'aide **d'une « mandoline » et d'un couteau éminceur** (ou d'un moulin-julienne à main ou d'un coupe-légumes électrique — Robot légumes).

a) Monter la « mandoline »: bien encocher les montants métalliques.

b) Placer la mandoline sur une plaque à débarrasser (ou sur un plat ou sur une planche à découper), la partie haute vers soi.

c) Tenir le légume **dans le creux de la main, les doigts** bien allongés.

d) Tailler ensuite **sur la longueur** en tranches **de 1 mm environ** d'épaisseur.

e) Faire glisser de haut en bas en le faisant passer sur la lame unie, et **en appuyant sur le légume.**

f) Remonter vers le haut de la « mandoline »; répéter les mêmes mouvements afin d'émincer entièrement le légume. Attention! arrivé presque au terme de la taille du légume (talon), pousser avec la paume de la main, les doigts nettement tendus et l'extrémité redressée.

g) Disposer sur une planche à découper les tranches **légèrement chevauchées** (une partie seulement à la fois).

h) Tailler finement sur la longueur, à l'aide d'un couteau éminceur, les tranches en petits « filaments ».

Taillées en petits dés (un des éléments de la macédoine)

REMARQUE. Cette technique se réalise à l'aide d'un couteau à filets de sole (ou d'un coupe-légumes électrique - Robot légumes).

a) Couper **sur la longueur** les carottes en tranches de 4 à 5 mm d'épaisseur environ, à l'aide d'un couteau à lame fine (couteau à filets de sole).

b) Emincer ces tranches en bâtonnets de même section.

c) Tailler ensuite en **petits dés réguliers.**

d) Relaver les carottes. Les égoutter dans une passoire.

e) Réserver jusqu'au moment de leur cuisson.

● CUISSON

Carottes Vichy (en rondelles)

a) Mettre les carottes dans une russe (casserole).

b) Mouiller à l'eau froide juste à hauteur des carottes.

c) Adjoindre une pincée de sel fin, 30 g de sucre et 60 g de beurre par 1/2 litre d'eau.

d) Cuire à couvert jusqu'à évaporation presque complète de l'eau.

e) Dresser en légumier. Saupoudrer de persil haché.

Carottes glacées (en olives)

a) Mettre les carottes dans une sauteuse (ou une casserole) **suffisamment grande,** afin qu'elles **ne se superposent pas.**

b) Mouiller **légèrement au-dessus** des carottes avec de l'eau.

c) Ajouter 20 g de beurre, une prise de sucre et une pincée de sel fin (pour 8 personnes).

d) Poser sur le dessus un papier sulfurisé (ou feuille d'aluminium) de même dimension que le récipient, afin d'éviter une évaporation trop rapide de l'eau de cuisson.

e) **Cuire doucement** sur le coin du feu, **jusqu'à évaporation complète de l'eau** et **sans coloration** des légumes.

f) Remuer délicatement en cours de cuisson, **par un mouvement circulaire du récipient,** afin d'obtenir **un « glaçage » uniforme.**

REMARQUE. Le fond de mouillement doit être réduit lorsque les carottes sont cuites. Le beurre les enrobe et leur donne un aspect brillant.

g) Débarrasser **délicatement** au terme de la cuisson, dans un bol ou sur un petit plat, et les maintenir au chaud.

Sous cette forme, elles sont prêtes pour les différentes garnitures, simples ou composées.

Exemple: bouquetière, petits pois paysanne, etc.

Carottes pour jardinière (en bâtonnets)

a) Mettre à cuire à l'eau bouillante salée.

b) Rafraîchir à l'eau courante au terme de la cuisson.

c) Egoutter dans une passoire aussitôt rafraîchies.
d) Mettre dans un plat à sauter beurré, avec les autres légumes composant la jardinière : haricots verts, petits pois et navets.
e) Faire chauffer et mélanger.

Carottes pour macédoine (en petits dés)

Même procédé que la jardinière, sauf la terminaison.

AUTRES UTILISATIONS

● **POTAGES**

Voir chapitre « LES POTAGES ».

● **HORS-D'ŒUVRE**

CRUES	Elles sont râpées, assaisonnées d'une vinaigrette légère ou, plus fréquemment, d'huile et de jus de citron. Elles figurent sous cette forme parmi les « CRUDITÉS ».
CUITES	Elles entrent dans la confection de la « MACÉDOINE », de la « SALADE RUSSE » en combinaison avec des navets, des haricots verts et des petits pois. Le tout est mélangé avec de la sauce mayonnaise.

● **CONDIMENT AROMATIQUE**

Sous cette forme, elles sont utilisées comme condiment aromatique et non comme légume, excepté dans certains cas : pot-au-feu, petite marmite, etc., où elles jouent le double rôle de **condiment** et de **légume.**

● CÉLERIS EN BRANCHES

Les céleris en branches se consomment **cuits en cœurs** ou **crus en branches.**

■ *TECHNIQUES DE PRÉPARATION*

A. CŒURS DE CÉLERIS (cuits)

● **PRÉPARATION PRÉLIMINAIRE**

a) Retirer les branches vertes du tour si cela est nécessaire.
b) Supprimer les racines en taillant la base du céleri en pivot, de manière à maintenir les branches autour du pied.
c) Gratter, à l'aide d'un couteau économe, les filandres des branches extérieures (grosses côtes).

d) Raccourcir le pied, de 20 cm environ de longueur, depuis sa base. Celui-ci prend alors le nom de « CŒUR DE CÉLERI ».

e) Laver à grande eau sans détacher les côtes les unes des autres.

Le cœur de céleri est alors prêt pour sa cuisson.

● **CUISSON**

a) Blanchir les cœurs 10 minutes environ à l'eau bouillante salée.

b) Rafraîchir à l'eau courante.

c) Egoutter sur une grille.

d) Beurrer une casserole.

e) Disposer au fond de la casserole un fond de braisage composé de carottes et d'oignons émincés, d'un bouquet garni et de quelques couennes de lard.

f) Ranger sur ce fonçage les cœurs **bien égouttés.**

g) Assaisonner de sel et de poivre du moulin.

h) Faire suer au four 10 à 15 minutes.

i) Mouiller à hauteur avec du fond blanc.

j) Couvrir avec des couennes et un papier sulfurisé beurré.

k) Cuire à couvert au four pendant 1 h. 1/2 environ.

● **VARIANTES**

Les cœurs de céleris braisés sont servis détaillés, au jus, au gratin, etc.

B. BRANCHES DE CÉLERIS (crus)

● **PRÉPARATION PRÉLIMINAIRE**

a) Retirer les branches vertes du tour si cela est nécessaire.

b) Supprimer les racines en taillant la base du céleri en pivot.

c) Gratter à l'aide d'un couteau économe les filandres des branches extérieures (grosses côtes).

d) Séparer les côtes (branches).

e) Laver à grande eau.

● **UTILISATION**

Ils sont servis soit **entiers** (branches), soit **émincés.**

Entiers (branches), les pieds sont servis avec une sauce vinaigrette ou simplement nature.

Emincés, ils sont assaisonnés d'une sauce vinaigrette ou d'une sauce mayonnaise.

Servis sous ces deux formes, ils figurent parmi les « CRUDITÉS ».

● **EN SALADE COMPOSÉE**

Les branches sont coupées en tronçons de 5 à 6 cm de longueur, puis taillés en julienne.

Celle-ci est assaisonnée, suivant les recettes, de sauce vinaigrette, de sauce mayonnaise, de crème fraîche acidulée (avec jus de citron), ou moutardée, etc., mélangée avec d'autres légumes crus ou cuits, de viande ou de volaille froide (desserte), d'œufs durs, de fruits, etc.

Tous ces différents éléments auxiliaires sont de préférence dressés en coupes ou en saladiers, par « bouquets » séparés, en alternant les couleurs.

DÉNOMINATION	COMPOSITION
AMÉRICAINE	**Julienne de céleri** avec pommes de terre émincées, tomates mondées émincées, œufs durs en quartiers, oignons émincés en rondelles, fines herbes. Assaisonnement de vinaigrette.
LORETTE	**Julienne de céleri** avec mâche, julienne de betteraves rouges. Assaisonnement de vinaigrette.
MIDINETTE	**Julienne de céleri** avec julienne de pommes fruits (de préférence acides), julienne de gruyère, julienne de volaille. Assaisonnement de sauce mayonnaise légère.
RACHEL	**Julienne de céleri** avec julienne de pommes de terre, julienne de fonds d'artichauts cuits, julienne de truffes, pointes d'asperges. Assaisonnement de sauce mayonnaise légère.

Les céleris en branches sont aussi utilisés dans les **potages** (voir chapitre « LES POTAGES ») et comme **condiment aromatique** dans les fonds blancs, les fonds bruns, etc.

● CÉLERIS-RAVES

Les céleris-raves se consomment **cuits** ou **crus.**

■ *TECHNIQUES DE PRÉPARATION*

● **PRÉPARATION PRÉLIMINAIRE**

a) Eliminer en pointe, à l'aide d'un couteau d'office, la partie des feuilles (sommet du céleri), et les radicelles.

b) Eplucher à l'aide d'un couteau économe.

c) Citronner les parties pelées à l'aide d'un demi-citron, pour qu'elles ne noircissent pas.

d) Eliminer toutes les parties abîmées et les « points noirs ».

● **CUISSON**

a) Couper en quartiers ou en tranches.

b) Cuire à l'eau bouillante salée et citronnée.

● **VARIANTES**

DÉNOMINATION	COMPOSITION
BEIGNETS	Enrober de pâte à frire. Frire.
AU GRATIN	Napper de sauce Mornay. Saupoudrer de fromage râpé passé au tamis. Gratiner au four ou à la salamandre.
AU JUS	Finir de cuire avec du jus de veau lié.

Ils peuvent être traités « A LA GRECQUE » (voir chapitre « LES HORS-D'ŒUVRE »), ou simplement assaisonnés avec une sauce mayonnaise ou vinaigrette.

CRUS (julienne - céleris rémoulade)

REMARQUE. Cette technique se réalise à l'aide d'une « mandoline » et d'un couteau éminceur (ou d'un moulin-julienne à main ou d'un coupe-légumes électrique - Robot légumes).

a) Monter la « mandoline »: bien encocher les montants métalliques.

b) Placer la mandoline sur une plaque à débarrasser (ou sur un plat ou sur une planche à découper, la partie haute vers soi).

c) Couper le céleri en deux, pour le manier plus facilement.

d) Tenir le légume **dans le creux de la main, les doigts bien allongés.**

e) Emincer le céleri en tranches d'un millimètre environ d'épaisseur.

f) Faire glisser de haut en bas en le faisant passer sur la lame unie, et **en appuyant sur le légume.**

g) Remonter vers le haut de la « mandoline »; répéter les mêmes mouvements afin d'émincer entièrement le légume. Attention! arrivé presque au terme de la taille du légume (talon), pousser avec la paume de la main, les doigts nettement tendus et l'extrémité redressée.

h) Disposer sur une planche à découper les tranches **légèrement chevauchées** (une partie seulement à la fois).

i) Tailler finement sur la longueur, à l'aide d'un couteau éminceur, les tranches **en « filaments » pas trop fins.**

j) Mettre le céleri taillé dans un récipient (inoxydable) avec un jus de citron (pour qu'il ne noircisse pas). Remuer.

k) Assaisonner avec une sauce mayonnaise fortement moutardée.

l) Dresser en ravier (ou en saladier).

● CHOUX BLANCS ET VERTS

Les choux blancs et verts se consomment **surtout cuits, rarement crus.**

● **NOTA.** Les choux blancs sont utilisés particulièrement pour confectionner la choucroute.

■ *TECHNIQUES DE PRÉPARATION*

● PRÉPARATION PRÉLIMINAIRE

a) Supprimer les feuilles jaunies ou défraîchies.

b) Couper les choux en quatre parties, dans le sens vertical.

c) Débarrasser chaque quartier de son trognon.

d) Laver à grande eau.

● CUISSON (braiser)

a) Mettre à bouillir de l'eau salée.

b) Immerger les choux dans l'eau bouillante.

c) Laisser bouillir pendant 10 minutes environ.

   REMARQUE. Il est inutile de faire blanchir les choux nouveaux.

d) Rafraîchir à l'eau courante.

e) Egoutter dans une passoire.

f) Effeuiller les quartiers.

g) Eliminer les grosses côtes si cela est nécessaire.

h) Assaisonner de sel et de poivre du moulin.

i) Faire suer dans une casserole des carottes et des oignons coupés en quartiers, ou émincés, avec des couennes de lard.

j) Mettre les feuilles de choux.

k) Mouiller légèrement avec du fond blanc un peu gras.

l) Adjoindre un petit bouquet garni.

m) Recouvrir de couennes de lard ou d'un papier sulfurisé beurré.

n) Laisser cuire à couvert pendant 2 heures environ.

● **NOTA.** Les choux nouveaux peuvent être servis « à l'anglaise », ils sont simplement cuits à l'eau bouillante salée.

Les choux entrent aussi dans la préparation des « POTÉES ».

● **CRUS** (en hors-d'œuvre)

a) Tailler les feuilles en fine julienne, soit de préférence au couteau, soit à l'aide d'une mandoline.

b) Mettre dans une terrine.

c) Assaisonner de sel et de poivre du moulin, d'huile et de vinaigre.

d) Mélanger.

e) Dresser en ravier.

Ils figurent sous cette forme parmi les « CRUDITÉS ».

● CHOUX DE BRUXELLES

Les choux de Bruxelles se consomment **toujours cuits.**

■ *TECHNIQUES DE PRÉPARATION*

● PRÉPARATION PRÉLIMINAIRE

a) Retirer à chaque bourgeon les feuilles défraîchies.

b) Couper légèrement la tige, pas trop près des premières feuilles afin d'éviter à celles-ci de se détacher pendant la cuisson.

c) Laver à grande eau sans trop les remuer, ce qui risque de les abîmer.

d) Egoutter.

● CUISSON

a) Mettre de l'eau salée à bouillir dans une russe (casserole).

b) Mettre les choux en immersion dès l'ébullition.

c) Laisser cuire à découvert à petite ébullition. Une cuisson trop vive risque d'effeuiller les choux. Les cuire assez fermes.

d) Rafraîchir au terme de la cuisson, à l'eau courante.

RECOMMANDATION. Faire attention de laisser couler doucement l'eau pour ne pas abîmer les choux.

e) Egoutter délicatement une fois refroidis dans une passoire ou un tamis. Eviter de les superposer.

f) Débarrasser dans une plaque garnie d'un torchon.

La meilleure méthode de servir les choux de Bruxelles est de les faire sauter à la poêle, en les faisant rissoler au beurre.

Ils peuvent être aussi accommodés. **Exemple :** au jus, au gratin, etc.

● CHOUX-FLEURS

Les choux-fleurs se consomment parfois crus (CRUDITÉS).

■ *TECHNIQUES DE PRÉPARATION*

● PRÉPARATION PRÉLIMINAIRE

a) Supprimer les quelques feuilles et grosses tiges (queues) qui subsistent autour à l'aide d'un couteau d'office.

b) Diviser l'inflorescence en petits bouquets.

REMARQUE. Lorsqu'une grande quantité de choux-fleurs est à traiter, il est préférable de laisser les inflorescences entières.

c) Eliminer légèrement les trognons.

d) Laver à grande eau.

RECOMMANDATION. Pour laver les choux-fleurs, il est recommandé de vinaigrer légèrement l'eau, ce qui permet de chasser les chenilles ou les vers qui, parfois, se logent entre les branches des inflorescences.

e) Egoutter.

● CUISSON

a) Mettre une quantité d'eau suffisante dans une grande russe (casserole) pour que les choux puissent y tremper.

b) Saler.

c) Mettre les choux en immersion dès l'ébullition.

d) Laisser cuire à couvert, à petite ébullition. Une cuisson trop vive risque d'abîmer les fleurs.

e) Compter, au terme de la cuisson, 25 à 30 minutes environ, rafraîchir à l'eau courante.

RECOMMANDATION:

Faire attention de laisser couler doucement l'eau pour ne pas abîmer les fleurs.

f) Egoutter délicatement une fois refroidis, dans une passoire ou un tamis. Eviter de superposer les têtes de choux-fleurs.

g) Débarrasser dans une plaque garnie d'un torchon.

● VARIANTES

DÉNOMINATION	COMPOSITION
AU GRATIN	Etuver les bouquets au beurre. Dresser chaque bouquet sur un plat à gratin, préalablement nappé d'un peu de sauce Mornay. Napper les choux-fleurs de sauce Mornay. Saupoudrer de fromage râpé. Arroser de quelques gouttes de beurre fondu. Gratiner au four ou à la salamandre.
POLONAISE	Faire rissoler à la poêle les bouquets en les retournant délicatement à l'aide d'une fourchette. Assaisonner de sel fin et de poivre du moulin. Dresser soit en légumier, soit en plat rond. Saupoudrer de jaunes d'œufs durs et de persil hachés. Faire revenir dans une poêle de la mie de pain fraîche avec du beurre. Verser sur les choux-fleurs.

REMARQUE

En outre, les choux-fleurs sont utilisés conjointement avec différents légumes, pour la préparation de garnitures composées. **Exemple:** Bouquetière, Dubarry, Renaissance, etc.

AUTRES UTILISATIONS

● **POTAGES**

Voir chapitre « LES POTAGES ».

● **HORS-D'ŒUVRE**

Ils peuvent être traités « A LA GRECQUE » (voir chapitre « LES HORS-D'ŒUVRE »), ou simplement assaisonnés avec une sauce mayonnaise légère ou une vinaigrette.
Ils figurent également parmi les « CRUDITÉS ».

● CHOUX ROUGES

Les choux rouges se consomment **souvent crus, rarement cuits.**

■ *TECHNIQUES DE PRÉPARATION*

● **PRÉPARATION PRÉLIMINAIRE**

a) Supprimer les feuilles défraîchies.
b) Couper les choux en quatre parties, dans le sens vertical.
c) Débarrasser chaque quartier de leur trognon et des grosses côtes des feuilles.
d) Laver à grande eau.
e) Tailler les feuilles en fine julienne, à l'aide d'un couteau éminceur ou d'un coupe-légumes électrique-Robot-légumes.

● **PRÉPARATION CRUS EN HORS-D'ŒUVRE**

a) Mettre dans une terrine.
b) Saupoudrer de sel fin.
c) Laisser dégorger 6 à 8 heures en les remuant de temps en temps.
d) Egoutter dans une passoire ou sur un tamis.
e) Mettre ensuite dans un pot en grès, ou dans une terrine, les choux avec quelques grains de poivre, une feuille de laurier fragmentée et 2 ou 3 gousses d'ail.
f) Couvrir avec du vinaigre bouilli et refroidi.
g) Laisser mariner 1 jour ou 2.
h) Bien égoutter les choux au moment d'utiliser. Y ajouter un filet d'huile.

REMARQUE

Il existe une formule plus simple et plus couramment utilisée: mettre les choux à dégorger au sel pendant quelques heures. Les égoutter. Les assaissonner ensuite de poivre du moulin, de vinaigre et d'huile.
Ils figurent sous cette forme parmi les « CRUDITÉS ».

● CONCOMBRES

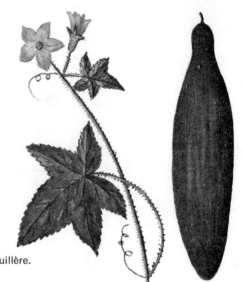

Les concombres se consomment **cuits** ou **crus**.

▊ *TECHNIQUES DE PRÉPARATION*

● PRÉPARATION PRÉLIMINAIRE

● CUITS

a) Eplucher à l'aide d'un couteau économe.
b) Fendre en deux dans le sens de la longueur.
c) Enlever les semences. Racler simplement avec une cuillère.
d) Tailler en tronçons de 4 à 5 cm environ de longueur.
e) Couper chaque tronçon suivant sa grosseur, en deux, trois ou quatre parties.
f) Arrondir légèrement les angles à l'aide d'un couteau d'office, pour leur donner ainsi la forme d'une grosse olive.

● CRUS

Procéder comme ci-dessus: a), b), c).
d) Poser le concombre la partie interne sur la planche à découper.
e) Emincer chaque moitié en tranches de 1 à 2 mm.
f) Mettre le concombre émincé dans une passoire.
g) Saupoudrer de sel fin (ou de gros sel) afin d'éliminer une grande partie de leur eau de végétation.
h) Mettre la passoire sur une calotte. Celle-ci recevra l'eau d'égouttage.
i) Laisser dégorger 30 minutes environ en les remuant de temps en temps.
j) Egoutter entièrement avant assaisonnement.

● CUISSON

a) Mettre à blanchir pendant 6 à 8 minutes environ, dans l'eau bouillante salée.
b) Egoutter.
c) Faire étuver au beurre, dans un plat à sauter, jusqu'à évaporation complète de l'eau.
d) Assaisonner de sel fin et de poivre du moulin.
e) Dresser en légumier.

Ils peuvent être préparés aussi à la crème.
Ils figurent parmi les garnitures dites « DORIA ».

● PRÉPARATION (hors-d'œuvre)

Ils sont assaisonnés à la vinaigrette ou à la crème fraîche. Dresser en ravier, saupoudrer de fines herbes.
Ils figurent parmi les « CRUDITÉS ».

REMARQUE

Les concombres sont principalement préparés en hors-d'œuvre.

● COURGETTES

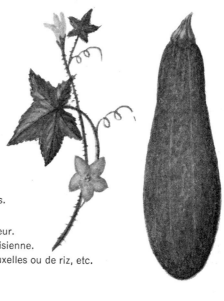

Les courgettes se consomment **toujours cuites.**
en tronçons farcis ou **détaillées.**

■ *TECHNIQUES DE PRÉPARATION*

A. COURGETTES FARCIES

● PRÉPARATION PRÉLIMINAIRE

REMARQUE. Utiliser de préférence des courgettes longues.

a) Laver.
b) Tronçonner en morceaux de 4 à 5 cm environ de longueur.
c) Evider en tonnelet à l'aide d'une cuillère à pommes parisienne.
d) Garnir l'intérieur soit de tomates concassées, soit de Duxelles ou de riz, etc.

● CUISSON

a) Mettre les tronçons farcis dans un plat beurré ou huilé, sur des oignons émincés.
b) Adjoindre de l'ail et un petit bouquet garni.
c) Assaisonner de sel fin et de poivre du moulin.
d) Laisser cuire doucement à couvert au four.

B. COURGETTES DÉTAILLÉES

● PRÉPARATION PRÉLIMINAIRE

a) Supprimer le pédoncule à l'aide d'un couteau d'office.
b) Eplucher à l'aide d'un couteau économe.
c) En fonction de leur préparation, elles sont taillées en **rondelles minces** ou **épaisses, en éventail** ou **en quartiers.**

● CUISSON

Mêmes méthodes et mêmes recettes que les aubergines. (Voir « LES AUBERGINES » détaillées.)
En outre, elles sont utilisées pour la réalisation de la « RATATOUILLE NIÇOISE ». Elles sont détaillées en quartiers.

● CROSNES

Les crosnes se consomment **toujours cuits.**

■ *TECHNIQUES DE PRÉPARATION*

● PRÉPARATION PRÉLIMINAIRE

a) Frotter les crosnes dans un torchon solide avec du gros sel.
b) Laver pour retenir les dernières pellicules subsistantes.
c) Egoutter.

● **CUISSON**

a) Mettre de l'eau salée à bouillir.

b) Mettre les crosnes en immersion dès l'ébullition.

c) Laisser cuire 15 à 20 minutes environ. Les tenir un peu fermes. Au-delà de ce temps de cuisson, l'eau pénètre et les rend fades, même pâteux.

● **VARIANTES**

DÉNOMINATION	COMPOSITION
BEIGNETS	Enrober de pâte à frire. Frire.
AU GRATIN	Napper de sauce Mornay. Saupoudrer de fromage râpé passé au tamis. Gratiner au four ou à la salamandre.
AU JUS	Finir de cuire avec du jus de veau lié.

● ENDIVES

Les endives se consomment **cuites** ou **crues**.

■ *TECHNIQUES DE PRÉPARATION*

● **PRÉPARATION PRÉLIMINAIRE**

a) Supprimer la partie rougeâtre située à la base, sans détacher les feuilles.

b) Eliminer, si c'est nécessaire, les premières feuilles jaunies ou flétries du pourtour.

c) **Laver rapidement** à l'eau (un séjour trop prolongé dans l'eau risque de les noircir).

d) Egoutter.

● **CUISSON (braisage)**

a) Beurrer les parois et le fond d'une sauteuse.

b) Ranger correctement les endives dans le récipient.

c) Assaisonner de sel fin et d'une prise de sucre.

d) Arroser d'un jus de citron (pour les empêcher de noircir pendant la cuisson).

e) Mouiller à l'**eau froide,** au 1/3 de leur hauteur.

f) Couvrir d'un papier sulfurisé beurré.

g) Poser dessus une assiette retournée pour maintenir les endives dans la cuisson.

h) Porter à ébullition.

i) Cuire à couvert au four, pendant 50 à 60 minutes environ.

j) Egoutter les endives au terme de la cuisson, les débarrasser dans une terrine.

● **VARIANTES**

MEUNIÈRE

a) Mettre dans une poêle un morceau de beurre à fondre.

b) Mettre les endives côte à côte (ne pas les serrer), quand le beurre commence à prendre une couleur blonde (beurre noisette).

c) Faire colorer doucement.

d) Retourner les endives une par une en les piquant à la base, à l'aide d'une fourchette, pour faire dorer l'autre face.

e) Assaisonner légèrement de sel fin.

a) Dresser sur plat long, en disposant les endives toutes du même côté, en repliant légèrement la pointe de chaque endive par-dessous.
b) Adjoindre un petit cordon de fond de veau lié autour.
c) Arroser les endives d'un beurre noisette préparé dans une petite poêle.
d) Saupoudrer au moment de servir d'un peu de persil haché.

AU GRATIN

a) Ranger les endives dans un plat à gratin préalablement nappé de sauce Mornay.
b) Napper de sauce Mornay.
c) Saupoudrer de fromage râpé passé au tamis.
d) Arroser de quelques gouttes de beurre.
e) Faire gratiner au four ou à la salamandre.

CRUES

Les endives sont fréquemment préparées en salade.
Elles sont alors effeuillées ou émincées dans le sens de la longueur, et assaisonnées de sauce vinaigrette.

● ÉPINARDS

Les épinards se consomment **toujours cuits.**

■ *TECHNIQUES DE PRÉPARATION*

● PRÉPARATION PRÉLIMINAIRE

a) Supprimer les tiges, les feuilles flétries et jaunies.
b) Laver les feuilles **à grande eau dans une grande calotte** (ou dans un autre récipient).
c) Remuer (brasser) les feuilles dans l'eau.
d) Egoutter en sortant les épinards avec les mains. La terre se déposant au fond du récipient.
e) Rincer, puis laver deux ou trois fois encore. Egoutter dans une passoire.
f) Laver à grande eau et plusieurs fois de suite. Changer d'eau à chaque opération.
g) Egoutter dans une passoire.

● CUISSON (5 minutes environ)

a) Faire bouillir de l'eau salée dans une russe (casserole).
b) Mettre les épinards dans **l'eau bouillante.**
c) Enfoncer les feuilles dans l'eau à l'aide d'une spatule en bois.
d) Cuire **très rapidement et à découvert** pendant 5 minutes environ, afin d'éviter le jaunissement des feuilles.
e) Rafraîchir **à l'eau courante aussitôt cuits.**
f) Egoutter une fois rafraîchis dans une passoire (ou sur un tamis) à l'aide d'une araignée.
g) **Presser fortement** par petites poignées (former des boules) pour en extraire l'eau.
h) Réserver sur une assiette.

Les épinards sont utilisés sous deux formes:

— En branches.
— En purée: passer au tamis fin ou au hachoir électrique.

● VARIANTES

AU BEURRE NOISETTE (en branches)

a) Chauffer dans une sauteuse du beurre jusqu'à ce qu'il devienne d'une couleur « noisette ».
b) Mettre les épinards légèrement concassés dans le beurre.

c) Assaisonner de sel fin, de poivre du moulin et d'une pointe de noix de muscade râpée (facultatif).
d) Chauffer doucement en les remuant de temps en temps à l'aide d'une fourchette. Ne pas les faire rissoler.
e) Dresser en légumier.

A LA CRÈME (en purée)

a) Chauffer comme ci-dessus.
b) Ajouter de la crème fraîche (2 dl pour 4 kg d'épinards crus environ).
c) Faire bouillir doucement pendant 10 minutes. La crème en réduisant s'épaissit.
d) Dresser en légumier.
e) Adjoindre autour des épinards un cordon de crème bouillie réduite.

Les épinards sont utilisés, en outre, pour toutes les préparations dites **« Florentine ».**

● HARICOTS EN GRAINS « FRAIS »

Les haricots en grains frais se consomment **toujours cuits.**

■ *TECHNIQUES DE PRÉPARATION*

● PRÉPARATION PRÉLIMINAIRE

a) Extraire les grains de leur cosse.
b) Laver.
c) Egoutter dans une passoire.

● CUISSON

a) Mettre les haricots à l'eau froide.
b) Ajouter une garniture aromatique composée de: 1 oignon piqué d'un clou de girofle, de 1 ou 2 carottes, d'un petit bouquet garni et de 2 ou 3 gousses d'ail. Saler.
c) Laisser cuire. Ecumer au fur et à mesure.
d) La cuisson doit se faire à couvert et à petite ébullition.

● VARIANTES

Les haricots ainsi cuits sont accommodés suivant les recettes.

Exemple : au beurre, aux fines herbes, panachés, bretonne, en salade (hors-d'œuvre), etc.

● HARICOTS VERTS

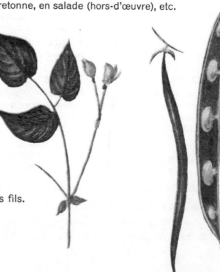

Les haricots verts se consomment
toujours cuits.

■ *TECHNIQUES DE PRÉPARATION*

● PRÉPARATION PRÉLIMINAIRE

a) Effiler avec les doigts les haricots verts: casser les extrémités, celles-ci entraînent avec elles les fils. Couper en deux les haricots longs.
b) Laver et égoutter dans une passoire.
c) Réserver jusqu'au moment de leur cuisson.

● CUISSON

a) Mettre de l'eau à bouillir.
b) Saler à raison de 10 g de gros sel par litre d'eau.
c) Plonger les haricots verts dans l'eau **bouillante.**
d) Enfoncer ceux qui ne baignent pas dans l'eau avec une spatule en bois.
e) Laisser **cuire à découvert.** L'ébullition doit être constante.
f) Constater au bout de 15 minutes environ d'ébullition l'à-point de cuisson en goûtant un haricot. Il doit être **légèrement croquant,** sans excès.
g) Rafraîchir rapidement à l'eau courante lorsqu'ils ne sont pas servis de suite.
h) Egoutter dans une passoire sans les tasser.
i) Réserver sur une plaque garnie d'un torchon. Etendre correctement les haricots verts.

REMARQUE

Afin d'être appréciés à leur juste valeur, les haricots verts **ne devraient pas être rafraîchis,** mais servis de suite, liés au beurre frais.

●˙ VARIANTES

Les haricots verts sont servis au beurre ou parfois à la crème.

Mélangés délicatement en parties égales avec des haricots flageolets, ils figurent sous le nom de « HARICOTS PANACHÉS ».

Ils sont utilisés dans les « JARDINIÈRES », les « MACÉDOINES » conjointement avec des navets, des carottes et des petits pois.

● LAITUES

Les laitues se consomment **cuites** ou **crues.**

■ *TECHNIQUES DE PRÉPARATION*

● PRÉPARATION PRÉLIMINAIRE

a) Supprimer les feuilles jaunies et flétries situées autour des laitues.
b) Tailler délicatement la base (pied) en pointe afin d'éviter aux feuilles de se détacher du pied.
c) Laver à grande eau dans une calotte (ou dans un autre récipient).
d) Remuer les laitues dans l'eau, en les prenant par le pied.
e) Egoutter et rincer le récipient. La terre se déposant au fond.
f) Laver deux ou trois fois encore.
g) Egoutter dans une passoire.

● CUISSON (braisage — 1 heure environ)

REMARQUE

La technique est établie pour 8 laitues.

« BLANCHIR » LES LAITUES

a) Mettre à bouillir dans un petit rondeau (ou dans une grande casserole), de l'eau salée.
b) Immerger délicatement les laitues, **dès que l'eau bout.**
c) Enfoncer légèrement, à l'aide d'une écumoire.

d) Faire bouillir 2 à 3 minutes environ.

e) Rafraîchir à l'eau courante.

f) **Laver à nouveau** les laitues, lorsqu'elles sont bien rafraîchies, en les prenant par le pied.

g) Plonger vers le fond du récipient. Les feuilles s'écartent et laissent échapper le sable qui peut éventuellement subsister.

h) Sortir les laitues une par une. Après cette opération, elles prennent la forme d'un fuseau qu'elles doivent garder.

i) **Presser fortement entre les mains,** et les poser sur un tamis (ou sur une grille).

j) Laisser égoutter.

BRAISER LES LAITUES

a) Mettre du beurre dans un plat à sauter.

b) Ajouter carottes et gros oignons émincés grossièrement.

c) Faire suer 4 à 5 minutes environ **sans coloration.**

d) Remuer à l'aide d'une spatule en bois.

e) **Disposer** les laitues sur ce « fonçage ».

f) Mouiller aux 3/4 de leur hauteur avec du fond blanc.

g) Adjoindre un petit bouquet garni.

h) Assaisonner de sel fin.

i) Préserver le dessus avec une couenne de lard frais, la partie grasse touchant les laitues.

j) Disposer sur le dessus un papier sulfurisé beurré (ou une feuille d'aluminium) de même dimension que le récipient de cuisson.

k) Faire bouillir sur le fourneau.

l) Terminer la cuisson à couvert (avec un couvercle) à four chaud (200° environ — thermostat 6-7) pendant 1 heure environ.

TERMINER LES LAITUES

a) Vérifier la cuisson des laitues. Celle-ci étant terminée, les égoutter sur un plat (ou sur une plaque). Réserver le papier sulfurisé (ou la feuille d'aluminium).

b) Couper chaque laitue en deux dans le sens de la longueur.

c) Supprimer (parer) le trognon, en le coupant en biais.

d) Disposer les laitues les unes à côté des autres, dans un plat à gratin (ou dans un autre plat creux) légèrement beurré.

e) Replier légèrement la pointe en dessous.

f) Napper les laitues de fond de veau lié (voir chapitre « LES SAUCES »).

g) Couvrir avec le papier sulfurisé (ou la feuille d'aluminium) réservé.

h) Mettre à four doux (150° environ — thermostat 4-5) pendant 10 minutes.

● DRESSAGE

Dresser en couronne sur plat rond. Napper légèrement d'un peu de fond de veau lié.

● VARIANTES

DÉNOMINATION	COMPOSITION
AU JUS	Préparer comme ci-dessus.
A LA MOELLE	Comme au jus. Disposer sur le dessus des lames de moelle de bœuf pochée.

AUTRES UTILISATIONS

● POTAGES

Voir chapitre « LES POTAGES ».

● SALADES (crues)

Les laitues sont traitées en salade, elles sont alors effeuillées, parfois seuls les cœurs coupés en deux ou en quatre subissent ce traitement.
Les feuilles sont utilisées aussi pour la présentation de hors-d'œuvre, préparations froides...

● MARRONS

Les marrons se consomment **toujours cuits.**

■ *TECHNIQUES DE PRÉPARATION*

● PRÉPARATION PRÉLIMINAIRE

Première méthode

a) Inciser l'écorce du côté bombé à l'aide de la pointe d'un couteau d'office.
b) Plonger quelques secondes par petites quantités dans une eau bouillante.
c) Egoutter. Alors que les marrons sont encore chauds, retirer l'écorce et la pellicule intérieure.

Deuxième méthode

a) Inciser l'écorce du côté bombé à l'aide de la pointe d'un couteau d'office.
b) Plonger 3 à 4 secondes par petites quantités dans une friture chaude usagée.
c) Egoutter. Alors que les marrons sont encore chauds, retirer l'écorce et la pellicule intérieure.
d) Réserver sur une plaque.

● CUISSON (entiers)

a) Mettre les marrons dans un plat à sauter beurré. Les marrons doivent être de préférence sur une seule couche, afin qu'ils ne s'écrasent pas pendant la cuisson.
b) Mouiller à hauteur avec du consommé ou, à défaut, de l'eau.
c) Assaisonner de sel fin et d'une branche de céleri.
d) Faire bouillir et cuire à petite ébullition pour ne pas les briser, pendant 30 à 40 minutes environ, selon la qualité.
e) Réserver pour les besoins.

● VARIANTES

EN PURÉE

a) Passer les marrons cuits entiers au tamis fin.
b) Chauffer la purée dans une casserole, en la travaillant à la spatule en bois.
c) Ajouter du beurre et de la crème fraîche.
d) Vérifier l'assaisonnement.
e) La purée est alors prête pour être servie.
Les marrons accompagnent l'oie, la dinde, le gibier à poil, etc.

● NAVETS

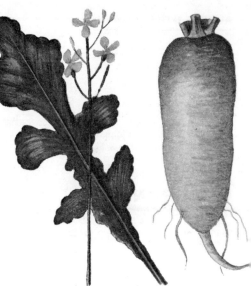

Les navets se consomment **toujours cuits.**

■ *TECHNIQUES DE PRÉPARATION*

● PRÉPARATION PRÉLIMINAIRE

a) Eliminer leurs extrémités à l'aide d'un couteau d'office.
b) Peler ensuite sur toute la longueur
c) Laver à grande eau. **Ne pas laisser les navets dans l'eau,** les égoutter aussitôt.

En fonction de leur utilisation, ils sont :

Tournés en olives (navets glacés)

RECOMMANDATION PRÉLIMINAIRE

Cette technique se pratique à l'aide d'un couteau d'office.
Le pouce (droit) doit être indépendant des autres doigts.
Celui-ci est placé et prend appui à la base du légume à tourner.
Le couteau est maintenu par les quatre autres doigts.

a) Couper les légumes en tronçons (bouchons) de 3 à 4 cm.
b) Couper les tronçons **sur la longueur suivant leur grosseur,** en **deux,** en **trois** ou en **quatre parties** (taille approximative d'un pouce).
c) Maintenir le légume du bout des doigts, **entre le pouce droit et l'index gauche.** Ces deux doigts servent de pivot. Le couteau d'office par les quatre doigts de la main droite.
d) Partir avec le couteau du sommet du navet.
e) Donner un léger mouvement circulaire au couteau vers le pouce droit, pour donner à cette première coupe une forme légèrement arrondie.
f) Tourner légèrement le légume lorsque le couteau revient au sommet.
g) Répéter les mêmes opérations pour «tourner» le légume (arrondir les angles), et lui donner ainsi la forme d'une « olive » légèrement oblongue.

REMARQUE. Les parures sont réservées et servent éventuellement pour un potage.

Taillés en bâtonnets (un des éléments de la jardinière)

a) Couper à l'aide d'un couteau éminceur (ou de préférence à l'aide d'un couteau à lame fine — couteau à filets de sole) les navets en tronçons de 2,5 à 3 cm environ de longueur.
b) Tailler chaque tronçon en petits bâtonnets réguliers de 3 à 4 mm environ de côté.
c) Tailler chaque tronçon en tranches de 3 à 4 mm environ d'épaisseur.
d) Tailler ensuite en bâtonnets réguliers de même section.
e) Relaver. Les égoutter dans une passoire.
f) Réserver jusqu'au moment de leur cuisson.

Taillés en julienne (potage Julienne Darblay)

Cette technique se réalise à l'aide **d'une « mandoline » et d'un couteau éminceur** (ou d'un moulin-julienne à main ou d'un coupe-légumes électrique — Robot légumes).

a) Monter la « mandoline »: bien encocher les montants métalliques.
b) Placer la mandoline sur une plaque à débarrasser (ou sur un plat ou sur une planche à découper), la partie haute vers soi.
c) Tenir le légume **dans le creux de la main, les doigts** bien allongés.
d) Tailler ensuite **sur la longueur** en tranches **d'un millimètre environ** d'épaisseur.

e) Faire glisser de haut en bas en le faisant passer sur la lame unie, et **en appuyant sur le légume.**

f) Remonter vers le haut de la « mandoline », répéter les mêmes mouvements afin d'émincer entièrement le légume. Attention! arrivé presque au terme de la taille du légume (talon), pousser avec la paume de la main, les doigts nettement tendus et l'extrémité redressée.

g) Disposer sur une planche à découper les tranches **légèrement chevauchées** (une partie seulement à la fois).

h) Tailler **finement sur la longueur,** à l'aide d'un couteau éminceur, les tranches en petits « filaments ».

Taillés en petits dés (un des éléments de la macédoine)

REMARQUE. Cette technique se réalise à l'aide d'un couteau à filets de sole (ou d'un coupe-légumes électrique - Robot-légumes).

a) Couper **sur la longueur** les navets en tranches de 4 à 5 mm d'épaisseur environ, à l'aide d'un couteau à lame fine (couteau à filets de sole).

b) Emincer ces tranches en bâtonnets de même section.

c) Tailler ensuite en **petits dés réguliers.**

d) Relaver les navets. Les égoutter dans une passoire.

e) Réserver jusqu'au moment de leur cuisson.

● CUISSON

Navets glacés (en olives)

a) Mettre les navets dans une sauteuse (ou une casserole) **suffisamment grande,** afin qu'elles **ne se superposent pas.**

b) Mouiller **légèrement au-dessus** des navets avec de l'eau.

c) Ajouter 20 g de beurre, une prise de sucre et une pincée de sel fin (pour 8 personnes).

d) Poser sur le dessus un papier sulfurisé (ou feuille d'aluminium) de même dimension que le récipient, afin d'éviter une évaporation trop rapide de l'eau de cuisson.

e) **Cuire doucement** sur le coin du feu, **jusqu'à évaporatin complète de l'eau** et **sans coloration** des légumes.

f) Remuer délicatement en cours de cuisson, **par un mouvement circulaire du récipient,** afin d'obtenir **un « glaçage » uniforme.**

   REMARQUE. Le fond de mouillement doit être réduit lorsque les carottes sont cuites. Le beurre les enrobe et leur donne un aspect brillant.

g) Débarrasser **délicatement** au terme de la cuisson, dans un bol ou sur un petit plat, et les maintenir au chaud.

REMARQUE

Les navets étant d'une structure « spongieuse », leur temps de cuisson **est plus court que celui des carottes.** Les mouiller **juste à hauteur** sans excès.

Sous cette forme, ils sont prêts pour les différentes garnitures simples ou composées.

Exemple : bouquetière, caneton aux navets, etc.

Navets pour jardinière (en bâtonnets):

a) Mettre à cuire à l'eau bouillante salée.

b) Rafraîchir au terme de la cuisson, à l'eau courante.

c) Egoutter aussitôt rafraîchis, dans une passoire.

d) Mettre dans un plat à sauter beurré avec les autres légumes composant la jardinière: carottes, haricots verts et petits pois.

e) Faire chauffer et mélanger.

Navets pour macédoine (en petits dés)

Même procédé que la jardinière, sauf la terminaison.

AUTRES UTILISATIONS

● **POTAGES**

Voir chapitre « LES POTAGES ».

● **HORS-D'ŒUVRE**

Ils entrent dans la confection de la « MACÉDOINE », de la « SALADE RUSSE » en combinaison avec des carottes, des haricots verts et des petits pois. Le tout est mélangé avec de la sauce mayonnaise.

REMARQUE

D'une saveur très prononcée, les navets sont plus fréquemment mélangés à d'autres légumes.
Exemple: bouquetière, jardinière, macédoine, etc.
Ils sont néanmoins utilisés pour la préparation du **« Caneton aux navets ».**

● OIGNONS

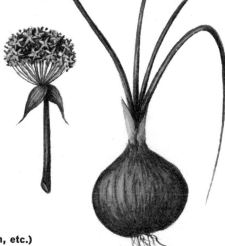

Les oignons se consomment **cuits** ou **crus.**

■ *TECHNIQUES DE PRÉPARATION*

● **PRÉPARATION PRÉLIMINAIRE**

a) Couper les racines.
b) Supprimer le côté tige sans trop entamer la chair.
c) Eliminer les premières « pellicules » (pelures).

    REMARQUE. Eviter d'entamer (écorcher) la chair, celle-ci renferme une huile volatile sulfurée, âcre, qui occasionne le larmoiement des yeux.

d) Laver rapidement. Ne pas laisser dans l'eau.

En fonction de leur utilisation, ils sont:

Emincés (pour garniture aromatique, soupe à l'oignon, etc.)

a) Eplucher et laver au préalable les oignons.
b) Couper **en deux dans le sens vertical,** à l'aide d'un couteau à filets de sole (de préférence).
c) Placer la partie coupée sur la planche. Eliminer le côté racine (partie dure) **en coupant en biais.**
d) Eliminer le côté tige de la même manière.
e) Maintenir l'oignon de la main gauche, **les doigts repliés dessus.**
f) Tailler des tranches fines **en faisant glisser la lame le long des phalanges** de la main gauche. **A chaque coupe,** la main gauche opère un **mouvement de recul.**
g) Réserver sur une assiette ou sur une plaque.

Emincés en bracelets (ou en anneaux)

a) Eplucher et laver au préalable les oignons.
b) Poser et maintenir avec la main gauche les oignons **sur le côté,** la partie racine **dans le creux de la main.**
c) Eliminer à l'aide d'un couteau à filets de sole (de préférence), la première partie (côté tige).
d) Tailler ensuite **sur la circonférence** en tranches de 2 à 3 mm suivant l'utilisation.
e) Détacher avec les doigts chaque anneau l'un de l'autre.
f) Eliminer les parties centrales.
g) Réserver sur une assiette ou sur une plaque.

Ciselés (hachés)

RECOMMANDATION PRÉLIMINAIRE

Cette technique se pratique de préférence à l'aide d'un couteau à filets de sole.
Le pouce et l'index sont placés près de la « mitre », de chaque côté de la lame, les trois autres doigts maintiennent le couteau par le manche.

a) Couper en deux dans le sens vertical, à l'aide d'un couteau à filets de sole (de préférence).

b) Placer la partie coupée sur la planche. Le **côté où se trouvait la tige vers soi.**

c) Emincer avec l'extrémité du couteau et du côté tige, en **tranches fines, sans couper entièrement celles-ci du côté racine,** afin de maintenir le demi-oignon en forme.

d) Donner au légume un quart de tour sur lui-même. Le côté tige se trouve alors placé à droite (côté émincé).

e) Emincer finement et horizontalement (en partant du bas), **sans couper entièrement du côté racine.**

REMARQUE. Pendant toutes ces opérations, le demi-oignon doit rester en principe en forme. Le maintenir fermement avec les doigts.

f) Garder le légume dans la même position et l'émincer verticalement et finement. Il se détache en particules, autant que possible, régulières et fines.

g) Eliminer le « talon » (côté racine).

REMARQUE. Afin d'éviter aux oignons de noircir et de fermenter après le ciselage, et de mieux le conserver, il est recommandé de le mettre dans un chinois et de le rincer à l'eau fraîche. Il est ensuite essoré dans un torchon pour extraire une partie de son eau de végétation et de lavage.

h) Réserver dans un bol ou autre récipient.

Taillés en dés

a) Couper en deux dans le sens vertical.

b) Placer la partie coupée sur la table.

c) Détailler grossièrement comme les oignons ciselés.

● **UTILISATION**

Les gros oignons sont employés pour différents apprêts culinaires: **en condiment aromatique (crus** ou **cuits) ou en garniture.**
CRUS, ils servent principalement comme élément aromatique dans les hors-d'œuvre, les salades, etc., émincés, en anneaux ou ciselés.
CUITS, ils sont employés comme condiment aromatique dans les fonds, les fonçages, les marinades, les fumets de poisson, etc., émincés, en anneaux, ciselés ou en dés.

● **VARIANTES - CUISSON**

FRITS (en rondelles de 4 à 5 mm d'épaisseur):

a) Tremper dans le lait salé ou, à défaut, dans la bière (facultatif).

b) Rouler ensuite dans la farine.

c) Secouer sur un tamis pour éliminer l'excédent de farine.

d) Frire à la friture chaude.

e) Egoutter sur un linge.

f) Saupoudrer de sel fin.

FARCIS (taillés aux 3/4 de la hauteur du côté tige):

a) Blanchir fortement à l'eau bouillante salée.

b) Egoutter.

c) Evider l'intérieur en laissant une épaisseur autour et au fond pour former comme une caissette.

d) Garnir l'intérieur à volonté, soit de duxelles, de riz, d'épinards, de tomates concassées, de hachis de viande divers, etc.

e) Cuire à four doux dans un plat à sauter grassement beurré.

PURÉE SOUBISE (émincés finement):

a) Blanchir fortement à l'eau bouillante salée.
b) Egoutter.
c) Etuver au beurre sans faire colorer.
d) Adjoindre de la sauce béchamel et laisser cuire 30 minutes environ.
e) Passer à l'étamine en foulant à la spatule en bois.
f) Vérifier l'assaisonnement.

● PETITS OIGNONS

Les petits oignons se consomment **cuits**
(**crus** conservés au vinaigre).

■ *TECHNIQUES DE PRÉPARATION*

● **PRÉPARATION PRÉLIMINAIRE**

a) Couper les racines et le côté tige.
b) Débarrasser de leurs premières pellicules.
● **NOTA.** Les petits oignons sont toujours utilisés entiers.

● **CUISSON**

GLACÉS A BRUN

a) Mettre ces petits oignons dans une sauteuse (ou une casserole) **suffisamment grande,** afin qu'ils **ne se superposent pas.**
b) Mouiller **juste à hauteur** avec de l'eau.
c) Ajouter une noix de beurre, une prise de sucre et une pincée de sel fin.
d) Poser sur le dessus un papier sulfurisé (ou une feuille d'aluminium) de même dimension que le récipient, afin d'éviter une évaporation trop rapide de l'eau de cuisson.
e) **Cuire doucement** sur le coin du feu, **jusqu'à évaporation complète de l'eau et coloration brune et brillante** des oignons.
f) Remuer délicatement en cours de cuisson, **par un mouvement circulaire du récipient,** afin d'obtenir **une coloration uniforme.**
   REMARQUE. Le fond de mouillement doit être réduit lorsque les oignons sont cuits. Le beurre les enrobe et leur donne un aspect brillant.
g) Débarrasser **délicatement** au terme de la cuisson, dans un bol ou sur un petit plat, et les maintenir au chaud.

GLACÉS A BLANC

REMARQUE

La technique est **entièrement identique** aux petits oignons glacés à brun. Ceux-ci sont réalisés **sans coloration** et doivent **rester « blancs »** et **« brillants ».**
Il est donc nécessaire en fin de cuisson, **d'en surveiller attentivement le glaçage.**

● **UTILISATION**

Ils sont principalement utilisés en garniture:
GLACÉS A BLANC: fricassée de volaille, fricassée de veau, blanquette de veau, etc.
GLACÉS A BRUN: bourgeoise, bourguignonne, grand-mère, coq au vin, matelote, etc.
Ils sont aussi utilisés dans les hors-d'œuvre **« A LA GRECQUE ».** (Voir chapitre **« LES HORS-D'ŒUVRE ».)**

464

● OSEILLE

L'oseille se consomme **toujours cuite.**

■ *TECHNIQUES DE PRÉPARATION*

● PRÉPARATION PRÉLIMINAIRE

a) Eliminer les parties jaunies et flétries des feuilles.
b) Supprimer la tige (queue) des feuilles, avec les doigts.
c) Laver à grande eau dans une calotte (ou dans un autre récipient).
d) Remuer (brasser) les feuilles dans l'eau.
e) Egoutter en sortant l'oseille avec les mains. La terre se déposant au fond du récipient.
f) Rincer, puis laver deux ou trois fois encore. Egoutter dans une passoire.
g) Rouler les feuilles les unes sur les autres.
h) Ciseler en « chiffonnade » (en fines lanières) à l'aide d'un couteau éminceur.

● CUISSON (5 minutes environ)

a) Mettre à fondre dans une petite sauteuse (ou dans une petite casserole) une noix de beurre.
b) Ajouter l'oseille. Remuer à l'aide d'une spatule en bois.
c) Laisser « tomber » jusqu'à évaporation complète de l'eau de végétation. Il faut compter 5 minutes environ.
d) Débarrasser au terme de la cuisson dans un petit bol.
e) Réserver dans une petite terrine.

● UTILISATION

L'oseille fondue au beurre est utilisée pour les **potages,** les **omelettes,** en garniture avec les **poissons grillés,** etc.

● PETITS POIS

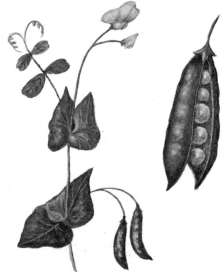

Les petits pois se consomment **toujours cuits.**

■ *TECHNIQUES DE PRÉPARATION*

● PRÉPARATION PRÉLIMINAIRE

a) Extraire les grains de leur cosse.
b) Laver les petits pois.
c) Egoutter dans une passoire.

● CUISSON

Première méthode (à l'anglaise)

a) Mettre dans une russe moyenne (ou dans une casserole moyenne) de l'eau salée à raison de 10 g de gros sel par litre.
b) Faire bouillir

c) Mettre les pois dans **l'eau bouillante.**

d) Laisser **cuire à découvert** et **à grosse ébullition.**

> REMARQUE. Le temps de cuisson est légèrement variable selon la quantité du légume. Pour constater l'à-point de cuisson, il suffit de goûter un petit pois.

e) Rafraîchir à l'eau courante au terme de la cuisson.

f) Egoutter dans une passoire.

g) Réserver au frais sur une petite plaque.

REMARQUE

Si les petits pois ne sont pas servis dès qu'ils sont cuits, il est nécessaire de les rafraîchir rapidement à l'eau courante. Une attente trop prolongée (à la chaleur) risque de les faire jaunir. Au moment de les servir, il suffit de les plonger quelques instants dans l'eau bouillante salée. Si les petits pois sont servis de suite, les égoutter aussitôt cuits et dresser en légumier.

● VARIANTES

Les petits pois sont rarement servis à l'anglaise (nature). Ils sont fréquemment servis au beurre. Il suffit de les lier avec du beurre frais.

Ils sont utilisés dans les « JARDINIÈRES », les « MACÉDOINES », conjointement avec des navets, des carottes et des haricots verts.

Deuxième méthode (à la française)

a) Réunir dans une sauteuse les petits pois avec des petits oignons nouveaux.

b) Ajouter une chiffonnade de laitue bien verte.

c) Assaisonner de sel fin et d'une prise de sucre.

d) Adjoindre un morceau de beurre.

e) Manier les divers éléments ensemble.

f) Adjoindre un peu d'eau.

REMARQUE

Certains professionnels ajoutent dans la cuisson un petit bouquet garni.

g) Mettre à cuire rapidement à couvert pendant 25 minutes environ. Le temps de cuisson est fonction de la qualité des petits pois.

h) Lier hors du feu au terme de la cuisson avec un morceau de beurre frais, en les sautant délicatement dans la sauteuse pour ne pas les écraser. Vérifier l'assaisonnement.

● VARIANTE

DÉNOMINATION	COMPOSITION
A LA PAYSANNE	Même préparation que les petits pois à la française, en ajoutant quelques carottes tournées et glacées (voir « CAROTTES GLACÉES »).

AUTRES UTILISATIONS

● POTAGES

Voir chapitre **« LES POTAGES ».**

● HORS-D'ŒUVRE

Ils entrent, cuits à l'anglaise (première méthode de cuisson), dans la confection de la **« MACÉDOINE »,** de la **« SALADE RUSSE »,** en combinaison avec des carottes, des navets et des haricots verts. Le tout est mélangé avec de la sauce mayonnaise.

POIREAUX

Les poireaux se consomment **exclusivement cuits.**

TECHNIQUES DE PRÉPARATION

● PRÉPARATION PRÉLIMINAIRE

REMARQUE. Cette technique se réalise à l'aide d'un couteau d'office.

a) Couper les racines.
b) Fendre lègèrement la première feuille (partie blanche), avec la pointe du couteau.
c) Eliminer (détacher) cette première feuille.

> **REMARQUE.** Un manque de fraîcheur exige parfois de retirer plusieurs feuilles.

d) **Fendre ensuite la partie verte en quatre,** afin de faciliter le lavage.
e) Laver à grande eau et à l'eau courante.
f) Ecarter les feuilles pour éliminer plus facilement la terre, parfois les vers et insectes qui s'y trouvent.

En fonction de leur utilisation, ils sont:

Emincés (paysanne)

RECOMMANDATION PRÉLIMINAIRE

Cette technique se pratique à l'aide d'un couteau éminceur.
Le pouce et l'index sont placés près de la « mitre », de chaque côté de la lame.
Les trois autres doigts maintiennent le couteau par le manche.

a) Couper les poireaux sur la longueur, en deux ou en quatre selon leur grosseur.
b) Maintenir les feuilles de la main gauche, les doigts repliés dessus.
c) Tailler **finement** en faisant glisser la lame le long des phalanges de la main gauche. **A chaque coupe,** la main gauche opère **un mouvement** de **recul.**
Sous cette forme, les poireaux sont utilisés: pour les **potages passés** — Le fait de les émincer permet de mieux les faire suer et de les passer; pour les **potages taillés.**

Emincés (en julienne)

RECOMMANDATION PRÉLIMINAIRE

Pour cette technique, il est fréquent de n'utiliser que la partie blanche des feuilles. La partie verte étant réservée pour d'autres utilisations: potage Saint-Germain, garniture aromatique pour fonds blancs... Technique identique pour « l'éminçage ».

a) Tailler la partie blanche en tronçons de 8 à 10 cm de longueur.
b) Fendre ces tronçons sur toute leur longueur et jusqu'au centre.
c) Dérouler les feuilles, mais en les maintenant superposées.
d) Disposer sur la planche à découper les feuilles (à l'envers) **légèrement chevauchées.** Les maintenir de la main gauche, les doigts repliés dessus.
e) Tailler finement sur la longueur en petits « filaments ».
Utilisée pour le **potage Julienne Darblay** (avec carottes, navets et céleri taillés en julienne); un des éléments de la garniture de la **bouillabaisse.**

En entiers (garniture aromatique)

Tels quels ou ficelés en botte pour les fonds blancs: un des éléments des garnitures aromatiques destinées à la préparation des fonds blancs: veau, volaille, marmite...

En entiers (hors-d'œuvre)

a) Réunir les poireaux en bottes.
b) Mettre la base (côté racines) à la même hauteur.
c) Ficeler de quelques tours de ficelle serrés.
d) Couper les bottes de même longueur, vers l'extrémité des feuilles — partie verte.

En tronçons (hors-d'œuvre)

a) Employer que la partie blanche (et par économie la partie légèrement verdâtre).
b) Tailler les poireaux en tronçons de même longueur.
c) Réunir en botillons.
d) Ficeler de quelques tours de ficelle serrés.

● CUISSON (entiers et tronçons)

a) Mettre dans une russe (ou dans une casserole) de l'eau salée à raison de 10 g de gros sel par litre.
b) Faire bouillir.
c) Mettre les poireaux **dans l'eau bouillante.**
d) Laisser **cuire à découvert.**
e) Rafraîchir à l'eau courante au terme de la cuisson.
f) Egoutter dans une passoire.
g) Réserver au frais sur une plaque.

● DRESSAGE

a) **Poireaux entiers** — Dresser en longueur en pliant légèrement les feuilles vertes.
Poireaux en tronçons — Dresser alignés en ravier.
b) Assaisonner — Voir chapitre « LES HORS-D'ŒUVRE » — Légumes cuits en salade.

● POMMES DE TERRE

Les pommes de terre se consomment exclusivement cuites.

■ *TECHNIQUES DE PRÉPARATION*

RECOMMANDATION PRÉLIMINAIRE

Cette technique se pratique à l'aide d'un couteau économe.
Le pouce (droit) doit être indépendant des autres doigts.
Celui-ci prend appui sur le légume à éplucher.
Le couteau est maintenu par les quatre autres doigts.

● PRÉPARATION PRÉLIMINAIRE GÉNÉRALE

a) Peler les pommes en suivant la recommandation préliminaire.
b) Prendre soin d'éliminer les points noirs (« les yeux »), toujours à l'aide de l'économe. **Ne pas utiliser la pointe.**
c) Mettre les pommes au fur et à mesure dans l'eau, pour éviter qu'elles noircissent au contact de l'air.

TECHNIQUES CULINAIRES

Les pommes de terre peuvent subir de nombreuses préparations. Nous donnerons seulement les formules de base:

- **A. LES POMMES FRITES**
- **B. LES POMMES RISSOLÉES**
- **C. LES POMMES SAUTÉES**
- **D. LES POMMES DUCHESSE**
- **E. LES POMMES DAUPHINE**
- **F. LES POMMES PURÉES**
- **G. LES POMMES A L'ANGLAISE, A LA VAPEUR**

A. LES POMMES FRITES

Pommes frites, cuites en deux opérations

● PRÉPARATION PRÉLIMINAIRE

POMMES PONT-NEUF

REMARQUE. Utiliser de grosses pommes de terre (variété Bintje; longue de Hollande...), d'une longueur de 8 à 9 cm environ.
- a) Parer (couper) chaque extrémité des pommes à l'aide d'un couteau éminceur (ou de préférence à l'aide d'un couteau à filets de sole), afin de les avoir **d'une longueur régulière de 6 à 7 cm environ.**
- b) Parer légèrement les quatre autres faces pour obtenir **approximativement un parallélépipède.**

   REMARQUE. Les parures (chutes) sont mises dans l'eau, à part dans une calotte (ou dans un autre récipient) et servent éventuellement pour un potage passé.
- c) Couper les pommes dans le sens de la longueur **en tranches de 1 cm d'épaisseur.**
- d) Détailler chaque tranche en bâtonnets **réguliers de 1 cm de section.**
- e) Mettre les pommes taillées au fur et à mesure dans l'eau.
- f) Laver à l'eau courante.

POMMES ALLUMETTES
- a) Parer les pommes comme les Pont-Neuf.
- b) Couper dans le sens de la longueur en tranches de 3 mm environ d'épaisseur.
- c) Détailler chaque tranche en bâtonnets réguliers de 3 mm de côté.
- d) Mettre dans l'eau.

POMMES MIGNONNETTES
- a) Parer les pommes comme les Pont-Neuf.
- b) Couper dans le sens de la longueur en tranches d'un 1/2 cm d'épaisseur.
- c) Détailler chaque tranche en bâtonnets réguliers d'un 1/2 cm de côté.
- d) Mettre dans l'eau.

POMMES SOUFFLÉES

a) Utiliser autant que possible des pommes de bonne qualité (de Hollande).
b) Donner aux pommes, à l'aide d'un couteau d'office, une forme ovale ou rectangulaire.
c) Tailler à l'aide d'une mandoline, en tranches régulières de 3 mm d'épaisseur.
d) Mettre dans l'eau.

● **CUISSON (sauf les pommes soufflées)**

| Première opération | **pocher.** Plonger les pommes dans une friture à 160° environ.

a) Egoutter les pommes dans une passoire.
b) Eponger par précaution dans un torchon.
c) Plonger (si possible la totalité des pommes) dans une friture moyennement chaude (160° environ).
d) Laisser pocher 7 à 8 minutes environ **sans sortir les pommes de la friture.**
e) Constater l'à-point de cuisson, en pressant un bâtonnet entre les doigts. Si la pulpe s'écrase, les pommes sont cuites.
f) Egoutter à l'aide d'une araignée, sur une plaque à débarrasser (ou sur un plat) garnie d'un torchon (ou d'un papier absorbant).

| Deuxième opération | **saisir.** Retremper les pommes dans une friture à 180°.

g) Mettre délicatement les pommes dans un panier à friture.
h) Plonger (retremper) dans une friture chaude (180° environ).
i) Remuer (ou les secouer).
j) Laisser dorer légèrement pendant 3 à 4 minutes maximum.
k) Egoutter ensuite sur une plaque (ou sur un plat) garnie d'un torchon (ou d'un papier absorbant), ce qui a pour but d'absorber une partie de l'huile.
l) Assaisonner **en les saupoudrant de sel fin.**
m) Mélanger délicatement.

REMARQUE. Les pommes doivent être prêtes au moment du dressage. Une attente trop prolongée risque de les ramollir.

● **CUISSON (pommes soufflées)**

a) Mettre les pommes à égoutter.
b) Les éponger dans un torchon.

c) | **Première opération.** | Les plonger dans une friture de 160° à 180° environ. Ne pas trop mettre de pommes.

d) Donner à la bassine à frire (négresse) un mouvement de va-et-vient qui remue les pommes immergées.
e) Chauffer sans trop forcer la température, ce qui risquerait de sécher les pommes.
f) Cuire (en remuant continuellement) 6 à 7 minutes environ. Au terme de cette cuisson, les tranches gonflées commencent à surnager.
g) Egoutter délicatement par petites quantités à l'aide d'une araignée, et plonger les pommes rapidement dans une deuxième friture à 190-200° environ. Les pommes se mettent alors à gonfler, à « souffler ».
h) Egoutter avant qu'elles dorent et sèchent.
i) Ranger les unes à côté des autres sur une plaque garnie d'un torchon. Les recouvrir d'un autre pour éviter leur dessèchement.

470

j) | **Deuxième opération.** | Plonger dans une friture à 190-200° environ.

k) Laisser dorer et sécher quelques secondes en les remuant délicatement dans la friture.

l) Egoutter sur un torchon.

m) Assaisonner en les saupoudrant de sel fin.

RECOMMANDATION

Toutes les pommes **pochées** pour la mise en place ne doivent pas être réservées jusqu'à l'emploi dans un endroit trop chaud, afin d'éviter leur racornissement.

● DRESSAGE

Dresser sur un plat avec un papier gaufré ou, dans certains cas, à côté de la viande à garnir.

Pommes frites, cuites en une seule opération

● PRÉPARATION PRÉLIMINAIRE

REMARQUE. Utiliser des pommes moyennes (variété Bintje) pour les trois variétés de préparations.

POMMES CHIPS

Tailler à l'aide d'une mandoline en tranches fines de 1 mm environ d'épaisseur ou à l'aide d'un coupe-légumes électrique - Robot légumes.

POMMES GAUFRETTES

REMARQUE. Cette technique se réalise qu'avec une « mandoline ».

a) Monter la « mandoline »: bien encocher les montants métalliques. La lame cannelée vers le bas.

b) Placer la mandoline sur une plaque à débarrasser, la partie haute vers soi.

c) Prendre une pomme dans le creux de la main, les doigts bien allongés.

d) Eliminer (couper) les premières tranches.

e) Faire glisser la pomme de haut en bas, en la passant sur la lame cannelée.

f) Vérifier l'épaisseur de cette tranche (elle n'apparaît pas encore comme une gaufrette).

g) Maintenir toujours la pomme et la remonter en lui donnant un quart de tour sur elle-même.

h) Repasser sur la lame. La première gaufrette se détache.

REMARQUE. Il est fréquent, en cours d'exécution, de régler la lame (la serrer ou la desserrer). Il faut que les pommes gaufrettes se présentent bien perforées et pas trop fines.

i) Remonter en donnant un quart de tour.

j) Repasser sur la lame. La deuxième gaufrette se détache.

k) Continuer ces opérations, en donnant un quart de tour à chaque coupe.

l) Mettre les pommes taillées dans l'eau.

REMARQUE. Ne pas aller jusqu'au bout de la pomme de terre. Les gaufrettes deviennent irrégulières, et il n'est plus possible de maintenir les « talons » (restants de pommes) dans le creux de la main. Ceux-ci sont alors mis de côté et servent éventuellement pour un potage passé.

POMMES PAILLE

RECOMMANDATION PRÉLIMINAIRE

Cette technique se réalise à l'aide d'une « mandoline » ou à l'aide d'un coupe-légumes électrique - Robot légumes.

a) Monter la « mandoline », bien encocher les montants métalliques.

b) Placer la mandoline sur une plaque à débarrasser, la partie haute vers soi.

c) Prendre une pomme dans le creux de la main, les doigts bien allongés.

d) Faire glisser la pomme de haut en bas, en la passant sur la lame. A chaque passage, les pommes paille se détachent.

e) Reporter la pomme vers le haut, et répéter l'opération.

REMARQUE. Procéder comme avec une râpe à fromage.

f) Mettre les pommes taillées dans l'eau.

g) Laver plusieurs fois afin d'éliminer une partie de leur fécule.

h) Maintenir à l'eau courante.

RECOMMANDATION

Laver ces pommes en les brassant dans plusieurs eaux, afin d'éliminer la fécule qui risque de les faire rougir et de les coller entre elles pendant la cuisson. Les faire tremper 12 heures environ avant leur cuisson dans l'eau courante.

● **CUISSON**

a) Egoutter les pommes dans une passoire.

b) Eponger par précaution dans un torchon.

c) Frire par petites quantités à la fois, à la friture très chaude (200° environ).

d) **Remuer légèrement** à l'aide d'une araignée, afin qu'elles ne se collent pas entre elles.

e) Egoutter délicatement les pommes **dès qu'elles sont sèches et dorées,** sur une petite plaque à débarrasser (ou sur un plat) garnie d'un torchon (ou d'un papier absorbant).

f) Assaisonner légèrement de sel fin.

g) Réserver au chaud.

REMARQUE. Ces pommes sont préparées à l'avance et maintenues au chaud.

● **DRESSAGE**

Dresser sur un plat avec un papier gaufré, ou dans certains cas à côté de la viande à garnir.

■ *B. LES POMMES RISSOLÉES*

● **PRÉPARATION PRÉLIMINAIRE**

POMMES CHATEAU

REMARQUE. Utiliser des pommes moyennes de 5 à 6 cm de longueur (variété BF 15). Les parures sont éventuellement réservées pour un potage passé.

a) Eliminer (couper) les deux extrémités.

b) Maintenir la pomme du bout des doigts, **entre le pouce et l'index gauche.** Ces deux doigts servent de pivot. Le couteau d'office maintenu par les quatre doigts de la main droite.

c) Partir avec le couteau du sommet de la pomme.

d) Donner un léger mouvement circulaire au couteau vers le pouce droit, pour donner à cette première coupe une forme légèrement arrondie.

e) Tourner légèrement le légume lorsque le couteau revient au sommet.

f) Répéter les mêmes opérations pour « tourner » la pomme, et lui donner ainsi la forme d'un « petit œuf »

REMARQUE. Pour obtenir des pommes bien régulières, les mouvements du couteau et des pommes doivent être synchronisés.

g) Mettre au fur et à mesure dans l'eau. Les laver ensuite.

h) Réserver jusqu'à leur cuisson (25 minutes avant de les dresser).

POMMES COCOTTE

REMARQUE. La technique des pommes cocotte est identique à celle des pommes donnée ci-dessus. Seule, la taille (grosseur) diffère.

a) Eliminer (couper) les deux extrémités.

b) Couper la pomme sur la longueur suivant sa grosseur, en deux, en trois ou en quatre parties (taille approximative d'un doigt).

c) Procéder comme pour les pommes anglaise, vapeur ou château.

d) Tourner les pommes en leur donnant la forme d'une « gousse d'ail oblongue » de 4 à 5 cm de long.

REMARQUE, Les parures sont réservées, et servent éventuellement pour un potage passé.

POMMES NOISETTE

RECOMMANDATION PRÉLIMINAIRE

Utiliser de grosses pommes de terre. Les parures sont réservées éventuellement pour un potage passé. La technique se pratique à l'aide d'une cuillère à légumes (cuillère à noisette ou cuillère à parisienne, celle-ci étant plus petite que la première). La cuillère est maintenue à pleine main.

a) Maintenir la cuillère **à pleine main.** Tenir la pomme dans la main gauche.

b) Poser la cuillère **bien à plat sur la pomme de terre.**

c) Imprimer à la cuillère **un mouvement circulaire** (de droite à gauche), **en l'enfonçant dans la pomme,** afin de prélever (lever) la première « noisette ».

d) Mettre dans l'eau, en donnant un petit coup sec à la main pour détacher la pomme de la cuillère.

e) Répéter ces opérations autant de fois que la pomme le permet.

f) Laver les pommes à l'eau courante, en éliminant les petits fragments (parures et débris produits pendant le façonnage).

g) Réserver les pommes noisette à l'eau courante jusqu'à leur cuisson.

POMMES PARISIENNE

Lever à la cuillère ronde, mais plus petites que les pommes noisettes.

POMMES PARMENTIER

Tailler les pommes à l'aide d'un couteau éminceur en petits cubes. Mettre dans l'eau.

● **CUISSON (10 à 15 minutes)**

a) Egoutter les pommes de terre dans une passoire.

b) Mettre ces pommes dans une sauteuse moyenne (ou dans une casserole).

c) Mouiller **à l'eau froide** à 2 ou 3 cm au-dessus des pommes, et **sans sel.**

d) Faire « blanchir » en plein feu (à feu vif).

e) Egoutter dans une passoire (sans les rafraîchir) à la première ébullition.

f) Mettre à chauffer dans une sauteuse (suffisamment grande afin d'éviter aux pommes de se superposer), un morceau de beurre et un peu d'huile.

g) Ajouter les pommes dès que la matière grasse **est chaude.**

h) Saisir et faire **sauter en plein feu** (à feu vif).

i) Terminer la cuisson à four chaud (200° environ — thermostat 6-7) pendant 8 à 10 minutes environ.

j) Surveiller **attentivement,** et **ne pas trop les remuer.**

k) Retirer du four, dès que les pommes **sont cuites et bien dorées.**

l) Saler légèrement au sel fin.

m) Egoutter dans un légumier (ou dans un autre récipient) et réserver au chaud.

● DRESSAGE

Dresser en légumier lorsqu'elles sont servies seules ou, dans certains cas, à côté de la viande à garnir saupoudrées de persil haché, ou avec d'autres légumes.

■C. LES POMMES SAUTÉES

Ces pommes sont toujours sautées à la poêle **« à cru »** ou **cuites.**

A. Pommes sautées « à cru »

● PRÉPARATION PRÉLIMINAIRE

REMARQUE. Utiliser des pommes moyennes (variété BF 15). Cette technique se pratique à l'aide d'une « mandoline ».

a) Monter la « mandoline ». Bien encocher les montants métalliques.

b) Placer la mandoline sur une plaque à débarrasser (ou sur un plat ou sur une planche à découper), la partie haute vers soi.

c) Eplucher et laver au préalable les pommes de terre.

d) Tenir la pomme dans le creux de la main.

e) Emincer sur la circonférence en tranches de 3 mm environ d'épaisseur.

f) Faire glisser de haut en bas en la faisant passer sur la lame unie, et **en appuyant sur la pomme.**

g) Remonter vers le haut de la mandoline, et répéter les mêmes mouvements afin d'émincer entièrement le légume. Attention ! arrivé presque au terme de la taille de la pomme (talon), pousser avec la paume de la main, les doigts nettement tendus et l'extrémité redressée.

h) Mettre les pommes au fur et à mesure dans l'eau, pour éviter qu'elles noircissent au contact de l'air. Les laver.

i) Maintenir à l'eau courante.

● CUISSON (10 à 15 minutes environ)

a) Egoutter les pommes dans une passoire.

b) **Eponger par précaution dans un torchon.**

e) Mettre à chauffer dans une grande poêle ronde 4 dl d'huile (pour 2 kg de pommes).

d) Ajouter les pommes avec précaution, dès que l'huile est chaude.

  REMARQUE. Les pommes ne doivent pas former **une couche trop épaisse** dans la poêle. Il est préférable, lorsqu'on ne dispose pas d'une poêle suffisamment grande, d'en utiliser deux pour les faire sauter.

e) Faire sauter **fréquemment sans les écraser en plein feu** (à feu vif).

f) Assaisonner de sel fin.

g) Mettre à chauffer dans une seconde poêle (identique à la première) 50 g de beurre.

h) Egoutter délicatement les pommes lorsqu'elles **sont bien dorées** et presque cuites, dans la deuxième poêle, à l'aide d'une écumoire.

i) Donner quelques tours de poêle dans le beurre, sans les abîmer.

j) Terminer rapidement la cuisson.

474

● DRESSAGE

Dresser en légumier en les égouttant à l'aide d'une écumoire. Saupoudrer de persil haché au moment de servir.

● VARIANTES

DÉNOMINATION	COMPOSITION
SARLADAISE	Ajouter aux pommes terminées quelques lames de truffes. Bien mélanger le tout.
MIREILLE	Ajouter, à 3/4 de pommes terminées, 1/4 de fonds d'artichauts émincés, sautés au beurre et quelques lames de truffes. Bien mélanger le tout.

B. Pommes sautées cuites

● PRÉPARATION PRÉLIMINAIRE

REMARQUE. Utiliser des pommes moyennes (variété BF 15).

a) Laver les pommes à grande eau dans une calotte (ou autre récipient).

b) Sortir les pommes à l'aide d'une araignée (ou d'une écumoire), afin de laisser la terre au fond du récipient.

c) Jeter l'eau et rincer le récipient de lavage.

d) Répéter le lavage **une ou deux fois encore.** L'eau doit être bien claire.

e) Egoutter dans une russe moyenne (ou dans une casserole).

f) Mouiller à l'eau froide à 2 ou 3 cm au-dessus des pommes.

g) Saler au gros sel.

h) Faire bouillir rapidement.

i) Laisser cuire à couvert à petite ébullition, pendant 30 à 40 minutes environ.

REMARQUE. L'à-point de cuisson des pommes de terre, se constate en piquant une pomme avec la pointe d'un petit couteau (ou d'une aiguille à brider).

● CUISSON (30 à 40 minutes)

a) Mettre les pommes à rafraîchir à l'eau courante, au terme de leur cuisson.

b) Egoutter dans une passoire aussitôt refroidies.

c) Peler (éliminer la peau) à l'aide d'un couteau d'office.

d) Couper en rondelles de 3 à 4 mm environ d'épaisseur.

e) Mettre dans une poêle ronde un morceau de beurre et une goutte d'huile.

f) Faire chauffer.

g) Ajouter les pommes qui ne doivent pas former une couche trop épaisse. Il est préférable, si cela est nécessaire, d'employer deux poêles.

h) Faire sauter fréquemment **(sans les écraser)** afin que chaque face dore régulièrement.

i) Saler en cours de cuisson.

j) Dresser dès qu'elles sont dorées.

● DRESSAGE

Dresser en dôme, en légumier, à l'aide d'une écumoire. Saupoudrer de persil haché au moment de servir.

● VARIANTES

DÉNOMINATION	COMPOSITION
LYONNAISE	Ajouter, aux trois quarts de la cuisson (en les faisant sauter) des pommes, quelques cuillerées d'oignons émincés, sués au préalable au beurre. Bien mélanger le tout.
MIETTES	Pommes sautées légèrement émiettées.

■ D. LES POMMES DUCHESSE

● **CUISSON** (30 minutes environ)

| Premier temps |

REMARQUE. Utiliser de grosses pommes de terre (variété Bintje). Technique établie pour 1 kg de pommes.

a) Couper en gros quartiers. Les laver une seconde fois.
b) Egoutter dans une passoire.
c) Mettre les pommes dans une russe moyenne (ou dans une casserole moyenne).
d) Mouiller **à l'eau froide** à 2 ou 3 cm au-dessus des pommes.
e) Saler au gros sel.
f) Faire bouillir rapidement.
g) Ecumer à l'aide d'une écumoire.
h) Laisser cuire à couvert sur le coin du feu à petite ébullition, pendant 30 minutes environ.

| **Deuxième temps :** Confection de l'appareil |

a) Vérifier la cuisson des pommes en les piquant à l'aide d'un couteau. Elles doivent être cuites sans s'écraser.
b) Egoutter sur un tamis (ou dans une passoire).
c) Mettre les pommes sur une petite plaque à débarrasser (ou sur un plat allant au four).
d) Mettre 4 à 5 minutes à l'entrée d'un four chaud, afin d'éliminer une partie de l'humidité contenue dans la pulpe.
e) Passer ensuite **rapidement** au tamis à l'aide d'un pilon à purée (ou au moulin à légumes).
f) Remettre les pommes dans le récipient de cuisson.
g) Adjoindre 100 g de beurre.
h) Travailler (mélanger) la pulpe sur le feu, à l'aide d'une spatule en bois.
i) Mélanger **vigoureusement jusqu'à la fonte et incorporation complète** du beurre.
j) Séparer 6 jaunes des blancs.
k) Ajouter ces jaunes à la pulpe.
l) Travailler toujours sur le feu, afin de lier la pulpe avec les œufs.
m) Assaisonner de sel fin, de poivre du moulin et de quelques râpures de noix de muscade.
n) Vérifier l'assaisonnement.
o) Mettre l'appareil encore chaud dans une poche à décorer munie d'une douille cannelée ou unie.
p) Pousser, coucher l'appareil sur une plaque à pâtisserie légèrement beurrée. Les pommes duchesse peuvent être de différentes formes.
q) Dorer légèrement la surface des pommes avec de la dorure, en badigeonnant à l'aide d'un pinceau.
r) Mettre à four chaud pendant 8 à 10 minutes environ pour colorer.

NOTA. Cet appareil est aussi utilisé pour la décoration des bordures de plat et des coquilles de poisson...

● **DRESSAGE**

Dresser à côté de la viande à garnir.

● **VARIANTES**

POMMES CROQUETTES

a) Huiler légèrement (1 cl) une petite plaque creuse.
b) Débarrasser l'appareil sur cette plaque.
c) Egaliser la surface à l'aide d'une spatule (ou avec la paume de la main), en tapotant sur l'appareil, afin de le tasser.
d) Préserver la surface avec un papier sulfurisé légèrement huilé.
e) Réserver au frais.

Façonner les pommes croquettes (dès que l'appareil est froid)

f) Démouler l'appareil sur un marbre (ou sur une table) légèrement fariné.
g) Disposer en face de soi : la plaque de farine, ensuite l'anglaise, puis celle de mie de pain.
h) Prendre une petite quantité d'appareil.
i) Saupoudrer le marbre d'un peu de farine.
j) Rouler l'appareil en forme de rouleau de 3 cm environ de diamètre.
k) Tronçonner à l'aide d'un couteau, en morceaux de la longueur d'un bouchon allongé de 5 à 6 cm de longueur.
l) Tremper chaque bouchon dans l'anglaise.
m) Retourner à l'aide d'une fourchette, afin de les enrober sur toutes les faces.
n) Egoutter et les mettre dans la mie de pain.
o) Rouler délicatement dans la mie.
p) Façonner chaque croquette sur la table afin de lui donner sa forme définitive, à l'aide d'une spatule (ou avec la partie plate de la lame d'un couteau éminceur).
q) Ranger les croquettes au fur et à mesure sur une plaque à débarrasser (ou sur un plat).

REMARQUE. Chaque croquette doit avoir 3 cm de diamètre et 6 cm de longueur environ. Confectionner 24 pièces environ de croquettes.

● **CUISSON DES POMMES CROQUETTES (5 minutes environ)**

a) Disposer soigneusement les croquettes dans un panier à friture.
b) Plonger à la friture chaude (180° environ).
c) Laisser frire sans remuer pendant 3 à 5 minutes, jusqu'à obtention d'une belle croûte dorée.
d) Egoutter délicatement sur une plaque (ou sur un plat) garnie d'un torchon (ou d'un papier absorbant).
e) Dresser en pyramide sur plat rond garni d'un papier gaufré.

POMMES BERNY

a) Mélanger à l'appareil à duchesse, alors qu'il est encore chaud, 2 ou 3 cuillerées de truffes hachées.
b) Procéder ensuite comme les pommes croquettes, mais paner avec des amandes effilées.
c) Façonner en forme d'abricot.
d) Frire comme les croquettes.

POMMES SAINT-FLORENTIN

a) Mélanger à l'appareil à duchesse, alors qu'il est encore chaud, 2 ou 3 tranches de jambon de Paris hachées.
b) Procéder ensuite comme les pommes croquettes, mais paner avec du vermicelle fin cru.
c) Façonner en forme de bouchon comme les croquettes.
d) Frire comme les croquettes.

■ E. LES POMMES DAUPHINE

● **CUISSON**

a) Couper les pommes en gros quartiers. Les laver.
b) Mettre les pommes dans une russe (casserole).
c) Mouiller à hauteur à l'eau froide.
d) Saler au gros sel.
e) Mettre à cuire à couvert.
f) Confectionner parallèlement à la cuisson des pommes, de la pâte à chou (voir chapitre « UTILISATION DES PATES EN CUISINE » : la pâte à chou). Pour 1 kg de pommes de terre, 1/2 litre de pâte à chou.
g) Egoutter immédiatement les pommes sur un tamis au terme de leur cuisson, avant qu'elles ne se désagrègent.

h) Mettre la pulpe quelques minutes à l'entrée d'un four, dans une plaque à débarrasser, pour enlever une partie d'humidité.

i) Passer ensuite au tamis fin à l'aide d'un pilon à purée.

   RECOMMANDATION: Passer les pommes en tapant de haut en bas, et non en appuyant sur le pilon en lui donnant un mouvement circulaire, ce qui risque de rendre la pulpe de pommes de terre élastique (elle corde).

j) Mélanger la pulpe et la pâte à chou dans une terrine.

k) Vérifier l'assaisonnement.

l) Façonner à l'aide d'une cuillère, les pommes dauphine en petites boules, de la grosseur d'une noix. Les déposer au fur et à mesure dans une friture chaude (180° environ).

m) Laisser frire **sans y toucher.**

n) Remuer délicatement à l'aide d'une araignée lorsque les pommes surnagent.

o) Laisser frire encore quelques secondes, puis égoutter à l'aide d'une araignée sur une plaque garnie d'un torchon.

● **DRESSAGE**

Dresser les pommes en pyramide sur plat garni d'un papier gaufré.

● **VARIANTES**

POMMES BUSSY

a) Mélanger à l'appareil à dauphine 2 cuillerées de truffes hachées et 1 cuillerée de persil haché.

b) Pousser à la poche à décorer munie d'une petite douille unie, en forme de petits bouchons, à la friture chaude.

c) Frire comme les pommes dauphine.

POMMES CHAMONIX

a) Mélanger à l'appareil à dauphine un peu de fromage râpé.

b) Procéder ensuite comme les pommes dauphine.

POMMES ELISABETH

a) Farcir les pommes dauphine terminées d'épinards purée à la crème, à l'aide d'une poche munie d'une petite douille unie.

b) Dresser aussitôt farcies.

POMMES LORETTE

a) Mélanger à l'appareil à dauphine un peu de fromage râpé (facultativement).

b) Procéder comme les pommes Bussy.

■ F. LES POMMES PURÉES

● **CUISSON** (30 minutes environ)

| Premier temps |

REMARQUE. Utiliser de grosses pommes de terre (variété Bintje). Technique établie pour 2 kg de pommes.

a) Couper en gros quartiers. Les laver une seconde fois.

b) Egoutter dans une passoire.

c) Mettre les pommes dans une russe moyenne (ou dans une casserole moyenne).

d) Mouiller **à l'eau froide** à 2 ou 3 cm au-dessus des pommes.

e) Saler au gros sel.

f) Faire bouillir rapidement.

g) Ecumer à l'aide d'une écumoire.

h) Laisser cuire à couvert sur le coin du feu à petite ébullition, pendant 30 minutes environ.

| **Deuxième temps :** Confectionner la pomme purée |

a) Mettre le lait à bouillir dans une petite russe (ou dans une petite casserole).

b) Vérifier la cuisson des pommes en les piquant à l'aide d'un couteau. Elles doivent être cuites sans s'écraser.

c) Egoutter sur un tamis (ou dans une passoire).

d) Passer **rapidement** au tamis à l'aide d'un pilon à purée (ou au moulin à légumes).

e) Remettre les pommes dans le récipient de cuisson.

f) Adjoindre 100 g de beurre.

g) Travailler (mélanger) la pulpe sur le coin du feu, à l'aide d'une spatule en bois.

h) Mélanger **vigoureusement jusqu'à la fonte et incorporation complète** du beurre.

i) Adjoindre à l'aide d'une petite louche un peu de lait (1 dl environ) **bouillant.**

j) Incorporer le lait à la purée en **travaillant constamment.**

k) Ajouter **par petites quantités** le lait bouillant, jusqu'à obtention de la consistance désirée.

l) Garder 1 dl environ de lait pour mettre sur la purée.

m) Vérifier l'assaisonnement.

n) Débarrasser la purée dans une terrine (ou dans un autre récipient).

o) Essuyer le bord du récipient.

p) Egaliser la surface.

q) Ajouter le restant de lait réservé.

REMARQUE. Le lait mis sur la surface de la purée évite qu'elle se dessèche (sur le dessus) pendant l'attente.

r) Réserver au chaud au bain-marie.

● **DRESSAGE**

Dresser en dôme en légumier.

● **VARIANTES**

POMMES GRATINÉES

a) Dresser la pomme purée dans un plat à gratin.

b) Saupoudrer la surface que l'on a égalisée de fromage râpé et de quelques gouttes de beurre fondu.

c) Gratiner au four ou à la salamandre.

POMMES MONT-DORE

a) Lier la pomme purée avec quelques jaunes d'œufs.

b) Dresser en dôme dans un plat à gratin préalablement beurré.

c) Saupoudrer la surface de fromage râpé et de quelques gouttes de beurre fondu.

d) Gratiner au four ou à la salamandre.

POMMES MOUSSELINE

a) Ajouter à la pomme purée de la crème fraîche.

b) Fouetter la purée pour la rendre mousseuse.

RECOMMANDATION

Si la purée n'est pas servie de suite, la mettre au bain-marie en la recouvrant avec un peu de lait chaud, pour éviter qu'elle dessèche sur le dessus.

■ G. LES POMMES A L'ANGLAISE, A LA VAPEUR

POMMES A L'ANGLAISE

● **PRÉPARATION PRÉLIMINAIRE**

REMARQUE

Utiliser des pommes moyennes de 5 à 6 cm de longueur (variété BF 15). Les parures sont éventuellement réservées pour un potage passé.

a) Eliminer (couper) les deux extrémités.

b) Maintenir la pomme du bout des doigts, **entre le pouce et l'index gauche.** Ces deux doigts servent de pivot. Le couteau d'office maintenu par les quatre doigts de la main droite.

c) Partir avec le couteau du sommet de la pomme.

d) Donner un léger mouvement circulaire au couteau vers le pouce droit, pour donner à cette première coupe une forme légèrement arrondie.

e) Tourner légèrement le légume lorsque le couteau revient au sommet.

f) Répéter les mêmes opérations pour « tourner » la pomme, et lui donner ainsi la forme d'un « petit œuf ».

  REMARQUE. Pour obtenir des pommes bien régulières, les mouvements du couteau et des pommes doivent être synchronisés.

g) Mettre au fur et à mesure dans l'eau . Les laver ensuite.

h) Réserver jusqu'à leur cuisson.

● **CUISSON** (30 minutes environ)

a) Mettre les pommes dans une russe moyenne (ou dans une casserole moyenne).

b) Mouiller **à l'eau froide** à 2 ou 3 cm au-dessus des pommes.

c) Saler au gros sel.

d) Faire bouillir rapidement à couvert.

e) Laisser cuire doucement sur le coin du feu pendant 25 minutes environ.

f) Maintenir aussitôt cuites sur le coin du feu, **sans bouillir,** jusqu'au moment de les dresser.

RECOMMANDATION

Les pommes à l'anglaise sont préparées à l'avance « en mise en place », elles sont maintenues au chaud, sans bouillir.

● **DRESSAGE**

Elles sont toujours servies égouttées.

POMMES A LA VAPEUR

Les pommes vapeur sont tournées comme les pommes à l'anglaise, mais elles sont cuites, comme leur nom l'indique, « à la vapeur », dans une marmite spéciale dite « marmite à pommes vapeur ». Cette marmite est munie à l'intérieur d'une grille recevant les pommes, l'eau se trouvant en dessous.
Les pommes vapeur sont servies dans leur marmite de cuisson.

● **VARIANTE**

POMMES PERSILLÉES

a) Egoutter les pommes à l'anglaise.

b) Adjoindre du beurre lié (eau et beurre bouilli) et du persil haché.

● POTAGES

Elément majeur de liaison, pour les potages de légumes. (Voir chapitre **« LES POTAGES ».**)

● HORS-D'ŒUVRE

Voir chapitre les **« HORS-D'ŒUVRE ».**

● SALSIFIS

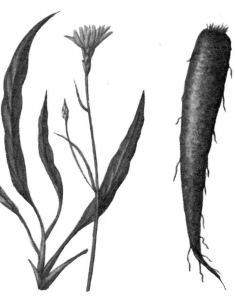

Les salsifis se consomment **toujours cuits.**

■ *TECHNIQUES DE PRÉPARATION*

● PRÉPARATION PRÉLIMINAIRE

a) Laver pour supprimer la terre.

b) Peler (ratisser) à l'aide d'un couteau économe.

  REMARQUE. Les peler bien à plat sur une table en les tenant par une extrémité.

c) Mettre les salsifis au fur et à mesure dans un récipient d'eau légèrement vinaigrée pour qu'ils ne noircissent pas.

d) Tronçonner ensuite en bâtonnets de 6 à 7 cm environ de longueur.

  REMARQUE. Les gros salsifis sont fendus soit en deux, soit en quatre, sur leur longueur.

e) Laver soigneusement.

f) Egoutter dans une passoire.

● CUISSON

a) Préparer dans un récipient une cuisson dite « blanc », composée de 1 cuillerée de farine diluée pour 1 litre d'eau froide, d'un peu de vinaigre (ou jus de citron) et de 6 à 8 g de sel.

b) Porter à ébullition. Remuer de temps en temps pour éviter à la farine d'attacher au fond du récipient.

c) Mettre les salsifis.

d) Cuire avec un papier sulfurisé dessus.

e) Constater l'à-point de cuisson en piquant un bâtonnet à l'aide de la pointe d'un couteau.

f) Débarrasser de préférence dans un bahut inoxydable, ou un récipient en terre, jusqu'à leur utilisation.

● VARIANTES

DÉNOMINATION	COMPOSITION
BEIGNETS	Tremper dans la pâte à frire. Mettre à la friture chaude. Ils peuvent être, avant d'être passés à la pâte à frire, marinés (voir chapitre « LES MARI-NADES INSTANTANÉES »).
AU GRATIN	Napper de sauce Mornay. Saupoudrer de gruyère râpé. Mettre quelques gouttes de beurre fondu. Gratiner à la salamandre ou au four.
FINES HERBES	Sauter au beurre, à la poêle, jusqu'à ce qu'ils soient rissolés. Dresser avec fines herbes.

● TOMATES

Les tomates se consomment **cuites** ou **crues**.

■ *TECHNIQUES DE PRÉPARATION*

● PRÉPARATION PRÉLIMINAIRE

Ces préparations étant très différentes pour chaque utilisation, elles seront données aux techniques culinaires.

● TECHNIQUES CULINAIRES

TOMATES CONCASSÉES

a) Mettre de l'eau à bouillir dans une russe (ou une casserole).

b) Supprimer le pédoncule (« œil ») des tomates, à l'aide de la pointe d'un couteau d'office.

c) Plonger **dans l'eau bouillante** à l'aide d'une passoire (ou d'une écumoire), **10 à 15 secondes environ.**

d) Rafraîchir aussitôt à l'eau courante.

e) Retirer la peau, à l'aide du couteau d'office.

f) Réserver sur une assiette ou sur une plaque.

g) Couper en deux **dans le sens de la circonférence.**

h) Eliminer l'eau de végétation et les pépins, en pressant chaque moitié avec la main.

i) Emincer finement chaque demi-tomate, à l'aide d'un couteau éminceur.

j) Donner un quart de tour sur elle-même, puis couper la chair « en petits dés ».

k) Réserver dans un bol ou autre récipient.

l) Eplucher, laver et ciseler finement des échalotes.

m) Préparer un petit bouquet garni. Eplucher quelques gousses d'ail.

n) Faire chauffer un peu d'huile (ou une noix de beurre) dans une petite sauteuse (ou dans une petite casserole).

o) Mettre à suer les échalotes **sans coloration** pendant 2 à 3 minutes environ.

p) Remuer à l'aide d'une petite spatule en bois.

q) Adjoindre la tomate concassée.

r) Ajouter le petit bouquet garni et les gousses d'ail entières.

s) Assaisonner de sel fin, de poivre du moulin et d'une prise de sucre.

   REMARQUE. Le sucre atténue un peu l'acidité de la tomate.

t) Couvrir avec un papier sulfurisé (ou une feuille d'aluminium) de même dimension que le récipient.

u) Laisser **cuire doucement** sur le coin du feu.

v) Remuer de temps en temps.

   REMARQUE. Le temps de cuisson est fonction de la qualité des tomates. Leur eau de végétation doit être évaporée avant de les débarrasser.

w) Débarrasser au terme de la cuisson dans un petit bain-marie à sauce.

x) Eliminer le bouquet garni et les gousses d'ail.

y) Vérifier l'assaisonnement.

z) Réserver au chaud au bain-marie.

● **NOTA.** Ne pas confondre avec la sauce tomate. La tomate concassée est d'un usage assez fréquent en cuisine. Elle est employée pour les œufs: omelettes, brouillés, au plat, etc., pour les sauces, etc.

TOMATES GRILLÉES (entières)

a) Supprimer à l'aide de la pointe d'un couteau d'office, le pédoncule (« œil »).
b) Laver et essuyer.
c) Huiler et assaisonner de sel fin.
d) Poser les tomates le pédoncule au-dessus, sur le gril bien chaud.
e) Donner sur elles-mêmes, au bout de 2 à 3 minutes, un quart de tour aux tomates, afin d'opérer le quadrillage.
f) Retourner 2 à 3 minutes après.
g) Procéder comme le premier côté.
h) Laisser cuire 4 à 6 minutes environ.
i) Mettre les tomates sur une petite plaque à rôtir (ou dans un plat à sauter).
j) Terminer leur cuisson au four pendant 5 minutes environ.
● **NOTA.** L'utilisation de la tomate grillée est réservée en général pour les garnitures du poulet grillé, mixed-gril, etc.

TOMATES FARCIES

a) Laver les tomates, les essuyer.
b) Supprimer le pédoncule.
c) Couper le « couvercle », côté opposé au pédoncule.
d) Evider (creuser) à l'aide d'une cuillère à légume.
e) Saler et poivrer l'intérieur.
f) Ranger dans un plat beurré.
g) Farcir, soit avec un hachis de viande (desserte), de la Duxelles, du riz pilaf, etc.
h) Poser sur le dessus le couvercle.
i) Cuire au four.

TOMATES SAUTÉES (provençale)

a) Laver et essuyer.
b) Supprimer le pédoncule.
c) Couper les tomates en deux dans le sens de la circonférence.
d) Presser légèrement chaque moitié avec la main pour éliminer l'eau de végétation et les pépins.
e) Assaisonner de sel fin et de poivre du moulin.
f) Mettre le côté coupé en dessous dans une poêle contenant de l'huile chaude.
g) Retourner lorsqu'elles sont à moitié cuites.
h) Dresser au terme de la cuisson, sur le plat de service.
i) Saupoudrer de persillade (persil haché, ail haché et mie de pain fraîche mélangés).
j) Passer quelques instants sous la salamandre.

TOMATES ÉTUVÉES (entières)

a) Supprimer le pédoncule.
b) Plonger 10 à 15 secondes dans l'eau bouillante.
c) Rafraîchir aussitôt à l'eau courante.
d) Peler (monder).
e) Beurrer un plat allant au four.
f) Disposer les tomates.
g) Assaisonner de sel fin et de poivre du moulin.
h) Couvrir d'un papier sulfurisé beurré.
i) Mettre à cuire au four.
● **NOTA.** L'utilisation de ces tomates est principalement réservée pour les garnitures composées.
Exemples : bouquetière, niçoise, etc.

AUTRES UTILISATIONS

Les tomates sont aussi employées dans les **potages,** les **hors-d'œuvre,** les **sauces** (voir ces différents chapitres).

● RIZ   Le riz se consomme **toujours cuit.**

■ *TECHNIQUES DE PRÉPARATION*

Trois techniques sont employées pour le cuire:

A. CRÉOLE   B. PILAF   C. RISOTTO

A. CRÉOLE

● **CUISSON** (20 minutes)

a) Mettre de l'eau salée à bouillir **en quantité suffisante,** dans une russe ou dans une sauteuse moyenne (ou dans une casserole moyenne).
b) Laver le riz dans une passoire à l'eau courante, afin d'éliminer une partie de l'amidon.
c) Verser le riz en pluie **dès que l'eau bout.**
d) Remuer doucement à l'aide d'une spatule en bois, jusqu'à la reprise de l'ébullition, afin d'éviter aux grains de s'agglomérer.
e) Laisser cuire **à découvert** et à grosse ébullition.
f) Constater l'à-point de cuisson au bout de 15 à 20 minutes environ. Celle-ci est fonction de la qualité du riz. Goûter quelques grains à l'aide d'une fourchette.

   REMARQUE. Les grains doivent être moelleux entiers, et surtout ne pas coller entre eux.

g) **Rafraîchir** le riz **aussitôt cuit** à l'eau courante.
h) Remuer doucement à l'aide d'une spatule en bois le fond du récipient, afin d'assurer un refroidissement régulier et rapide.
i) Egoutter dans une passoire (ou sur un tamis).
j) Réserver jusqu'au moment de le réchauffer.

Pour réchauffer le riz

a) **Beurrer les parois** d'un plat creux (plat allant au four).
b) Mettre le riz bien étalé.
c) Disposer sur le dessus des parcelles de beurre.
d) Saler légèrement au sel fin.
e) Egrener le riz à l'aide d'une fourchette.
f) Préserver le dessus d'un papier sulfurisé beurré (ou d'une feuille d'aluminium) de même dimension que le plat.
g) Mettre le récipient à four doux (150° environ — thermostat 4-5) pendant 15 minutes environ.
h) Egrener le riz de temps en temps.

REMARQUE

Lorsque le riz est chaud, les grains ne doivent pas coller, mais se détacher les uns des autres.

B. PILAF

● CUISSON (15 à 20 minutes environ)

a) Eplucher et ciseler finement des gros oignons.
b) Faire chauffer dans une sauteuse moyenne un morceau de beurre.
c) Ajouter les oignons dès que le beurre est fondu.
d) Remuer à l'aide d'une spatule en bois.
e) Faire suer les oignons **sans coloration** pendant 2 minutes environ.
f) **Mesurer** le riz dans un bol (ou dans un autre récipient).
g) Ajouter le riz dans les oignons.

   REMARQUE. **Le riz ne doit pas être lavé.**

h) Mélanger le tout à l'aide de la spatule. Le riz doit être bien gras.
i) **Mouiller une fois et demi à deux fois le volume du riz** (selon sa qualité) avec **de l'eau ou du fond blanc de veau ou de volaille très chaud.**

j) Ajouter un bouquet garni.

k) Faire bouillir rapidement sur le feu **sans toucher au riz.** Saler.

l) Vérifier l'assaisonnement.

REMARQUE. Ne pas saler lorsqu'on utilise du fond de veau ou de volaille.

m) Couvrir d'un papier sulfurisé ou d'une feuille d'aluminium de même dimension que le récipient et d'un couvercle.

n) Mettre à cuire à four chaud (200° environ — thermostat 6-7) pendant 15 à 20 minutes, selon la qualité du riz.

Sortir et terminer le riz pilaf

a) Sortir le riz du four au terme de sa cuisson.

REMARQUE. L'à-point de cuisson se vérifie en goûtant quelques grains de riz. Ceux-ci doivent être **moelleux,** mais pas croquants, restés entiers et ne pas coller entre eux.

b) Laisser reposer hors du feu 2 à 3 minutes, sans y toucher.

c) Transvaser ensuite le riz dans un plat creux, à l'aide d'une écumoire.

d) Ajouter du beurre **en petites parcelles.**

e) Egrener le riz à l'aide d'une fourchette. Retirer le bouquet garni.

f) Maintenir au chaud.

● DRESSAGE

Le riz créole et le riz pilaf sont dressés en légumier et accompagnent certains plats en sauce.

Exemples: homard à l'américaine, curry d'agneau ou de volaille, blanquette de veau, fricassée de volaille etc.

C. RISOTTO (cuisson 15 à 20 minutes)

● CUISSON

Même technique de cuisson que le **PILAF.**

Sortir et terminer le risotto

a) Sortir le riz du four au terme de la cuisson.

b) Répartir sur la surface quelques parcelles de beurre frais.

c) Remuer avec une fourchette, puis mélanger le tout en ajoutant du fromage râpé (gruyère ou parmesan ce qui est préférable).

NOTA. On peut ajouter avant le fromage de la crème fraîche. Travailler à la spatule. Adjoindre petit à petit du consommé chaud. Travailler constamment afin d'obtenir un mélange crémeux.

d) Maintenir au chaud.

REMARQUE:

Contrairement au riz créole et pilaf, dont les grains se détachent, le risotto est un riz légèrement « lié ». D'autre part, le risotto est servi en « entrée » et non en accompagnement d'un plat en sauce.

● VARIANTES

DÉNOMINATION	COMPOSITION
MILANAISE	Préparer comme ci-dessus, avec une garniture de julienne de jambon, de champignons de Paris, de langue écarlate et de truffes.
PIÉMONTAISE	Compléter le risotto avec une garniture de truffes blanches ou de jambon taillés en dés.

LÉGUMES SECS

- Les légumes secs sont consommés **toujours cuits**.
- Il est recommandé d'utiliser des légumes secs de l'année, ceux des récoltes antérieures cuisent plus difficilement.

● 1. CLASSIFICATION

Trois sortes sont utilisées couramment:

■ **A. LES HARICOTS (en grains)**

■ **B. LES LENTILLES**

■ **C. LES POIS CASSÉS**

● 2. TECHNIQUES DE PRÉPARATION

● PRÉPARATION PRÉLIMINAIRE

a) Trier soigneusement pour éliminer certaines graines étrangères, et parfois de petites pierres.
b) Laver soigneusement plusieurs fois.

● CUISSON

La cuisson de chaque variété étant différente, nous la donnerons séparément.

■ **A. LES HARICOTS EN GRAINS**

● CUISSON

a) Mettre à tremper, soit 2 ou 3 heures à l'eau tiède, soit 10 ou 12 heures à l'eau froide s'ils proviennent d'une récolte ancienne.
b) Changer l'eau pour la cuisson.
c) Mouiller largement à l'eau froide.
d) Porter à ébullition.
e) Ecumer fréquemment.
f) Ajouter une garniture aromatique composée d'oignons, dont un piqué de 2 ou 3 clous de girofle, de carottes et d'un bouquet garni.
g) Saler au gros sel.
h) Laisser cuire doucement à couvert. Le temps de cuisson est fonction de leur qualité.

● VARIANTES

DÉNOMINATION	COMPOSITION
BRETONNE	Egoutter les haricots et les lier avec une sauce composée d'oignons finement ciselés, sués au beurre. Mouiller d'un peu de vin blanc. Réduire. Adjoindre un peu de sauce tomate (et tomates concassées), un peu d'ail. Dresser avec persil haché.
MAITRE D'HOTEL	Assaisonner avec beurre et persil haché.

■ B. LES LENTILLES

● CUISSON

La cuisson est identique à celle des haricots en grains. Toutefois, il n'est pas nécessaire de les faire tremper au préalable.

● VARIANTES

Identiques aux haricots en grains.

■ C. LES POIS CASSÉS

● CUISSON

REMARQUE

Il n'est pas nécessaire de les faire tremper au préalable.

a) Mouiller à hauteur avec de l'eau froide.
b) Mettre à bouillir (faire blanchir).
c) Rafraîchir à la première ébullition à l'eau courante.
d) Egoutter aussitôt rafraîchis dans une passoire.
e) Faire fondre dans une russe (casserole), du lard de poitrine avec une noix de beurre.
f) Ajouter une Mirepoix de carottes, d'oignons, ainsi que du vert de poireaux.
g) Faire suer le tout en remuant à l'aide d'une spatule en bois.
h) Ajouter les pois cassés.
i) Mouiller largement à l'eau.
j) Saler au gros sel.
k) Adjoindre une petite branche de thym ou un petit bouquet garni (facultativement une gousse d'ail).
l) Cuire doucement à couvert. Le temps de cuisson est fonction de leur qualité. Au terme de la cuisson, les pois sont en purée.
m) Passer, soit au tamis, à l'aide d'un pilon à purée, soit au moulin à légumes.
n) Passer ensuite au chinois fin en foulant à fond, pour obtenir une purée fine.

La purée obtenue est une purée « SAINT-GERMAIN », qui peut être servie avec des croûtons frits. Mais elle est surtout utilisée pour les potages (voir chapitre « LES POTAGES »).

■ AUTRES UTILISATIONS

● POTAGES

Voir chapitre **« LES POTAGES ».**

● HORS-D'ŒUVRE

Egoutter et assaisonner de sauce vinaigrette et fines herbes, sauf les pois cassés.

487

CHAMPIGNONS DE PARIS

Les champignons de Paris se consomment **cuits, parfois crus.**

● 1. TECHNIQUES DE PRÉPARATION

● PRÉPARATION PRÉLIMINAIRE

a) Eliminer la partie sableuse à la base des pieds (queues). Procéder comme pour « tailler un crayon ».

b) Laver à grande eau dans une calotte (ou dans une cuvette). Les remuer (brasser) **en les frottant les uns contre les autres.**

c) Sortir les champignons **avec les mains,** le sable se déposant au fond du récipient. Les mettre dans une passoire.

d) Jeter l'eau et rincer la calotte de lavage.

e) Répéter le lavage **une ou deux fois encore.**

REMARQUE

L'eau doit être bien claire après ces différentes opérations. D'autre part, ne pas laisser les champignons séjourner trop longtemps dans l'eau. Leurs tissus spongieux absorbent l'eau, ce qui nuit à leur saveur.

En fonction de leur utilisation, ils sont :

Escalopés (pochés ou sautés)

a) Couper les pieds au ras des têtes, à l'aide d'un couteau à filets de sole (de préférence).

b) Tenir le couteau à **pleine main,** la lame **légèrement inclinée vers la gauche.**

c) Couper **en biais les têtes en plusieurs morceaux réguliers** selon leur grosseur. Les pieds trop longs sont coupés en biais par la moitié.

Emincés (sautés)

a) Couper les pieds au ras des têtes, à l'aide d'un couteau à filets de sole (de préférence).

b) Emincer (tailler en fines lamelles) les têtes. Les grosses sont coupées au préalable, en deux, sur la verticale, afin d'obtenir des lamelles pas trop larges.

c) Tailler les pieds **sur la longueur.**

d) Réserver sur une assiette ou sur une plaque.

488

Hachés (Duxelles)

a) Couper les pieds au ras des têtes, à l'aide d'un couteau éminceur.

b) Emincer finement sans détacher les lamelles d'une extrémité, les têtes et les pieds, afin de maintenir les champignons en forme.

c) Donner un quart de tour, et émincer perpendiculairement à la première fois.

d) Prendre le manche du couteau à pleine main. Maintenir l'extrémité de la lame avec la paume de la main gauche, puis réduire en menus morceaux les champignons. Bien tenir la lame à la verticale.

e) Hacher le tout **rapidement.** Un travail trop long risque de noircir les champignons.

f) Mettre les champignons hachés sur un torchon. Former comme une poche.

g) Tourner le torchon pour fermer la poche.

h) Essorer (tourner et serrer en même temps sur la poche formée par les champignons) pour extraire une partie de l'eau de végétation et de lavage.

REMARQUE

Il est nécessaire d'essorer les champignons hachés (principalement les grosses quantités), afin d'obtenir une évaporation plus rapide de l'humidité, lors de la cuisson.

Purée :

a) Utiliser de préférence des pieds et des parures.

b) Passer au tamis métallique à l'aide d'un pilon à purée (ou au hachoir électrique).

Entiers (cannelés ou tournés)

REMARQUE

Utiliser de préférence des champignons **moyens (5 cm** environ de diamètre), **bien fermes, bien blancs et non lavés.**

a) Couper les pieds (queues) au ras des têtes, à l'aide d'un couteau d'office.

b) Prendre la tête du bout des doigts de la main gauche. Le couteau tenu par les quatre doigts de la main droite, la lame vers l'extérieur, le pouce posé sur le côté du champignon. Le pouce fait office de pivot.

REMARQUE

Il est bien entendu que c'est une des méthodes de tourner les champignons. Certains professionnels ayant leur technique particulière.

c) Donner au couteau, **en partant du centre de la tête, un mouvement circulaire en** éliminant la peau superficiellement, pour pratiquer sur la surface une petite cannelure en spirale.

d) Répéter cette opération sur toute la surface.

e) Couper la base de la tête.

f) Laver rapidement.

REMARQUE

Les pieds et les parures sont nettoyés, et réservés pour d'autres utilisations: Duxelles, purée, garnitures aromatiques (fond brun, fumet de poisson, etc.).

Entiers (farcis)

a) Utiliser de préférence de grosses têtes de champignons.

b) Arracher le pied.

c) Gratter les lamelles situées sous la tête pour former une cavité.

Entiers (grillés)

a) Arracher avec les doigts le pied seulement.

489

MODES DE CUISSON		TECHNIQUES DE CUISSON
ESCALOPÉS	**POCHÉS**	a) Mettre dans une petite sauteuse: le jus d'un citron, une petite pin[cée] de sel fin, une noix de beurre et un peu d'eau. b) Faire bouillir. c) Mettre les champignons dans cette cuisson. d) Couvrir d'un papier sulfurisé ou d'une feuille d'alluminium de mê[me] dimension que le récipient. e) Laisser cuire doucement 8 à 10 minutes environ sur le coin du feu
	SAUTÉS	a) Faire chauffer un morceau de beurre dans une poêle ronde. b) Mettre les champignons. c) Faire sauter. d) Assaisonner de sel fin. e) Egoutter au terme de la cuisson. Ils doivent être légèrement doré[s]
ÉMINCÉS (SAUTÉS)		a) Procéder dans certains cas comme les champignons escalo[pés] sautés: omelettes; ou généralement dans les sauces comme ga[rni]ture: sauce chasseur.
HACHÉS (DUXELLES)	**ORDINAIRE**	a) Ciseler finement de l'échalote. b) Faire suer au beurre dans une petite sauteuse. c) Ajouter les champignons hachés et essorés. d) Assaisonner de sel fin et de poivre du moulin. e) Cuire jusqu'à évaporation complète de l'eau de végétation, remuant à l'aide d'une spatule en bois.
	A FARCIR	f) Ajouter un peu de vin blanc. Laisser réduire à sec. g) Additionner de fond de veau tomaté. Laisser réduire. h) Adjoindre en dernière minute de la mie de pain fraîche (pain de [mie] passé au tamis) jusqu'à consistance désirée. i) Vérifier l'assaisonnement. j) Débarrasser dans une terrine. Couvrir d'un papier sulfurisé beurr[é]
PURÉE		a) Faire chauffer un morceau de beurre dans une petite sauteuse. b) Mettre les champignons réduits en purée et essorés. c) Cuire jusqu'à évaporation complète de l'eau de végétation, remuant à l'aide d'une spatule en bois. d) Assaisonner de sel fin et de poivre du moulin. e) Adjoindre aussitôt desséchés un peu de crème fraîche. f) Faire réduire en remuant fréquemment. g) Etoffer avec quelques cuillerées de sauce béchamel. h) Laisser réduire quelques minutes. j) Terminer la purée hors du feu en y incorporant un morceau de beu[rre]
ENTIERS	**CANNELÉS**	a) Procéder, suivant les cas, comme les champignons pochés ou sau[tés]
	FARCIS	a) Ranger les têtes de champignons, retournées, sur un plat à grati[n] b) Assaisonner de sel fin et de poivre du moulin. c) Arroser d'un filet d'huile. d) Mettre au four 5 minutes environ pour faire sortir l'eau de végétati[on] e) Sortir du four et les retourner pour les égoutter. f) Garnir ensuite suivant les recettes avec Duxelles, tomates conc[as]sées, etc.
	GRILLÉS	a) Huiler les barreaux du gril. b) Huiler les têtes de champignons. c) Poser retournées sur le gril. d) Donner au bout de 3 à 4 minutes un quart de tour sur elles-mêm[es] pour opérer le quadrillage. e) Assaisonner. f) Terminer la cuisson au four.

rniture, dans les: blanquettes de veau, fri-
es de veau ou de volaille, etc.

rniture dans les: sautés de veau Marengo,
mère, bourguignonne, etc.

rniture dans les omelettes, les sauces chas-
etc.

s pour farcir les légumes.

e pour farcir.

arnitures de poissons en sauce.

s dans certaines garnitures composées.

s comme garniture.

HORS-D'ŒUVRE

● **Crus** (hors-d'œuvre):

Emincés et assaisonnés de vinaigrette (le vinaigre
étant remplacé par du jus de citron), de fines
herbes, ou à la crème, les champignons de Paris
font un délicieux hors-d'œuvre.

● **NOTA.** D'autres champignons sont aussi utilisés, mais moins fréquemment, ce sont les
cèpes, les morilles et les giroles. Ces espèces
sont surtout traitées sautées.
Nous ne saurions passer sous silence la truffe,
qui accompagne les foies gras, les volailles
(truffées), les pâtés, les terrines, etc. C'est un
élément très apprécié dans certaines sauces:
Périgueux, milanaise, etc.

SAUCES

Les parures de champignons sont utilisées comme
éléments aromatiques dans les fonds bruns, jus de
veau, fumet de poisson, etc.

UTILISATION DES PATES
EN PATISSERIE ET EN CUISINE

PATES DE BASE	COMPOSITION	MÉTHODE DE CUI
PATE A BRIOCHE	Farine, œufs, beurre, levure, lait ou eau, sel fin, sucre semoule	AU FOUR A LA FRITUR
PATE A CHOUX	Farine, œufs, beurre, eau, sel, sucre semoule (ajouter pour la cuisine: poivre de Cayenne et noix de muscade — supprimer le sucre)	SUR LE FOURN PUIS... AU FOUR A L'EAU A LA FRITUR
PATE A CRÊPES	Farine, œufs, beurre, ou huile, lait ou bière, sel fin, sucre semoule,	A LA POELE
PATE FEUILLETÉE	Farine, beurre, eau, sel fin (œuf dorure)	AU FOUR A LA FRITUR
PATE A FONCER	Farine, jaunes d'œuf, beurre, eau, sel fin, sucre semoule	AU FOUR
PATE A FRIRE	Farine, œufs, huile, bière, sel fin	A LA FRITUR
PATE A GÉNOISE	Farine, œufs, beurre, sucre semoule	AU BAIN-MAR ET AU FOUR
PATE A PATÉS	Farine, œufs, beurre ou saindoux, eau, sel fin	AU FOUR
PATE A SAVARIN	Farine, œufs, beurre, levure, eau, sel fin, sucre semoule	AU FOUR
PATE SUCRÉE	Farine, jaunes d'œuf, beurre, eau, sucre semoule	AU FOUR

● 1. CLASSIFICATION

DIX PATES SONT UTILISÉES EN PATISERIE ET EN CUISINE

ILISATION EN CUISINE (supprimer le sucre)	UTILISATION EN PATISSERIE	
	GROSSES PIÈCES	PETITES PIÈCES
Coulibiacs Filet de bœuf Foie gras Saucissons	Brioches à tête Brioches de Nanterre Brioches en couronne Brioches mousseline, etc.	Petites brioches à tête ...
Rissoles		Krapfens ou Boules de Berlin
Duchesses Gougères Profiteroles Ramequins	Eclairs Paris Brest Religieuses Saint-Honoré	Choux divers Eclairs Religieuses Salambo
Gnocchi parisienne		
Beignets soufflés au fromage Pommes dauphine		« Pets de none »
Crêpes farcies Garniture consommé Pannequets		Crêpes au sucre, Crêpes flambées, Crêpes soufflées Pannequets confiture, etc.
Allumettes Bouchées Feuilletés Fleurons Pailletes Petits pâtés Tourtes Vol au vent	Pithiviers Mille feuilles Tartes diverses etc.	Mille feuilles détaillées Tartes en bandes détaillées
Rissoles		
Barquettes Croustades Flans Quiches Tartelettes	Tartes diverses Fonds de gros gâteaux	Barquettes Tartelettes
Beignets Fritto		Beignets de fruits
Pas d'utilisation	Entremets d'imitation Génoises diverses Génoise meringuée Mascotte Moka Singapour	Petits mokas
Pâtés en croûte divers	Pas d'utilisation	Pas d'utilisation
Pas d'utilisation	Marignans Savarins	Babas (avec raisins)
Pas d'utilisation	Tartes diverses	Barquettes Tartelettes

● 2. TECHNIQUES DE PRÉPARATION

LA PATE A BRIOCHE

● CARACTÉRISTIQUES:

La pâte à brioche est une pâte fermentée. Elle demande une préparation assez longue. Elle se fait 12 heures à l'avance et se réserve au frais (4° à 6° environ au dessus de zéro), réfrigérateur ou chambre froide.
La levure adjointe à la préparation a pour but de former, au sein de la pâte, une succession de bulles, qui se développent et augmentent considérablement le volume de celle-ci.
Afin d'obtenir le maximum de rendement, il est nécessaire de travailler la pâte le plus possible, pour activer sa fermentation et lui donner plus de corps.
La fermentation s'opère beaucoup mieux, et plus rapidement dans un milieu suffisamment tiède (20° environ). Cette pâte augmente de volume avant la cuisson.

● UTILISATION

EN CUISINE	EN PATISSERIE
Coulibiacs Filet de bœuf Foie gras Rissoles Saucissons, etc.	Toutes les variétés de brioches (grosses et petites) Krapfens, etc.

● COMPOSITION (il existe plusieurs formules avec des proportions différentes)

500 g de farine; 6 œufs; 250 g de beurre; 16 à 20 g de levure de bière; 1 dl environ de lait ou d'eau; 10 g de sel fin; 30 g de sucre semoule (ajouter pour la pâtisserie).

● TECHNIQUE (temps de confection: 20 à 25 minutes environ)

● Préparation du « levain »

a) Disposer sur le marbre le quart (125 g) de la farine en « fontaine ».
b) Déposer au centre la levure.
c) Délayer cette levure avec 1 dl de lait ou d'eau (tiède selon la température ambiante).
d) Mélanger rapidement le tout en travaillant cette pâte pour lui donner « du corps ». Cette pâte constitue le « LEVAIN ».
e) Rouler ce levain en boule.
f) Inciser le dessus de 4 incisions (en forme de croix doublée) à l'aide d'un couteau d'office.
g) Mettre dans une petite terrine (ou dans un récipient inoxydable) ce levain, et le réserver dans un endroit tiède (20° environ) afin d'obtenir la fermentation.

REMARQUE

La fermentation est provoquée par une succession de bulles (gaz carbonique) qui se développent, augmentent ainsi le volume du levain **qui doit doubler de volume.**

Le temps de fermentation correspond au temps de finition de la pâte, soit 10 à 15 minutes environ.

● Finition de la pâte

a) Disposer sur le marbre, le reste de farine (375 g) en « fontaine ».
b) Casser au centre 6 œufs.
c) Ajouter 10 g de sel fin (et 30 g de sucre pour la pâtisserie).

d) Détremper la farine avec les œufs.

e) Travailler la pâte **vigoureusement** en la rompant sur le marbre.

f) Adjoindre au préalable le beurre ramolli à la consistance de la pâte.

g) Mélanger le beurre **en rompant par petites quantités rapportées successivement, étalées les unes sur les autres.**

h) Prendre le levain, et le renverser sur la pâte.

i) Mélanger comme le beurre, **en rompant la pâte.**

j) Déposer dès la finition complète du mélange levain et pâte, dans une terrine légèrement farinée.

k) Couvrir d'un linge. Laisser « pousser » dans un endroit tiède (20°) pendant 2 heures environ.

l) Rompre la pâte au bout de ce laps de temps, afin d'en arrêter momentanément la fermentation.

m) Réserver la pâte dans un endroit frais (+4° à 6° environ) recouverte d'un linge, pour empêcher de croûter.

● **MÉTHODE DE CUISSON**

AU FOUR — sur plaque à pâtisserie; en moules. Température variable selon les préparations: entre 180° et 250° environ — thermostat 5-6 et 8-9.

A LA FRITURE — température moyennement chaude: 160° environ.

LA PATE A CHOU (temps de confection: 15 à 18 minutes environ)

● **CARACTÉRISTIQUES**

L'eau entrant pour une large part dans sa confection, sous l'action de la chaleur elle se transforme en vapeur qui entraîne sous son impulsion les autres éléments, créant ainsi une augmentation importante de volume dans tous les sens.

Par économie et selon la grosseur des œufs, on peut supprimer 1 à 3 œufs par litre (d'eau). Cette pâte doit être **plutôt ferme** que molle. La pâte destinée à cuire au four (deuxième cuisson) doit être **légèrement passée à la « dorure »,** un excès de cette dernière risque de couler sur la plaque, cuit, et risque de retenir le développement de la pâte.

● **UTILISATION**

EN CUISINE	EN PATISSERIE
Beignets soufflés au fromage	Choux divers
Duchesses	Eclairs
Gnocchi à la parisienne	Paris-Brest
Gougères	« Pets de nonne »
Pommes Dauphine et leurs dérivés	Religieuses
Profiteroles	Saint-Honoré
Ramequins, etc.	Salambo, etc.

● **COMPOSITION** (il existe plusieurs formules avec des proportions différentes)

500 g de farine; 14 à 16 œufs; 250 g de beurre; 1 litre d'eau (ou de lait); 10 g de sel fin; 50 g de sucre semoule (pour la pâtisserie); poivre de Cayenne et quelques râpures de noix de muscade (seulement pour la cuisine).

● **TECHNIQUE** (temps de confection: 15 à 18 minutes environ)

REMARQUE

Cette préparation peut être considérée comme le PREMIER TEMPS DE CUISSON.

a) Mettre dans une sauteuse (ou dans une casserole) l'eau, le beurre, et le sel fin. Ajouter **pour la cuisine** une pointe de poivre de Cayenne ou à défaut du poivre du moulin et quelques râpures de noix de muscade. **Pour la pâtisserie** le sucre semoule.

b) Faire bouillir.

c) Ajouter **en une seule fois la farine** (tamisée de préférence) **dans l'eau** bouillante, dès que le beurre **est fondu.**

d) Travailler le mélange, à l'aide d'une spatule en bois.

e) **Rester toujours sur le feu.**

f) Faire dessécher la pâte ainsi obtenue, en la travaillant (en la remuant) sur le feu avec la spatule, jusqu'au moment **où la pâte se détache du récipient et forme une boule bien homogène.**

g) Retirer le récipient du feu.

h) Ajouter hors du feu le **premier œuf** (entier) ou les **deux premiers** (selon la quantité de pâte).

i) Mélanger à la spatule.

REMARQUE. L'incorporation des œufs se fait au batteur-mélangeur pour les grandes quantités.

j) Ajouter les œufs suivants un par un, ou deux par deux, lorsque les œufs précédents sont **entièrement absorbés.**

k) Travailler constamment avec la spatule jusqu'à la quantité d'œufs demandée. Au terme de ce travail, la pâte devient alors « collante ».

REMARQUE. Cette pâte doit être **malaxée vigoureusement** pour acquérir plus de légèreté. Elle doit être d'autre part **plutôt ferme que molle.**

l) Débarrasser dans un récipient inoxydable (ou dans une terrine), en cornant les parois du récipient de cuisson à l'aide d'une corne à pâtisserie.

m) Egaliser la surface.

n) **Réserver hors du feu,** jusqu'à son utilisation.

● MÉTHODE DE CUISSON

La cuisson s'opère en **deux temps :**

| Premier temps |

SUR LE FOURNEAU — en récipient.

| Deuxième temps |

AU FOUR — sur plaque à pâtisserie. Température chaude: 200° environ — thermostat 6-7.
A L'EAU — cuisson frémissante (pocher).
A LA FRITURE — température moyennement chaude: 160° environ.

LA PATE A CRÊPES

● CARACTÉRISTIQUES

La moins compacte, la plus liquide des pâtes en cuisine, la pâte à crêpes n'a aucun rapport par son utilisation, avec celle employée pour les entremets sucrés.
Elle est aussi dénommée « appareil à crêpes », elle peut se réaliser, soit au lait, soit à la bière. Il s'avère nécessaire, afin d'obtenir de bons résultats, de préparer cette pâte à l'avance (1 à 2 heures).

● UTILISATION

EN CUISINE	EN PATISSERIE
Crêpes farcies: au jambon, aux champignons, à la viande hachée, etc. En garniture dans les consommés Pannequets, etc.	Crêpes au sucre Crêpes flambées Crêpes soufflées Pannequets, etc.

● COMPOSITION (il existe plusieurs formules avec des proportions **différentes)**

500 g de farine; 4 à 6 œufs; 100 g de beurre ou 1 dl d'huile; 1 litre de lait ou de bière; 10 g de sel; 100 g de sucre semoule (ajouter pour la pâtisserie).

- **TECHNIQUE** (temps de confection: 8 à 10 minutes environ)

a) Disposer en « fontaine » la farine dans une calotte (ou dans un autre récipient creux).
b) Mettre au centre le sel et le sucre semoule pour la pâtisserie.
c) Casser dessus les œufs (entiers).
d) Mélanger tous les éléments du centre à l'aide d'un fouet à sauce (ou au « mixer » électrique).
e) Incorporer ensuite petit à petit la farine en ajoutant par petites quantités le lait (cru) ou la bière.

   REMARQUE. La quantité de lait ou de bière est fonction de la qualité de la farine.

f) Passer au chinois étamine dans un autre récipient, afin d'obtenir une pâte parfaitement lisse.
g) « Fouler » sans précipitation l'appareil à l'aide d'une petite louche.
h) Faire fondre dans une petite sauteuse (ou dans une petite casserole) le beurre.
i) Ajouter le beurre à la pâte dès qu'il est fondu (ou l'huile).
j) Mélanger délicatement.
k) Réserver la pâte au frais jusqu'à la confection des crêpes.

REMARQUE

Il est recommandé de laisser reposer la pâte avant son emploi. Dans ce cas, ne mettre le beurre fondu qu'au moment de l'utilisation.

- **MÉTHODE DE CUISSON**

A LA POÊLE — avec appui de matière grasse (beurre ou huile).

LA PATE FEUILLETÉE ou FEUILLETAGE

- **CARACTÉRISTIQUES**

Elle se compose de farine, d'eau et de sel (elle n'est jamais sucrée pour la pâtisserie). Le mélange de ces trois éléments donne « la détrempe », dans laquelle est « enchâssée » (incorporée) un beurre de bonne qualité contenant le moins possible d'eau, ou d'une margarine (spéciale à feuilletage — qui ne colle pas aux doigts ni au rouleau), par un procédé de « pliage » particulier appelé « tourage ».
Le procédé de tourage a pour but de répartir régulièrement la détrempe et la matière grasse, par une juxtaposition de ces deux éléments en couches superposées, d'où le nom de **« pâte feuilletée ou feuilletage ».**

Plusieurs formules de réalisation sont proposées:

— le **feuilletage courant:** celui que nous donnons en technique;
— le **feuilletage rapide:** détailler en gros cubes le beurre (ou la margarine) et le mélanger à la farine; former une fontaine avec au centre l'eau et le sel fin; confectionner la pâte en maintenant les cubes de beurre dans leur forme initiale;
— le **feuilletage « méthode Hollandaise »:** mélanger le beurre avec un tiers de farine; mélanger les deux tiers de farine restants avec l'eau et le sel fin. La méthode d'enchâssement se pratique à l'inverse de la méthode courante: la détrempe est enchâssée dans le beurre.

La cuisson se fait à four très chaud pour favoriser la poussée au départ, puis à four plus doux pour la terminer. Sous l'effet de la chaleur, la matière grasse fond, soulève les couches de détrempe; l'eau contenue dans la détrempe et dans le beurre se transforme en vapeur, tente de s'échapper, soulève les couches de détrempe les unes des autres et les cuit au fur et à mesure de l'avance de la cuisson.
Le développement se fait toujours verticalement de bas en haut.

- **UTILISATION**

EN CUISINE	EN PATISSERIE
Allumettes	Barquettes
Bouchées	Cornets à la crème
Feuilletées	Galettes
Fleurons	Jalousies
Paillettes	Mille-feuilles
Petits pâtés	Petits fours secs variés
Rissoles	Pithiviers
Tourtes	Tartelettes
Vol-au-vent, etc.	Tartes, etc.

- **COMPOSITION** (il existe plusieurs formules avec des proportions différentes)

500 g de farine (+50 g pour le travail); 2,5 dl à 3 dl d'eau; 375 à 400 g de beurre ou de margarine; 10 g de sel fin.

- **TECHNIQUE** (temps de confection: 45 à 50 minutes environ)

- **PRÉPARER LA DÉTREMPE**

a) Disposer sur le marbre la farine en « fontaine » (en couronne).
b) Mettre au centre l'eau (froide) et le sel fin.
c) Faire fondre le sel.
d) Faire absorber à la farine toute l'eau, en malaxant avec le bout des doigts. **Ne pas trop travailler la pâte.**

   REMARQUE. Suivant la qualité de la farine, et afin d'obtenir une détrempe pas trop sèche, il est parfois nécessaire de rajouter un peu d'eau.
e) Gratter le marbre afin de réunir toute la pâte.
f) Réunir les parcelles de détrempe **en une seule boule bien homogène et pas trop dure.**
g) Laisser reposer dans un endroit frais, pendant 10 minutes environ.

- **DONNER LES DEUX PREMIERS TOURS**

a) **Peser la détrempe.**
b) Saupoudrer le marbre (ou « le tour ») d'un peu de farine.
c) Abaisser à l'aide d'un rouleau à pâtisserie la détrempe, dont **le centre sera plus épais que les bords.**
d) Disposer au centre, sur la partie la plus épaisse, le beurre ou la margarine. **Le poids étant la moitié de celui de la détrempe.** En outre, **sa consistance doit être sensiblement égale à la détrempe.**
e) Enfermer (« enchâsser ») la matière grasse dans la détrempe en ramenant les bords de celle-ci vers le centre.
f) Saupoudrer légèrement le marbre d'un peu de farine.
g) Donner quelques petits coups de rouleau à pâtisserie sur le « pâton », afin de répartir la matière grasse.
h) Donner au pâton une forme légèrement carrée.
i) Abaisser ensuite en une bande rectangulaire de 1 à 2 cm environ d'épaisseur.
j) **Egaliser les bords** à l'aide du rouleau à pâtisserie.
k) Plier cette bande **en trois parties égales,** afin d'obtenir **le premier tour.**
l) Donner au pâton **un quart de tour sur lui-même** pour exécuter **le deuxième tour.** Le pliage doit se trouver **à gauche et à droite** de l'exécutant.
m) Procéder ensuite comme pour le premier tour: abaisser sur les mêmes dimensions; plier en trois parties, puis marquer légèrement sur un coin du pâton, les deux premiers tours, en imprimant l'empreinte de deux doigts. Cette marque permet d'identifier le « tourage ».
n) Laisser reposer dans un endroit frais, pendant 10 minutes environ.

- **DONNER LE TROISIÈME ET LE QUATRIÈME TOUR**

a) Saupoudrer le marbre d'un peu de farine.
b) Placer le pâton de manière à **avoir le pliage à gauche et à droite.**
c) Abaisser, et procéder comme pour les deux premiers tours.
d) Marquer le pâton de quatre empreintes (avec les doigts), et laisser reposer encore dans un endroit frais, pendant 10 minutes environ.

- **DONNER LES DEUX DERNIERS TOURS** (5e et 6e)

a) Saupoudrer le marbre d'un peu de farine.
b) Placer le pâton de manière à **avoir le pliage à gauche et à droite.**
c) Abaisser, et procéder comme aux autres tours, afin d'obtenir les deux derniers tours, **soit six tours en tout.**
d) La pâte feuilletée est prête à l'utilisation.

Il est recommandé, après avoir abaissé le pâton, et avant d'opérer le tourage, d'éliminer à l'aide d'une brosse à farine, l'excédent de farine se trouvant sur la pâte.

● **NOTA.** Lorsque le pâton de feuilletage est préparé « en mise en place » pour le lendemain, il est recommandé d'opérer seulement quatre tours. Envelopper ensuite le pâton dans une serviette, afin d'éviter le craquellement de la surface. Réserver au frais dans un réfrigérateur ou en chambre froide ($+6°$ environ). Au moment de l'utilisation, il ne reste plus qu'à donner les deux derniers tours.

● **MÉTHODE DE CUISSON**

AU FOUR — sur plaque à pâtisserie; en moules à tartelettes et à barquettes. Température à four très chaud au départ: 250° environ — thermostat 8-9; à four chaud pour terminer la cuisson: 200° environ — thermostat 6-7. A LA FRITURE — température moyennement chaude: 160° environ.

LA PATE A FONCER

● **CARACTÉRISTIQUES**

La pâte à foncer se différencie du feuilletage plus par le travail que par les éléments qui la composent. La première opération consiste à mélanger les éléments entre eux, la deuxième opération appelée « fraisage », permet un mélange plus parfait de tous ces éléments utilisés, sans faire naître une élasticité à la pâte. Sa cuisson se fait à four chaud, à 250° environ.

● **UTILISATION**

EN CUISINE	EN PATISSERIE
Barquettes	Barquettes
Croustades	Fonds de gros gâteaux
Flans	Tartelettes
Quiches	Tartes diverses, etc.
Tartelettes, etc.	

● **COMPOSITION (il existe plusieurs formules avec des proportions différentes)**

500 g de farine; 2 jaunes d'œuf ou 1 œuf entier; 250 g de beurre; 1 dl d'eau; 10 g de sel fin; 100 g de sucre semoule (ajouter pour la pâtisserie).

● **TECHNIQUE (temps de confection: 8 à 10 minutes environ)**

a) Disposer sur le marbre la farine en « fontaine » (en couronne).

b) Mettre au centre: le beurre, les œufs, l'eau, le sel fin. Pour la pâtisserie ajouter le sucre semoule.

c) Mélanger ces éléments du bout des doigts, **sauf la farine.**

d) Ajouter la farine en malaxant. **Ne pas trop travailler la pâte.**

e) Morceler la pâte, c'est-à-dire **la diviser en petites parcelles.**

f) Retirer la pâte qui adhère aux doigts avec un peu de farine.

g) Prendre une petite quantité de pâte (la valeur d'un œuf).

h) « Fraiser » la pâte avec la paume de la main, **en la poussant et en l'écrasant devant soi sur le marbre.**

i) Reprendre un peu de pâte, répéter la même opération jusqu'à la fin de celle-ci.

j) Réunir les parcelles en une seule boule, sans travailler la pâte, après avoir gratté le marbre.

k) Réserver jusqu'à l'emploi.

REMARQUE

Il est recommandé de laisser reposer la pâte quelques minutes avant son utilisation.
D'autre part, cette pâte doit être réalisée le plus rapidement possible. Eviter de trop travailler (malaxer) la pâte, sinon elle prend « du corps », « de l'élasticité ».

● **MÉTHODE DE CUISSON**

AU FOUR — foncer dans des cercles, des moules..., cuire sur plaque. Température à four chaud : 200° environ — thermostat 6-7.

LA PATE A FRIRE

● **CARACTÉRISTIQUES**

La pâte à frire est une pâte fermentée par l'apport de la bière qui a les mêmes effets que la levure.
Moins compacte que les autres pâtes, elle est utilisée pour enrober les aliments que l'on désire traiter à la grande friture. **Cette pâte ne peut pas cuire autrement.**

● **UTILISATION**

EN CUISINE	EN PATISSERIE
Beignets, cervelles, légumes, etc. Fritto, etc.	Beignets de fruits

● **COMPOSITION (il existe plusieurs formules avec des proportions différentes)**

500 g de farine ; 4 œufs entiers ; 6 blancs d'œuf ; 1 dl d'huile ; 5 dl de bière ; 10 g de sel fin. Pour la pâtisserie, certains professionnels ajoutent 40 g de sucre semoule (facultatif).

● **TECHNIQUE (temps de confection : assez rapide)**

REMARQUE

Cette pâte se réalise en **deux temps :**

Premier temps

a) Disposer en « fontaine » la farine dans une calotte (ou dans un autre récipient creux).
b) Mettre au centre le sel et la bière (le sucre si on en met).
c) Casser dessus les œufs entiers.
d) Mélanger tous les éléments du centre à l'aide d'une petite spatule en bois.
e) Incorporer ensuite petit à petit la farine, afin d'obtenir une pâte molle.
f) Laisser reposer cette pâte dans un endroit frais.
g) Mettre (répandre) sur la surface de la pâte l'huile, pour l'empêcher de dessécher.

Deuxième temps (finition)

REMARQUE

Cette finition se fait au moment de l'utilisation de la pâte et lorsque les blancs d'œuf sont montés en neige.

RECOMMANDATION PRÉLIMINAIRE

S'assurer au préalable que le bassin à blancs soit **correctement propre.** Par précaution, le frotter avec un peu de gros sel et du vinaigre. **Le rincer ensuite à l'eau courante, puis l'essuyer avec un torchon bien sec et bien propre.**

a) Mettre les blancs d'œuf dans le bassin.
b) Adjoindre **une petite prise de sel fin.**
c) Monter doucement au début pour « casser » les blancs (les « aérer »), à l'aide d'un fouet à blancs d'œuf.
d) Augmenter au fur et à mesure de cette opération la rapidité du mouvement du fouet lorsque les blancs commencent « à blanchir ».
e) « Serrer » les blancs lorsqu'ils deviennent bien fermes. C'est-à-dire les mélanger par un mouvement plus rapide et circulaire du fouet, afin d'obtenir leur homogénéité.

f) Prendre un peu de blancs et les mélanger à la pâte, à l'aide d'une spatule en bois.

g) Ajouter le restant de blancs lorsque le premier mélange est effectué.

h) Mélanger délicatement la pâte, en la « coupant » à l'aide de la spatule, et en faisant tourner le récipient **dans le sens inverse** du mélange.

i) Essuyer (corner) le bord du récipient, afin d'éviter à la pâte de se dessécher sur les parois.

REMARQUE

Pour conserver cette pâte, mettre un filet d'huile sur le dessus.

● MÉTHODE DE CUISSON

A LA FRITURE — température moyennement chaude : 160° environ, ou chaude : 180° environ, selon les préparations.

GÉNOISE (appareil)

● CARACTÉRISTIQUES

Cette pâte (dénommée aussi « appareil ») se réalise et se cuit dans l'immédiat.
Elle se réalise à chaud : de préférence au bain-marie ou au batteur-mélangeur électrique (pour les grandes quantités, avec chauffage modéré placé sous la cuve).

Certaines précautions doivent être prises pour sa confection :
— ne pas excéder le nombre d'œufs par rapport au sucre, sinon la pâte retombe ;
— battre constamment au fouet pendant la cuisson des œufs et du sucre ;
— laisser refroidir l'appareil avant l'incorporation de la farine et du beurre fondu ;
— bien beurrer et fariner les moules de cuisson, afin d'éviter à la génoise de coller après, au moment du démoulage.

Cette pâte se développe légèrement à la cuisson (1/3 environ).

● UTILISATION

EN CUISINE	EN PATISSERIE
Pas d'utilisation	Entremets d'imitation
	Génoises diverses
	Génoise meringuée
	Mascotte
	Moka (grosse pièce)
	Petits mokas
	Singapour, etc.

● COMPOSITION (il existe plusieurs formules avec des proportions différentes)

500 g de farine (+40 g pour fariner le moule) ; 16 œufs ; 250 g de beurre (+40 g pour beurrer le moule) ; 500 g de sucre semoule.

● TECHNIQUE (temps de confection : 40 à 50 minutes avec la cuisson)

● PRÉPARATION DU MOULE

a) Faire fondre le beurre destiné au moule.

b) Badigeonner l'intérieur du moule (fond et paroi), à l'aide d'un pinceau.

c) Fariner (avec la farine destinée au moule) délicatement l'intérieur.

d) Retourner et taper légèrement le moule, afin d'éliminer l'excédent de farine.

e) Réserver au frais.

REMARQUE

Eviter de poser les doigts à l'intérieur du moule. La couche de beurre et de farine, évite à la génoise de coller sur les parois pendant la cuisson, et facilite ainsi sa montée verticale.

● CONFECTIONNER LA PATE

REMARQUE

Cette pâte se réalise en **deux temps :**

| **Premier temps** |

a) Mettre à fondre le beurre dans une petite sauteuse (ou dans une petite casserole). Laisser sur le coin du feu.

b) Mettre à chauffer de l'eau dans un récipient empli à moitié. Ce récipient servira de bain-marie pour monter la génoise.

c) Tamiser la farine.

d) Réserver sur une plaque ou autre récipient.

e) Casser les œufs entiers dans une calotte à fond rond (ou dans un récipient similaire). On peut utiliser un bassin en cuivre, mais s'entourer des précautions élémentaires pour l'utilisation de cet ustensile.

    REMARQUE. Ce récipient doit être plus petit que celui employé en tant que bain-marie.

f) Ajouter le sucre semoule.

g) Mélanger ces deux éléments à l'aide d'un fouet à blancs d'œuf.

h) Mettre la calotte dans la sauteuse d'eau chaude (bain-marie).

    REMARQUE. Faire attention au niveau de l'eau pour qu'il ne déborde pas du récipient.

i) Monter l'appareil à l'aide du fouet, sans dépasser une température de 50° environ, afin de ne pas cuire les œufs trop rapidement.

j) Retirer la calotte du bain-marie, lorsque cette température est atteinte approximativement.

k) Continuer de fouetter (monter) **hors du feu** jusqu'à refroidissement complet de l'appareil.

    REMARQUE. A ce moment la pâte fait le « ruban », c'est-à-dire qu'en sortant le fouet de l'appareil, celui-ci s'écoule à la manière d'un ruban qui se déroule.

l) Retirer le fouet.

m) Verser la farine (tamisée) en pluie sur l'appareil.

n) Mélanger **délicatement** « en coupant » l'appareil à l'aide d'une spatule en bois, pendant que de la main gauche, celle-ci donne à la calotte un **mouvement de rotation inverse.**

o) Adjoindre le beurre **fondu tiède.**

p) **Verser en filet sur l'appareil.**

q) Mélanger délicatement à la spatule.

| **Deuxième temps** (cuisson de la génoise: 25 à 30 minutes environ) |

a) Verser l'appareil dans le moule beurré et fariné.

b) Corner le récipient afin de mettre tout l'appareil.

c) Egaliser la surface.

d) Mettre à four doux (150° environ — thermostat 4-5) pendant 25 à 30 minutes environ.

    REMARQUE. Au terme de la cuisson en appuyant légèrement la paume de la main sur la génoise, celle-ci fait entendre un léger bruit de « crissement ».

e) Retirer la génoise au terme de sa cuisson.

f) Démouler (aussitôt sortie du four) sur une grille à pâtisserie

g) Laisser refroidir jusqu'à l'emploi.

● MÉTHODE DE CUISSON

AU BAIN-MARIE — pour le premier temps de cuisson: température 50° environ.

AU FOUR — sur plaques à pâtisserie beurrées et farinées ou en moules divers selon les préparations. Température à four doux: 150° environ — thermostat 4-5.

LA PATE A PATÉS

● CARACTÉRISTIQUES

Cette pâte est presque identique à la pâte à foncer, mais elle est moins riche en beurre que celle-ci.
Elle est toujours cuite en moule, garnie à l'intérieur d'une farce de viande ou de poisson, munie d'un couvercle en pâte, dont le centre est garni d'une « cheminée » (le couvercle est percé d'un petit trou) permettant à la vapeur de la farce de s'évacuer pendant sa cuisson, pour éviter l'éclatement de la pâte.

● UTILISATION

EN CUISINE	EN PATISSERIE
Tous les pâtés en moules composés avec de la viande: veau, porc, jambon, volaille, gibier, et même de poisson.	Pas d'utilisation

● COMPOSITION (il existe plusieurs formules avec des proportions différentes)

500 g de farine; 2 œufs; 150 g de beurre ou de saindoux; 1 dl d'eau (selon la qualité de la farine); 10 g de sel fin.

● TECHNIQUE (temps de confection: 8 à 10 minutes environ)

La technique est identique à celle de la PATE A FONCER, se référer à celle-ci (voir plus haut).

● MÉTHODE DE CUISSON

AU FOUR — en moules divers sur plaques à pâtisserie. Température à four chaud (dans la première partie de la cuisson): 200° environ — thermostat 6-7; à four doux (dans la deuxième partie de la cuisson-finition): 150° environ — thermostat 4-5.

LA PATE A SAVARIN — A BABA

● CARACTÉRISTIQUES

Cette pâte a une certaine analogie avec la PATE A BRIOCHE, mais elle est plus molle.
Comme toutes les pâtes de cette variété, elle doit être travaillée vigoureusement, afin de lui donner « du corps » (de l'élasticité). Elle prend moins de beurre, mais plus de levure que la brioche, afin d'augmenter la fermentation et y développer davantage les « bulles gazeuses », qui s'imprégneront plus facilement lors du « trempage » au sirop.
La différence entre le savarin et le baba est l'adjonction dans ce dernier de raisins secs (Smyrne ou Corinthe).
Cette pâte augmente de volume avant et pendant la cuisson dans tous les sens.

● UTILISATION

EN CUISINE	EN PATISSERIE
Pas d'utilisation	Babas Marignans Savarins, etc.

● COMPOSITION (il existe plusieurs formules avec des proportions différentes)

500 g de farine; 6 œufs; 150 g de beurre; 20 g de levure de bière; 2 dl d'eau; 10 g de sel fin; 50 g de sucre semoule.

● TECHNIQUE (temps de confection: 10 à 15 minutes environ)

a) Mettre le beurre à fondre.
b) Tamiser la farine sur le marbre.

c) Pratiquer une « fontaine » au centre.
d) Ajouter au centre la levure.
e) Adjoindre 1 décilitre d'**eau tiède.**
f) Faire fondre la levure.
g) Ajouter les œufs entiers.
h) Mélanger ces éléments sans prendre la farine.
i) Mettre le sel fin et le sucre semoule.

   REMARQUE. **Ne jamais mettre de sel avant que la levure soit diluée.**

j) Pétrir le tout en prenant la farine de **l'intérieur de la fontaine.**
k) **Battre violemment la pâte avec la main.** La pâte est prête lorsque celle-ci **se décolle entièrement du marbre.**
l) Ajouter alors le reste d'eau (1 dl).
m) Pratiquer un trou au milieu de la pâte.
n) Verser le beurre fondu.
o) Mélanger le tout. Les raisins sont ajoutés pour les babas.

   REMARQUE

   Cette pâte peut être poussée quelques minutes (facultatif) avant sa mise en moule.
   Cette pâte doit être moulée et cuite sans tarder, car elle fermente rapidement et « surie ».
   Après avoir été moulée, on laisse « pousser » à température ambiante, pendant 1 heure environ suivant la température. Les savarins ou les babas sont prêts à être mis au four lorsque la pâte atteint le bord des moules.

● **MÉTHODE DE CUISSON**

AU FOUR — en moules divers. Température à four chaud: 200° environ — thermostat 6-7.

LA PATE SUCRÉE

● **CARACTÉRISTIQUES**

Cette pâte est identique à la PATE A FONCER. Elle est plus sucrée et son travail est certainement plus délicat. La première opération consiste à mélanger les éléments entre eux, la deuxième opération, appelée « fraisage », permet un mélange plus parfait de tous ces éléments utilisés, sans faire naître une élasticité à la pâte.

● **UTILISATION**

EN CUISINE	EN PATISSERIE
Pas d'utilisation	Barquettes
	Tartelettes
	Tartes diverses, etc.

● **COMPOSITION (il existe plusieurs formules avec des proportions différentes)**

500 g de farine; 3 jaunes d'œuf; 250 g de beurre; 1 dl d'eau; 150 g de sucre semoule.

● **TECHNIQUE (temps de confection: 8 à 10 minutes environ)**

La technique est identique à celle de la PATE A FONCER, se référer à celle-ci (voir plus haut).

● **MÉTHODE DE CUISSON**

AU FOUR — foncer dans des cercles, des moules..., cuire sur plaque. Température à four chaud: 200° environ — thermostat 6-7.

DESSERTS

● Les desserts occupent une place non négligeable dans les menus. Clôturant le repas, ils doivent laisser le client sur une impression très favorable, d'où l'impérieuse nécessité de veiller à leur exécution parfaite.

● 1. CLASSIFICATION

● **LES DESSERTS COMPRENNENT PRINCIPALEMENT:**

- ■ **A. LES ENTREMETS DE CUISINE CHAUDS ET FROIDS**
- ■ **B. LES GLACES ET LES ENTREMETS GLACÉS**
- ■ **C. LES GROSSES ET LES PETITES PIÈCES DE PATISSERIE**
- ■ **D. LES COMPOTES**
- ■ **E. LES PETITS FOURS**

● 2. TECHNIQUES DE PRÉPARATION

■ *A. LES ENTREMETS DE CUISINE CHAUDS ET FROIDS*

LES ENTREMETS DE CUISINE CHAUDS

DÉNOMINATION	COMPOSITION	MÉTHODE DE CUISSON	VARIANTES
BEIGNETS	Principalement fruits enrobés de pâte à frire.	A la friture	PATE A CHOUX: beignets soufflés ou « pets de nonne » PATE A BRIOCHE: beignets viennois
CHARLOTTES	Moules à Charlotte chemisés de pain de mie, garnis surtout de pommes sautées au beurre.	Au four	Ananas Poires Pommes, etc.
CRÈMES	Biscuits imbibés d'alcool ou de liqueur + lait + œufs.	Au bain-marie	Régence, Villageoise, etc.

DÉNOMINATION	COMPOSITION	MÉTHODE DE CUISSON	VARIANTES
CRÊPES	Lait + œufs + farine + beurre + sel + sucre. Elles doivent être fines.	**Cuire dans les poêles à crêpes**	Peuvent être flambées, garnies de confiture ou d'une crème: PANNEQUETS; ou garnies d'un appareil à soufflé: CRÊPES SOUFFLÉES
CROQUETTES	Elément déterminant l'appellation. Cuire et lier aux jaunes d'œuf. Façonner, paner à l'anglaise.	**A la friture**	Marrons, riz, semoule ● **NOTA.** Il est possible de frire une crème pâtissière assez serrée détaillée et panée: CRÈME FRITE
CROUTES	Tranche de savarin ou de brioche rassis, glacées au four avec du sucre glace, garnies de fruits.	**Au four**	
OMELETTES	Omelettes traditionnelles légèrement sucrées, saupoudrées de sucre, quadrillées au fer rouge.	**Cuire à la poêle**	Flambées (au rhum) Fourrées confiture, etc.
OMELETTES SOUFFLÉES	Jaune d'œuf + sucre + blancs en neige.	**Au four sur plat long**	NORVÉGIENNE: génoise + glace
PUDDINGS	Les préparations sont très variées et n'ont pas de bases communes. Certaines, après cuisson, se démoulent, mais les plus courantes, cuisent et sont servis dans les plats à « pie ».	**Au four**	Custard pudding (peut être servi chaud) Chevreuse Plum pudding Pudding soufflé Saxon, etc.
RISSOLES	Pâte à foncer ou demi-feuilletage ou brioche en forme de petits chaussons, enfermant un élément.	**A la friture**	Marmelade de fruits Crème Fruits frais
SOUFFLÉS	Crème pâtissière + blancs en neige + élément déterminant l'appellation: liqueur, alcool, fruits, etc., ou pour certains à base de fruit frais + sucre cuit + purée de fruits + blancs en neige.	**Au four**	Liqueur: curaçao, marasquin, etc. Alcool: Kirsch, rhum, etc. Fruits: orange, fraises, framboises, etc.

LES ENTREMETS DE CUISINE FROIDS

DÉNOMINATION	COMPOSITION	VARIANTES
BAVAROIS ou **MOSCOVITES**	Crème anglaise collée à la gélatine + crème fouettée + élément déterminant l'appellation.	Café, chocolat, fraise Riz à l'Impératrice, rubanné, etc.
BLANC-MANGER	Lait d'amandes + sucre, collés à la gélatine.	Fraises, framboises, kirsch, rubanné, etc.
CHARLOTTES	Moules à Charlotte chemisés de biscuit cuillère ou de génoise.	Arlequine, Chantilly, Plombière, Russe, etc.
CRÈMES	Œufs + sucre + lait + élément déterminant l'appellation. Cuire en moule au bain-marie.	Renversée au caramel, Mousquetaire Viennoise, etc.
FLAMRI	Semoule cuite avec vin blanc + eau + sucre + œufs + blancs en neige. Cuire au bain-marie.	
GELÉES	Eau + sucre + gélatine + parfum.	Aux vins, aux liqueurs, aux fruits; rubannées, etc.
PUDDINGS	Leurs préparations sont très variées et n'ont pas de bases communes. Il faut noter que la plupart cuisent ou terminent leur cuisson dans le plat à pie dans lequel ils sont servis.	Pudding Diplomate Custard Pudding Rice Pudding Pudding de semoule, Bread and butter Pudding, etc.

REMARQUE

Les entremets dits « de cuisine froids ou chauds » sont nombreux. Nous ne donnons que les plus importants. Les fruits permettent beaucoup de réalisations en association avec le riz, ce qui donne des préparations dénommées « CONDÉ ».

■ *B. LES GLACES ET LES ENTREMETS GLACÉS*

● En fonction de la méthode de sanglage employé nous classerons les glaces **en deux catégories :**

A. LES APPAREILS SANGLÉS PAR TURBINAGE
B. LES APPAREILS MOULÉS ET SANGLÉS

A. LES APPAREILS SANGLÉS PAR TURBINAGE

● **TECHNIQUE**

Verser l'appareil dans le bol de la turbine qui est généralement refroidie par une saumure ou par des éléments électriques dont la température est maintenue entre —15° et —18°.

Le « bol » est animé d'un mouvement de rotation ; à l'intérieur, l'appareil est constamment brassé sous l'action combinée de l'incorporation de l'air et de l'abaissement de la température, il se transforme alors en une crème onctueuse.

● **NOTA.** Au terme de l'opération, la crème augmente dans des proportions qui varient de 50 à 75 % ; ceci est dû au turbinage et aux éléments constitutifs, « elle foisonne ».

DÉNOMINATION	COMPOSITION	PRÉSENTATION	VARIANTES
GLACES AU LAIT	Lait + sucre + jaunes d'œuf.	En coupe. Parfois en associant plusieurs parfums. Employées pour chemiser les bombes.	Café Chocolat Caramel Pistache Praliné Vanille, etc.
GLACES AUX FRUITS	Pulpe de fruits + sucre ou sirop à 32° + jus de citron. L'appareil terminé doit peser 15 à 17° au pèse sirop.	En coupe. Parfois en associant plusieurs parfums. Employées pour chemiser les bombes.	Ananas Fraises Framboises, etc.
SORBETS	Sirop à 32° + liqueur ou alcool ou vin + jus de citron. L'appareil terminé doit peser 15 à 17° au pèse-sirop.	En coupe. Peut être au départ arrosé de l'élément déterminant l'appellation.	Curaçao Kirsch Champagne Cassis, etc.

Les glaces au lait et aux fruits, lorsqu'elles sont « turbinées », peuvent être moulées.

Elles permettent aussi la réalisation des Charlottes glacées, des coupes ; de l'association de glace et de fruits dont les deux plus connues sont :

DÉNOMINATION	GLACE	SAUCE	VARIANTES
MELBA	Glace vanille	Melba	Fraise, framboise, pêche, poire, etc.
BELLE HÉLÈNE	Glace vanille	Chocolat chaude	Pêche, poire, etc.

B. LES APPAREILS MOULÉS ET SANGLÉS

● **TECHNIQUE**

Verser l'appareil dans un moule qui, en fonction de la préparation et de l'appellation, peut être chemisé d'une glace au lait ou aux fruits. Mettre à sangler pendant plusieurs heures dans un conservateur entre —15° et —18°, pour obtenir une congélation suffisante qui puisse permettre son démoulage.

En raison du dosage des éléments constitutifs et plus particulièrement du rapport sucre et crème fraîche, l'appareil conserve un certain « moelleux ». Un mauvais dosage donne des appareils dans lesquels se forment des « paillettes » de glace, qui rendent la dégustation désagréable.

Contrairement aux glaces turbinées, ces appareils ne changent pas de volume.

DÉNOMINATION	COMPOSITION	PRÉSENTATION	VARIANTES
BISCUITS GLACÉS	Sucre + jaunes d'œufs + meringue italienne + crème fouettée.	Différents parfums superposés. Caisses rectangulaires, forme de brique.	MARQUISE: Kirsch + fraise NAPOLITAINE: vanille + fraise + praliné
BOMBES	Sirop à 28° au sucre cuit au filet + jaunes d'œuf + crème fouettée.	Chemiser de glace au lait ou aux fruits. Moules coniques arrondis au sommet, décoration en forme d'étoile.	ABOUKIR: chemiser pistache; intérieur praliné NELUSKO: chemiser praliné; intérieur chocolat
MOUSSES GLACÉES AUX FRUITS	Sirop à 35° + purée de fruits + Chantilly.	Moules coniques arrondis au sommet, décoration en forme d'étoile.	Fraise Framboise, etc.
PARFAITS	Sirop à 28° ou sucre cuit au filet + jaunes d'œuf + crème fouettée.	Moules coniques unis en forme de pain de sucre.	Café Chocolat Praliné, etc.
SOUF-FLÉS GLACÉS	**AUX FRUITS** Blancs d'œuf fouettés + sucre cuit au soufflé + purée de fruit.	Timbales à souffler, entourées d'une bande de papier dépassant le bord de quelques centimètres.	Fraise Framboise, etc.
	A LA CRÈME Appareil à bombe.		Café Chocolat Vanille, etc.

REMARQUE

L'élaboration des entremets glacés n'utilise que des jaunes d'œuf. Les blancs permettent de réaliser des préparations particulières:

blancs fouettés + sucre = { MERINGUES GLACÉES / VACHERIN GLACÉ } garnies de glace au lait ou au fruit, parfois les deux

■ C. LES GROSSES ET LES PETITES PIÈCES DE PATISSERIE

● **NOTA.** (voir chapitre « PATES EN CUISINE ET EN PATISSERIE »).

■ D. LES COMPOTES

Les compotes sont des fruits frais pochés au sirop, entiers ou en quartiers, servis en compotiers ou en vasques de verre, sous forme d'un assortiment et dans la mesure du possible « à la voiture ».

En certaines périodes de l'année, il est fait appel en partie aux conserves au sirop.

Seuls les fruits de bonne tenue à la cuisson sont utilisés : ex.: pêches, poires, pommes, cerises, etc.

Il faut aussi préciser qu'un assortiment bien conçu comprend des pruneaux trempés au préalable à l'eau, puis pochés au vin rouge avec sucre, zeste d'orange, de citron et vanille.

■ E. LES PETITS FOURS

La gamme des petits fours est très étendue, depuis le « simple four » au « four frais » dont la préparation est plus élaborée.

Les petits fours accompagnent toutes les glaces, les entremets glacés, parfois certains entremets de cuisine.

Ils sont présentés soit sur un plateau ou un plat rond sur papier dentelle. Les fours frais et les fruits déguisés se dressent individuellement dans des caissettes de papier de forme appropriées.

CLASSIFICATION DES PETITS FOURS FRAIS

FOURS SECS	FEUILLETAGE	Sacristains, palmiers, allumettes...
	APPAREILS DIVERS	Cigarettes russes, tuiles...
FOURS FRAIS	PATE A CHOUX	Carolines, choux...
	GÉNOISE	
FRUITS DÉGUISÉS	FRUITS SECS et PATE D'AMANDE	Aboukos, dattes, pruneaux...
	QUARTIERS DE FRUITS FRAIS	Oranges, mandarines...

REMARQUE

Les fruits déguisés se trempent au sucre cuit au cassé ou se roulent dans le sucre semoule.

PRÉSENTATION DES METS

PINTADEAUX ROTIS SUR CANAPÉS
Présentation simple et originale

● Préparer, réaliser des mets par les techniques taditionnelles est essentiel.

● Cet atout majeur doit être indissolublement lié à un dressage et à une présentation soignée en observant des règles fondamentales:

RÈGLES A OBSERVER

Tenir compte pour les aliments traités:

— de leur forme
— de leur volume
— de leur composition
— du service pratiqué

CRITÈRES A OBSERVER

— Utiliser un matériel adapté pour le **DRESSAGE.**
— Décorer simplement, sobrement pour la **PRÉSENTATION,** lorsque les mets s'y prêtent.

REMARQUE

Il ne faut pas tomber dans l'excès qui nuit au déroulement du service et éventuellement à la qualité des mets servis, principalement les préparations chaudes (le temps imparti à leur réalisation étant fréquemment très limité).

● 1. DÉCORATION

Différents éléments sont utilisés pour la décoration des plats chauds et froids:

— Citrons (et oranges)
— Cresson
— Fleurons

— Œufs
— Pain de mie
— Papiers (dentelle, gaufrés)

— Papillottes - Manchettes - Bobèches
— Persil

— Pommes de terre
— Serviettes
— Tomates, etc.

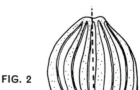

Méthode employée pour pratiquer les cannelures autour d'un citron ou d'une orange.

FIG. 1

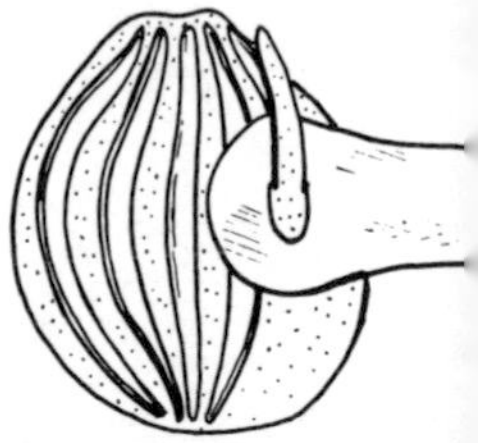

CANNELER ET ÉMINCER (bordure de plat)

FIG. 2

● **TECHNIQUE**

REMARQUE

La technique est identique pour les citrons et les oranges.

Figure 1	●	Pratiquer sur la verticale et autour du citron (ou de l'orange), 8 à 10 petites cannelures régulières, à l'aide d'un couteau à canneler.
Figure 2	●	Couper en deux sur la verticale, à l'aide d'un couteau à filets de sole (de préférence).
Figure 3	●	Poser la partie coupée sur la planche.
	●	Couper et éliminer l'extrémité.
Figure 4	●	Emincer sur la **demi-circonférence** en tranches fines de 2 mm environ d'épaisseur.
	●	Eliminer dans la mesure du possible, les pépins avec la pointe du couteau.
Figure 5	●	Mettre ces demi-tranches bout à bout sur la bordure d'un plat.
	●	Agrémenter, entre chaque demi-tranche, d'une petite feuille de persil.

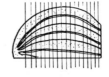

FIG. 3

FIG. 4

Demi-tranche

FIG. 5

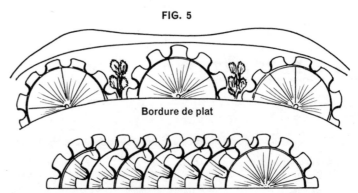

Bordure de plat

Bordure verticale

Tranche entière

● **UTILISATION**

Cette présentation peut être réservée pour:
— poissons meunière,
— escalopes viennoises,
— canetons à l'orange, etc.

HISTORIER

● **TECHNIQUE**

REMARQUE

La technique est identique pour les citrons et les oranges.

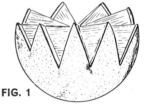

FIG. 1

| **Première méthode** (fig. 1 et 2) |

a) Couper légèrement les deux extrémités à l'aide d'un couteau d'office.
b) Maintenir le citron couché, posé sur une planche à découper entre le pouce et l'index de la main gauche.
c) Tenir le couteau comme « pour écrire ». Avec la pointe de la lame, pratiquer des incisions en forme de dentelure sur toute la circonférence.
d) Traverser le citron **jusqu'au centre.**
e) Séparer avec les doigts les deux moitiés.
f) Agrémenter le centre de chaque demi-citron (ou d'orange) d'une petite feuille de persil.

   REMARQUE. Les dentelures peuvent être à volonté de grandeurs différentes.

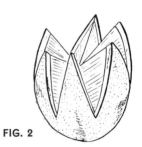

FIG. 2

| **Deuxième méthode** (fig. 3) |

a) Marquer l'anse sur le sommet du citron et jusqu'à la moitié.
b) Couper une bande d'un demi-centimètre environ de largeur.
c) Inciser sur la circonférence et jusqu'à l'anse la peau, pour éliminer un côté de celle-ci.
d) Couper l'autre côté de l'anse.
e) Éliminer soigneusement la partie située sous l'anse.
f) Couper légèrement la base pour donner une assise « au panier ».

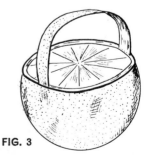

FIG. 3

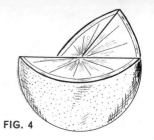

FIG. 4

Troisième méthode (fig. 4)

a) Couper légèrement les deux extrémités à l'aide d'un couteau d'office.

b) Pratiquer une incision jusqu'au centre, en partageant le citron sur la diagonale (à 1 cm environ de chaque extrémité).

c) Prendre un second couteau identique au premier (si possible).

d) Pratiquer avec celui-ci une seconde incision (jusqu'au centre) opposée à la première.

   REMARQUE. Les deux lames doivent se toucher, et former une croix.

e) Retirer les deux couteaux après avoir vérifié l'emplacement des deux incisions.

f) Enfoncer la pointe du couteau en traversant entièrement le citron de part en part, afin d'opérer une incision partant de l'extrémité de la première vers la seconde incision, située à la base du fruit.

g) Opérer de même sur la face opposée.

h) Séparer soigneusement les deux demi-fruits. Ils apparaissent alors avec « deux dents » formées par deux quarts soudés entre eux par la diagonale.

FIG. 5

Quatrième méthode (fig. 5)

a) Couper légèrement les deux extrémités à l'aide d'un couteau d'office.

b) Partager le citron en deux, en le coupant sur la circonférence.

c) Couper en biais sur toute la circonférence d'un demi-citron une petite bande épaisse de peau. Ne pas la couper jusqu'au bout. La laisser attenante au fruit.

d) Faire un simple nœud avec la bande.

e) Couper l'extrémité de la bande afin de former comme une petite « queue ».

FIG. 6

Cinquième méthode (fig. 6)

a) Procéder comme à la quatrième méthode: a), b), c).

b) Torsader la bande et piquer l'extrémité dans le centre du demi-citron.

● **UTILISATION.**

Employés pour accompagner:
— poissons pochés, grillés, frits...
— huîtres, plateaux de « fruits de mer »...

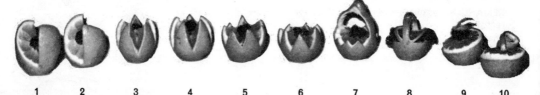

1   2   3   4   5   6   7   8   9   10

CITRONS HISTORIÉS

Première méthode	= 3 — 4 — 5 — 6
Deuxième méthode	= 7 — 8
Troisième méthode	= 1 — 2
Quatrième méthode	= 9
Cinquième méthode	= 10

TURBOTIN GRILLÉ:
citrons historiés - troisième méthode

ORANGE ÉTOILÉE

FIG. 1

FIG. 2

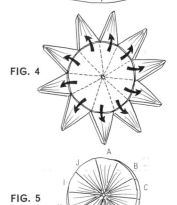

FIG. 3

FIG. 4

FIG. 5

FIG. 6

● TECHNIQUE

Figure 1 ● Peler une orange (forme régulière et assez grosse). Laisser subsister la « peau blanche ».

Figure 2 ● Couper une tranche bien régulière de 1 cm d'épaisseur, prélevée juste au centre OP.

Figure 3 ● Détacher soigneusement avec les doigts, chaque triangle formé par les segments.

> **REMARQUE.** Pendant cette opération, **il est très important de ne pas briser la peau blanche extérieure de la tranche.**

Figure 4 ● Retourner chaque triangle vers l'extérieur de la tranche.

> **REMARQUE. Ce travail doit s'exécuter minutieusement.**

Figure 5 ● Tailler une seconde tranche de même épaisseur que la première.

Parer à « vif ». Donner à cette tranche un diamètre légèrement plus petit (1 à 2 mm) que le premier.

Figure 6 ● Poser délicatement cette tranche en forçant légèrement, afin qu'elle prenne bien sa place au centre de la circonférence formée par la base des triangles retournés.

L'ensemble forme une étoile.

● UTILISATION.

Se pose généralement sur la poitrine des canetons à l'orange, au moment du dressage (voir photo p. 519).

---

cher chaque triangle
ment) du bout des doigts.

Retourner délicatement chaque triangle vers l'extérieur.

Poser cette dernière tranche au centre de l'étoile.
NOTA: cette tranche doit avoir le même diamètre que l'étoile.

Etoile terminée

■ *B. CRESSON*

● TECHNIQUE

a) Eliminer les grosses tiges (queues), parfois les racines, ainsi que les feuilles jaunies et abîmées.

b) Laver **à grande** eau dans une calotte (ou autre récipient).

c) Former des petits bouquets et maintenir le cresson par les tiges.

d) Brasser (secouer) chaque bouquet dans l'eau, afin de débarrasser chacun d'eux, des insectes, petits escargots (limnés) et autres « corps étrangers ».

e) Disposer le cresson sur une plaque à débarrasser (ou sur un plat creux), **les feuilles tournées dans le même sens.**

f) Maintenir au frais avec un peu d'eau ou quelques morceaux de glace vive.

● **UTILISATION.**

Accompagne toutes les volailles, gibiers, viandes rôties et grillées...

■ *C. FLEURONS*

Les fleurons sont des croissants de feuille-tage (ou de « chutes », « rognures »).
Ils peuvent se présenter aussi sous forme de petits poissons; dents de loup (trian-gulaire)...

FILETS DE SOLE BONNE-FEMME:
Bordure garnie de fleurons — croissants

● **TECHNIQUE** (fleurons en « croissant »)

a) Abaisser à l'aide d'un rouleau à pâtisserie, les rognures de feuilletage en une bande de 10 cm de largeur et de 4 mm d'épaisseur.

b) Tailler les « croissants » à l'aide d'un emporte-pièce rond cannelé de 9 cm de diamètre.

c) Mettre les abaisses **retournées** sur une petite plaque à pâtisserie légèrement humectée d'eau au préalable.

d) Cintrer légèrement la courbure des croissants.

e) Casser un œuf (dorure). Le battre à l'aide d'une fourchette pour bien mélanger le jaune et le blanc.

REMARQUE. Avant de passer la dorure, il est recommandé d'éliminer la farine qui subsiste sur les abaisses, à l'aide d'une brosse à farine.

f) Passer cette dorure à l'aide d'un pinceau sur les abaisses.

g) Rayer légèrement le dessus à l'aide de la pointe d'un couteau d'office.

h) Cuire à four très chaud (250° environ — thermostat 6-7) pendant 10 à 12 minutes environ.

i) Réserver au chaud sur une assiette (ou sur un plat), au terme de leur cuisson.

Croissants

Dents de loup

● **UTILISATION.**

Ils accompagnent certains poissons en sauce; épinards, etc.

■ *D. ŒUFS*

Poissons

Le jaune et le blanc sont cuits séparément dans des petites cocottes (ramequins ou autres petits récipients) au bain-marie.
Refroidis, démoulés soigneusement, ils sont découpés en lamelles fines, détaillés ensuite à l'aide d'emporte-pièce spéciaux (voir chapitre « Matériel de pâtisserie ») de forme et de dimension variées.
Les œufs cuits durs sont également employés dans la présentation: le jaune et le blanc passés séparément au tamis ou hachés au couteau, terminent avantageusement les hors-d'œuvre froids, les salades diverses.
Ils sont utilisés dans la décoration et la présentation: — des poissons,
— des jambons,
— des volailles, etc.

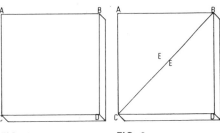

FIG. 1   FIG. 2

■ E. PAIN DE MIE

Le pain de mie se prête à de nombreuses transformations:

■ CROUTONS

La forme de ces croûtons est toujours en rapport avec celle de la pièce de viande à dresser, ou toutes autres préparations:

1. EN CŒUR

● **TECHNIQUE**

Figure 1 ● Tailler dans un pain de mie une tranche de 1 cm d'épaisseur.
● Eliminer la croûte afin d'obtenir une tranche au carré: ABCD.

Figure 2 ● Couper la tranche en deux dans le sens de la diagonale CB, afin d'obtenir deux triangles: CBA et CBD.

Figure 3 ● Superposer les deux triangles. Mettre les deux bases EE (diagonale) du même côté.

Figure 4 ● Eliminer, à l'aide d'un couteau bien tranchant, la partie comprise entre FBG.

Figure 5 ● Parer légèrement — arrondir — les angles F, G, A, C, afin de façonner ces deux croûtons (toujours superposés) en forme de cœur.

Figure 6 ● Croûtons terminés, près à être frits à l'huile ou au beurre.

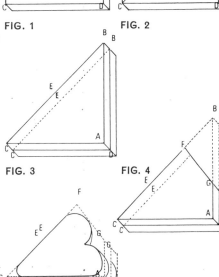

FIG. 3   FIG. 4

FIG. 5

● **UTILISATION**

Accompagnent certaines préparations classiques:
— matelote d'anguille,
— coq au vin,
— poulet ou veau sautés Marengo, etc.

FIG. 6   Croûtons terminés

2. BORDURES DE PLAT

Petits croûtons détaillés soigneusement au couteau (ou à l'aide d'emporte-pièce approprié) en triangle; en croissant; en rectangle; en carré; en couronne; en « esse », etc. (figures page 518).
Frits à grande friture, ils prennent une coloration plus ou moins « dorée », ce qui permet de varier la teinte des croûtons.
Ils sont collés (soudés) sur le bord des plats chauds à l'aide de blanc d'œuf: afin d'obtenir ce résultat, il est nécessaire de chauffer le plat avant le dressage des pièces, ce qui permet au blanc d'œuf de se coaguler et de maintenir à la verticale les croûtons.
Cette méthode permet d'obtenir d'agréables bordures de plats (voir figure 518).

● **UTILISATION**

Pour la présentation
— volailles rôties,
— viandes rôties, etc.

SAUTÉ DE VEAU MARENGO: croûtons en cœur

CROUTONS POUR BORDURES DE PLATS

POULET ROTI CRESSON
Bordure de plat (suggestion)

3. CANAPÉS

● **TECHNIQUE**

a) Tailler dans un pain de mie un parallélépipède (le volume de celui-ci est fonction de son utilisation) à l'aide d'un couteau à lame fine.

b) Evider délicatement à un demi-centimètre des bords le dessus du « canapé ».

c) Former au centre une cavité de 1 cm.

   REMARQUE. Cette cavité est destinée à recevoir une farce à gratin (voir chapitre « LES FARCES »).

d) Mettre dans une poêle du beurre et de l'huile (ou de l'huile seulement).

e) Frire le canapé jusqu'à obtention d'une coloration dorée.

f) Egoutter, réserver jusqu'à l'emploi.

● **UTILISATION**

Certains gibiers (faisan, perdreau...) ou volailles se « dressent » couramment sur « canapés » frits, tartinés d'une farce à gratin.

■ F. PAPIERS (dentelle — gaufrés)

L'emploi des papiers dentelle et gaufrés est courant, tant en cuisine qu'en pâtisserie.
Ils doivent toujours figurer dans une bonne « mise en place ».
Ils sont généralement rangés par variété, format, dans une boîte.

— ronds gaufrés	— ovales gaufrés	— rectangles dentelle	— bandes dentelle
— ronds dentelle	— ovales dentelle	— carrés dentelle	2 côtés

■ G. PAPILLOTES
MANCHETTES
BOBÈCHES

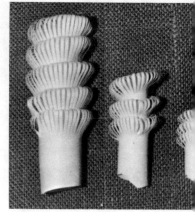

CARRÉ D'AGNEAU ROTI CRESSON: papillotes

PAPILLOTES

Elles existent en deux tailles:
— pour côtes de veau,
— pour côtes, carré d'agneau, poulet sauté.
Elles se fixent sur les « manches » (os).

MANCHETTES

Ce sont de grosses papillotes destinées aux « manches » (os) des gigots, des jambons, des cuissots de chevreuil...

PAPILLOTE AVEC SA BOBÈCHE

● TECHNIQUE

Première partie — confection de la papillote

Figure 1 ● Prendre une feuille de papier blanc (qualité assez forte) de 45×12 cm A-B-C-D.

Figure 2 ● Plier soigneusement en deux dans le sens de la longueur E-F.

Figure 3 ● Obtenir un rectangle de 45 × 6 cm E-F — AC-BD.

Figure 4 ● Doubler le premier pli E-F par une bande parallèle de 16 mm G-H.

Figure 5 ● Développer ce deuxième pli G-H, pour ramener le rectangle à E-F — AC-BD.

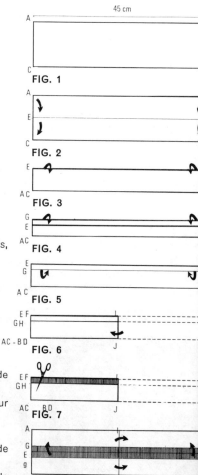

MANCHETTES et PAPILLOTES

45 cm

FIG. 1

FIG. 2

FIG. 3

FIG. 4

FIG. 5

FIG. 6

FIG. 7

FIG. 8

520

Figure 6 • Plier en deux en suivant la ligne centrale I-J, de façon que F tombe sur E; H sur G; BD sur AC.

Figure 7 • Pratiquer à l'aide d'une paire de ciseaux pointus, perpendiculairement à I-J, de petites incisions régulières de 3 mm (parallèles entre elles), sur toute la longueur de la bande pliée EF-I jusqu'à GH.

Figure 8 • Développer les plis I-J et E-F pour ramener à leur place A-B-C-D.

Figure 9 • Remettre en place le pli E-F.

Figure 10 • Faire glisser la partie g-h-C-D sur la partie G-H-A-B, afin de déplacer les plis vers l'extérieur: à gauche G-E-g; à droite H-F-h.

Figure 11 • Prendre un rouleau (ou le manche d'une cuillère en bois) de 1 cm environ de diamètre.

• Appliquer sur ce rouleau la partie H-B.

• Maintenir dans sa forme la partie formée par H-F-h et l'écartement B-D.

Figure 12 • Enrouler le papier en spirale autour du rouleau. Chaque tour de la spirale doit se placer au-dessous du précédent, jusqu'à ce que la papillote soit entièrement formée.

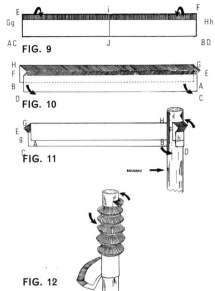

FIG. 9

FIG. 10

FIG. 11

FIG. 12

Deuxième partie — confection de la bobèche

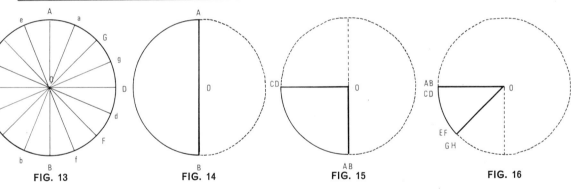

FIG. 13

FIG. 14

FIG. 15

FIG. 16

Figure 13 • Découper dans une feuille de papier (de même qualité que celui employé pour la papillote) un cercle de 18 cm environ de diamètre dont le centre est marqué par O.

Figure 14 • Plier en deux suivant le diamètre A-B.

Figure 15 • Plier une seconde fois en quarts CD-O-AB.

Figure 16 • Plier une troisième fois; amener AB sur CD, pour former le faisceau AB-CD-O-EF-GH.

Figure 17 • Plier une quatrième fois, afin d'amener EF-GH sur AB-CD.

Figure 18 • Maintenir fermement le faisceau entre le pouce et l'index de la main gauche; à l'aide d'une paire de ciseaux, couper en suivant la ligne délimitée par les pointes AB-CD-EF-GH — K situées au milieu de la ligne O (centre du cercle) et les pliages a-b-c-d-e-f-g-h.

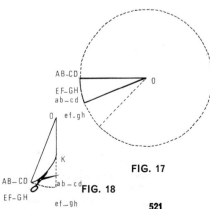

FIG. 17

FIG. 18

521

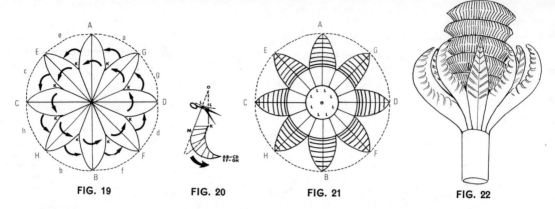

| FIG. 19 | FIG. 20 | FIG. 21 | FIG. 22 |

Figure 19
- Déplier le faisceau en une rosace à 8 pointes: A-G-D-F-B-H-C-E.
- Ramener tous les plis les uns sur les autres (« en accordéon ») en suivant les flèches, afin de reformer le faisceau.

Figure 20
- Maintenir le faisceau bien régulièrement formé entre deux plis d'une petite serviette: le côté O-AB-CD-EF-GH du faisceau doit être situé le long du pliage de ladite serviette.
- Appuyer fortement sur le tout avec la paume de la main gauche.
- Saisir en même temps de la main droite, à 15 cm environ de la main gauche, l'extrémité de la serviette (côté pli), et, par une série de mouvements vifs, saccadés, tirer la serviette à soi, afin de décrire une courbure sur la partie du papier comprise entre K-M-AB-CD-EF-GH, qui se trouve ainsi « gaufrée » (voir figure).
- Couper à l'aide de la paire de ciseaux la partie centrale du faisceau comprise entre O-L-L (entre 1 cm et 1,5 cm).

Figure 21
- Développer soigneusement la bobèche.
- Accentuer avec les doigts, vers l'intérieur de la bobèche, les pointes A-G-D-F-B-H-C-E.

| **Troisième partie — finition** |

Figure 22
- Glisser à la base de la papillote définitivement formée (fig. 12) la partie centrale de la bobèche, laquelle maintient l'ensemble.

● **UTILISATION**

Employée pour garnir l'extrémité des manches (os) de gigot; de jambon; de cuissot de chevreuil...

■ H. PERSIL

Employé couramment « en branches frais ».

● **TECHNIQUE**

REMARQUE

Le persil préparé de cette manière se dénomme en terme de cuisine « persil en branches ».
Il comprend seulement les feuilles avec les petites tiges.
a) Détacher (avec les doigts) des tiges principales (grosses queues) les feuilles, en laissant après les petites queues.
b) Laver à grande eau dans une calotte (ou dans une cuvette). Remuer (brasser).
c) Sortir le persil avec les mains, afin de laisser la terre au fond du récipient.
d) Jeter l'eau et rincer le récipient de lavage.
e) Répéter le lavage une ou deux fois encore. L'eau doit être claire.
f) Egoutter les feuilles dans une passoire.
g) Réserver.

● **UTILISATION**

Il est utilisé comme élément de présentation pour:
— poissons pochés, grillés,
— asperges (froides et chaudes),
— hors-d'œuvre chauds: allumettes, talmouses, etc.

I. POMMES DE TERRE

Elles sont utilisées sous différents aspects:

DUCHESSE (voir chapitre « LES LÉGUMES » — POMMES DUCHESSE, page 476)

La confection de bordures de plats (chauds) peut être réalisée avec cet appareil.

● **TECHNIQUE**

a) Garnir d'appareil à duchesse une poche à décorer munie d'une douille cannelée.
b) Pousser soigneusement l'appareil sur le bord du plat.
c) Donner à la main (qui maintient la poche) un léger mouvement circulaire, afin d'exercer à l'appareil sortant de la poche « une torsade ».
   REMARQUE. Cette bordure peut être variée de façons différentes.
d) Passer à la dorure la surface de l'appareil. Ne pas faire couler la dorure sur le plat.
e) Mettre le plat sous une salamandre (ou au four) pour coloration de la bordure de pomme.

● **UTILISATION**

Complément de présentation pour viandes rôties et de coquilles de poisson (Mornay, au gratin) ou fruits de mer.

NID

Pour le confectionner il est nécessaire d'employer des araignées spéciales de forme appropriée.

● **TECHNIQUE**

a) Préparer des pommes paille ou des pommes gaufrette (voir chapitre « LES LÉGUMES » — POMMES PAILLE et POMMES GAUFRETTES, page 471).
b) Garnir de pommes les parois internes du grand panier.
c) Ajuster le petit sur le grand. Presser fortement pour maintenir les pommes entre ces deux paniers. Glisser les deux pinces.
d) Frire à grande friture.
e) Laisser sécher et colorer (dorer) les pommes.
f) Egoutter. Retirer minutieusement le nid des deux paniers qui l'enserrent.
   REMARQUE. Ce travail doit s'exécuter avec soin, afin de ne pas briser le nid.
g) Poser le nid sur un socle de pain de mie frit pour le stabiliser.

● **UTILISATION**

Ce nid est employé pour présenter:
— les pommes dauphine, Lorette,
— les pommes soufflées, etc.

PANIER

Confectionné avec des « copeaux de pommes de terre » en forme de ruban. Ceux-ci sont mis à tremper à l'eau salée froide quelques heures avant d'être tressés.
REMARQUE. Le sel a pour but de ramollir les pommes.
Le tressage s'opère sur des planchettes en bois (dénommées « Mandrin ») de formes et de dimensions variées. Après finition, le panier est frit à grande friture pendant quelques minutes. Dégagé entièrement (avec soin) du mandrin, les montants sont remplacés par des macaroni crus teintés à l'aide de colorant végétal.
L'anse est confectionnée à l'aide d'un petit fil de fer (ou de laiton) enroulé d'une petite bande de pâte à nouilles teintée.

REMARQUE

Peut aussi se confectionner avec de la pâte à nouilles abaissée en « ruban ».

● **UTILISATION**

Employé généralement pour servir les pommes soufflées.

« MANDRIN » pour la confection des paniers — détail

■ *J. SERVIETTES*

Il est fréquent (en cuisine — selon la classe de l'établissement) de remplacer les papiers gaufrés ou dentelle par des serviettes blanches:

GONDOLES

● **TECHNIQUE**

REMARQUE

Cette réalisation doit être exécutée avec soin. Les plis doivent être faits définitivement, sans erreur de pliage, qui risque de « froisser » la serviette et nuit au résultat final.

FIG. 1

Figure 1	●	Déplier une serviette de table (blanche, sans broderie ou autres dessins apparents) carrée de préférence A-B-C-D.
	●	Poser dessus une feuille d'aluminium ou un papier sulfurisé, (si la serviette n'a pas été amidonnée au préalable) d'une dimension légèrement plus petite que la serviette: E-F-G-H.
Figure 2	●	Amener les pointes A et B vers le centre de la serviette, afin qu'elles s'opposent sur la ligne centrale J-K.
Figure 3	●	Plier une seconde fois afin d'amener les pointes J-K vers le centre marqué par la ligne I-N.
Figure 4	●	Plier soigneusement en deux, pour mettre L sur M et C sur D.
Figure 5	●	Maintenir la serviette de la main gauche.
	●	Pratiquer avec la droite des petits plis réguliers. Partir de la pointe I.
	●	Retenir en forme chaque pli avec les doigts de la main droite.
	●	Rouler la serviette en spirale.
	●	Taper sur tous les plis à l'aide d'un pilon à purée, afin de les maintenir bien en forme.
Figure 6	●	Relâcher les plis. La serviette se détend et revient dans la position indiquée à la figure 6.
Figure 7	●	Déplier et écarter légèrement les deux parties plissées: I-M-D et I-L-C. La serviette est prête pour son utilisation.

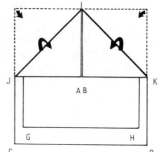

FIG. 2

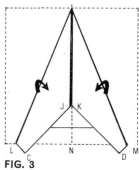

FIG. 3

● **UTILISATION**

Les « gondoles » sont réservées pour garnir l'extrémité des plats longs (fig. 8) utilisés de préférence pour le dressage des poissons.

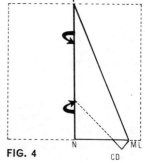

FIG. 4

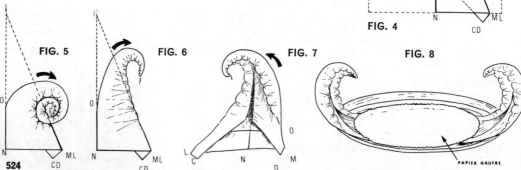

FIG. 5   FIG. 6   FIG. 7   FIG. 8

PAPIER GAUFRE

FIG. 1

FIG. 4

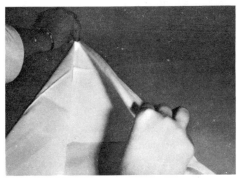

FIG. 2

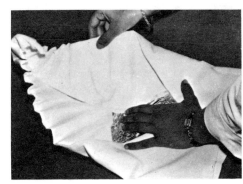

FIG. 5

SERVIETTES: CONFECTION DES GONDOLES

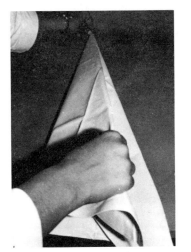

FIG. 3

GONDOLES dressées sur le plat de service

POUR DRESSER LES TOASTS

● TECHNIQUE

REMARQUE

Cette technique doit être exécutée avec soin. Les plis doivent être faits définitivement, sans erreur de pliage, qui risque de « froisser » la serviette et nuit au résultat final.

Figure 1   ● Déplier une serviette de table (blanche — rectangulaire ou carrée), A-B-G-H.

                   ● Marquer soigneusement les pliages: C-D et E-F.

Figure 2   ● Amener A-B sur E-F.

Figure 3	● Amener G-H sur C-D, afin d'obtenir un rectangle GC-HD — AE-BF.
	● Marquer les pliages : I-J ; K-L ; M-N, ainsi que ceux définis par K-J et K-N.
Figure 4	● Opérer le pliage (à gauche) K-J, de manière à mettre GC sur la médiane K-L.
	● Pratiquer le pliage (à droite) K-N, de manière à mettre H sur la médiane K-L.
	REMARQUE. Après ce pliage, I vient sur L, ainsi que M sur L.
	● Marquer le pliage O-L.
Figure 5	● Opérer le pliage défini par O-L, afin d'amener N sur K ; HD sur J.
Figure 6	● Déplier le pli NK - I-LM, afin d'amener BF et HD sur la droite.
	● Marquer le pliage défini par P et I-LM.
Figure 7	● Opérer le pliage P - I-LM, afin d'amener AE sur BF, et GC sur HD.
Figure 8	● Déplier J-NK - I-LM, de manière à obtenir sur cette face deux carrés.
	REMARQUE. Après ces différentes phases de pliages, commence à apparaître au verso le losange, défini par J-NK - P-O - I-LM.
Figure 9	● Amener à gauche AE-GC sur R-V ; puis Q-U sur J-NK - I-LM.
	● Replier ensuite à droite BF sur J-NK ; puis T-X sur J-NK - I-LM.
Figure 10	● Vue schématique après avoir retourné la serviette sur la face de présentation.
Figure 11	● Présentation de la serviette avec son papier gaufré (facultatif) où sont disposés les toasts grillés.

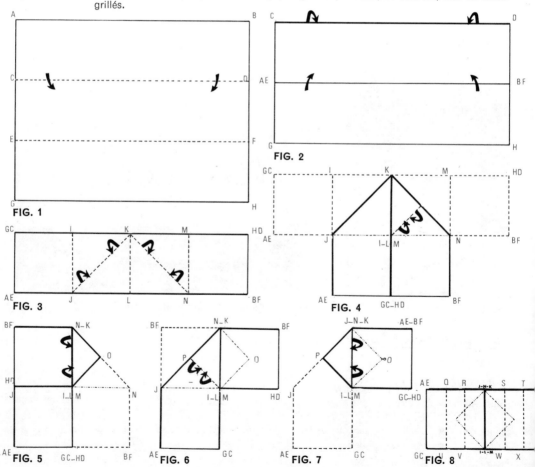

526

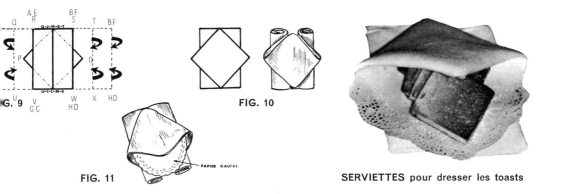

FIG. 9

FIG. 10

FIG. 11

PAPIER GAUFRÉ

SERVIETTES pour dresser les toasts

POUR DRESSER LES BOMBES GLACÉES

● **TECHNIQUE**

REMARQUE

Cette technique doit être exécutée avec soin. Les plis doivent être faits définitivement, sans erreur de pliage, qui risque de « froisser » la serviette et nuit au résultat final.

Figure 1
- ● Déplier une serviette de table (blanche — rectangulaire ou carrée), A-B-G-H.
- ● Marquer soigneusement les pliages: C-D et E-F.

Figure 2
- ● Amener A-B sur E-F.

Figure 3
- ● Amener G-H sur C-D, afin d'obtenir un rectangle GC-HD - AE-BF.
- ● Marquer les pliages: I-J; K-L; M-N, ainsi que celui défini par K-N.

Figure 4
- ● Opérer le pliage K-N, de manière à mettre M sur L.
- ● Marquer le pliage défini par O et ML.

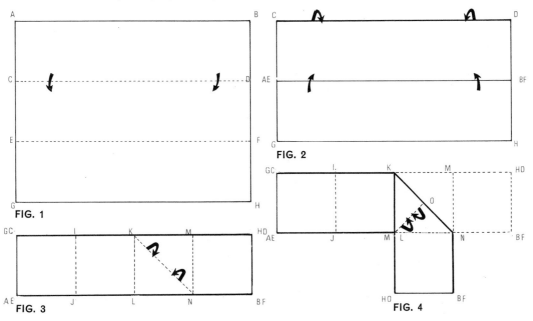

FIG. 1

FIG. 2

FIG. 3

FIG. 4

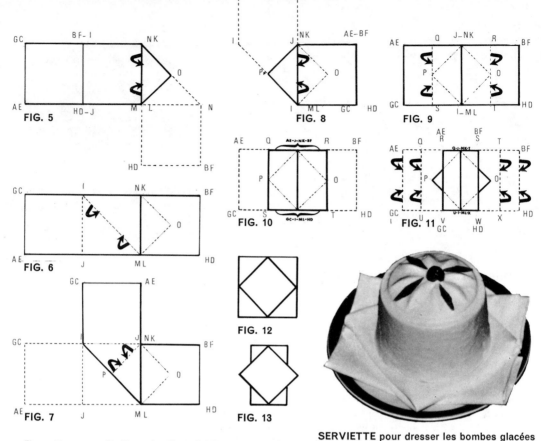

FIG. 5 **FIG. 8** **FIG. 9**

FIG. 6 **FIG. 10** **FIG. 11**

FIG. 7 **FIG. 12** **FIG. 13**

SERVIETTE pour dresser les bombes glacées

Figure 5	●	Pratiquer le pliage O-ML.
	●	Amener N sur K ; BF sur I ; HD sur J.
Figure 6	●	Déplier NK-ML, de façon à dégager I-J de BF-HD.
	●	Marquer le pliage défini par I-ML.
Figure 7	●	Opérer le pliage I-ML, pour amener J sur NK.
	●	Marquer le pliage défini par J-NK et P.
Figure 8	●	Amener I sur ML ; GC sur HD ; AE sur BF.
	●	Marquer le pliage J-NK - I-ML.
Figure 9	●	Déplier J-NK - I-ML, de manière à obtenir sur cette face deux carrés.

REMARQUE. Après ces différentes phases de pliages, commence à apparaître au verso le losange, défini par J-NK - P - O - I-ML.

Figure 10 **Première méthode de finition**

- ● Replier (à gauche) le pli Q-S, de façon à amener AE sur J-NK ; GC sur I-ML.
- ● Répéter la même opération (à droite) pour le pli R-T, pour amener BF sur J-NK et HD sur I-ML.

Figure 11 **Deuxième méthode de finition**

- ● Amener le pli (à gauche) AE-GC sur R-V ; puis Q-U sur J-NK - I-ML.
- ● Replier ensuite (à droite) BF-HD sur S-W ; puis T-X sur J-NK - I-ML.

Figure 12 ● Vue schématique de la première méthode après avoir retourné la serviette sur la face de présentation.

Figure 13 ● Vue schématique de la deuxième méthode après avoir retourné la serviette sur la face de présentation.

■ K. TOMATES

Elles apportent une très grande diversité dans la présentation, la décoration, par leur grande coloration naturelle. De ce fait, elles sont employées dans la confection de fleurs (roses, tulipes...).

ROSES

● **TECHNIQUE**

a) Plonger quelques secondes 4 à 5 belles tomates bien rouges dans l'eau bouillante.

b) Rafraîchir aussitôt.

c) Inciser soigneusement la peau en quatre parties, du sommet au pédoncule. Chaque partie représente un « pétale ».

d) Disposer sur le sujet à décorer ou sur une assiette, une petite tomate mondée (selon la grosseur donnée à la fleur).

e) Fixer les pétales autour de la tomate, après les avoir passés à la gelée fondue. En se refroidissant, la gelée soude les pétales sur la tomate.

    REMARQUE. La disposition des pétales est laissée à l'imagination de l'exécutant.
    Les pétales (recourbés) peuvent être maintenus jusqu'à la finition de la fleur par des épingles piquées sur la tomate.

f) Imiter les feuilles avec des feuilles vertes de poireau, blanchies à l'eau bouillante, coupées aux ciseaux.

g) Terminer la fleur en la lustrant entièrement avec un peu de gelée (presque au stade de prise).

■ L. AUTRES ÉLÉMENTS

Enfin, pour terminer l'énumération des différents éléments employés, nous pouvons encore citer:

● Feuilles d'estragon blanchies
● Peau de citron, d'orange
● Peau d'aubergine, courgette
● Pelure de pomme fruit bien rouge
● Radis (rose ou rouge)
● Truffes en lamelles
● etc., etc.

Tous ces éléments sont coupés à l'aide de petits emporte-pièce spéciaux (ou tout simplement au couteau).

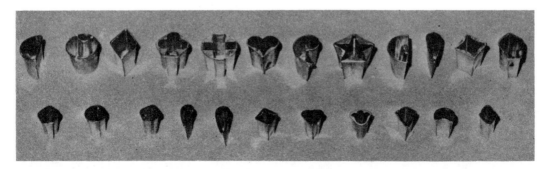

Assortiment de petits emporte-pièces employés pour la décoration de plats et préparations culinaires.

NOTA. Voir chapitre « LE MATÉRIEL DE CUISINE ET DE PATISSERIE ».

« SOCLE » DE PRÉSENTATION

(suggestion simple et rapide)

Réalisé avec du lait et des feuilles de gélatine.

- ● **TECHNIQUE**
- a) Prendre 15 g de feuilles de gélatine.
- b) Mettre les feuilles à tremper pendant 5 minutes environ dans l'eau froide, afin de les ramollir.
- c) Faire bouillir pendant ce temps 1 litre de lait.

  REMARQUE. Il est bien entendu, que ces quantités ne sont données qu'à titre indicatif.
- d) Egoutter et presser entre les mains les feuilles lorsqu'elles sont entièrement ramollies.
- e) Mettre la gélatine dans le lait bouilli. **Ne pas faire bouillir lorsque la gélatine est dans le lait.**
- f) Passer l'ensemble au chinois étamine.
- g) Mettre le lait dans un récipient dont la forme et la taille correspondent au « socle » désiré: rond (plat ou haut), carré ou rectangulaire (plat ou haut), ovale, à étage, etc.

  NOTA. Toutes les fantaisies sont permises.
- h) Mettre le récipient au frais après avoir éliminé la « mousse » formée à la surface: au réfrigérateur ou en chambre froide.
- i) Laisser refroidir et prendre pendant 12 heures environ.
- j) Démouler délicatement au moment de l'utilisation.
- k) Découper à volonté le bord à l'aide d'un emporte-pièce.

Ces « socles » sont réservés pour présenter des préparations culinaires froides: poissons entiers (saumon, brochet, colin...), suprêmes de volaille, médaillons de foie gras, etc.

CANARDS ET CANETONS

Réalisés avec de la mie de pain fraîche (passée au tamis) et des jaunes d'œuf.

- ● **TECHNIQUE**
- a) Mélanger de la mie de pain fraîche avec des jaunes d'œuf.

  REMARQUE. Aucune proportion n'est donnée: obtenir une sorte de pâte facile à modeler (épaisse).
- b) Former des petites boules (de grosseur différente selon les sujets à réaliser) correspondantes à chacun des sujets.
- c) Façonner chaque sujet avec les doigts.

  NOTA. Ce travail demande une certaine pratique... mais avec du goût et de l'imagination, il peut vite se réaliser.
- d) Passer légèrement du jaune d'œuf battu à l'aide d'un pinceau à dorure, sur toute la surface des sujets.
- e) Laisser sécher au réfrigérateur ou en chambre froide jusqu'à l'utilisation.

Ces « sujets » peuvent garnir à volonté une bordure de plats froids ou chauds (voir page   ).

NOTA. Les canetons ne sont donnés qu'à titre d'exemple... l'imagination faisant le reste.

● 2. DRESSAGE

Le DRESSAGE est facilité par un matériel de service dont l'éventail permet de répondre à toutes les servitudes.

■ MATÉRIEL DE SERVICE POUR LE DRESSAGE

Cocotte à poulet ovale avec couvercle

Cocotte ronde avec couvercle

DÉNOMINATION MATÉRIEL	CARACTÉRISTIQUES D'UTILISATION	METS POUVANT ÊTRE DRESSÉS
COCOTTES (bi-métal)	Ces récipients sont destinés à recevoir de préférence, toutes les préparations dites « en cocotte ». Elles peuvent aussi être utilisées pour le dressage de toutes les viandes et volailles coupées et traitées en sauce	Volaille Bonne-Femme Ris de veau paysanne etc., etc.
COUPES GLACES COUPELLES (VASQUES)	Ce matériel (par unité ou par service) est exclusivement réservé, à dresser les préparations glacées, ainsi que les différents cocktails de crustacés	Glaces variées Sorbets variés Fruits rafraîchis Fruits Melba Poire Africaine Shrimps cocktail Lobster cocktail etc., etc.
LÉGUMIERS (TIMBALES)	Employés pour le dressage: des pâtes alimentaires	Spaghetti Tagliatelle, etc.
	des œufs brouillés, hormis ceux dressés sur croustades, feuilletés, toasts	Tous les œufs brouillés
	des poissons en sauce, s'ils ne peuvent pas être servis dans le récipient de cuisson	Bouillabaisses Matelotes Moules marinière, etc.
	des viandes en sauce	Blanquettes Navarins Sautés, etc.
	des volailles sautées	Fricassées Volailles sautées, etc.
	des légumes mélangés pendant la réalisation finale	Riz pilaf, créole Haricots verts Epinards Jardinière, etc.

Coupe à glaces

Légumier et couvercle

Légumier à oreilles

DÉNOMINATION DU MATÉRIEL	CARACTÉRISTIQUES D'UTILISATION	METS POUVANT ÊTRE DRESSÉS	
PLATS OVALES (plats)	Utilisés pour le dressage: des œufs	Toutes les omelettes roulées	
	des poissons entiers ronds (ou fusiformes) plats (ou rhomboïdaux)	Turbots... Soles... Rougets... Truites, etc.	
	des poissons en filets	Filets de sole... Suprêmes de barbue... Blanc de turbot, etc.	
	des poissons tronçonnés	Turbots Barbues	
	des grosses pièces de boucherie	Carrés d'agneau Selles d'agneau Gigots Carrés de veau Rognonnades Cœurs de filet Trains de côtes, etc.	Plat ovale à poisson
	des petites pièces de boucherie (longues)	Escalopes Entrecôtes, etc.	
	des volailles entières	Poulets Canetons Pintades, etc.	
	des gibiers à plume	Faisans Perdreaux, etc.	Plat ovale de service
	des viandes froides	Toutes les grosses pièces	
	de la charcuterie	Jambons Salamis Mortadelles, etc.	
	de certains légumes	Asperges Endives	
	de certains entremets	Bananes flambées Crêpes Omelettes Norvégienne Zuppa Inglèse, etc.	

Employés aussi en tant que « doublure » (dessous de plats), pour certains plats à gratin ou pour dresser deux soupières ou deux légumiers.

DÉNOMINATION MATÉRIEL	CARACTÉRISTIQUES D'UTILISATION	METS POUVANT ÊTRE DRESSÉS	
PLATS RONDS (plats)	Employés pour le dressage: des bouchées, des vol-au-vent	Avec toutes les garnitures	
	des œufs dressés sur croustades, feuilletés, toasts, sauf les œufs au gratin	Tous les œufs brouillés Œufs mollet Œufs pochés, etc.	
	des omelettes	Toutes les omelettes plates	
	des poissons en darnes (pochés, meunière, grillés)	Colins Saumons, etc.	
	des petites pièces de boucherie et de gibier sautées. La majorité des entrées volantes	Côtes de veau Filets mignons Foie de veau Médaillons Noisettes Sirloin steak Steaks, etc.	
	des petites pièces de boucherie grillées	Chateaubriands Côtelettes d'agneau Côtes de bœuf Côtes de veau Filets Mixed grill Mutton chops Steaks, etc.	
	des poulets sautés découpés, pour être traités à la carte, pour 4 personnes	Tous les poulets sautés	Plats ronds de service
	des légumes garnis ou non demandant une présentation	Fonds d'artichauts Gros champignons Tomates, etc.	
	des légumes frits	Toutes les pommes frites	
	des entremets démoulés	Bombes Crèmes renversées Puddings, etc.	
	des pâtisseries rondes	Galettes Pithiviers Tartes Tartelettes Savarins, etc.	

Employés aussi en tant que « doublure » (dessous de plats), pour dresser les soupières et les légumiers, ainsi que pour le dressage des œufs cocotte, des œufs à la gelée, et autres petites cocottes, petits pots, terrines rondes, etc.

Plat ovale à gratin profond

DÉNOMINATION DU MATÉRIEL	CARACTÉRISTIQUES D'UTILISATION	METS POUVANT ÊTRE DRESSÉS
PLATS CREUX ou **PLATS A GRATIN** (longs ou ronds)	Employés pour le dressage (et la finition, la cuisson de certaines préparations): des farinages	Cannelloni Gnocchi Parisienne Gnocchi Romaine Ravioli, etc.
	des œufs	Mollet ou pochés Florentine A la tripe, etc.
	des poissons pochés dressés avec leur court-bouillon s'ils ne peuvent pas être servis dans le récipient de cuisson	Brochets Truites au bleu, etc.
	des fruits de mer, des crustacés	Tous les gratins
	des légumes étant servis dans leur plat de cuisson	Pommes boulangère Gratin Dauphinois Gratin Savoyard Gratin de ratatouille etc., etc.
	de certaines préparations gratinées	Hachis Parmentier Epinards au gratin Macaroni au gratin Pommes Mont Dor etc., etc.
RAVIERS	Employés exclusivement pour dresser les hors-d'œuvre froids	
SALADIERS	Utilisés pour dresser les salades	Salades composées Salades vertes, etc.
SAUCIÈRES	Permettent de servir toutes les sauces chaudes ou froides et les jus de rôti	
SOUPIÈRES	Exclusivement réservées pour servir tous les aliments fluides, sauf, les consommés dont la garniture est dressée à part. Ceux-ci sont alors de préférence servis en tasses ou en coupes	Tous les potages: taillés passés crèmes veloutés consommés garnis soupes etc., etc.
TERRINES (grès vernissé)	Peuvent avoir les mêmes utilisations que les cocottes bimétal. Servent aussi aux préparations dites: terrines de lapereaux, terrines de caneton truffé, etc.	

Ravier rectangulaire

Saucière ovale

Saucière à bec

Soupière avec couvercle

Bol à potage

534

CONTROLE ET CALCUL DU COUT

ACHAT ET CONTROLE DES DENRÉES

● 1. DENRÉES DE COURT STOCKAGE

Viandes, volailles, poissons, légumes, crémerie, charcuterie.

■ A. INFORMATIONS UTILES POUR ÉTABLIR LES COMMANDES

a) Relevé quotidien du garde-manger.
b) Connaissance des besoins en légumes, fournie par le Chef Entremêtier.
c) Préparations occasionnelles figurant sur les menus et cartes, qui ne font pas appel au stock permanent, ex.: ossi-buchi, tendrons de veau, aiguillettes de bœuf, etc.

■ B. MÉTHODES POUVANT ÊTRE EMPLOYÉES POUR ASSURER LES ACHATS

LE CHEF S'OCCUPE DU MARCHÉ

a) Il fait appel aux grossistes spécialistes de la fourniture hôtelière.

AVANTAGES	
	● Commandes effectuées par téléphone. Le chef ne se déplace pas.
	● Faire plusieurs commandes dans la journée dans le même établissement.
	● Fournitures choisies, donc bien calibrées.
	● En général, règlement des factures en fin de mois.
INCONVÉNIENTS	● Prix légèrement plus élevés qu'aux Halles.

b) Il se rend aux Halles.

AVANTAGES	
	● Prix réduits pour achats importants.
	● Prix en baisse les jours de gros arrivage.
INCONVÉNIENTS	● Nécessité absolue de se rendre sur place à heures déterminées — « perte de temps ».
	● Obligation d'avoir un véhicule ou d'utiliser les services d'un commissionnaire pour le transfert des denrées acquises.
	● Pas de possibilité d'acheter en dehors des heures d'ouverture.
	● Règlement comptant.

Le chef établit ses commandes en double exemplaire sur des imprimés propres à chaque groupe de denrées, ex.: boucherie, charcuterie, légumes, etc. (datées, signées).
Ces commandes sont remises le soir au service intéressé qui se charge d'acheter par les moyens cités.

■ C. CONTROLE DES MARCHANDISES ACHETÉES

● Toutes les marchandises commandées, transitent obligatoirement par l'économat qui assure le contrôle **quantitatif.**

● Toutes les livraisons sont accompagnées d'une facture ou d'un bon de livraison avec un double.

● Après vérification du poids, les deux documents sont visés par l'économat.

● Le livreur, dans un deuxième temps, porte la marchandise à la cuisine.

● Le chef vérifie la conformité de la livraison et plus particulièrement sur le plan **qualitatif.** Il conserve la facture ou le bon de livraison original. Quant au livreur, il emporte le double qu'il remet à son employeur.

● En fin de journée, le chef réunit tous les bons ou factures, les transmet à la comptabilité par l'intermédiaire de l'économat.

● En cas de contestation:

DE LA PART DE L'ÉCONOMAT	Inexactitude du poids porté sur le document qui accompagne la livraison. L'économe demande au commerçant la rectification de l'erreur.
DE LA PART DU CHEF	Qualité non conforme, la commande est refoulée, son remplacement effectué de la part du commerçant dans les meilleurs délais.

■ D. FACTURATION

Les fournisseurs, en fin de mois, adressent le relevé de leurs livraisons. Ce relevé est transmis sans tarder à la comptabilité où un pointage minutieux est fait avant d'établir le chèque correspondant à la facture récapitulative.
En cas d'erreur, ou éventuellement de factures égarées, les doubles visés par l'économat en possession du commerçant, servent de justification.

● 2. DENRÉES DE LONG STOCKAGE

Conserves, épicerie en général.

■ A. INFORMATIONS UTILES POUR ÉTABLIR LES COMMANDES

a) Fichier du stock économat.
b) Besoins de l'établissement, lesquels déterminent le volume du stock nécessaire.
c) Remarques utiles du chef concernant la qualité, donc le choix des marques.

B. MÉTHODES POUVANT ÊTRE EMPLOYÉES POUR ASSURER LES ACHATS

a) Le Food Manager ou l'économe, pourvoient aux besoins de l'économat.
Ils font appel à des spécialistes grossistes ou demi-grossistes.

b) Dans les établissements très importants, ainsi que dans les chaînes hôtelières.
Il peut être procédé, en raison de l'importance de la fourniture, à des appels d'offre: un échantillonnage est sollicité; une commission groupant les intéressés déguste; elle fixe son choix sur les fournisseurs. Cette méthode permet d'obtenir des prix très intéressants.

● **NOTA.** Le contrôle des factures et des quantités des denrées destinées à l'économat est assuré par le responsable de ce service.
Les marchandises utiles à la cuisine sont délivrées en principe le matin par l'économat, en échange d'un bon établi par le chef (daté, signé) soit sur un bordereau soit, sur un livre manifold, en double exemplaire. Toute cette fourniture est ensuite chiffrée par l'économat sur un bordereau récapitulatif journalier; il est remis à la comptabilité pour être imputé sur le compte cuisine.

ÉTABLISSEMENT DU BON D'ÉCONOMAT ET CALCUL DU COUT DE REVIENT

● **NOTA.** Il ne faut d'aucune **manière confondre:** le bon d'économat qui correspond strictement aux sorties de l'**économat,** et le bon d'économat que l'on pourrait qualifier de « global ».
En fait, c'est un document qui permet de connaître toutes les denrées utiles **qualitativement** et **quantitativement** à la réalisation d'un menu, voire d'une préparation.
Ce document établi avec beaucoup de méthode et de soin, permet d'obtenir facilement un bon **récapitulatif** avec des données précises.
Calculer le coût de revient est alors aisé.

● **EXEMPLE d'un menu pour un dîner de 40 couverts:**

CONSOMMÉ VERMEIL EN TASSE
PROFITEROLES

SUPRÊME DE BARBUE BONNE-FEMME

SELLE D'AGNEAU ROTIE AUX PRIMEURS

CŒUR DE LAITUE A L'ESTRAGON

WILLIAMS BELLE-HÉLÈNE
PETITS FEUILLETÉS

● Deux méthodes peuvent être utilisées:

PREMIÈRE MÉTHODE

● BON RÉCAPITULATIF

	CONSOMMÉ VERMEIL	PROFITEROLES	SUPRÊME DE BARBUE BONNE-FEMME	SELLE D'AGNEAU ROTIE	PRIMEURS	CŒUR DE LAITUE A L'ESTRAGON	POIRE BELLE-HÉLÈNE	PETITS FEUILLETÉS	RÉCAPITULATIF	PRIX UNITAIRE *	PRIX TOTAL
BOUCHERIE											
MACREUSE ou PALERON	3,500 kg								3,500 kg	11,80	41,30
PLAT DE COTES ou GITE-GITE	4,000 kg								4,000 kg	7,21	28,84
MAIGRE DE BŒUF pour clarification	2,000 kg								2,000 kg	12,00	24,00
SELLES D'AGNEAU				5 × 2 kg = 10 kg					10,000 kg	21,90	219,00
POISSON											
BARBUES			12,000 kg						12,000 kg	20,00	240,00
LÉGUMES											
AIL	0,150 kg			0,050 kg					0,200 kg	6,50	1,30
CAROTTES	2,000 kg		0,400 kg	0,500 kg	4,000 kg				6,900 kg	1,40	9,66
CÉLERIS BRANCHES	1 pied								1 pied	1,80	1,80
CHAMPIGNONS			1,000 kg						1,000 kg	6,50	6,50
ÉCHALOTES			0,300 kg						0,300 kg	5,50	1,65
HARICOTS VERTS FINS					1,000 kg				1,000 kg	8,00	8,00
LAITUES						20 pièces			20 pièces	1,50	30,00
NAVETS (facultatif)	0,500 kg				4,000 kg				4,500 kg	1,35	6,07
OIGNONS	0,500 kg		0,400 kg	0,500 kg					1,400 kg	1,60	2,24
PETITS POIS ÉCOSSÉS					1,000 kg				1,000 kg	3,80	3,80
POIREAUX	2,000 kg								2,000 kg	2,60	5,20
POMMES DE TERRE					5,000 kg				5,000 kg	0,80	4,00
TOMATES	1,500 kg								1,500 kg	4,50	6,75
CERFEUIL	1 botillon								1 botillon	2,00	2,00

									Total
CRÈME	2 l						2 l	8,00	**16,00**
GRUYÈRE	0,300 kg						0,300 kg	11,72	**3,51**
LAIT			2,5 l				2,5 l	1,10	**2,75**
ŒUFS	15		20				35	0,36	**12,60**
DIVERS									
CITRONS			0,500 kg				0,500 kg	3,90	**1,95**
POIRES			40 × 0,200 = 8 kg				8,000 kg	2,90	**23,20**
FARINE	0,450 kg				1,000 kg		1,450 kg	1,60	**2,32**
HUILE		0,25 l		0,25 l	0,50 l		1 l	3,96	**3,96**
VINAIGRE		0,25 l			0,20 l		0,20 l	1,90	**0,38**
VIN BLANC			0,50 l				0,50 l	2,16	**1,08**
SUCRE SEMOULE		—	3,625 kg		1,000 kg		4,625 kg	1,55	**7,16**
CHOCOLAT			1,500 kg				1,500 kg	5,43	**8,14**
VANILLE			4 gousses				4 gousses	0,72	**2,88**
THYM	—	—							
LAURIER	—	—							
CLOUS DE GIROFLE	—	—							
POIVRE EN GRAINS	—	—			—				
SEL FIN	—	—			—				
SEL GROS	—	—			—				
						DÉPENSE TOTALE			**766,21**

● **NOTA.** Les blancs d'œuf de la clarification proviennent de la glace vanille des « poires Belle-Hélène ».

● Détermination du « **prix de revient** » **matières par couvert : 766,21 : 40 = 19,15 Fr.**

* Les prix unitaires sont établis sur ceux de janvier 1974 (sur la région parisienne).

DEUXIÈME MÉTHODE

● Etablissement du **« bon d'économat »** et du **« calcul du coût de revient »** par **« FICHES TECHNIQUES DE FABRICATION »**.

FICHE TECHNIQUE DE FABRICATION

RÉALISATION: CONSOMMÉ VERMEIL EN TASSE — PROFITEROLES

NOMBRE DE PORTIONS   40

DENRÉES UTILES	POIDS	PRIX	TOTAL	TECHNIQUE DE RÉALISATION
Macreuse ou paleron	3,500 kg	11,80	**41,30**	— Eplucher tous les légumes.
Plat de côtes ou gîte-gîte	4,000 kg	7,21	**28,84**	— Préparer et cuire la marmite.
Maigre de bœuf (clarif.)	2,000 kg	12,00	**24,00**	— Préparer les éléments de la clarification.
Ail	0,150 kg	6,50	**0,97**	— Clarifier le consommé.
Carottes	2,000 kg	1,40	**2,80**	— Passer et terminer le consommé.
Céleris branches	1 pied	1,80	**1,80**	— Confectionner la pâte à choux. — Coucher les profiteroles.
Navets (facultatif)	0,500 kg	1,35	**0,67**	— Cuire les profiteroles.
Oignons	0,500 kg	1,60	**0,80**	
Poireaux	2,000 kg	2,60	**5,20**	**PRÉSENTATION**
Tomates	1,500 kg	4,50	**6,75**	— Servir le consommé en tasse. — Dresser les profiteroles sur plat rond (ou sur assiette) garni d'un papier-dentelle.
Cerfeuil	1 botillon	2,00	**2,00**	
Beurre	0,300 kg	13,16	**3,94**	**OBSERVATION**
Gruyère	0,300 kg	11,72	**3,51**	— La viande de la marmite est utilisée pour l'office (repas du personnel), ce qui diminue le coût de revient de la portion.
Œufs	15	0,36	**5,40**	
Farine	0,450 kg	1,60	**0,72**	
Assaisonnements				

COUT DE REVIENT TOTAL   **128,70**

COUT DE REVIENT DE LA PORTION: 128,70 : 40 = 3,21

- Pour la réalisation du menu , ces fiches peuvent être mises à la disposition de la cuisine et de la pâtisserie. Elles ont l'avantage, par cette méthode, d'obtenir une stabilité dans la fabrication et dans le coût de revient.
- Chaque fiche est établie pour un plat.
- La détermination du coût total d'un ensemble et du coût pondéré par couvert se réalise sur une fiche récapitulative.

FICHE TECHNIQUE DE FABRICATION

RÉALISATION: SUPRÊME DE BARBUE BONNE-FEMME

NOMBRE DE PORTIONS   40

DENRÉES UTILES	POIDS	PRIX	TOTAL	TECHNIQUE DE RÉALISATION
Barbues	12,000 kg	20,00	**240,00**	— Habiller les barbues: ébarber; lever les filets; éliminer la peau; parer; dégorger.
Carottes	0,400 kg	1,40	**0,56**	
Champignons	1,000 kg	6,50	**6,50**	— Préparer la garniture aromatique du fumet.
Echalotes	0,300 kg	5,50	**1,65**	— Cuire le fumet.
				— Préparer la garniture bonne-femme.
Oignons	0,400 kg	1,60	**0,64**	— Portionner les suprêmes.
Persil	0,100 kg	3,80	**0,38**	— Plaquer la garniture et les suprêmes.
				— Cuire les suprêmes.
Beurre	0,850 kg	13,16	**11,18**	— Débarrasser les suprêmes au terme de leur cuisson.
Crème	2 l	8,00	**16,00**	— Confectionner la sauce.
Vin blanc	0,50 l	2,16	**1,08**	— Terminer la sauce.
Assaisonnements				**PRÉSENTATION — FINITION**
				— Dresser les suprêmes sur les plats de service.
				— Réchauffer les suprêmes au four.
				— Napper et glacer les suprêmes.
				— Servir chaud.

COUT DE REVIENT TOTAL   **277,99**

COUT DE REVIENT DE LA PORTION: 277,99 : 40 = 6,94

FICHE TECHNIQUE DE FABRICATION

RÉALISATION: SELLE D'AGNEAU ROTIE AUX PRIMEURS

NOMBRE DE PORTIONS   40

DENRÉES UTILES	POIDS	PRIX	TOTAL	TECHNIQUE DE RÉALISATION
Selles d'agneau (5 pièces)	10,000 kg	21,90	**219,00**	— Habiller les selles.
Ail	0,050 kg	6,50	**0,32**	— Eplucher et tourner les carottes, les navets et les pommes cocottes.
Carottes	4,500 kg	1,40	**6,30**	— Glacer les carottes et les navets.
Haricots verts fins	1,000 kg	8,00	**8,00**	— Effiler et cuire les haricots verts.
Navets	4,000 kg	1,35	**5,40**	— Ecosser et cuire les petits pois.
Oignons	0,500 kg	1,60	**0,80**	— Rôtir les selles.
Petits pois écossés	1,000 kg	3,80	**3,80**	— Rissoler les pommes. — Préparer le jus.
Pommes de terre	5,000 kg	0,80	**4,00**	
Persil	0,050 kg	3,80	**0,19**	**PRÉSENTATION**
Beurre	0,600 kg	13,16	**7,89**	— Dresser les légumes en bouquets sur les plats de service. Alterner les couleurs.
Huile	0,50 l	3,96	**1,98**	— Dresser les selles au centre des plats.
Assaisonnements				— Mettre le jus en saucières.

COUT DE REVIENT TOTAL   **257,68**

COUT DE REVIENT DE LA PORTION: 257,68 : 40 = 6,44

— Arroser les selles d'un beurre noisette.
— Parsemer les pommes de persil haché.
— Servir chaud.

FICHE TECHNIQUE DE FABRICATION

RÉALISATION: CŒUR DE LAITUE A L'ESTRAGON

NOMBRE DE PORTIONS   40

DENRÉES UTILES	POIDS	PRIX	TOTAL	TECHNIQUE DE RÉALISATION
Laitues	20 pièces	1,50	**30,00**	— Eplucher et laver les laitues.
Estragon	1 botillon	2,10	**2,10**	— Trier, laver et hacher l'estragon.
Huile	0,50 l	3,96	**1,98**	— Dresser les cœurs en saladiers.
Vinaigre	0,20 l	1,90	**0,38**	— Parsemer dessus l'estragon.
Assaisonnements				**NOTA.** L'assaisonnement est réalisé en salle.

COUT DE REVIENT TOTAL   **34,46**

COUT DE REVIENT DE LA PORTION: 34,46 : 40 = 0,86

FICHE TECHNIQUE DE FABRICATION

RÉALISATION: WILLIAMS BELLE-HÉLÈNE — PETITS FEUILLETÉS

NOMBRE DE PORTIONS   40

DENRÉES UTILES	POIDS	PRIX	TOTAL	TECHNIQUE DE RÉALISATION
Beurre	0,950 kg	13,16	**12,50**	— Préparer le sirop.
Lait	2,50 l	1,10	**2,75**	— Peler et pocher les poires. — Sangler la glace vanille.
Œufs	20	0,36	**7,20**	— Maintenir la glace au conservateur.
Citrons	0,500 kg	3,90	**1,95**	— Confectionner la sauce chocolat. — Préparer la pâte feuilletée.
Poires	8,000 kg	2,90	**23,20**	— Confectionner et cuire les petits feuilletés.
Sucre semoule	4,625 kg	1,55	**7,16**	— Egoutter les poires.
Chocolat	1,500 kg	5,43	**8,14**	
Vanille	4 gousses	0,72	**2,88**	**PRÉSENTATION**
Farine	1,000 kg	1,60	**1,60**	— Préparer les vasques de conservation avec de la glace vive pilée. — Dresser la glace vanille dans des vasques de verre. — Dresser les poires sur la glace vanille. — Incruster les vasques de glace vanille sur celles garnies de glace vive. — Dresser la sauce chocolat en saucières.
COUT DE REVIENT TOTAL			**67,38**	— Dresser les petits feuilletés. — Servir aussitôt.

COUT DE REVIENT DE LA PORTION: 67,38 : 40 = 1,68

● Fiche récapitulative du coût total d'un ensemble et du coût pondéré par portion.

DÉTERMINATION DU COUT TOTAL D'UN ENSEMBLE	TOTAL
CONSOMMÉ VERMEIL EN TASSE — PROFITEROLES	**128,70**
SUPRÊME DE BARBUE BONNE-FEMME	**277,99**
SELLE D'AGNEAU ROTIE AUX PRIMEURS	**257,68**
CŒUR DE LAITUE A L'ESTRAGON	**34,46**
WILLIAMS BELLE-HÉLÈNE — PETITS FEUILLETÉS	**67,38**
COUT TOTAL	**766,21**

DÉTERMINATION DU COUT PONDÉRÉ PAR COUVERT: 766,21 : 40 = **19,15**

● RENDEMENT CUISINE

■ *CALCUL DU POURCENTAGE BRUT* *

TABLEAU 1

DÉPENSES

2.765,04	Stock garde-manger au 1/8	Marchandises de court stockage restant en stock dans les chambres froides le 31/7 au soir.
30.454,47	Marché	Total des achats denrées de court stockage du 1/8 au 31/8.
5.147,28	Economat	Evaluation des denrées de long stockage faites du 1/8 au 31/8.
179,24	Cave	Evaluation des vins, alcools, liqueurs utilisés du 1/8 au 31/8.
398,03	Stock économat cuisine au 1/8	Marchandises de long stockage (économat du jour) restant en stock le 31/7 au soir.

38.944,06 Fr.

Le total de ces dépenses représente l'évaluation globale des marchandises nécessaires au fonctionnement de la cuisine du 1/8 au 31/8, du stock garde-manger et économat cuisine au 31/8.

TABLEAU 2

A CES DÉPENSES DÉFALQUER

573,00	Nourriture direction	Montant des repas servis et consommés par la direction.
6.164,07	Nourriture personnel	Evaluation des repas consommés par le personnel.
40,37	Dépenses cuisine pour bar	Montant des fournitures faites au bar (pommes chips, sandwiches, canapés...).
2.547,12	Stock garde-manger au 1/9	Marchandises de court stockage restant en stock dans les chambres froides le 31/8 au soir.
590,36	Stock économat cuisine au 1/9	Marchandises de long stockage (économat du jour) restant en stock le 31/8 au soir.

9.914,92 Fr.

Les **DÉPENSES BRUTES** sont calculées par le total du tableau 1 auquel il faut défalquer le total du tableau 2: soit: 38.944,06 — 9.914,92 **= 29.029,14 Fr.**

Les **RECETTES** représentent celles du restaurant auxquelles ont été retranchées les boissons et éventuellement le service: soit: **60.122,09 Fr.**

Le **BÉNÉFICE BRUT** représente les **recettes restaurant** auxquelles il faut défalquer les **dépenses brutes:** soit: 60.122,09 — 29.029,14 = **31.092,95 Fr.**

Le **POURCENTAGE BRUT** se traduit: **BÉNÉFICE BRUT** × **100: RECETTES RESTAURANT= %** soit: 31.092,95 × 100: 60.122,09 = **51,71 %**

* Les chiffres ne sont donnés qu'à titre indicatif.

ÉLABORATION DES MENUS

CLASSIQUES ET TRADITIONNELS

● 1. RÈGLES ESSENTIELLES

Par définition, les **menus** sont la liste écrite des mets qui constituent le repas, dans un ordre de succession logique.

Avant le début du siècle dernier ils étaient dénommés « **escriteaux** » ou « **écriteaux** ». Ils comportaient une nomenclature impressionnante de mets et leur lecture était un véritable « pensum ».

Dans leur forme actuelle, les **menus** semblent avoir fait leur apparition dans les célèbres restaurants du Palais-Royal à l'orée du XIXe siècle, époque, où l'on consacrait un temps très important à la table.

Ils étaient chargés et comportaient **plusieurs plats par service :**

VOICI DEUX MENUS PROPOSÉS

DÉJEUNER	DINER *
ASSORTIMENT DE HORS-D'ŒUVRE	CONSOMMÉ ROYALE
	VELOUTÉ D'ARTICHAUT GEORGETTE
HOMARD A L'AMÉRICAINE	DARNE DE SAUMON SAUCE GENEVOISE
PETITES TIMBALES A LA VILLENEUVE	JAMBON D'YORK AU XÉRÈS
COTELETTES D'AGNEAU FARCIES PÉRIGUEUX	NOUILLETTES MILANAISE
	TARTELETTE DE FOIE GRAS CHEVREUSE
CANETON ROUENNAIS A LA BROCHE	ÉPIGRAMME D'AGNEAU MACÉDOINE
	ASPIC DE HOMARD
MOUSSE FROIDE DE JAMBON	SORBET AU MARASQUIN
SALADE DE CŒURS DE LAITUE	
ASPERGES SAUCE MALTAISE	POULARDE A LA BROCHE
	SALADE DE CŒURS DE LAITUE
	POINTES D'ASPERGES A LA CRÈME
FRAISES GINETTE	CHARLOTTE GABRIELLE
MILLEFEUILLES A L'ORANGE	BISCUIT GLACÉ AUX VIOLETTES

* Il était de coutume de présenter au **dîner** un menu plus important.

La connaissance de la diététique, l'élévation des prix de revient, la vie active contemporaine, font que l'homme recherche une nourriture plus légère adaptée à son mode de vie.

C'est pour ces raisons majeures que les **menus** ont subi des transformations radicales. De nos jours, ils sont allégés, axés autour d'un plat central, précédé d'un hors-d'œuvre ou d'un potage, parfois d'une entrée, à cela s'ajoutent la salade, le fromage, le dessert.

VOICI DEUX MENUS PROPOSÉS

DÉJEUNER	DINER
SÉLECTION DE HORS-D'ŒUVRE	CRÈME POMPADOUR
SUPRÊME DE BARBUE GOURMANDE	TRUITE SUCHET
FRICASSÉE DE VOLAILLE AU CHAMPAGNE	CARRÉ D'AGNEAU ROTI ET PERSILLÉ
RIZ PILAF	POMMES MONSELET
	HARICOTS VERTS AU BEURRE FIN
SALADE DE LAITUE AU NOIX	QUELQUES FEUILLES DE LAITUE
CHOIX DE FROMAGES AFFINÉS	SÉLECTION DE FROMAGES AFFINÉS
POIRE WILLIAMS BELLE-HÉLÈNE	SAVARIN BELLE-FRUITIÈRE
PETITS FOURS	

VERSION SIMPLIFIÉE

POUR LE DÉJEUNER : Supprimer la **Sélection de Hors-d'œuvre** ou le **Suprême de Barbue gourmande.**

POUR LE DINER : Supprimer la **Truite Suchet.**

L'élaboration des **menus** permet aux **chefs de cuisine,** en fonction des critères que nous allons tenter de déterminer, d'exprimer toute leur valeur professionnelle.

■ A. CRITÈRES A OBSERVER

La composition des menus demande de la part de celui qui les rédige beaucoup **de bon sens,** voire même en certains cas **de doigté, de tact,** ce qui n'exclut pas parfois **la fantaisie** dans le cas de menus ayant un caractère particulier.

GÉNÉRALITÉS

Il ne faut pas oublier :

— la production propre à chaque saison ;
— le lieu où l'on se trouve en raison parfois des difficultés d'approvisionnement ;
— les produits typiques employés dans le pays ou la région ;
— le goût des convives, ce qui est essentiel ;
— le budget alloué pour leur élaboration ;
— le personnel chargé de la réalisation ;
— la classe de l'établissement ;
— le genre de menus proposés.

RÉDACTION DES MENUS

Ces différents points étant considérés, les menus sont rédigés en observant certains critères :

POUR LES MENUS : FIXE SIMPLE, BANQUET, SOUPER, CHASSE, MAIGRE

CRITÈRES A OBSERVER	EXEMPLES	CAS PARTICULIERS ET REMARQUES
Alterner les sauces blanches et les sauces brunes	Filets de sole Païva Noisettes d'agneau à l'estragon	En pareil cas, lorsque le menu comporte plusieurs plats de viande, il est recommandé d'intercaler un sorbet entre les deux plats de viande
Alterner les viandes blanches et les viandes rouges	Suprême de volaille Maréchale Cœur de Charolais Richelieu	
Eviter les répétitions de garniture : plats composés d'éléments identiques	Estouffade de bœuf **Bourguignonne** et Poulet cocotte **Grand-mère**	Champignons, petits oignons, lardons Champignons, petits oignons, lardons
Eviter les répétitions de dénomination	Filets de sole **Bonne-femme** et Pintadeau poêlé **Bonne-femme**	

Eviter les répétitions de couleur. Proposition de plats différents sur un même menu, ayant un caractère identique de présentation avec parfois accompagnement de sauces de même couleur: blanche, brune, rose...	Œuf Princesse Turbotin braisé au Chablis Chaud-froid de volaille Soufflé vanille	Dérogation peut être faite en certains cas, lorsque le repas est placé sous un thème « coloré »: souper blanc ou souper rose
Veiller tout particulièrement aux appellations des mets, compte tenu des circonstances du repas: menus proposés à un groupe de diplomates, d'hommes d'affaires, etc.		Il y a lieu d'éviter les dénominations déplacées et les fautes de tact

POUR LES MENUS: GRANDE CARTE, FIXE AU CHOIX, FIXE SIMPLE, BANQUET, SOUPER, CHASSE, MAIGRE

CRITÈRES A OBSERVER	EXEMPLES	CAS PARTICULIERS ET REMARQUES
Eviter dans la rédaction l'emploi de l'article défini: **le, la, les**	**Le** potage Saint-Germain **La** truite au bleu **Les** côtes d'agneau grillées	
Eviter aussi l'emploi de la locution **« à la »** ou **« à l' »** lorsqu'elle précède un nom propre	Filet de bœuf **à la** Richelieu mais Filet de bœuf Richelieu ou Tournedos grillé **à la** Henri IV mais Tournedos grillé Henri IV	
Elle peut être employée indifféremment lorsqu'elle désigne **« à la manière de ... »**	Gnocchi **à la** Parisienne et Gnocchi Parisienne ou Homard **à l'**Américaine et Homard Américaine	Occasionnellement, dérogation peut être faite pour les menus de grande réception, où l'utilisation de l'article défini et de la locution est permise
La forme **« à la »** ou **« à l' »** ne peut être employée que lorsqu'elle est nécessaire. On ne conçoit pas certaines appellations sans cette locution	Epinards crème mais Epinards **à la** crème ou Truite gelée d'estragon mais Truite **à la** gelée d'estragon	
Respecter les appellations classiques de la cuisine traditionnelle	Tournedos **Rossini** Coq au **Chambertin** etc.	Le non-respect de ces deux règles, entraîne le contrevenant à des poursuites judiciaires (article 1er de la loi du 1er août 1965)
Respecter les appellations d'origine des produits utilisés	Volaille **de Bresse** Asperges blanches **de Vineuil** etc.	

CRITÈRES A OBSERVER	EXEMPLES	CAS PARTICULIERS ET REMARQUES
Respecter aussi l'orthographe des noms étrangers	Gnocchi et non **gnoki** Spaghetti et non **spaguetti** Tagliatelle et non **taliatelli** Steak et non **steack** Roastbeef et non **roosbeef** Rumpsteak et non **romsteack**	Dérogation peut être faite pour certains noms **francisés,** ex.: **Rosbif, Coquetele,** etc.
Employer uniquement la majuscule pour la première lettre de la ligne, et pour les substantifs qui désignent: une ville, une province, un nom propre	**S**oles des sables d'**O**stende **F**ilet de bœuf **R**ichelieu **O**ie confite du **P**érigord	
Afin d'éviter les erreurs, l'impression des menus en lettres majuscules est souhaitable	SOLE DES SABLES D'OSTENDE FILET DE BŒUF RICHELIEU OIE CONFITE DU PÉRIGORD	

B. ERREURS A ÉVITER DANS LA RÉDACTION D'UN MENU

MENU MAL RÉDIGÉ ET MAL DISPOSÉ

Tomate Monégasque
Filet de Barbue dugléré
Fricassée de volaille au Champagne

Riz pilaf
Salade de Laitue
Fromages Affinés
Pudding de riz à l'anglaise

MENU RECTIFIÉ

TOMATE PRINTANIÈRE

FILET DE BARBUE DÉJAZET

FRICASSÉE DE VOLAILLE AU CHAMPAGNE
RIZ PILAF

SALADE DE LAITUE

FROMAGES AFFINÉS

PUDDING DIPLOMATE

CRITIQUE

1. Le menu est mal centré.
2. Les différents plats ne sont pas correctement espacés.
3. Emploi indifféremment de majuscules et de minuscules.
4. La tomate est utilisée deux fois: pour la sauce Dugléré et la tomate Monégasque.
5. Deux sauces figurent dans le menu: filet de barbue Dugléré et fricassée de volaille au Champagne.
6. Deux fois du riz: riz pilaf et pudding de riz.
7. Deux fois du poisson: dans la garniture de la tomate Monégasque et filet de barbue Dugléré.

■ C. RENTABILITÉ - QUALITÉ

Après avoir mis en valeur tous les aspects techniques relatifs au choix des plats ainsi qu'aux règles qui déterminent leur succession, nous allons schématiser les éléments qui conditionnent une parfaite réussite.

A) RENTABILITÉ

PRIX DU REPAS	Connaître exactement le budget imparti à la cuisine. Le prix du repas pouvant comprendre globalement: a) les vins, b) le service, c) la décoration florale.

B) QUALITÉ

NOMBRE DE CONVIVES	Certaines préparations culinaires n'étant réalisables dans de bonnes conditions que pour un nombre de convives déterminé.
COMMODITÉS D'EXÉCUTION	a) Installation et situation de la cuisine. b) Personnel d'exécution; effectif; valeur professionnelle. c) Matériel de cuisson.
SERVICE	a) Matériel de dressage. b) Personnel d'exécution; effectif; valeur professionnelle.
TEMPS IMPARTI AU SERVICE	En pareil cas, les menus doivent faire l'objet d'une étude toute particulière. a) Facilité de dressage. b) Service rapide et chaud.

● 2. CLASSIFICATION DES MENUS STRUCTURE - ANALYSE

Les menus sont présentés à la clientèle sous différentes formes, elles sont fonction de la vocation propre à chaque établissement, de sa classe.

- ■ A. FIXE SIMPLE
- ■ B. FIXE AU CHOIX
- ■ C. GRANDE CARTE
- ■ D. SOUPER — CHASSE — MAIGRE
- ■ E. OFFICE
- ■ F. BREAKFAST
- ■ G. LUNCH ET COCKTAIL

■ A. FIXE SIMPLE

AVANTAGES	Une main-d'œuvre moins importante. Un équilibre du coût de revient.
INCONVÉNIENT	Ne laisse pas le choix aux clients.

REMARQUE

Cette catégorie de menus est principalement servie dans les hôtels où la clientèle fait un séjour prolongé. Il est nécessaire d'apporter un soin particulier à leur élaboration.

Pour cette raison, nous recommandons la « construction » d'une sorte de **PROGRAMMATION HEBDO-MADAIRE,** qui évitera une improvisation hâtive, génératrice de menus sans « relief » et insuffisamment variés.

● **NOTA.** Le **menu fixe simple** tend à disparaître au profit du **menu fixe au choix,** qui répond actuellement mieux, aux désirs de la clientèle.

PROGRAMMATION HEBDOMADAIRE

JOURS	LUNCHS	DINERS
LUNDI	SALADE NIÇOISE PANNEQUETS DE VOLAILLE CURRY D'AGNEAU RIZ PILAF QUELQUES FEUILLES VERTES CHOIX DE FROMAGES FRUITS D'ÉTÉ	POTAGE ALEXANDRA DARNE DE SAUMON AU COURT-BOUILLON SAUCE MOUTARDE MIGNON DE VEAU MELBA POMMES DARPHIN SALADE VERTE FROMAGES AFFINÉS PARFAIT GLACÉ MOKA PETITS FOURS
MARDI	GRAPE-FRUIT COCKTAIL FILETS DE MERLAN DÉJAZET CARRÉ DE PORC ROTI AU THYM APPLE SAUCE POMMES MAIRE FROMAGES RÉGIONAUX CORBEILLE DE FRUITS	CRÈME DE LÉGUMES AUX PERLES DU JAPON SOLE DES SABLES DORÉE AUX COURGETTES FINE VOLAILLE POÊLÉE BEAULIEU SALADE DE SAISON FROMAGES DE CHOIX BREAD AND BUTTER PUDDING
MERCREDI	FEUILLE DE PARME TARTELETTE AUX GNOCCHI PARISIENNE SIRLOIN STEAK MAITRE DE CHAI POMMES MIETTES SALADE DE LAITUE FROMAGES AFFINÉS CORBEILLE DE FRUITS	POTAGE BRÉSILIEN AILERON DE RAIE BEURRE NOISETTE CARRÉ D'AGNEAU AUX PRIMEURS SALADE DE BATAVIA QUELQUES FROMAGES AFFINÉS MERINGUE GLACÉE CHANTILLY

JEUDI	

MELON DE PROVENCE RAFRAICHI	CONSOMMÉ JULIENNE
ŒUF POCHÉ MADRAS	TRUITE AU CHAMPAGNE
ROGNONNADE DE VEAU ÉTUVÉE AU SHERRY CAROTTES A LA CRÈME POMMES FONDANTES	COQUELET GRILLÉ AU BACON BEIGNETS DE TOMATE POMMES GAUFRETTES
SALADE DE LAITUE AUX POIVRONS	SALADE DE LAITUE AUX NOIX
FROMAGE DE CHOIX	SÉLECTION DE FROMAGES
CORBEILLE DE FRUITS	MILLE-FEUILLES AU KIRSCH

ENDREDI

CRUDITÉS MONÉGASQUES	CRÈME POMPADOUR
PILAF DE MOULES MARINIÈRE	TURBOT GRILLÉ BÉARNAISE
TOURNEDOS GRILLÉ CONTINENTAL	GIGOT D'AGNEAU EN BRIOCHE SAUCE LAVALLIÈRE GRATIN DE HARICOTS VERTS
SALADE DE SAISON	
CHOIX DE FROMAGES RÉGIONAUX	FROMAGES DE CHOIX
FRUITS D'ÉTÉ	POIRE BELLE-HÉLÈNE

SAMEDI

BUFFET DE HORS-D'ŒUVRE	POTAGE ROYAN
MAQUEREAU GRILLÉ AUX ANCHOIS	FILETS DE SOLE DUGLÉRÉ
MEURETTE DE VEAU NOUILLES FRAICHES	TRAIN DE COTES DE BŒUF ROTI YORKSHIRE PUDDING BOUCHÉE FONTAINEBLEAU
SALADE VERTE	SALADE DE BATAVIA A L'ESTRAGON
QUELQUES FROMAGES AFFINÉS	FROMAGES DE FRANCE
FRUITS D'ÉTÉ	CRÈME VIENNOISE SABLÉS BRUXELLOIS

DIMANCHE

PERLES DE MELON GIVRÉES AU FRONTIGNAN	CONSOMMÉ A L'ESSENCE D'ESTRAGON PAILLETTES D'OR
FLAN AU COMTÉ	BLANC DE BARBUE PAIVA
JAMBON DE FRANCE BRAISÉ PÉRIGOURDINE PORTE MAILLOT	PINTADEAU POÊLÉ SMITANE CŒURS DE CÉLERI A LA CRÈME
QUELQUES FEUILLES VERTES	
CHOIX DE FROMAGES	FROMAGES RÉGIONAUX
CORBEILLE DE FRUITS	BUFFET DE PATISSERIES

STRUCTURE ET ANALYSE DU MENU FIXE SIMPLE

● A.

STRUCTURE	ANALYSE
HORS-D'ŒUVRE	Alterner les hors-d'œuvre froids, soit sous une forme composée: **SÉLEC-TION DE HORS-D'ŒUVRE,** soit sous une forme individuelle: **TOMATE MONÉGASQUE.**
ENTRÉES	Inclure des **poissons ordinaires:** merlan, friture, raie, moules, etc. Des **pâtes** et **farinages:** spaghetti, gnocchi, ravioli, etc. Des **hors-d'œuvre** chauds: quiche, talmouse, bouchée, etc. Des œufs, toute la gamme sauf les œufs froids qui ont leur place plus particulièrement dans les hors-d'œuvre.
PLATS CENTRAUX	Alterner les **viandes de boucherie:** bœuf, veau, mouton, porc. Eventuellement le **gibier** pendant la saison, ainsi que les **volailles:** poulet, pintade, caneton. Les préparations en sauce seront de préférence servies au déjeuner: fricassée de volaille, navarin aux primeurs, etc.
LÉGUMES	Ils seront le plus varié possible et s'apparenteront dans la mesure du possible avec la viande ou la volaille. Néanmoins les pommes de terre seront servies au moins une fois par jour, seules ou dans les garnitures composées.
SALADES	Varier les salades simples et les salades composées.
FROMAGES	Sous forme d'un choix.
ENTREMETS OU DESSERTS	Peuvent figurer les pâtisseries traditionnelles, les petites et les grosses pièces, les entremets de cuisine chauds ou froids. Il est de coutume dans les hôtels saisonniers, de n'offrir sur le menu, que des fruits, en laissant la possibilité aux clients de demander une pâtisserie ou une glace.

● B) DINER

POTAGES	Alterner les potages taillés, les crèmes, les purées, les consommés, etc. En été un potage froid peut être proposé.
POISSONS	Alterner les espèces et les modes de cuisson. Inclure des **poissons riches.**
PLATS CENTRAUX	Alterner les **viandes de boucherie:** bœuf, veau, mouton, porc. Eventuellement le **gibier** pendant la saison, ainsi que les **volailles:** poulet, pintade, caneton. Les préparations en sauce très élaborées seront éliminées.
LÉGUMES	Ils seront le plus varié possible et s'apparenteront, dans la mesure du possible, avec la viande ou la volaille. Néanmoins, les pommes de terre seront servies au moins une fois par jour, seules ou dans les garnitures composées.
SALADES	Varier les salades simples et les salades composées.
FROMAGES	Sous forme d'un choix.
ENTREMETS OU DESSERTS	Peuvent figurer les pâtisseries traditionnelles, les petites et les grosses pièces, les entremets de cuisine chauds ou froids, les glaces et ses dérivés.

● NOTA. En période estivale, des plats froids peuvent être intégrés.

■ B. FIXE AU CHOIX

AVANTAGES	Permet aux clients de choisir dans une gamme. C'est une sorte de carte restreinte.
INCONVÉNIENTS	Sa réalisation nécessite: a) Une main-d'œuvre assez importante. b) Un prix de revient légèrement plus élevé que le **menu fixe simple.**

REMARQUE

Nous avons ajouté après le menu du **DÉJEUNER** et celui du **DINER,** une **VERSION SIMPLIFIÉE.** Cette formule est actuellement utilisée dans beaucoup de grands hôtels.

Elle permet:

a) De diminuer le coût de revient.

b) De présenter un menu moins chargé, ce qui correspond actuellement aux désirs d'une fraction importante de la clientèle.

EXEMPLE D'UN MENU
« FIXE AU CHOIX »

DÉJEUNER DU ....

SÉLECTION DE HORS-D'ŒUVRE
GRAPE-FRUIT RAFRAICHI MONTMORENCY
TERRINE DE POULARDE TRUFFÉE
SHRIMPS COCKTAIL
FEUILLE DE PARME

SPAGHETTI BOLOGNESE
MERLAN BRILLANT FRIT COLBERT
OMELETTE JURASSIENNE
QUICHE LORRAINE
SOLE DES SABLES
GRILLÉE BEURRE NANTAIS

TRAIN DE COTES
DE BŒUF NORMAND ROTI POMMES ANNA
FRICASSÉE DE VOLAILLE AU CHAMPAGNE
RIZ PILAF
STEAK MINUTE TYROLIENNE
MIGNON DE VEAU DUROC
JAMBON GRILLÉ AU MAIS
BUFFET FROID A LA GELÉE

SALADE DE SAISON

CHOIX DE FROMAGES

TARTE AUX MIRABELLES DE LORRAINE
COMPOTES DE FRUITS ASSORTIES
MERINGUES GLACÉES CHANTILLY
GLACE VANILLE CAFÉ FRAISE
CORBEILLE DE FRUITS

VERSION SIMPLIFIÉE D'UN MENU
« FIXE AU CHOIX »

DÉJEUNER DU ....

SÉLECTION DE HORS-D'ŒUVRE
GRAPE-FRUIT RAFRAICHI MONTMORENCY
TERRINE DE POULARDE TRUFFÉE
OMELETTE JURASSIENNE
MERLAN BRILLANT FRIT COLBERT
QUICHE LORRAINE

TRAIN DE COTES
DE BŒUF NORMAND ROTI POMMES ANNA
FRICASSÉE DE VOLAILLE
AU CHAMPAGNE RIZ PILAF
STEAK MINUTE TYROLIENNE
SOLE DES SABLES GRILLÉE
BEURRE NANTAIS POMMES VAPEUR
BUFFET FROID A LA GELÉE

SALADE DE SAISON

CHOIX DE FROMAGES

TARTE AUX MIRABELLES DE LORRAINE
COMPOTES DE FRUITS ASSORTIES
MERINGUES GLACÉES CHANTILLY
GLACE VANILLE CAFÉ FRAISE
CORBEILLE DE FRUITS

DINER DU ....

CONSOMMÉ AU FUMET DE CÉLERI
CRÈME DE LÉGUMES AUX CROUTONS
POTAGE LAMBALLE
POTAGE PARISIEN

FILETS DE SOLE POLIGNAC
TURBOT POCHÉ AU COURT-BOUILLON
SAUCE MOUTARDE
TRUITE DU VIVIER
DORÉE BELLE-MEUNIÈRE
SUPRÊME DE BARBUE DÉJAZET

JAMBON DE FRANCE BRAISÉ AU VIN DE
FUNCHALD JARDINIÈRE DE PRIMEURS
SIRLOIN STEAK GRILLÉ MIRABEAU
POMMES COPEAUX
WIENER SCHNITZEL POMMES SAUTÉES
FINE VOLAILLE ROTIE NIÇOISE
FOIE DE VEAU GRILLÉ A L'ANGLAISE
BUFFET FROID A LA GELÉE

SALADE DE SAISON

CHOIX DE FROMAGES

PATISSERIE PARISIENNE
COMPOTES DE FRUITS ASSORTIES
CRÈME RENVERSÉE AU CARAMEL
VACHERIN GLACÉ CHANTILLY
CORBEILLE DE FRUITS

DINER DU ....

CONSOMMÉ AU FUMET DE CÉLERI
CRÈME DE LÉGUMES AUX CROUTONS
POTAGE LAMBALLE
POTAGE PARISIEN

JAMBON DE FRANCE BRAISÉ AU VIN DE
FUNCHALD JARDINIÈRE DE PRIMEURS
SIRLOIN STEAK GRILLÉ MIRABEAU
POMMES COPEAUX
WIENER SCHNITZEL POMMES SAUTÉES
FINE VOLAILLE ROTIE NIÇOISE
FILETS DE SOLE POLIGNAC
POMMES VAPEUR
BUFFET FROID A LA GELÉE

SALADE DE SAISON

CHOIX DE FROMAGES

PATISSERIE PARISIENNE
COMPOTES DE FRUITS ASSORTIES
CRÈME RENVERSÉE VIENNOISE
VACHERIN GLACÉ CHANTILLY
CORBEILLE DE FRUITS

STRUCTURE ET ANALYSE DU MENU FIXE AU CHOIX

STRUCTURE	ANALYSE
● A) DÉJEUNER	
HORS-D'ŒUVRE	Faire figurer les hors-d'œuvre sous forme d'un assortiment ou sous forme individuelle. Il ne faut pas omettre pendant les mois en « R », sauf sur les lieux de production, les huîtres et les coquillages.
ENTRÉES	Peuvent figurer à cette rubrique les pâtes, les farinages, les poissons simples, les œufs (sous une seule forme de cuisson), les hors-d'œuvre chauds sous une forme individuelle.
PLATS CENTRAUX	Comprendront dans la mesure du possible un plat du jour « à la voiture ». Viendra s'ajouter à ce plat du jour une pièce de volaille et éventuellement une pièce de gibier pendant la saison, ainsi que des petites pièces « entrées volantes ». Une grillade sera intercalée. Pour toutes ces préparations les garnitures seront mentionnées.

LÉGUMES	La rubrique des légumes ne figure en principe que dans les stations thermales (en raison des régimes), sous forme d'une énumération.
SALADES	Il est possible d'en faire figurer plusieurs.
FROMAGES	L'assortiment est recommandé.
ENTREMETS OU DESSERTS	Peuvent figurer les pâtisseries traditionnelles, les compotes, les glaces et les dérivés, les entremets de cuisine chauds ou froids, sans oublier les fruits.

● B) DINER

POTAGES	Consommé chaud et froid + un potage froid en période de chaleur. Il faut ajouter à cela un potage taillé et un ou deux potages pris dans les autres catégories.
POISSONS	Poissons riches en principes, sous forme de filets, de darnes, de tronçons ou entiers (portion), traités par des techniques culinaires différentes.
PLATS CENTRAUX	Comprendront dans la mesure du possible un plat du jour « à la voiture ». Viendra s'ajouter à ce plat du jour une pièce de volaille et éventuellement une pièce de gibier pendant la saison, ainsi que des petites pièces « entrées volantes ». Une grillade sera intercalée. Pour toutes ces préparations, les garnitures seront mentionnées. Les sautés et les braisés seront dans une certaine mesure éliminés étant indigestes.
LÉGUMES	La rubrique des légumes ne figure en principe que dans les stations thermales (en raison des régimes), sous forme d'une énumération.
SALADES	Il est possible d'en faire figurer plusieurs.
FROMAGES	L'assortiment est recommandé.
ENTREMETS OU DESSERTS	Peuvent figurer les pâtisseries traditionnelles, les compotes, les glaces et les dérivés, les entremets de cuisine chauds ou froids.

■ C. GRANDE CARTE

STRUCTURE	ANALYSE
AVANTAGES	Permet de satisfaire la clientèle la plus exigeante, si la carte est bien équilibrée.
INCONVÉNIENTS	Sa réalisation nécessite: a) Un stockage conséquent, en raison de la variété d'aliments nécessaires. b) Une main-d'œuvre relativement importante.

EXEMPLE D'UN MENU « GRANDE CARTE »

DÉJEUNER DU ....

Hors-d'œuvre

SÉLECTION DE HORS-D'ŒUVRE — JAMBON DE PARME
ROSETTE — SALAMI — TOAST A LA MOELLE
CAVIAR D'IRAN — LOBSTER COCKTAIL — GRAPE-FRUIT RAFRAICHI
SAUMON FUMÉ — ESCARGOTS DE BOURGOGNE (la dz.) — HUITRES DE PLEINE MER (la dz.)

Potages

CONSOMMÉ DOUBLE: CHAUD ou RAFRAICHI — CRÈME DE LÉGUMES AUX CROUTONS

Pâtes

SPAGHETTI BOLOGNESE — NOUILLES AU GRATIN

Œufs

OMELETTE ESPAGNOLE — ŒUFS BROUILLÉS MARIVAUX — ŒUFS PLAT AMÉRICAINE
ŒUFS COCOTTE ZINGARA — ŒUFS POCHÉS TOUPINEL — ŒUFS FRITS YORKAISE

Poissons

TRUITE DU VIVIER AU BLEU — GOUJONS DE SOLE MURAT — SOLE GRILLÉE BEURRE NANTAIS
TURBOT POCHÉ SAUCE HOLLANDAISE — SUPRÊME DE BARBUE GALLIERA
FRITURE D'ÉPERLANS — COQUILLES SAINT-JACQUES SAUTÉES PROVENÇALE
LANGOUSTE THERMIDOR — HOMARD CARDINAL

Plat du jour

DINDONNEAU ROTI AUX MARRONS DES CÉVENNES

Entrées

TOURNEDOS MASSÉNA — COTE DE PORC HOLSTEIN — MIGNON DE VEAU AU PAPRIKA
NOISETTES D'AGNEAU MASCOTTE — SIRLOIN STEAK AU POIVRE — CAILLES AU RAISIN
CERVELLE D'AGNEAU FLORENTINE — FOIE DE VEAU A L'ANGLAISE
BOUDIN BLANC TRUFFÉ AUX REINETTES — ROGNON DE VEAU BERRICHONNE

Grillades

STEAK — ENTRECOTE MINUTE — CHATEAUBRIAND — FILET MINUTE
COTES D'AGNEAU — LAMB CHOP — MIXED GRILL — PORK CHOP

Rôtis

CARRÉ et SELLE D'AGNEAU — VOLAILLE DE BRESSE — PERDREAU — FAISAN

Buffet froid

ROASTBEEF — VEAU — POULET — JAMBON D'YORK — LANGUE ÉCARLATE
PARFAIT DE FOIE GRAS — TERRINE DE CANETON TRUFFÉE

Légumes

LAITUES BRAISÉES — BAKED POTATOES — ENDIVES — HARICOTS VERTS
ARTICHAUT — PETITS POIS — CHOUX-FLEURS — ÉPINARDS

Salades

CŒUR DE LAITUE — MACHE — SCAROLE — VERTE et TOMATE — SALADE LORETTE

Choix de fromages affinés

Entremets

PATISSERIE PARISIENNE — CRÈME CARAMEL — POT DE CRÈME
POIRE CONDÉ — COUPE ALEXANDRA — BUCHE DE NOËL — CHRISTMAS PUDDING
GLACE VANILLE, CAFÉ, FRAISE — MERINGUE CHANTILLY
CRÊPES FLAMBÉES AUX LIQUEURS — COMPOTE DE FRUITS — CORBEILLE DE FRUITS

VERSION SIMPLIFIÉE DU MENU « GRANDE CARTE » POUR BRIGADE INCOMPLÈTE

DÉJEUNER DU ....

Hors-d'œuvre

SÉLECTION DE HORS-D'ŒUVRE — JAMBON DE PARME
ROSETTE — SALAMI — CROQUE-MONSIEUR — TOAST A LA MOELLE — CAVIAR D'IRAN
LOBSTER COCKTAIL — SAUMON FUMÉ
GRAPE-FRUIT RAFRAICHI — HUITRES DE PLEINE MER (la dz.)

Potages

CONSOMMÉ DOUBLE: CHAUD ou RAFRAICHI — CRÈME DE LÉGUMES AUX CROUTONS

Œufs

OMELETTE ESPAGNOLE — ŒUFS BROUILLÉS MARIVAUX — ŒUFS PLAT AMÉRICAINE
ŒUFS COCOTTE ZINGARA — ŒUFS POCHÉS TOUPINEL — ŒUFS FRITS YORKAISE

Poissons

TRUITE DU VIVIER AU BLEU — GOUJONS DE SOLE MURAT — SOLE GRILLÉE BEURRE NANTAIS
TURBOT POCHÉ SAUCE HOLLANDAISE — SUPRÊME DE BARBUE GALLIERA
FRITURE D'ÉPERLANS — COQUILLES SAINT-JACQUES SAUTÉES PROVENÇALE
LANGOUSTE THERMIDOR — HOMARD CARDINAL

Plat du jour

DINDONNEAU ROTI AUX MARRONS DES CÉVENNES

Entrées

TOURNEDOS MASSÉNA — COTE DE PORC HOLSTEIN — MIGNON DE VEAU AU PAPRIKA
CERVELLE DE VEAU FLORENTINE — SIRLOIN STEAK AU POIVRE
BOUDIN BLANC TRUFFÉ AUX REINETTES — ENTRECOTE MINUTE TYROLIENNE
LAMB CHOP GRILLÉ AMÉRICAINE — CHATEAUBRIAND BÉARNAISE

Légumes

LAITUES BRAISÉES — ENDIVES MEUNIÈRE — HARICOTS VERTS AU BEURRE
ÉPINARDS A LA CRÈME — SPAGHETTI A L'ITALIENNE
POMMES A L'ANGLAISE — TOMATES GRILLÉES

Salade de saison

Choix de fromages

Desserts

PATISSERIE PARISIENNE — CRÈME AU CARAMEL — COUPE ALEXANDRA — MERINGUE CHANTILLY
GLACE VANILLE, CAFÉ, FRAISE — COMPOTE DE FRUITS — CORBEILLE DE FRUITS

STRUCTURE ET ANALYSE DE LA GRANDE CARTE

STRUCTURE	ANALYSE
● A) DÉJEUNER **HORS-D'ŒUVRE**	Faire figurer des éléments de la gamme des hors-d'œuvre froids et éventuellement des hors-d'œuvre chauds. Il ne faut pas omettre, pendant les mois en « R », sauf sur les lieux de production, les huîtres et les coquillages.
POTAGES	Ils sont **facultatifs** au déjeuner, en raison de la diversité de la clientèle. C'est maintenant une règle admise dans les hôtels que la carte du déjeuner en comporte au moins deux: un clair et un lié.

STRUCTURE	ANALYSE
DÉJEUNER (suite) **PATES**	Elles ne figurent que sur la carte des hôtels ou sur celle de restaurants spécialisés. La règle admet d'y faire aussi figurer les gnocchi, les ravioli...
ŒUFS	Différencier les techniques de cuisson ainsi que les garnitures.
POISSONS	Mettre les principaux poissons de choix traités par des techniques culinaires différentes. Intercaler les crustacés et quelques poissons plus simples, appréciés par leur qualité: raie, merlan, etc.
PLAT DU JOUR	Le plat du jour **est toujours préparé à l'avance, le client ne doit pas attendre.** Le service s'effectue en principe « à la voiture ». Il peut être composé d'une pièce de boucherie, de volaille ou de gibier (pendant la saison) rôtie, poêlée, sautée ou braisée. Il peut être de poisson (le vendredi): coulibiac, bouillabaisse, etc.
ENTRÉES « VOLANTES »	Les « entrées » comprennent toute la gamme des petites pièces pouvant être réalisées « à la commande »: boucherie, volaille, abats, gibier (pendant la saison).
GRILLADES	Ce poste comprend toutes les grillades courantes sans préciser la garniture qui est systématiquement des pommes traitées par la friture.
ROTIS	Les rôtis comprennent: les volailles, les gibiers (pendant la saison) et les petites pièces de boucherie. Ils sont mis à cuire dès la « commande ». Leur temps de cuisson n'excède pas en principe 50 à 60 minutes.
BUFFET FROID	Gamme de viande froide et de volaille. Les terrines et le foie gras peuvent figurer dans ce chapitre (ou dans celui des hors-d'œuvre).
LÉGUMES	Il y a deux formules pour les présenter: — en les énumérant, — en précisant leur préparation.
SALADES	Il paraît logique de présenter plusieurs variétés de salades: simples et composées.
FROMAGES	Il est préférable d'éviter l'énumération et d'adopter la formule « au choix ».
ENTREMETS OU DESSERTS	Hormis les pâtisseries traditionnelles et les fruits, il faut laisser une large place aux entremets dits « de cuisine », aux glaces et aux dérivés. ● **NOTA.** Lorsque les fruits sont d'un gros calibre en raison de leur coût élevé, il s'avère nécessaire d'en faire l'énumération pour les chiffrer.

● **B) DINER**

La structure de la carte du dîner est légèrement différente de celle du déjeuner:

— Le poste des hors-d'œuvre voit disparaître « LA SÉLECTION DE HORS-D'ŒUVRE ».
— Le chapitre des œufs est intégralement supprimé au profit des « POTAGES ».

POTAGES ┃ La gamme des potages doit être variée: elle comprend des potages clairs et des potages liés, parfois un ou deux potages froids en période estivale. Invariablement un consommé et un potage à base de Saint-Germain sont intégrés.

PARTICULARITÉS DE LA GRANDE CARTE

Dans beaucoup d'établissements, il est maintenant courant d'imprimer la grande carte **pour la journée,** parfois aussi pour une **période indéterminée.**

● **1. CARTE IMPRIMÉE « POUR LA JOURNÉE »**

A. Cette carte est présentée tant au dîner qu'au déjeuner.
B. Il est précisé au chapitre **« POTAGES »** ou à certains potages, **« seulement au dîner ».**
C. Les plats du jour figurent sur deux lignes:

EXEMPLE:

AU DÉJEUNER

TRAIN DE COTES DE BŒUF ROTI YORKSHIRE PUDDING
POMMES A LA CRÈME
ET
SAUTÉ D'AGNEAU AUX PETITS LÉGUMES

AU DINER

GIGOT DE PRÉ-SALÉ PERSILLÉ
HARICOTS VERTS FORESTIÈRE AU GRATIN
ET
POULET SAUTÉ DUROC

Il y a une autre formule qui consiste à laisser à la rubrique **« PLAT DU JOUR »** un emplacement en blanc: un « papillon » est collé pour le déjeuner, changé pour le dîner, sur lequel figure le ou les plats du jour.

● **2. CARTE IMPRIMÉE « POUR UNE PÉRIODE INDÉTERMINÉE »**

La méthode employée est la même que celle précédemment étudiée. Il est certain que les mets qui y figurent doivent être étudiés, pour que la mise en place qui est constante, n'occasionne pas de perte.
Il existe deux variantes de cette **CARTE PÉRIODIQUE,** ce qui lui donne un certain attrait:

A. Sur le côté de la carte, en principe la page de gauche qui est vierge, figure **« UN SEMAINIER »,** sur lequel est inscrit en regard des jours de la semaine, le ou les plats du jour qui reviennent toutes les semaines à jour fixe.
Le « semainier » peut être changé toutes les semaines.

EXEMPLE D'UN « SEMAINIER »

LUNDI	CŒUR DE CHAROLAIS EN CROUTE SAUCE PÉRIGUEUX TIMBALE DE PRIMEURS
MARDI	GIGOT D'AGNEAU DE PRÉ-SALÉ ROTI ET PERSILLÉ HARICOTS PANACHÉS
MERCREDI	FRICASSÉE DE VEAU AU CHAMPAGNE RIZ PILAF
JEUDI	CARRÉ DE PORC ROTI APPLE SAUCE POMMES CRÈME ET GRATIN
VENDREDI	FINE VOLAILLE POÊLÉE NIÇOISE
SAMEDI	COULIBIAC DE SAUMON
DIMANCHE	CONTREFILET DE BŒUF NORMAND ROTI VRAI JUS POMMES MACAIRE

REMARQUE

Ainsi le plat du jour reste le même pour la journée. Il est aussi possible de séparer chaque journée en deux périodes: déjeuner, dîner, et de proposer des plats du jour différents.

B. Sur le côté de la carte, en principe la page de gauche qui est vierge, figurent **LES SUGGESTIONS,** qui peuvent être différentes pour le **déjeuner** et pour le **dîner.**
Elles changent tous les jours. A cela sont adjointes parfois quelques **spécialités** qui restent, elles, inchangées.

EXEMPLE DES « SUGGESTIONS »

AU DÉJEUNER

ŒUF POCHÉ CHAILLOT
TOAST A LA MOELLE
SALADE DE LANGOUSTINES

GOUJONNETTES DE SOLE MURAT
ROUGET BARBET GRILLÉ SAUCE CHORON

POULET DE BRESSE POÊLÉ NORMANDE
TÊTE DE VEAU SAUCE RÉMOULADE
CŒUR DE CHAROLAIS
EN GELÉE PRINTANIÈRE

ASPERGES VERTES OU BLANCHES
SAUCE MOUSSELINE

TARTE AUX FRAISES

AU DINER

MINESTRONE AU PARMESAN
VICHYSSOISE RAFRAICHIE

PILAF DE MOULES BERCY

CARRÉ DE VEAU POÊLÉ
BOUQUETIÈRE DE PRIMEURS
TOURNEDOS GRILLÉ BELLE-HÉLÈNE

SOUFFLÉ ROTHSCHILD

■ D. SOUPER - CHASSE - MAIGRE

MENUS DE SOUPER

Il n'y a aucune règle précise pour établir les **menus de souper.** Deux facteurs sont déterminants pour les élaborer:
— **Prix de revient**
— **Lieu où ils sont réalisés**
En raison du caractère particulier de ces menus, manifestations très souvent mondaines, les prix pratiqués sont généralement élevés.
C'est pour cette raison que nous allons vous donner des suggestions que nous ne pouvons considérer comme classiques, dans toute l'acception du terme. Elles vous permettront néanmoins d'avoir une idée d'ensemble sur les possibilités qui peuvent être employées.

EXEMPLE D'UN MENU DE SOUPER

CAVIAR D'IRAN SUR NEIGE
BLINIS

ESSENCE DE QUEUE DE BŒUF AU SHERRY

HOMARD DES ILES CHAUSEY THERMIDOR

SUPRÊME DE VOLAILLE AUX POINTES D'ASPERGES

SORBET NORMAND

CŒUR DE CHAROLAIS GLACÉ STRASBOURGEOISE

SALADE CHAMPS-ÉLYSÉES

POIRE WILLIAMS AMBASSADEUR
MIGNARDISES

REMARQUES

Ces menus peuvent comprendre un nombre restreint de services.
Ils peuvent être conçus uniquement avec des préparations froides. Toutes les combinaisons sont possibles.

STRUCTURE POSSIBLE ET ANALYSE DU MENU DE SOUPER

Caviar ou saumon fumé, ou huîtres, ou foie gras.

Consommé, avec garnitures différentes; oxtail soup ou soupe de tortue ou Germiny.
Certains peuvent être servis chauds ou froids.

Homard ou langouste, ou poisson riche.
Certains peuvent être servis chauds ou froids.

Volaille ou viande de boucherie, ou gibier pendant la saison, accompagnés d'une garniture simple ou composée.
Certains peuvent être servis chauds ou froids.

Sorbet (généralement recommandé).

Foie gras ou chaud-froid de volaille, ou pièce de viande à la gelée.

Salade simple ou salade composée.

Dessert à base de glace avec petits fours mignardises.

MENUS DE CHASSE

Les menus de chasse mettent en valeur le gibier, qu'il soit de plume, ou qu'il soit de poil.
Il va de soi, qu'il faille respecter les réglementations en vigueur qui sont fonction des périodes autorisées pour la chasse.

EXEMPLE DE DEUX MENUS

DÉJEUNER	DINER
TERRINE DE VENAISON	POTAGE SAINT-HUBERT
POUILLARD ROTI SUR CANAPÉ	SALMIS DE BÉCASSE
CIVET DE LIÈVRE A LA FRANÇAISE NOUILLES FRAICHES	GIGUE DE CHEVREUIL GRAND VENEUR PURÉE CÉVENOLE MOUSSELINE DES VIVEURS
QUELQUES FEUILLES VERTES	SALADE DE LAITUE
TARTE SOLOGNOTE	RIZ A L'IMPÉRATRICE

MENUS MAIGRES

Les menus maigres sont réservés de préférence en période de Carême, et plus particulièrement le vendredi Saint.
Il faut noter que les allègements apportés aux lois de l'Eglise, rendent moins stricte la suppression de la viande et de la volaille de toute nourriture.

EXEMPLE DE DEUX MENUS

DÉJEUNER	DINER
HUITRES DE MARENNES	SOUPE DE TORTUE CHESTER CAKE
QUICHE AU SAUMON FUMÉ	HOMARD DES ILES CHAUSEY THERMIDOR
TURBOTIN GRILLÉ SAINT-GERMAIN	BROCHET AU COURT-BOUILLON BEURRE NANTAIS - POMMES VAPEUR
FOND D'ARTICHAUT FLORENTINE	
SALADE DE DOUCETTE AUX NOIX	CŒUR DE PALMIER REMOULADE
POIRE BELLE HÉLÈNE SACRISTAINS ET PALMIERS	BAVAROIS RUBANNÉ PETITS FOURS

■ *E. OFFICE*

Deux points sont à retenir pour que ce travail **« qu'il ne faut en aucun cas négliger »** soit réalisé dans des conditions optima:
— Prévoir une **PROGRAMMATION HEBDOMADAIRE,** afin d'obtenir un équilibre de valeur des repas.
— Tenir compte de la somme impartie à ces prestations qui est déterminante dans une très grande mesure.

OURS	DÉJEUNERS	DINERS
UNDI	SARDINES BEURRE ROTI DE PORC POMMES BOULANGÈRE SALADE VERTE SAINT-PAULIN	POTAGE...... LANGUE DE BŒUF SAUCE TOMATE PETITS POIS AU BEURRE SALADE VERTE PUDDING DE SEMOULE
ARDI	SALADE DE TOMATE ET CONCOMBRE POITRINE DE VEAU POÊLÉE NOUILLES AU BEURRE SALADE VERTE BANANE	POTAGE...... JAMBON DE PARIS JARDINIÈRE SALADE VERTE YAOURT
RCREDI	SAUCISSON SEC LAPIN SAUTÉ AU VIN BLANC POMMES RISSOLÉES SALADE DE SAISON CAMEMBERT	POTAGE...... BŒUF SAUCE PIQUANTE HARICOTS VERTS SALADE DE SAISON CRÈME DE MARRONS
EUDI	GRAPE-FRUIT POULE SAUCE SUPRÊME RIZ PILAF SALADE VERTE ORANGE	POTAGE...... VIANDE FROIDE SALADE MIXTE PETITS SUISSES
NDREDI	MUSEAU DE PORC VINAIGRETTE ROASTBEEF POMMES MOUSSELINE SALADE DE SAISON CARRÉ DE L'EST	POTAGE...... FILET DE LIEU PANÉ POMMES PERSILLÉES SALADE VERTE POMME
AMEDI	SALADE DE RIZ A LA GRECQUE HARICOT DE MOUTON SALADE VERTE POIRE	POTAGE...... HACHIS PARMENTIER SALADE LAITUE TOMATE CRÈME DE GRUYÈRE
MANCHE	ŒUF DUR A LA RUSSE POULET ROTI POMMES FRITES SALADE DE SAISON TARTE AUX FRUITS	POTAGE...... ROASTBEEF FROID CAROTTES AU BEURRE SALADE VERTE COMPOTE DE POMMES

◼ F. BREAKFAST

AVANTAGES	D'un très grand intérêt dans les hôtels où la clientèle étrangère représente une fraction importante. Permet de satisfaire cette clientèle habituée à prendre le matin un petit déjeuner très substantiel. Il prend alors le caractère d'un véritable repas.
INCONVÉNIENTS	Sa réalisation nécessite obligatoirement la présence d'un cuisinier le matin, de très bonne heure soit à la cuisine, soit au room service.

STRUCTURE DE LA CARTE DU BREAKFAST

Petit déjeuner

THÉ CAFÉ CHOCOLAT INFUSION CACAO	COMPLET AVEC	CROISSANT — BRIOCHE PETIT PAIN AU LAIT ou TOAST BEURRE CONFITURE — MARMELADE — MIEL

THÉ SIMPLE — INFUSION — CHOCOLAT — CACAO
CAFÉ FILTRE — CAFÉ SIMPLE — CAFÉ AMÉRICAIN — CAFÉ DÉCAFÉINÉ
PORRIDGE — CORN FLAKES — PETIT POT DE CRÈME FRAICHE

Œufs

ŒUFS A LA COQUE ŒUFS AU JAMBON ŒUFS POCHÉS SUR TOAST	ŒUFS AU PLAT ŒUFS AU BACON ŒUFS BROUILLÉS	OMELETTE NATURE OMELETTE JAMBON OMELETTE CONFITURE

Poissons

SOLE MEUNIÈRE — FILETS DE SOLE FRITS — HADDOCK POCHÉ

Grillades

BACON GRILLÉ — JAMBON POÊLÉ — ENTRECOTE MINUTE — HAM STEAK
HAMBURGER STEAK — CUISSE DE VOLAILLE GRILLÉE

Viandes froides

JAMBON D'YORK — JAMBON DE BAYONNE — ROASTBEEF — LANGUE ÉCARLATE
ASSIETTE ANGLAISE — VOLAILLE FROIDE — NOIX DE VEAU

YAOURT — PETIT SUISSE — CRÈME CHANTILLY
GRAPE FRUIT — COMPOTES ASSORTIES — FRUITS DE SAISON
ORANGES PRESSÉES

■ *G. LUNCH ET COCKTAIL*

La composition des lunchs et des cocktails est exclusivement fonction du prix fixé au client, de ses préférences en ce qui concerne la variété.

Dans les établissements spécialisés, il est courant de proposer comme base par personne:

— 10 à 13 pièces salées (froides et chaudes),
— 5 pièces sucrées.

SUGGESTIONS POUVANT FIGURER SUR UN BUFFET

DÉNOMINATION		ÉLÉMENTS CONSTITUTIFS

● **PIÈCES FROIDES**

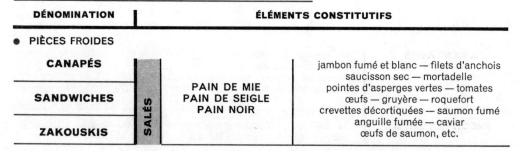

CANAPÉS		PAIN DE MIE PAIN DE SEIGLE PAIN NOIR	jambon fumé et blanc — filets d'anchois saucisson sec — mortadelle pointes d'asperges vertes — tomates
SANDWICHES	SALÉS		œufs — gruyère — roquefort crevettes décortiquées — saumon fumé
ZAKOUSKIS			anguille fumée — caviar œufs de saumon, etc.

PETITS PAINS	**SALÉS**	PAIN BRIOCHE PAIN AU LAIT	foie gras — crème de foie jambon fumé et blanc — langue écarlate salami — mortadelle — zampino saumon fumé — saumon frais — thon beurres composés divers chester — gruyère — légumes, etc.
ALLUMETTES		FEUILLETAGE	anchois — gruyère — jambon, etc.
TALMOUSES		FEUILLETAGE	gruyère — jambon, etc.
FOURS SECS	**SUCRÉS**	FEUILLETAGE PATE SABLÉE	sacristains — palmiers — jésuites allumettes — condés — sablés divers, etc.
FOURS FRAIS		PATE A CHOU PATE A FONCER GÉNOISE	carolines — petits choux petites génoises crème au beurre sous différentes formes et différents parfums
FRUITS DÉGUISÉS		PATE D'AMANDE ET FRUITS	pruneaux — dattes — amandes bigarreaux confits, etc.

● PIÈCES CHAUDES

CROQUE-MONSIEUR		PAIN DE MIE	gruyère + jambon + beurre
RAMEQUINS		PATE A CHOU	
GOUGÈRES		PATE A CHOU	
QUICHETTES	**SALÉS**	PATE A FONCER	jambon + lard fumé + gruyère + œufs + crème
PISSALADIÈRES		PATE A FONCER FEUILLETAGE	oignons + tomates + anchois + olives noires
BARQUETTES		PATE A FONCER	volaille — œufs brouillés — huîtres crustacés, etc.
SAUCISSES		FEUILLETAGE BRIOCHE	saucisses cocktail feuilletées chipos en brioche pruneaux bacon et saucisse

● AUTRES ÉLÉMENTS DIVERS

— amandes, cacahuètes, noix de cajou salées, etc.,
— pommes chips,
— olives nature, farcies...

REMARQUE

Ces suggestions n'ont pas la prétention de former une liste exhaustive. Ce ne sont en fait que quelques exemples types.

INDEX ALPHABETIQUE

Q

R

S

BIBLIOGRAPHIE

LE GUIDE CULINAIRE . . . . A. ESCOFFIER

LE GRAND LAROUSSE ENCYCLOPÉDIQUE

LE NOUVEAU LAROUSSE GASTRONOMIQUE

LE MANUEL ÉLÉMENTAIRE D'ALIMENTATION HUMAINE . . . . . . J. TRÉMOLIÈRES

LE GRAND LIVRE DE LA CUISINE . . . . P. SALLES et P. MONTAGNE

LE DICTIONNAIRE UNIVERSEL DE LA CUISINE . . . . J. FAVRE

LA CUISINE DES CONSERVES ET SURGELÉS . . . . LAROUSSE

CE QUE VOUS DEVEZ SAVOIR SUR LES PRODUITS SURGELÉS . . PRIMAGEL

CONNAISSANCE NATIONAL DE PROPAGANDE DU LAIT ET PRODUITS LAITIERS

CENTRE D'ÉTUDES DU SUCRE

L'ÉQUIPEMENT DU FOYER n° 21

L'ÉQUIPEMENT DU FOYER n° 34

L'ÉQUIPEMENT DU FOYER (spécial aluminium) n° 13

L'ÉQUIPEMENT AGRICOLE — LA CONGÉLATION COLLECTIVE NOV. 1964

MATÉRIEL DE CUISINE

Photographies et documentation aimablement prêtées par les établissements :

CHOMETTE-FAVOR
J. GAILLARD ET FILS
BRIFFAULT
LABESSE LOBRY
ROSIÈRES
ZOPPAS
ROBOT COUPE S.A.
DITO SAMA
BOURGEAT

MORA ET Cie
LE CREUSET
BONNET
HOBART
ISECO
TRICAULT
IRAC
PHILIPPS (impl. Cuisine)

Imprimerie S.I.P.F. Malakoff - Dépôt légal 2e trimestre 1979.